Cualquiera que haya leído algo de John Frame, sin duda se ha visto beneficiado. *La Doctrina del Conocimiento de Dios* es otro ejemplo… Lo recomiendo de todo corazón.

Paul D. Feinberg
Profesor emérito de filosofía y teología sistemática en *Trinity Evangelical Divinity School*

El programa teológico de Frame, alimentado con un espíritu irénico, es un tesoro para la Iglesia de Jesucristo.

P. Andrew Sandlin
Fundador y presidente del *Center for Cultural Leadership*

Un tratamiento magnífico que será un trabajo referente durante décadas. Frame se sitúa en la gran tradición reformada de Calvino y Charnock, Hodge y Bavinck. Sin embargo, en su tratamiento de la doctrina de Dios, los supera a todos con una asombrosa amplitud de conocimientos y profundidad de comprensión. En cada sección, Frame trae una nueva visión de las viejas doctrinas.

Wayne Grudem
Profesor investigador de Biblia y teología, *Seminario de Phoenix*

Una presentación meticulosamente bíblica, notablemente convincente y poderosamente transformadora.

Richard L. Pratt Jr.
Presidente del Ministerio *Tercer Milenio*

Un excelente tratamiento de la epistemología evangélica… El autor está manifiestamente bien informado sobre su tema.

Roger R. Nicole
Profesor emérito de teología en *Reformed Theological Seminary*

Abre caminos de manera estimulante y profunda en la metodología teológica y la apologética, así como en las cuestiones teológicas centrales sobre el conocimiento de Dios.

Vern S. Poythress
Profesor de hermenéutica y Nuevo Testamento en *Westminster Theological Seminary*-PA

La amplitud del libro es notable… Un hito en la discusión en curso de la apologética y el método teológico.

William S. Sailer
Director y editor de *Religious and Theological Abstracts*

Ningún cristiano que se tome en serio el pensar en los pensamientos de Dios sobre él puede permitirse el lujo de perderse este libro.

Peter J. Leithart
Presidente del *Instituto de estudios Bíblicos, Culturales y Litúrgicos Theopolis*

Un tratamiento de gran alcance de la epistemología cristiana… para aquellos que se sienten atraídos por los compromisos y presuposiciones de Frame, el libro será estimulante y frecuentemente consultado.

Donald K. McKim
Editor académico de *Westminster John Knox Press*

Se atreve a sugerir correcciones y/o nuevas interpretaciones de la obra de Cornelius Van Til… mucho alimento para el pensamiento.

Ronald H. Nash
Profesor emérito de teología y filosofía en *Reformed Theological Seminary*

Extremadamente relevante... simplemente lo mejor que he visto en esta área.

Reginald McLelland
Profesor emérito de filosofía en *Covenant College*

Puede resultar ser uno de los libros de teología más útiles y multifuncionales escritos en esta generación… su claridad analítica y su estilo… se complementan con un enfoque notablemente cálido, no técnico, realista y "de camisa de marinero".

Philip Blosser
Profesor de filosofía en *Sacred Heart Major Seminary*

LA DOCTRINA DEL CONOCIMIENTO DE DIOS

Teología del Señorío

TEOLOGÍA PARA VIVIR
Fe y Palabra

JOHN FRAME

Impreso en Lima, Perú

LA DOCTRINA DEL CONOCIMIENTO DE DIOS: TEOLOGÍA DEL SEÑORÍO

Título original: John Frame, *The Doctrine of the Knowledge of God: Theology of Lordship* (Phillipsburg: NJ: P&R Publishing, 1987). All rights reserved. Todos los derechos reservados para la edición en español para Teología para Vivir.
Autor: © John Frame
Traducción: Jaime D. Caballero
Revisión de traducción: Elioth Fonseca.
Diseño de cubierta: Billy Jerry Gil Contreras.
Serie: Apologética y Ética - **Volumen:** 01

Editado por:
©TEOLOGIAPARAVIVIR.S.A.C
José de Rivadeneyra 610.
Urb. Santa Catalina, La Victoria.
Lima, Perú.
ventas@teologiaparavivir.com
https://www.facebook.com/teologiaparavivir/
www.teologiaparavivir.com
Primera edición: Junio de 2020
Tiraje: 1000 ejemplares

Hecho el Depósito Legal en la Biblioteca Nacional del Perú, N°: 2020-03842
ISBN: 978-612-48260-0-9

Se terminó de imprimir en junio de 2020 en:
ALEPH IMPRESIONES S.R.L.
Jr. Risso 580, Lince
Lima, Perú.

TABLA DE CONTENIDOS

BOSQUEJO ANALÍTICO

PREFACIO

Este libro fue escrito como texto para mi curso en el Seminario Teológico de Westminster en California llamado "La Mente Cristiana". El curso, una introducción a la teología y a la apologética, comienza con una breve introducción a la fe reformada, seguida de una unidad sobre la Palabra de Dios, y termina con discusiones sobre algunos problemas de apologética (por ejemplo, la existencia de Dios, el problema del mal). Entre estas dos unidades —Palabra de Dios y problemas de apologética— hay una sección sobre la teología del conocimiento (epistemología cristiana, si se prefiere), que es el tema de este volumen.

La organización de mi curso explicará por qué en este libro soy tan dogmático como para asumir la teología reformada sin argumentos, especialmente en asuntos como la inerrancia bíblica. Confío en que en el futuro pueda publicar materiales que cubran las otras áreas de mi curso. Sin embargo, si el lector no simpatiza con mis puntos de vista teológicos generales, le pido su paciencia; es posible que encuentre que parte de este material le será útil. Además, espero que este libro ayude a algunos lectores de otras tendencias teológicas a ver una posición ortodoxa y reformada "desde adentro". Espero mostrar a estos lectores, en cierta medida, la riqueza de los recursos teológicos disponibles para la ortodoxia reformada y, por lo tanto, hacer que esa posición sea más atractiva para ellos. Por lo tanto, más bien indirectamente, este libro constituye una especie de argumento para mi posición teológica, para aquellos lectores dispuestos a darme algún beneficio de la duda.

¡De hecho, los lectores de todas las posiciones teológicas tendrán que darme algo de ese beneficio! Al leer el manuscrito, parece que hay algo en él que crea dificultades para casi todo tipo de lectores. Algunas de ellas son demasiado difíciles para quienes carecen de formación teológica (por ejemplo, las secciones sobre el antiabstraccionismo y la base de la lógica); otras pueden parecer demasiado sencillas para quienes tienen formación teológica (por ejemplo, el material sobre el método apologético). Algunas partes simplemente reúnen ideas tradicionales que han sido declaradas por otros autores (por ejemplo, el presuposicionalismo Van Tilliano, la dialéctica racionalista-irracionalista de Van Til). Otras partes son bastante nuevas, al menos en un contexto ortodoxo (teología como aplicación, multiperspectivalismo, apreciación del subjetivismo, antiabstraccionismo, críticas de la teología bíblica y sistemática, polémica contra el ideal de la precisión total en teología, ataque a la crítica a nivel de palabra, ataque al "orden lógico", etc.). Así consigo ofender tanto a los tradicionalistas como a los vanguardistas.

Además, sigo pensando que en la mayoría de los puntos del libro sería útil tener más argumentos. Sin embargo, el libro ya es terriblemente largo, y una de mis tesis es que el argumento teológico tiene que empezar y terminar en alguna parte. No todo puede ser discutido a satisfacción de todos. Creo que para aquellos lectores que quieran darme el beneficio de la duda, el libro es suficiente para presentar al menos las líneas principales de un argumento adecuado para sus posiciones. Para aquellos que no están dispuestos a darme ese beneficio, bueno, puede que yo no sea el adecuado para ayudarlos.

Otro grupo que posiblemente haya ofendido son las lectoras o al menos las mujeres (y los hombres) que comparten ciertas ideas feministas actuales sobre el uso del lenguaje. Por un lado, nuestro lenguaje está cambiando un poco en una dirección no sexista, y a menudo me he encontrado escribiendo "seres humanos" o "personas", en lugar de "hombres", en ciertos contextos. Por otra parte, confieso que no siempre he evitado los pronombres masculinos genéricos; no siempre he escrito "él o ella" en lugar del "él" tradicional cuando me refiero a un sujeto indefinido. Por ejemplo, me he referido al "teólogo" como "él", en lugar de "él o ella" o (tan a menudo en publicaciones recientes) como "ella".

Mi práctica no refleja la creencia de que las mujeres no pueden ser teólogas. Todo lo contrario. Porque según este libro, ¡todos son teólogos! Yo creo que solo los hombres son llamados a la enseñanza del pastorado de la iglesia, pero el interés de este libro es más amplio que eso. ¿Por qué, entonces, me resisto, hasta cierto punto, a la tendencia hacia el lenguaje "no sexista"?

(1) Usar "él o ella" en lugar de "él" como pronombre genérico sigue sonando incómodo para mí. Posiblemente eso cambiará en diez o veinte años, pero estoy escribiendo en 1986.

(2) El idioma inglés está completo sin los nuevos circunloquios. El uso genérico del pronombre masculino no excluye a las mujeres. (Búscalo en el diccionario). Por lo tanto, el nuevo idioma es lingüísticamente superfluo.

(3) Teológicamente, creo que Dios ordenó al hombre para representar a la mujer en muchas situaciones (*cf.* 1 Co. 11:3), por lo que el pronombre masculino genérico tiene una adecuación que es más que meramente lingüística. No es que fuera incorrecto reemplazarlo por "él o ella" para algunos propósitos; sería incorrecto, sin embargo, condenar el lenguaje más antiguo.

(4) Me doy cuenta de que el lenguaje cambia y que uno debe, hasta cierto punto, "seguir la corriente". Sin embargo, me molestan los intentos de cambiar el lenguaje en interés de una ideología política, ¡especialmente una con la que no estoy totalmente de acuerdo! Siento la obligación de aceptar el cambio lingüístico cuando surge de las "bases", de algún consenso cultural. Sin embargo, cuando la gente intenta imponerla mediante presión política, creo que tengo derecho, al menos durante un tiempo, a resistir.

(5) ¿Se ofenden las mujeres por los pronombres genéricos? Dudo que muchas de ellas lo hagan. Probablemente los ofendidos son en su mayoría feministas "profesionales". En cualquier caso, no creo que las mujeres tengan derecho a ser ofendidas, ya que el lenguaje genérico, de hecho, no las excluye (ver (2), arriba). Además, creo que las propias feministas profesionales son culpables de insultar a las mujeres cuando afirman que este lenguaje es ofensivo. Porque están diciendo, en efecto, que las mujeres no entienden el idioma inglés, porque se sienten ofendidas por un idioma que, según el diccionario, no es ofensivo.

(6) Lo más importante es que no se trata de un libro sobre "cuestiones de la mujer" y, por lo tanto, no quiero utilizar locuciones que distraigan la atención del lector, haciéndole (¡o ella!) pensar en los derechos de la mujer cuando quiero que piense, por ejemplo, en la justificación posicional.

Para muchos lectores, este libro será un texto de referencia. Pocos se molestarán en leerlo hasta el final (¡aunque puedo obligar a mis estudiantes a hacerlo!). Eso está bien, pero tales lectores deben reconocer que el libro es un argumento conectado y que el material hacia el final puede ser un poco desconcertante (aunque no totalmente inútil) para alguien que no ha leído las secciones anteriores. Pero tales direcciones pueden ser superfluas. La mayoría de los lectores, confío, leen con sentido común.

Deseo reconocer la ayuda de muchos que han contribuido a mi pensamiento en general y a este libro en particular. Gracias a mi madre y (ahora fallecido) padre que toleró muchas tonterías teológicas de mi parte en mis años de formación. A Bob Kelley y Alberta Meadowcroft, quienes primero despertaron mi fascinación por Dios, por Jesucristo y por la vida cristiana. A John Gerstner, quien me introdujo por primera vez en un pensamiento teológico serio y riguroso y me mostró que tal pensamiento era posible dentro de una confesión cristiana ortodoxa, incluso exigida por ella. Al Pastor Ed Morgan, al Dr. Donald B. Fullerton y a la Fraternidad Evangélica de Princeton, quienes me desafiaron a estudiar las Escrituras a fondo, recordándome que las respuestas de Dios son las más importantes en todas las áreas de la vida. A dos profesores de Princeton: Dennis O'Brien, un católico romano poco ortodoxo que me inició pensando en una dirección "perspectival", y el difunto

Walter Kaufmann, quien a pesar de su anticristianismo militante logró enseñarme que la filosofía y la teología podían ser divertidas. A Cornelius Van Til, la principal influencia intelectual de mis años de seminario y más allá. A otros profesores del seminario, especialmente a Edmund P. Clowney, Meredith G. Kline, y John Murray, quienes me mostraron riquezas en las Escrituras más allá de mis imaginaciones más fantásticas. A Paul Holmer, mi consejero en Yale, que plantó muchos pensamientos en mi cabeza (¡sin duda se horrorizará al descubrir lo que he hecho con ellos!). A muchos estudiantes y colegas con los que he tenido conversaciones provechosas, especialmente Greg Bahnsen, Vern Poythress, Jim Jordan, Carl Ellis, Susanne (Klepper) Borowik y Rich Bledsoe. A John Hughes, que ha editado y mecanografiado con esmero este volumen y ha hecho un gran número de valiosas sugerencias. A Lois Swagerty y Jan Crenshaw, que escribieron partes del manuscrito. A todos los Dombeks y a todos los Laverells, cuya amistad cristiana me nutrió y fortaleció de muchas maneras. A las facultades y juntas de los Seminarios Teológicos de Westminster (de Filadelfia y Escondido) por sus muchos alientos y por su paciencia al aceptarme durante tantos años como profesor (relativamente) desconocido. A Dick Kaufmann, cuyo precioso ministerio del Evangelio ha renovado constantemente mi fe.

A mi amada Mary, el ser humano más amable, más dulce, más piadoso que conozco, cuyo amor me ha sostenido y me ha motivado a perseverar en mi trabajo. Y finalmente, "al que nos ama y nos ha librado de nuestros pecados con su sangre, y nos ha hecho un reino y sacerdotes para servir a su Dios y Padre, a él sea gloria y poder por los siglos de los siglos. Amén" (Ap. 1:5-6).

INTRODUCCIÓN: LA EPISTEMOLOGÍA Y EL CURRÍCULO TEOLÓGICO

Las *Instituciones* de Calvino no comienzan con una discusión de la autoridad bíblica o de la doctrina de Dios, como la mayoría de las teologías reformadas después de Calvino, sino con una discusión del "conocimiento de Dios". El tema con el que un autor comienza un libro no es necesariamente "central" o "fundamental" para su pensamiento, pero claramente las instituciones comienzan con un tema muy cercano al corazón de Calvino. En las *Instituciones*, el "conocimiento de Dios" es a la vez básico y distintivo, ya que hay muy poco que se compare con él en los escritos de los predecesores o sucesores de Calvino. El punto no es que en su contexto histórico solo Calvino escribió extensamente sobre el conocimiento de Dios.

Mucha gente escribió sobre este tema al considerar la cognoscibilidad e incomprensibilidad de Dios, la razón humana, la fe, la iluminación, la revelación, las Escrituras, la tradición, la predicación, los sacramentos, la profecía, la Encarnación, y así sucesivamente. Y por supuesto mucha gente escribió sobre la salvación, que (como veremos) es virtualmente equivalente al "conocimiento de Dios", visto desde una cierta perspectiva. Sin embargo, parece que a Calvino le gustaba mucho la frase "conocimiento de Dios", y esa afición indica una preferencia que es más que meramente lingüística. Para Calvino, el "conocimiento de Dios" era un concepto "fundamental", un concepto por medio del cual pretendía enfocar todos sus otros conceptos, un concepto por el cual buscaba hacer que todos sus otros conceptos fueran entendidos. El "conocimiento de Dios" no es el único concepto "central" en Calvino, ni es necesariamente el más importante. A diferencia de muchos escritores modernos, Calvino no era un "teólogo" de esto o aquello (la

Palabra, el encuentro personal, la autocomprensión, la crisis, el proceso, la esperanza, la liberación, el pacto, la Resurrección, o incluso el "conocimiento de Dios"). Sin embargo, Calvino reconoció el "conocimiento de Dios" como una perspectiva importante a través de la cual toda la Biblia puede ser entendida de manera útil, como un medio útil para resumir todo el mensaje bíblico, además de ser una clave para ciertas áreas específicas de la enseñanza bíblica.

¿De dónde sacó Calvino esta notable idea? Sin duda a través de su propio estudio de las Escrituras. Tendemos a olvidar cuán a menudo en las Escrituras Dios realiza Sus actos poderosos para que los hombres "sepan" que Él es el Señor (*cf.* Ex. 6:7; 7:5, 17; 8:10, 22; 9:14, 29s; 10:2; 14:4, 18; 16:12; Is. 49:23, 26; 60:16; etc.). Tendemos a olvidar cuán a menudo la Escritura enfatiza que, aunque en un sentido toda la gente conoce a Dios (*cf.* Ro.1:21), en otro sentido tal conocimiento es el privilegio exclusivo del pueblo redimido de Dios y de hecho la meta final de la vida del creyente. ¿Qué podría ser más "central" que eso? Pero en nuestra teología moderna -ortodoxa y liberal, académica y popular- este lenguaje no llega fácilmente a nuestros labios. Hablamos mucho más fácilmente acerca de ser salvos, nacidos de nuevo, justificados, adoptados, santificados, bautizados por el Espíritu; acerca de entrar al reino, morir y resucitar con Cristo; y acerca de creer y arrepentirnos que acerca de conocer al Señor. Para Calvino, no había tal aprensión. Se sentía como en casa con el lenguaje bíblico; lo hizo realmente suyo. Y al hacerlo, desentrañó un rico tesoro de enseñanzas bíblicas que hoy desconocemos en gran medida.

Pero tenemos hambre de ello. Las preguntas sobre el conocimiento —cuestiones epistemológicas— son una preocupación de nuestro tiempo. Las preguntas básicas planteadas por Hume y Kant han hecho que los filósofos modernos (así como los científicos, teólogos, artistas, sociólogos, psicólogos, etc.) estén profundamente obsesionados con los problemas de lo que podemos saber y cómo lo podemos saber. Tales temas también dominan con frecuencia las discusiones entre los cristianos no académicos: ¿Cómo puedo saber que la Biblia es verdadera? ¿Cómo puedo saber que soy salvo? ¿Cómo puedo conocer la voluntad de Dios para mi vida? ¿Cómo podemos, con las predisposiciones y prejuicios estadounidenses del siglo XX, saber realmente lo que significa la Escritura? La doctrina bíblica del conocimiento de Dios no fue inventada como una respuesta a Hume y Kant o al escepticismo moderno en general o al escepticismo antiguo, para el caso. Aborda principalmente cuestiones de otro tipo. Pero también aborda las cuestiones modernas de una manera poderosa.

Y hay señales de que Dios (en su misteriosa demora histórica, que nunca es tarde) está enseñando estas verdades nuevamente a su iglesia. Se han escrito muchos artículos útiles en revistas bíblicas y diccionarios sobre el concepto de "conocimiento" en las Escrituras. Y hay incluso algunos libros sobre este tema (ver la Bibliografía). La obra de F. Gerald Downing *"¿Tiene el cristianismo una revelación?"*[1] (él responde que no) llega a extremos bastante absurdos, pero en el camino dice algunas cosas muy útiles sobre la revelación y el conocimiento en las Escrituras. 1 (él responde que no) llega a extremos bastante absurdos, pero en el camino dice algunas cosas muy útiles sobre la revelación y el conocimiento en las Escrituras. La apologética de Cornelius Van Til ha dado algunos pasos gigantescos hacia la reforma de nuestra epistemología cristiana y nuestro método teológico. Estos desarrollos, sin embargo, no han afectado profundamente la enseñanza contemporánea de la teología sistemática o la predicación y teologización popular de nuestros días.

Por lo tanto, como parte de una solución, siguiendo a Calvino (pero alejándome de mucha teología reformada desde su época), he introducido una unidad formal sobre el "conocimiento de Dios" como parte de mi enseñanza en teología sistemática. La idea me vino hace diez años, cuando el Seminario de Westminster decidió combinar su curso de teología del primer semestre (que incluye unidades sobre Introducción a la Teología, La Palabra de Dios, y Revelación, Inspiración e Inerrancia) con su curso de apologética del primer semestre. Ambos cursos estaban profundamente preocupados por la epistemología. En el curso de teología, preguntamos sobre la naturaleza de la teología y sobre el método y la estructura teológica, así como sobre la autocomunicación de Dios con nosotros en la naturaleza, la Palabra y el Espíritu.

En el curso de apologética, tratamos con el conocimiento de Dios del incrédulo, sus diferencias con el conocimiento del creyente, y los medios por los cuales Dios reemplaza el primero con el segundo. Por lo tanto, parecía pedagógicamente sensato introducir una unidad sobre epistemología en el curso combinado de teología y apologética, y parecía un medio ideal para reintroducir en nuestro "sistema" gran parte de la enseñanza bíblica sobre el conocimiento de Dios. Y, por cierto, también me pareció un método útil para presentar algunas ideas frescas sobre lo que debería significar en nuestros días ser "reformados", ser simpatizantes de Calvino. Esos propósitos, entonces, definen lo que mi clase enseña y lo que este libro intenta hacer.

Pero, ¿dónde debería situarse la unidad de epistemología en la estructura más amplia del curso de teología-apologética que incluye la "Palabra de Dios" y varios temas apologéticos? Generalmente, las cuestiones de la enciclopedia teológica (es

---

[1] Londres: SCM Press, 1964.

decir, ¿dónde en nuestro sistema discutimos x-antes de qué y después de qué?) me
aburren; no son tan importantes como algunas personas creen. Lo más frecuente es
que se trate de preguntas sobre pedagogía mucho más que de cuestiones de
sustancia teológica; las respuestas dependen tanto de la naturaleza de un público o
de una situación particular como de la naturaleza de la verdad bíblica misma. No
hay un solo punto en el sistema teológico en el que deba discutirse la epistemología.
Mi decisión de discutir epistemología después de la unidad introductoria sobre la
Palabra de Dios, sin embargo, se basa en las siguientes líneas de pensamiento.

Uno podría argumentar que la doctrina del conocimiento de Dios debería ser
la primera introducción del estudiante a la teología sistemática. Después de todo,
parece que uno debe saber lo que es saber antes de emprender el negocio de saber
cosas específicas. Uno debe saber lo que es la teología antes de poder hacer teología.
¿Verdad? Bueno, sí y no. Por un lado, ciertamente hay mucha virtud en la idea de
discutir la epistemología hacia el comienzo del curso de estudio teológico de un
estudiante, ya que le proporciona conceptos y métodos que enriquecerán el resto de
su estudio.

Por otro lado, la falta de formación filosófica, lingüística y catequética de
muchos seminaristas me hace preguntarme si los alumnos de primer año están
preparados para abordar un área de estudio tan difícil como ésta. Y lo que es más
grave, hay un sentido en el que los estudiantes no están preparados para definir la
"teología" hasta que no lo hayan hecho, del mismo modo que no están preparados
para definir el "conocimiento" hasta que no hayan completado algún tipo de
aprendizaje. Contrariamente a nuestros prejuicios intelectualistas, la práctica de
algo generalmente precede a su definición. (La gente estaba escribiendo poesía y
pensando lógicamente mucho antes de que Aristóteles definiera la poesía y
formulara una lógica.) ¿Puedes hacer teología sin saber lo que es la teología? Por
supuesto, así como se puede decir la hora sin tener una definición de "tiempo", así
también se puede caminar, comer o respirar sin ser capaz de dar definiciones
precisas de esas actividades. Y a veces debemos hacer algo antes de poder definirlo.

Es apenas concebible que alguien pueda definir "ver" sin haber visto nunca
nada. Y si un ciego fuera capaz, a través de la lectura en diccionarios braille, de
definir la vista, imagínese cuán profunda sería su comprensión de ella después de
que su vista fuera restaurada. Un estudiante no está listo, en mi opinión, para
apreciar las definiciones de "teología" o de "conocimiento de Dios" a menos que
ya haya estudiado algo de teología y a menos que ya conozca a Dios.

Por lo tanto, pongo esta unidad en segundo lugar después de la unidad sobre
la Palabra de Dios. Esto satisface el deseo legítimo de tenerlo hacia el comienzo del
currículo (aunque no resuelve el problema de los conocimientos inadecuados de

muchos estudiantes), y da a los estudiantes alguna experiencia en teología antes de que aprendan, en un sentido formal, lo que es la teología. Además, este procedimiento tiene la ventaja de apoyar un tema importante de nuestro estudio: el conocimiento de Dios es una respuesta humana a la Palabra de Dios y se justifica por su conformidad con ella. Palabra de Dios, luego conocimiento de Dios; ese es el orden tanto en la experiencia como en nuestro plan de estudios.

Dentro de la unidad de clase y dentro de este libro, la estructura se ve así: Parte Uno: Los Objetos del Conocimiento (¿Qué es lo que sabemos?); Parte Dos: La Justificación del Conocimiento (¿Sobre qué base sabemos?); Parte Tres: Los Métodos de Conocimiento (¿Cómo es que sabemos?). Estas preguntas no son independientes. Para responder a una, usted debe tener algunas respuestas en las otras áreas, también. Por ejemplo, si va a definir los objetos del conocimiento (Parte Uno), no puede hacerlo a menos que lo haga sobre la base correcta (Parte Dos), usando un método apropiado (Parte Tres). En teología, como en otras disciplinas, sucede muy a menudo que las interrogantes son interdependientes de esta manera.

Sin embargo, esto no significa que debamos conocer todas las respuestas antes de poder conocerlas. Dios ha revelado Su verdad claramente, y todos nosotros tenemos algún conocimiento en cada área sobre la cual podemos construir. Comenzaremos con la primera pregunta, la usaremos para ayudarnos a responder a la segunda, y luego encontraremos que la segunda pregunta nos da una comprensión más completa de la primera, y así sucesivamente. La interdependencia de las interrogantes ayudará a nuestro estudio, no lo obstaculizará.

Un último comentario introductorio: el material de este libro no pretende hacer todo el trabajo de una epistemología filosófica. Por supuesto, habrá cierta superposición entre este libro y los trabajos sobre la teoría del conocimiento, pero no pretendo entrar en detalles sobre temas como las relaciones entre los datos sensoriales, los conceptos a priori, la sensación, la percepción, la abstracción, etc. Los estudios de tales temas tienen su lugar (que no debe servir como nuestra fuente última de certeza epistemológica), y pueden ser valiosos, especialmente cuando se desarrollan sobre la base de suposiciones cristianas. Pero nuestros propósitos son diferentes.

PRIMERA PARTE:

LOS OBJETOS DEL CONOCIMIENTO

¿Cuál es el "objeto" del conocimiento de Dios? Al conocer a Dios, ¿qué sabemos? Bueno, Dios, ¡por supuesto! Entonces, ¿qué queda por decir? Mucho.

En primer lugar, es importante que tengamos claro qué tipo de Dios queremos conocer. Hay muchos tipos diferentes de conocimiento, y las diferencias en la argumentación y en los métodos de conocimiento se basan a menudo en las diferencias en los objetos que conocemos. Llegamos a conocer a nuestros amigos de maneras diferentes a las que conocemos la Edad Media; conocer a la población de San Diego es diferente a conocer los Conciertos de Brandenburgo de Bach. Nuestros criterios, métodos y metas en el conocimiento dependerán de lo que busquemos saber. Conocer a Dios es algo totalmente único, ya que Dios mismo es único. Aunque muchos seres son llamados dioses por los hombres, solo hay un Dios vivo y verdadero, y Él es radicalmente diferente de cualquier cosa en la creación. No buscamos conocer a cualquier dios; buscamos conocer al Señor Jehová, el Dios de las Escrituras, el Dios y Padre de nuestro Señor Jesucristo. Así que debemos pasar un poco de tiempo en la "doctrina de Dios", aunque, como indiqué en el prefacio, en mi enseñanza y en mi escritura ese tema sigue la doctrina del conocimiento de Dios, el tema de este libro.

En segundo lugar, no llegamos a conocer a Dios, ni a ninguna otra cosa, en el vacío. Al conocer a Dios, llegamos a conocer sus relaciones con el mundo y con muchas cosas en el mundo, especialmente con nosotros mismos. No podemos conocer a Dios sin comprender algunas de esas relaciones: el Dios bíblico es el Dios del Pacto, el Creador y sustentador del mundo, el Redentor y juez de los hombres. Así que no podemos conocer a Dios sin conocer otras cosas al mismo tiempo, de ahí el plural de los objetos en el título de esta sección. Y, muy importante, no podemos saber otras cosas correctamente sin conocer a Dios correctamente. Así pues, la epistemología teísta, la doctrina del conocimiento de Dios, implica una epistemología general, una doctrina del conocimiento de todo. Así que en esta sección tendremos que discutir, al menos de manera limitada, todos los "objetos" del conocimiento humano.

Una palabra a algunos de ustedes que han estudiado epistemología antes: al comenzar este libro con una discusión de los "objetos" del conocimiento, no pretendo erigir una gran pared de separación entre "sujeto" y "objeto". Hacerlo sería destruir todo el conocimiento y sería totalmente contrario a las Escrituras. Verán que estoy en mayor peligro de relacionar sujeto y objeto demasiado cerca que de "dicotomizarlos" ilegítimamente. Sin embargo, uno tiene que empezar en alguna parte; no puede relacionar todo con todo lo demás de una sola vez, porque de lo contrario sería Dios. Así que empiezo con el "objeto" del conocimiento, y con el tiempo veremos cuán íntimamente ligado está ese objeto con el sujeto que lo conoce. Si alguien argumenta que incluso distinguirlos es presuponer una separación ilegítima, respondo que eso es una insensatez. Uno puede hacer una distinción sin dividir en ningún sentido significativo, por ejemplo, entre la estrella de la mañana y la estrella de la tarde, entre California y el Estado Dorado.

En esta sección discutiré (1) Dios, el Señor del Pacto, (2) Dios y el Mundo, y (3) Dios y Nuestros Estudios. En esos tres capítulos hablaremos de Dios, de su ley, de la creación, del hombre como imagen de Dios y de los "objetos" del conocimiento en teología, filosofía, ciencia y apologética. En cada una de estas disciplinas nos preguntaremos qué es lo que buscamos saber.

CAPÍTULO UNO: DIOS, EL SEÑOR DEL PACTO

¿Quién es este Dios que buscamos conocer? Las Escrituras lo describen de muchas maneras, y es peligroso aprovecharse de cualquiera de ellas como más básicas o más importantes que otras. Sin embargo, al tratar de resumir las enseñanzas de la Escritura, ciertamente es difícil hacerlo mejor que usar el concepto de "señorío" divino como punto de partida. "Señor" (*Yahvé* en hebreo) es el nombre con el que Dios se identificó al principio de su pacto con Israel (Ex. 3:13-15; 6:1-8; 20:1s.). Es el nombre (*kurios* en griego) que ha sido dado a Jesucristo como cabeza del Nuevo Pacto, como cabeza de Su cuerpo redimido (Jn. 8:58; Hch. 2:36; Ro. 14:9).

Las confesiones fundamentales de fe de ambos testamentos confiesan a Dios-Cristo-como Señor (Dt. 6:4ss.; Ro. 10:9; 1 Co. 12:3; Fil. 2:11). Dios realiza sus obras poderosas "para que sepáis que yo soy el Señor" (*cf.* Ex. 7:5; 14:4, 18; las referencias en la Introducción; y Sal. 83:18; 91:14; Is. 43:3; 52:6; Jer. 16:21; 33:2; Am. 5:8). En los momentos críticos de la historia de la redención, Dios anuncia: "Yo soy el Señor, yo soy él" (Is. 41:4; 43:10-13, 25; 44:6; 48:12; *cf.* 26:4-8; 46:3s.; Dt. 32:39s., 43; Sal. 135:13; Os. 12:4-9; 13:4ss.; Mal. 3:6, que alude a Ex. 3:13-15). En tales pasajes, no solo "Señor" sino también el énfasis en el verbo "ser" recuerdan la revelación del nombre de Éxodo 3:14.

Jesús también alude frecuentemente al "Yo soy" al presentar su propio carácter y oficio (Jn. 4:26; 8:24, 28, 58; 13:19; 18:5ss.; *cf.* 6:48; 8:12; 9:5; 10:7, 14; 11:25; 12:46; 14:6; 15:1, 5). Uno de los testimonios más notables de la deidad de Jesús es la manera en que Él y sus discípulos lo identificaron con Yahvé de Éxodo 3, un nombre tan estrechamente asociado con Dios que en un momento dado los judíos tuvieron temor incluso de pronunciarlo. Para resumir estos puntos: a lo largo de la historia redentora, Dios busca identificarse con los hombres como Señor y enseñarles y demostrarles el significado de ese concepto. "Dios es Señor" -ese es el mensaje del Antiguo Testamento; "Jesucristo es Señor" -ese es el mensaje del Nuevo.

A. EL CONCEPTO BÍBLICO DE SEÑORÍO

¿Qué es el señorío divino? Poco se puede aprender de las etimologías de Yahvé, *adonai* o *kurios.* Por un lado, esas etimologías son inciertas (especialmente la de *Yahvé),* y, además, la etimología no suele ser una guía fiable del significado. El inglés nice (lindo), por ejemplo, viene del latín *nescius*, que significa ignorante; los significados de las dos palabras son muy diferentes. Los significados de las palabras se descubren a través de una investigación de su uso, y tal investigación resulta fructífera en el estudio del vocabulario del señorío en la Escritura. Mi propio estudio puede resumirse de la siguiente manera.

(1) SEÑORÍO Y PACTO

En primer lugar, el señorío es un concepto pactual. "Señor" es el nombre que Dios se da a sí mismo como cabeza del Pacto Mosaico y el nombre dado a Jesucristo como cabeza del Nuevo Pacto (sobre esto, ver los pasajes citados anteriormente). Podemos, por lo tanto, definir el señorío divino como cabeza pactual.

El Pacto puede referirse a un contrato o acuerdo entre iguales o a un tipo de relación entre un señor y sus sirvientes. Los pactos divino-humanos en la Escritura, por supuesto, son de este último tipo. En los más prominentes, Dios como el Señor del pacto selecciona a un cierto pueblo de entre todas las naciones de la tierra para que sea suyo. Él gobierna sobre ellos por medio de Su ley, en condiciones en las cuales todos los que obedecen son bendecidos y todos los que desobedecen son maldecidos. Sin embargo, el pacto no es simplemente una ley, sino también una gracia. Fue la gracia de Dios, o favor inmerecido, por la cual el pueblo del pacto fue escogido. Y puesto que todos los hombres son pecadores, es solo por la gracia de Dios que habrá alguna bendición del pacto. Aun los réprobos -aquellos que no reciben bendiciones- son vasos de gracia, esto significa que Dios los usa para cumplir Sus propósitos de gracia (Ro. 9:22-23).

En un sentido amplio, todos los tratos de Dios con la creación son de carácter de pacto. Meredith Kline[1] y otros han observado que la narrativa de la creación en Génesis 1 y 2 es paralela en aspectos importantes a otras narrativas que describen

---

[1] Ver, Meredith G. Kline, *Images of the Spirit* (Grand Rapids: Baker Book House, 1980).

el establecimiento de pactos. Durante la semana de la creación, todas las cosas, plantas, animales y personas son designadas para ser siervos del pacto, para obedecer la ley de Dios, y para ser instrumentos (positiva o negativamente) de Su propósito de gracia. Así, pues, todo y todos están en pacto con Dios (cf. Isaías 24:5: todos los "habitantes de la tierra" han roto el "pacto eterno").

La relación Creador-criatura es una relación de pacto, una relación Señor-sirviente. Cuando el Señor escogió a Israel como Su pueblo especial para ser Señor sobre ellos de una manera peculiar, no les estaba dando un estatus absolutamente único; más bien, los estaba llamando esencialmente al estatus que todos los hombres ocupan pero que no admiten. A Israel, sin duda, se le dieron ciertos privilegios únicos (la tierra de Palestina, las instituciones de sacrificio, el profeta, el sacerdote, el rey, etc.), y Dios usó a Israel de una manera única para traer la redención (Cristo) al mundo. Así pues, Israel tenía ciertas responsabilidades únicas, representando al mundo a través de su dieta, vestimenta, calendario, etc., la naturaleza de la redención venidera. Pero esencialmente, Israel era simplemente un siervo de Dios, como todos los demás. Esto es solo para decir que Dios es el Señor de todo, que en todas Sus relaciones con el mundo Él habla y actúa como Señor.

(2) TRASCENDENCIA E INMANENCIA

Si Dios es la cabeza del pacto, entonces Él es exaltado por encima de Su pueblo; Él es trascendente. Si Él es la cabeza del pacto, entonces Él está profundamente involucrado con ellos; Él es inmanente. Note cuán hermosamente estos dos conceptos encajan cuando se entienden bíblicamente.

Históricamente se han desarrollado problemas terribles con conceptos de trascendencia e inmanencia. La trascendencia de Dios (Su exaltación, Su misterio) ha sido entendida como el hecho de que Dios está infinitamente alejado de la creación, tan lejos de nosotros, tan diferente de nosotros, tan "totalmente otro" y "totalmente escondido" que no podemos tener conocimiento de Él y no podemos hacer declaraciones verdaderas sobre Él. Tal dios, por lo tanto, no se ha revelado —y tal vez no pueda revelarse— a nosotros. Él está excluido de la vida humana, de modo que para propósitos prácticos nos convertimos en nuestros propios dioses. Dios no nos dice nada, y nosotros no tenemos ninguna responsabilidad con Él.

De manera similar, el concepto de inmanencia ha sido distorsionado en el pensamiento no cristiano, incluso en algunas posibles teologías cristianas. Se ha entendido que la inmanencia significa que Dios es virtualmente indistinguible del mundo, que cuando Dios entra en el mundo se vuelve tan "mundano" que no puede ser encontrado. Los "ateos cristianos" solían decir que Dios abandonó su divinidad y ya no existe como Dios. Los pensadores menos "radicales", como Barth y Bultmann, argumentaban que, aunque Dios todavía existe, Su actividad no puede ser identificada en el espacio y el tiempo, que afecta a todos los tiempos y lugares por igual y a ninguno en particular. Así que, en efecto, no hay revelación; no tenemos responsabilidad ante Dios.

Esos falsos conceptos de trascendencia e inmanencia encajan de una manera peculiar: ambos satisfacen el deseo del hombre pecador de escapar de la revelación de Dios, de evitar nuestras responsabilidades, de excusar nuestra desobediencia. Sin embargo, en el fondo son inconsistentes entre sí. ¿Cómo puede Dios estar infinitamente lejos de nosotros y ser totalmente idéntico a nosotros al mismo tiempo? Además, ninguno de estos conceptos es coherente. Si Dios es "totalmente otro", ¿cómo podemos saber o afirmar que es "totalmente otro"? ¿Qué derecho tenemos a hacer teología, si ese es el caso? Y si Dios es indistinguible del mundo, ¿por qué debería el teólogo molestarse en hablar de Dios? ¿Por qué no hablar simplemente del mundo? ¿Es la fe lo que valida tales palabras? ¿Fe basada en qué? ¿Puede tal fe ser más que un salto irracional en la oscuridad?

Pero si la trascendencia es la cabeza pactual, y si la inmanencia es la participación de Dios en el pacto con su pueblo, entonces estamos en una base sólida. Estamos usando conceptos enseñados en las Escrituras, no los inventados por filósofos incrédulos. Estamos contemplando relaciones que, por misteriosas que sean (y son misteriosas), son, sin embargo, muy parecidas a las relaciones interpersonales en la vida cotidiana (padre-hijo, gobernante-ciudadano, esposo-esposa).

Las diferencias entre el pensamiento bíblico y no bíblico sobre estas cuestiones pueden ser aclaradas (¡para algunos!) por la figura 1.

POSTURA CRISTIANA   **POSTURA NO-CRISTIANA**

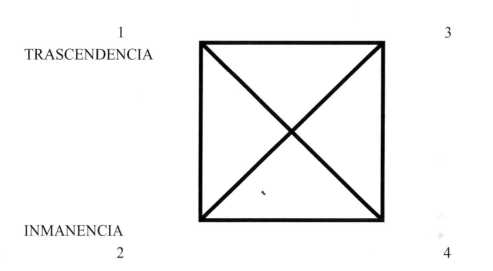

1
TRASCENDENCIA

3

INMANENCIA
2

4

Fig. 1. El cuadrado de la oposición religiosa.

Las cuatro esquinas representan cuatro afirmaciones:

1. Dios es la cabeza del pacto.
2. Dios está involucrado como Señor con sus criaturas.
3. Dios está infinitamente lejos de la creación.
4. Dios es idéntico a la creación.

Las afirmaciones 1 y 2 son afirmaciones bíblicas, 3 y 4 son antibíblicas. La primera afirmación representa una visión bíblica de la trascendencia divina, la segunda una visión bíblica de la inmanencia divina. La tercera afirmación representa una visión no bíblica de la trascendencia, la cuarta una visión no bíblica de la inmanencia. Así que las dos partes distinguen un enfoque cristiano de un enfoque no cristiano a las cuestiones de la inmanencia y trascendencia de Dios. La mitad superior del cuadrado trata del concepto de trascendencia, la mitad inferior de la inmanencia. Las líneas diagonales indican contradicciones directas, mostrando con precisión cómo difieren las dos posiciones: 1 afirma que Dios es distinto de la creación como Señor, 4 niega cualquier distinción en absoluto; 2 afirma una participación significativa, 3 la niega.

Las líneas horizontales indican similitud lingüística: tanto la 1 como la 3 pueden expresarse como puntos de vista de "trascendencia", "exaltación", "misterio", etc.; tanto la 2 como la 4 pueden describirse como formas de "implicación", "inmanencia", etc. Por lo tanto, hay mucho espacio para los malentendidos. Aunque los dos puntos de vista son diametralmente opuestos, pueden confundirse entre sí. Incluso los pasajes bíblicos pueden ser usados de manera confusa. Los pasajes sobre la grandeza de Dios, la exaltación, la incomprensibilidad, etc. pueden ser aplicados a 1 o 3, los pasajes sobre la cercanía divina a 2 o 4. Esto muestra por qué 3 y 4, que son esencialmente especulaciones filosóficas no cristianas, han ganado cierta aceptación entre los teólogos y las iglesias. Debemos trabajar poderosamente para aclarar estas diferencias y atacar la ambigüedad si queremos hablar claramente del clima teológico moderno.

Las líneas verticales 1-2 y 3-4 representan la estructura interna de cada sistema. Como hemos visto, 3-4 es inconsistente en un nivel básico, aunque 1-2 presenta una analogía significativa y coherente con la experiencia ordinaria tal como la interpretan las Escrituras.

(3) CONTROL, AUTORIDAD, PRESENCIA

Exploremos un poco más los conceptos de trascendencia (cabeza del pacto) e inmanencia (participación en el pacto). La trascendencia divina en las Escrituras parece centrarse en los conceptos de control y autoridad. El control es evidente en que el pacto es producido por el poder soberano de Dios. Dios trae a la existencia a sus siervos del pacto (Is. 41:4; 43:10-13; 44:6; 48:12s.) y ejerce control total sobre ellos (Ex. 3:8, 14).[2]

Como Señor, Él soberanamente los libera (Ex. 20:2) de la esclavitud y dirige todo el mundo natural (cf. las plagas en Egipto) para cumplir Sus propósitos para ellos. La autoridad es el derecho de Dios a ser obedecido, y puesto que Dios tiene tanto control como autoridad, Él encarna tanto el poder como el derecho. Una y otra vez, el Señor del pacto enfatiza cómo Sus siervos deben obedecer Sus mandamientos (Ex. 3:13-18; 20:2; Lv. 18:2-5, 30; 19:37; Dt. 6:4-9). Decir que la autoridad de Dios es absoluta significa que Sus mandamientos no pueden ser cuestionados (Job 40:11ss; Ro. 4:18-20; 9:20; He. 11:4, 7, 8, 17, *passim*), que la autoridad divina trasciende todas las demás lealtades (Ex. 20:3; Dt. 6:4s; Mt. 8:19-22; 10:34-38; Fil. 3:8), y que esta autoridad se extiende a todas las áreas de la vida humana (Ex.; Lv.; Nm.; Dt.; Ro. 14:32; 1 Co. 10:31; 2 Co. 10:5; Col. 3:17, 23). Control y autoridad —estos son los conceptos que salen a la luz cuando el Señor se

---

[2] Cf. Ex. 33:18; 34:6; y Geerhardus Vos, *Biblical Theology* (Grand Rapids: Wm. B. Eerdmans Pub. Co., 1959), 129–34.

nos presenta como exaltado por encima de la creación, y están lo más alejados posible de cualquier noción de Dios como "totalmente diferente" o como "infinitamente distante".

La inmanencia de Dios puede describirse como "solidaridad de pacto". Dios elige a su pueblo del pacto e identifica sus metas con las suyas. El corazón de la relación se expresa en las palabras "Yo seré tu Dios y tú serás mi pueblo" (Lv. 26:12; *cf.* Ex. 29:45; 2 S. 7:14; Ap. 21:27). Se llama a sí mismo como su Dios — "Dios de Israel"—, identificándose así con ellos. Despreciar a Israel es despreciar a Dios, y viceversa. De esta manera, Dios está "con ellos" (Ex. 3:12), cerca de ellos (Dt. 4:7; *cf.* 30:14), Emanuel (*cf.* Gn. 26:3; 28:15; 31:3; 46:4; Ex. 3:12; 33:14; Dt. 31:6, 8, 23; Jue. 6:16; Jer. 31:33; Is. 7:14; Mt. 28:20; Jn. 17:25; 1 Co. 3:16s.; Ap. 21:22). Por lo tanto, a veces describiremos la "solidaridad del pacto" de Dios como una "presencia" o "cercanía", y esta cercanía, como la exaltación de Dios, es una característica definitoria del señorío de Dios (Ex. 3:7-14; 6:1-8; 20:5, 7, 12; Sal. 135:13s; Is. 26:4-8; Os. 12:4-9; 13:4s.; Mal. 3:6; Jn. 8:31-59; *cf.* Lv. 10:3; Sal. 148:14; Jon. 2:7; Ro. 10:6-8; Ef. 2:17; Col. 1:27). Para enfatizar la cercanía espiritual entre él e Israel, Dios se acerca a ellos en un sentido espacial: en el monte Sinaí, en la nube y en la columna del desierto, en la tierra prometida, en el tabernáculo y en el templo. Y también se acerca en el tiempo; Él es "ahora" así como "aquí".

Cuando la gente es tentada a pensar en el pacto como un artefacto del pasado distante, Dios les recuerda que Él es el mismo hoy que ayer. Él es el Dios del presente y del futuro, tanto como es el Dios de Abraham, Isaac y Jacob; Él es el Dios que está listo ahora para liberar (*cf.* Ex. 3:15; 6:8; Is. 41:4, 10, 13; Dt. 32:7, 39s., 43; Sal. 135:13; Is. 26:4-8; Os. 12:4-9; 13:4s.; Mal. 3:6; Jn. 8:52-58). Así pues, el señorío de Dios es un concepto profundamente personal y práctico. Dios no es un principio abstracto vago ni una fuerza, sino una persona viva que tiene comunión con su pueblo. Él es el Dios vivo y verdadero, a diferencia de todos los ídolos sordos y mudos de este mundo. El conocimiento de Él, por lo tanto, es también un conocimiento de persona a persona. La presencia de Dios no es algo que descubrimos a través de una refinada inteligencia teórica. Más bien, Dios está inevitablemente cerca de Su creación. Estamos involucrados con Él todo el tiempo.

Como regulador y autoridad, Dios es "absoluto", es decir, su poder y sabiduría están más allá de cualquier posibilidad de ser desafiado con éxito. Así Dios es eterno, infinito, omnisciente, omnipotente, y así sucesivamente. Pero esta absolutez metafísica no obliga (como en el pensamiento no cristiano) a Dios a desempeñar el papel de principio abstracto. El no cristiano, por supuesto, puede aceptar un absoluto solo si ese absoluto es impersonal y por lo tanto no hace demandas y no tiene poder para bendecir o maldecir. Hay dioses personales en el paganismo, pero ninguno de ellos es absoluto; hay absolutos en el paganismo, pero ninguno es personal. Solo en el cristianismo (y en otras religiones influenciadas por la Biblia) existe un concepto como "absoluto personal".

Control, autoridad y presencia personal: recuerde esa tríada. Aparecerá a menudo en este libro, porque no conozco otra manera mejor de resumir el concepto bíblico del señorío divino. Y ya que el señorío en sí es tan central, nos encontraremos con esta tríada una y otra vez. Me referiré a esas tres ideas colectivamente como los "atributos de señorío" de Dios. Recuerde, también, el concepto de Dios como trascendente e inmanente y como absoluto personal (es decir, personalidad absoluta). Encontraremos estas categorías muy útiles para resumir la visión cristiana del mundo y para contrastarla con la no cristiana.

También es importante que veamos los tres atributos del señorío como formando una unidad, no como separados el uno del otro. Dios es "simple" en el sentido teológico (no compuesto de partes), así que hay un sentido en el que, si tienes un atributo, los tienes a todos. Todos los atributos de Dios se involucran entre sí, y ese es definitivamente el caso de la tríada del señorío. El control de Dios, de acuerdo a las Escrituras, involucra autoridad, porque Dios controla aún la misma estructura de la verdad y la rectitud. El control implica la presencia, porque el poder de Dios es tan penetrante que nos lleva cara a cara con Él en cada experiencia. La autoridad implica control, porque los mandamientos de Dios presuponen su plena capacidad para hacerlos cumplir. La autoridad implica la presencia, porque los mandamientos de Dios se revelan claramente y son el medio por el cual Dios actúa en medio de nosotros para bendecir y maldecir. La presencia implica control, puesto que no hay nada en el cielo o en la tierra que nos aleje de Dios o de nosotros (Juan 10; Romanos 8). La presencia implica autoridad, porque Dios nunca está presente aparte de Su Palabra (*cf.* Dt. 30:11ss; Jn. 1:1ss; etc.; y ver mi todavía no publicada Doctrina de la Palabra de Dios).

En resumen, conocer a Dios es conocerlo como Señor, "saber que yo soy el Señor". Y conocerlo como Señor es conocer Su control, autoridad y presencia.

B. SEÑORÍO Y CONOCIMIENTO

¿Cómo afecta el carácter de Dios como Señor a la manera en que lo conocemos? Consideremos varias implicaciones de la discusión anterior.

(1) LA COGNOSCIBILIDAD Y LA INCOMPRENSIBILIDAD

a. Todo el mundo conoce a Dios

Debido a que Dios es Señor, Él no solo es conocible, sino que también es conocido por todos (Ro. 1:21). El "agnóstico" que dice que no sabe si Dios existe se engaña a sí mismo y puede estar tratando de engañar a otros. La presencia del pacto de Dios es con todas sus obras, y por eso es ineludible (Sal. 139). Además, todas las cosas están bajo el control de Dios, y todo conocimiento, como veremos, es un reconocimiento de las normas divinas para la verdad. Es un reconocimiento de la autoridad de Dios. Por lo tanto, al saber algo, conocemos a Dios. Aun aquellos que no tienen las Escrituras tienen este conocimiento: conocen a Dios, conocen sus obligaciones para con Él (Ro. 1:32), y conocen la ira que está sobre ellos debido a su desobediencia (Ro. 1:18).

Pero en un sentido más profundo, solo los creyentes conocen a Dios, solo los cristianos tienen un conocimiento de Dios que es la esencia de la vida eterna (Jn. 17:3; *cf.* Mt. 11:27; Jn. 1:14; 1 Co. 2:9-15; 13:12; 2 Co. 3:18; 2 Ti. 1:12, 14ss.; 1 Jn. 5:20). Cuando este conocimiento está en la mira, se puede decir por comparación que los incrédulos son ignorantes, que no conocen a Dios (1 Co. 1:21; 8:2; 15:34; Gá. 4:8; 1 Ts. 4:5; 2 Ti. 3:7; Tit. 1:16; He. 3:10; 1 Jn. 4:8).

Aunque los no cristianos conocen a Dios, frecuentemente tratan de negar que Él es conocido o incluso conocible. Desean evitar ser confrontados con la gloria de Dios, con sus demandas y con su juicio; no quieren tener nada que ver con su amor. La negación del conocimiento de Dios proviene de una situación personal y moral. Los puntos de vista sobre Dios —cristianos y no cristianos por igual— siempre surgen de la relación personal con Dios, de la orientación ética y religiosa de una persona.

También podemos entender la posición del no-cristiano al ver cómo se relaciona con sus puntos de vista de trascendencia e inmanencia, como lo señalamos anteriormente. Por un lado, si Dios está tan lejos que no puede ser claramente identificado (es decir, trascendente), entonces por supuesto que no puede ser conocido. Por otro lado, si Dios está tan cerca del mundo que no puede ser distinguido de él (es decir, inmanente), entonces de nuevo somos ignorantes de Dios. O tal vez se podría decir que como Dios es tan inmanente, tan "cerca de nosotros", podemos conocerlo perfectamente bien, tal vez con la razón humana autónoma, (es decir, racionalismo), o por algún tipo de intuición mística. Pero el dios que se conoce a través de tales métodos no será el Dios de las Escrituras; será un dios de la propia invención del hombre —sujeto al control del hombre, cediendo a los propios métodos de conocimiento del hombre, sujeto a los criterios del hombre. Así, tanto la trascendencia no cristiana como los puntos de vista de la inmanencia niegan el conocimiento del Dios bíblico. La metafísica y la epistemología están interrelacionadas; la naturaleza de Dios determina su capacidad de ser conocido. Una vez que niegas el señorío de Dios, no serás capaz de defender Su conocimiento. Solo si Dios es quien la Escritura dice que es, podemos decir que lo conocemos. Y si Él es el Señor, entonces Su control, autoridad y presencia en el mundo lo hacen inevitablemente conocible, como hemos visto.

Cuando los no cristianos argumentan que Dios es Incognoscible, generalmente apelan a las limitaciones implícitas en el conocimiento humano. Afirman, como Hume, que nuestro conocimiento se limita a la percepción de los sentidos o, como Kant, que solo podemos conocer "apariencias" o "fenómenos", no la realidad misma. O, en el caso de un positivismo más reciente (pero que en realidad es muy antiguo), argumentan que solo sabemos lo que se puede establecer con un cierto tipo de método científico. Por lo tanto, Dios debe ser incognoscible (el punto de vista de la trascendencia no cristiana), o debe encajar dentro de los reinos de la percepción de los sentidos finitos —"fenómenos" o ciencia— y por lo tanto ser menos que el Dios bíblico (el punto de vista de la inmanencia no cristiana); o bien debemos rebotar arbitrariamente de un lado a otro entre estas dos posiciones (el enfoque de la teología y filosofía dialéctica moderna).

Es cierto que nuestro conocimiento es finito. El agnóstico ha reconocido eso en cierto modo, aunque lo usa ilegítimamente para sus propios fines.[3]

Pero las limitaciones del conocimiento humano son, veremos, muy diferentes de las que suponen Hume, Kant y los positivistas. Por ahora, sin embargo, debemos simplemente recordarnos a nosotros mismos quién es el Señor. Debido a que Él controla todas las cosas, Dios entra en Su mundo —nuestro mundo— sin ser relativizado por él, sin perder Su divinidad. Así, pues, al conocer nuestro mundo, conocemos a Dios. Debido a que Dios es la autoridad suprema, el autor de todos los criterios por los cuales juzgamos o llegamos a conclusiones, lo conocemos más certeramente que a cualquier otro hecho acerca del mundo. Y porque Dios es el supremamente presente, Él es ineludible. Dios no es excluido por el mundo; no es incapaz de revelarse a sí mismo debido a la finitud de la mente humana. Al contrario, toda realidad revela a Dios. El argumento agnóstico, entonces, presupone un concepto no bíblico de Dios. Si Dios es quien la Escritura dice que es, no hay barreras para conocerlo.

---

[3] Discutiremos las limitaciones de nuestro conocimiento en la siguiente sección.

b. Limitaciones en nuestro conocimiento de Dios

El hecho de que Dios es Señor también implica que nuestro conocimiento no está a la par con el suyo. A medida que el siervo llega a conocer a su Señor, se hace cada vez más consciente de lo poco que sabe, de lo mucho que Dios trasciende el alcance de la mente de un siervo.

Nuestras limitaciones son de varios tipos. Primero (como hemos mencionado), el pecado motiva a la gente caída a distorsionar la verdad, a huir de ella, a cambiarla por una mentira, y a abusar de ella. Esta es una potente fuente de falsedad e ignorancia en nuestro pensamiento, incluso en la mente redimida. Debido a Cristo, los cristianos tienen ese problema bajo control (Ro. 6:14), pero no desaparecerá completamente hasta el Día Postrero.

En segundo lugar, los errores en nuestro conocimiento surgen de la inmadurez y la debilidad. Incluso si Adán no hubiera caído, la adquisición de conocimiento no habría tenido lugar de una sola vez. Habría sido un proceso histórico, parte de la "subyugación de la tierra" (Gn. 1:28; *cf.* 2:19s.). Incluso Jesús "creció" en sabiduría y estatura (Lc. 2:52) y "aprendió" a obedecer (He. 5:8) en su vida de hombre perfecto. Ciertamente, entonces, incluso aparte del pecado, el conocimiento humano puede ser incompleto; podemos ser ignorantes en comparación con lo que podemos saber más adelante. Por lo tanto, no veo ninguna razón por la que ni siquiera una raza no caída pueda haber avanzado por el método del ensayo y el error en la búsqueda continua del conocimiento.

El error como tal no tiene por qué causar dolor o maldad; cometer un error honesto no es en sí mismo pecaminoso. Así, el Adán no caído podría haber estado equivocado en algunas cosas. Y es mucho más probable que cometamos errores, porque nuestra debilidad e inmadurez se agravan con el pecado de nuestros corazones. Adán no caído no pudo haber cometido un error sobre su deber presente ante Dios, pero pudo haber cometido otro tipo de errores, incluso sobre formulaciones teológicas.[4]

---

[4] ¿Es pecaminoso tener un punto de vista erróneo sobre la expiación limitada, por ejemplo? Tener un punto de vista erróneo sobre esto (o sobre cualquier doctrina) sería pecaminoso solo si (1) la persona tiene la Biblia en su propio idioma, presentada en un nivel adecuado a su capacidad mental, (2) ha tenido el tiempo y los recursos para llegar a una conclusión correcta, y (3) sin embargo ha rechazado intencionalmente la verdad (en algún nivel de su pensamiento). Debemos ser amables con aquellos que difieren de nosotros; ellos no pueden ser rebeldes o pecadores en su desacuerdo, solo inmaduros (en otros aspectos pueden superarnos). Y, por supuesto, siempre debemos reconocer la posibilidad de que estemos equivocados, de que un hermano o hermana que no esté de acuerdo con nosotros tenga algo que enseñarnos.

Pero esas limitaciones son solo el principio. Porque aún el conocimiento perfecto de una criatura, es decir, el conocimiento de una criatura madura, sin pecado, que posee tanta información como una criatura podría poseer, sería un conocimiento limitado. Ser una criatura es estar limitado en pensamiento y conocimiento, como en todos los demás aspectos de la vida. Estamos limitados por nuestro Creador, nuestro Señor. Tenemos un principio en el tiempo, pero Él no lo tiene. Somos controlados por Él y sujetos a Su autoridad; somos los objetos de la bendición o maldición última del pacto, y por lo tanto la naturaleza de nuestro pensamiento debe reflejar nuestra condición de siervos. Nuestro pensamiento debe ser "pensamiento de servicio".

Por estas razones, los teólogos han hablado de la "incomprensibilidad" de Dios. La incomprensibilidad no es una incomprensibilidad (es decir, la incognoscibilidad), porque la incomprensibilidad presupone que Dios es conocido. Decir que Dios es incomprensible es decir que nuestro conocimiento nunca es equivalente al conocimiento de Dios, que nunca lo conocemos precisamente como Él se conoce a sí mismo.

En la década de 1940 hubo un debate dentro de la Iglesia Presbiteriana Ortodoxa sobre el concepto de la incomprensibilidad de Dios. Los principales oponentes fueron Cornelius Van Til y Gordon H. Clark.[5] Ninguno de los dos se encontraba en su mejor momento en esta discusión; cada uno de ellos se malinterpretó gravemente el uno al otro, como veremos más adelante. Sin embargo, ambos tenían preocupaciones válidas. Van Til deseaba preservar la distinción Creador-criatura en el reino del conocimiento, y Clark deseaba evitar cualquier deducción escéptica de la doctrina de la incomprensibilidad, para insistir en que realmente conocemos a Dios sobre la base de la revelación.

Van Til, por lo tanto, insistió en que aun cuando Dios y el hombre pensaban en la misma cosa (una rosa en particular, por ejemplo), sus pensamientos al respecto nunca eran idénticos; los de Dios eran los pensamientos del Creador, los del hombre de la criatura. Tal lenguaje hizo que Clark se preocupara por el escepticismo. Le pareció que si había alguna discrepancia entre la "Esta es una rosa" del hombre y la de Dios (en relación con la misma rosa), entonces la afirmación humana debe de alguna manera no estar a la altura de la verdad, ya que la naturaleza misma de la

---

[5] Véase el "Acta de la Decimoquinta Asamblea General" (1948) de la OPC para un informe del comité sobre esta cuestión. Otras actas durante ese período general también se refieren a la controversia. Van Til presenta su relato en su (inédita) Introducción a la Teología Sistemática, 159-93. Fred Klooster analizó el debate en La Incomprensibilidad de Dios en el Conflicto Presbiteriano Ortodoxo (Franeker: T. Wever, 1951), un libro útil pero no suficientemente sensible a las ambigüedades del lenguaje utilizado en el debate.

verdad es la identidad con la mente de Dios. Por lo tanto, si hay una discrepancia necesaria entre la mente de Dios y la del hombre en cada punto, parecería que el hombre no podría saber nada verdaderamente, y el resultado sería el escepticismo. Así, la discusión de la incomprensibilidad -esencialmente una doctrina sobre la relación entre los pensamientos del hombre y el ser de Dios- se convirtió en un debate más restringido a una discusión sobre la relación entre los pensamientos del hombre y los pensamientos de Dios.

Decir que Dios es incomprensible llegó a significar que hay cierta discontinuidad (mucho más profunda en la visión de Van Til que en la de Clark) entre nuestros pensamientos de Dios (y por lo tanto de la creación) y los propios pensamientos de Dios sobre sí mismo (y con respecto a la creación). Mi contribución a esta discusión será ofrecer al lector una lista de discontinuidades entre los pensamientos de Dios y los nuestros que creo que pueden ser fundamentadas a partir de las Escrituras, una lista de continuidades entre las dos que deben ser reconocidas, y una lista de supuestas relaciones entre las dos que me parecen ambiguas y que, por lo tanto, son susceptibles de ser afirmadas en un sentido y negadas en otro.

(i) Discontinuidades.

La Escritura enseña las siguientes discontinuidades entre el pensamiento de Dios y el nuestro.

1. Los pensamientos de Dios son increados y eternos; los nuestros son creados y limitados por el tiempo.

2. Los pensamientos de Dios finalmente determinan, o decretan, lo que sucede. Los pensamientos de Dios causan las verdades que ellos contemplan; los nuestros no. Este es el atributo de señorío del control en el reino del conocimiento.

3. Los pensamientos de Dios, por lo tanto, son autovalidantes; sirven como su propio criterio de verdad. Los pensamientos de Dios son verdaderos simplemente porque son Suyos. Ninguno de nosotros puede pretender tener pensamientos que se prueban a sí mismos. Nuestros pensamientos no son necesariamente verdaderos, y cuando lo son, es porque están de acuerdo con los pensamientos de otra persona, es decir, de Dios, que proporciona los criterios para nuestro pensamiento. Este es el atributo de señorío de la autoridad en el área del conocimiento.

4. Los pensamientos de Dios siempre le traen gloria y honor porque Dios está siempre "presente en la bendición" de sí mismo. Debido a que Dios es "simple",

Sus pensamientos son siempre autoexpresiones.[6] Nuestros pensamientos son bendecidos solo en virtud de la presencia de Dios en el pacto con nosotros. Este es el atributo de señorío de la presencia aplicado al conocimiento. Note que en los párrafos 1-4, "incomprensibilidad" es un aspecto del señorío de Dios. Todos los atributos divinos pueden ser entendidos como manifestaciones del señorío de Dios, como aplicaciones del señorío divino a diferentes áreas de la vida humana.

5. Los pensamientos de Dios son los originales de los cuales los nuestros, en el mejor de los casos, son solo copias, imágenes. Nuestros pensamientos, por lo tanto, no existirían aparte de la presencia de Dios en el pacto (ver punto 4).

6. Dios no necesita tener nada "revelado" a Él; Él sabe lo que Él sabe simplemente por virtud de quién es y lo que hace. Él sabe, entonces, por Su propia iniciativa. Pero todo nuestro conocimiento se basa en la revelación. Cuando sabemos algo, es porque Dios decidió hacérnoslo saber, ya sea por la Escritura o por naturaleza. Nuestro conocimiento, entonces, es iniciado por otro. Nuestro conocimiento es un resultado de la gracia. Esta es otra manifestación del atributo de señorío de "control".[7]

7. Dios no ha escogido revelarnos toda la verdad. Por ejemplo, no conocemos el futuro, más allá de lo que la Escritura enseña. No conocemos todos los hechos acerca de Dios ni siquiera acerca de la creación. En el debate OPC, la diferencia entre el conocimiento de Dios y el nuestro fue llamada una "diferencia cuantitativa"-Dios conoce más hechos que nosotros.[8]

8. Dios posee el conocimiento de una manera diferente a la nuestra. Es inmaterial y por lo tanto no deriva su conocimiento de los órganos de percepción de los sentidos. Tampoco lleva a cabo "procesos de razonamiento", entendidos como conjuntos temporales de acciones. El conocimiento de Dios tampoco está

---

[6] Vea mi (inédita) Doctrina de la Palabra de Dios. El pensamiento y la palabra de Dios son atributos divinos y por lo tanto (por la doctrina de la simplicidad) son idénticos a Dios mismo. Expresan, por lo tanto, todo lo que Dios es.

[7] Cf. Van Til, *Introduction*, 165 (arriba).

[8] Clark expresó esta idea diciendo que Dios (más precisamente, la esencia de Dios) es incomprensible excepto cuando Dios revela verdades concernientes a Su naturaleza. Van Til respondió acertadamente que, aparte de la revelación, Dios no solo es incomprensible sino también inaprensible (es decir, incognoscible; ibid., 168s). La conclusión correcta, entonces, sería decir que Clark no distinguió adecuadamente entre incomprensibilidad e inaprensibilidad o que tiene un concepto inadecuado de incomprensibilidad. Van Til, sin embargo, asumió que Clark estaba dispuesto a hacer tal distinción. Entendió que Clark decía que Dios es incomprensible pero no inaprensible aparte de la revelación, y por lo tanto le pidió a Clark que sostuviera que Dios es conocible aparte de la revelación. Pero no encuentro pruebas que justifiquen tal interpretación de Clark. El argumento de Van Til aquí es ingenioso, pero es un malentendido de la posición de Clark.

limitado por las falibilidades de la memoria o de la previsión. Algunos han caracterizado Su conocimiento como una "intuición eterna", y como sea que la describamos, claramente es algo muy diferente de nuestros métodos de conocimiento. En el debate de la OPC, esta discontinuidad fue llamada una diferencia en el "modo" de conocimiento.[9]

9. Lo que Dios nos revela, lo revela en forma de criatura. La Revelación no viene a nosotros en la forma en que existe en la mente de Dios. Las Escrituras, por ejemplo, están en lenguaje humano, no divino. Es "acomodado", es decir, adaptado en cierta medida a nuestra capacidad de comprensión, aunque no es exhaustivamente comprensible para nosotros ni siquiera en esa forma acomodada.[10]

10. Los pensamientos de Dios, cuando se toman juntos, constituyen una sabiduría perfecta; no son caóticos, sino que están de acuerdo unos con otros. Sus decretos constituyen un plan sabio. Los pensamientos de Dios son coherentes; el pensamiento divino concuerda con la lógica divina. No tenemos ninguna razón para suponer que incluso cuando tratamos con la revelación divina no podamos encontrar verdades que nuestra lógica no pueda sistematizar, que no pueda relacionarse coherentemente con otras verdades. Por lo tanto, podemos encontrar en la revelación lo que Van Til llama "contradicciones aparentes".[11]

11. La discontinuidad del párrafo 7 se ve afectada por el progreso de la revelación: cuanto más Dios revela, más hechos conocemos, aunque nunca llegamos a conocer tantos hechos como Dios. Las otras discontinuidades, sin embargo, no se ven afectadas en absoluto por la revelación. Por mucho que Dios revele de sí mismo, siempre queda una "desproporción esencial entre la plenitud infinita del ser y el conocimiento de Dios y la capacidad e inteligencia de la criatura finita".[12] Así, incluso lo que Dios ha revelado está en un sentido importante más allá de nuestra comprensión completa (*cf.* Jue. 13:18; Neh. 9:5; Sal. 139:6; 147:5; Is. 9:6; 55:8ss.). Según estos pasajes, no hay simplemente un reino de lo desconocido más allá de nuestra competencia, sino que lo que está dentro de nuestra

---

[9] Clark afirmó que la diferencia en el modo, así como la "diferencia cuantitativa" entre el conocimiento de Dios y el nuestro (ver 7 arriba). Van Til, sin embargo, respondió "que, si uno no sabe nada del modo de saber de Dios, entonces no puede saber nada del ser de Dios" (Ibid., 170). Esto, también, parece reflejar un malentendido de Clark, quien según el propio relato de Van Til dijo que el modo es diferente, no que el modo es incognoscible.

[10] Cf. ibid., 165.

[11] Hablaré más sobre ello más adelante, cuando abordemos el tema de la lógica. Mi folleto *Van Til the Theologian* (Phillipsburg, N.J.: Pilgrim Publishing, 1976) intenta dar un análisis de este tema.

[12] Para esta formulación y otras en esta sección estoy en deuda con las conferencias de mi colega Norman Shepherd sobre la Doctrina de Dios. Por el uso que se haga de este deuda, asumo toda la responsabilidad.

competencia, lo que sabemos, nos lleva a adorar con asombro. El himno de maravilla en Romanos 11:33-36 expresa asombro no por lo que no es revelado sino precisamente por lo que es revelado, por lo que ha sido descrito en gran detalle por el apóstol. Cuanto más sabemos, más debe aumentar nuestro sentido de asombro, porque el aumento del conocimiento nos lleva a un mayor contacto con la incomprensibilidad de Dios.[13] Fue esta "desproporción esencial" entre el Creador y la criatura la que a veces en la controversia OPC fue descrita como una "diferencia cualitativa" entre el conocimiento divino y el humano, a diferencia de la "diferencia cuantitativa" descrita anteriormente en el punto 7.

12. Y sin duda, hay mucho más. No podemos describir exhaustivamente las diferencias entre la mente de Dios y la nuestra; si pudiéramos, seríamos divinos. Por lo tanto, debemos añadir un "etcétera" a las once diferencias que ya hemos enumerado. Este "etcétera" parece haber sido otra parte de lo que se quería decir en la controversia de OPC con la frase "diferencia cualitativa". En un momento de esa controversia, el partido Clark desafió al partido Van Til a "declarar claramente" cuál era la diferencia cualitativa entre los pensamientos de Dios y los del hombre. El grupo Van Til respondió que aceptar ese reto sería retractarse de toda su posición; si pudiéramos "declarar claramente" esta diferencia cualitativa, la diferencia ya no existiría. Una vez más, creo que hubo un malentendido mutuo. En un nivel, es posible (y necesario) establecer claramente la naturaleza de la diferencia.

La diferencia es la diferencia entre el Creador y la criatura en el mundo del pensamiento. Es una diferencia entre el pensamiento divino y el pensamiento humano, entre los pensamientos del Supremo Señor y los pensamientos de Sus siervos. Las implicaciones de esta diferencia básica también se pueden explicar en cierta medida, como he intentado hacer más arriba. En la medida en que pedían ese

---

[13] Hay (al menos) dos pasajes en la Escritura que parecen sugerir que la diferencia entre el conocimiento divino y el humano es temporal, una diferencia que debe ser remediada por la revelación posterior. En Mateo 11:25-27 Jesús dice que es prerrogativa del Hijo revelar el conocimiento que Él tiene en distinción de todas las criaturas, y en 1 Corintios 13:12 (cf. 2:6-17) Pablo dice que en la consumación conoceremos "así como" Dios nos ha conocido. Aquí debemos notar que ciertamente hay un sentido en el que la revelación disminuye la distancia entre nuestro conocimiento y el de Dios (ver 7 arriba) y que la Escritura a menudo habla en términos amplios y generales, sin hacer distinciones que puedan encontrarse en otras partes de sus páginas. Note el comentario de Hodge sobre 1 Corintios 13:12: "Así como se requiere que seamos perfectos como nuestro Padre Celestial es perfecto, Mateo 5:48, así también se puede decir que sabemos tal como somos conocidos. Podemos ser perfectos en nuestra estrecha esfera, como Dios es perfecto en la suya; sin embargo, la distancia entre él y nosotros sigue siendo infinita. Lo que Pablo desea recalcar a los Corintios es que los dones de los que tanto se enorgullecían eran pequeños asuntos comparados con lo que está en reserva para el pueblo de Dios".

tipo de información, la demanda del grupo Clark era legítima. Pero debemos recordar que el concepto de incomprensibilidad es autorreferencial, es decir, si Dios es incomprensible, entonces incluso Su incomprensibilidad es incomprensible. No podemos dar una explicación exhaustiva de la incomprensibilidad de Dios más de lo que podemos dar de la eternidad, el infinito, la justicia o el amor de Dios.

ii) Continuidad.

Las Escrituras enseñan las siguientes continuidades (las maneras en que el pensamiento divino y el humano son similares) entre el pensamiento de Dios y el nuestro. El no considerar este lado de la verdad nos llevará al escepticismo. Para que el conocimiento de cualquier tipo sea posible, debe haber algún sentido(s) en el que el pensamiento del hombre pueda "estar de acuerdo" con el de Dios, en el que podamos pensar los pensamientos de Dios de acuerdo con Él.

1. El pensamiento divino y el humano están ligados a la misma norma de la verdad. Como dice Van Til: "La fe reformada enseña que el punto de referencia de cualquier proposición es el mismo, para Dios y para el hombre".[14] Prefiero el término "estándar" al más ambiguo "punto de referencia". Los pensamientos de Dios son autovalidantes; los del hombre son validados por los de Dios. Así, ambos son validados por referencia a la misma norma, el pensamiento divino. Los pensamientos del hombre son verdaderos en la medida en que se ajustan a las normas de Dios para el pensamiento humano. "Para el pensamiento humano", por supuesto, nos recuerda esas discontinuidades de las que hablamos antes. Y también hay que subrayar que nuestro pensamiento está sujeto a la norma, no es idéntico a ella, como lo es la de Dios. Sin embargo, tanto el pensamiento divino como el humano deben estar de acuerdo con las normas, y en ambos casos esas normas son divinas.

2. El pensamiento divino y humano puede ser sobre las mismas cosas, o como dicen los filósofos, pueden tener los mismos "objetos". Cuando un hombre piensa en una rosa en particular y cuando Dios piensa en ella (Él siempre está pensando en ella, por supuesto, ya que Él es siempre —eternamente— omnisciente), ellos están pensando en la misma cosa. A veces esos objetos son "proposiciones", afirmaciones de verdad. Van Til dice: "Que dos veces dos son [sic] cuatro es un hecho bien conocido. Dios lo sabe. El hombre lo sabe".[15] Pablo creyó que Cristo había resucitado; Dios cree lo mismo. Ahora, por supuesto, debemos tener en cuenta

---

[14] *Introduction*, 171; cf. 165.
[15] Ibid., 172.

nuestras discontinuidades. La creencia de Dios en la Resurrección es la creencia del Creador, el Señor. No es lo mismo que la creencia de Pablo, por lo tanto, en todos los aspectos. Pero tiene el mismo objeto; afirma la misma verdad. Negar esto es hacer imposible cualquier conversación de "acuerdo" entre Dios y el hombre. Si Dios y el hombre no pueden pensar en las mismas cosas, ¿cómo pueden estar de acuerdo en ellas? Además, negar esto conduce a un absurdo manifiesto. Por ejemplo, si yo creo en la Resurrección, entonces Dios no debe creer en ella.[16]

3. Es posible que las creencias del hombre, así como las de Dios, sean verdaderas. Una creencia verdadera es una creencia que no induce a error. Las creencias de Dios no lo engañan, y las verdaderas creencias humanas no engañan a los seres humanos. Pero hay una diferencia: una creencia adecuada para dirigir o guiar una existencia humana no sería adecuada para Dios. La existencia de Dios, sin embargo, es lo suficientemente parecida a su imagen, la vida humana, para que tanto las creencias de Dios como las del hombre puedan ser descritas de manera significativa como verdaderas. Una proposición que es verdadera para los humanos juega un papel en la existencia humana similar a los papeles que las proposiciones que son verdaderas para Dios juegan en su existencia. Si no hay verdad, o si la verdad del hombre es "totalmente diferente", totalmente desanalógica, de la de Dios, entonces el conocimiento es imposible.

4. Así como Dios es omnisciente, así también el conocimiento del hombre en cierto sentido es universal. Van Til dice: "El hombre sabe algo de todo".[17] Porque conocemos a Dios, sabemos que todo en el universo es creado, sujeto a Su autoridad, y lleno de Su presencia. Debido a que todas las cosas son conocidas por Dios, Él puede revelarnos conocimiento acerca de cualquier cosa. Por lo tanto, todas las cosas son potencialmente conocibles, aunque nada puede ser conocido por nosotros precisamente como Dios lo sabe.

5. Dios sabe todas las cosas conociéndose a sí mismo, es decir, sabe lo que sabe conociendo Su propia naturaleza y plan. Como dijimos antes (discontinuidad

---

[16] El lector se preguntará por qué estoy insistiendo en un punto tan obvio. La razón es que algunos discípulos de Van Til han sido tan celosos de la incomprensibilidad divina que han ido mucho más allá del propio Van Til, exagerando su punto de vista hasta llegar a extremos peligrosos y absurdos. Jim Halsey, por ejemplo, en su artículo "A Preliminary Critique of 'Van Til: the Theologian'" (Una crítica preliminar de 'Van Til: el teólogo'), *WTJ* 39 (1976): 129 se opone a mi declaración de que Dios y el hombre pueden tener las mismas creencias y pensar en las mismas cosas. ¿Realmente quiere decir que Dios no cree en la resurrección? Es difícil para mí creer que un escritor reformado pueda tener una posición tan absurda. O le he malinterpretado o se ha expresado de la manera más confusa. Más sobre Halsey más adelante.

[17] *Introduction*, 164; cf. 166.

6, arriba), Dios no necesita tener nada "revelado" desde fuera de sí mismo. Nuestra forma de pensar, como hemos señalado, es muy diferente a este respecto, pero en cierto sentido también es similar. Nosotros también obtenemos nuestro conocimiento conociéndonos a nosotros mismos, conociendo nuestras propias sensaciones, pensamientos, acciones, etc. Todo lo que "viene de fuera" debe entrar en nuestras mentes si queremos conocerlo. En cierto sentido, entonces, todo conocimiento es autoconocimiento. Pero a diferencia del de Dios, nuestro conocimiento no se origina desde adentro, aunque su naturaleza interna tiene un parecido significativo con la naturaleza interna del conocimiento de Dios.

6. El conocimiento de Dios es autovalidante, autoafirmante, como hemos visto (discontinuidad 4, arriba); el nuestro no lo es. Sin embargo, debido a que somos la imagen de Dios, hay algún reflejo en nosotros de la autodeterminación de Dios. Porque todo lo que sabemos debe entrar en nuestra conciencia (ver 5, arriba), incluso las normas por las cuales pensamos deben ser adoptadas por nosotros si queremos usarlas. Pensamos sobre la base de normas que hemos elegido, pero eso no nos hace autónomos. Las normas se originan en Dios y proclaman Su autoridad última (no la nuestra), y estamos obligados a elegir las que son verdaderamente autoritativas. Así, las normas que obedecemos en cualquier ocasión serán las que hayamos elegido.

7. Los pensamientos de Dios son los últimos creadores. Ellos causan las verdades que contemplan, pero las nuestras no (discontinuidad 2, arriba). Sin embargo, nuestros pensamientos también son creativos en cierto sentido. Somos creadores secundarios. Por un lado, cuando nos negamos a pensar de acuerdo a las normas de Dios, al mismo tiempo nos negamos a vivir en Su mundo e ideamos un mundo propio para reemplazarlo. Por otro lado, cuando pensamos obedientemente, estamos recreando para nosotros mismos lo que Dios ha creado para nosotros. Como enseña Romanos 1, el hombre caído cambia la verdad por una mentira. Adoptar una mentira afecta no solo el contenido de nuestras cabezas, sino también todas las áreas de nuestras vidas.

El hombre caído vive como si éste no fuera el mundo de Dios; vive como si el mundo fuera su propia creación última. Y habiendo abandonado los criterios proporcionados por la revelación, los únicos criterios por los cuales puede distinguir la verdad y la falsedad, no tiene forma de corregir su error. Sobre la base de sus falsos criterios, su falso mundo parece ser el mundo real, el único mundo que existe. Así, en un sentido importante, el pecador es un "creador secundario", uno que elige vivir en un mundo —un mundo de sueños— que él mismo ha inventado. El creyente también es un creador secundario, uno que adopta el mundo de Dios como propio (ver 6, arriba).

¿Por qué hablar aquí de "creación"? ¿Por qué no decir simplemente que los hombres "interpretan" los datos de la creación de diferentes maneras? Ciertamente es cierto que esta actividad puede ser caracterizada como "interpretación". Pero si dejamos el asunto allí, podemos sugerir falsamente que el creyente y el no creyente están simplemente organizando o analizando datos que en sí mismos son neutrales, que sus análisis o interpretaciones pueden ser comparados con datos que en sí mismos no son interpretados y son capaces de ser entendidos de cualquier manera.

Sin embargo, esta suposición es falsa. Los hechos de la creación no son datos puros o hechos crudos que están sujetos a interpretaciones mutuamente contrarias. Son preinterpretados por Dios. Como dice Van Til: "la interpretación de Dios precede lógicamente a todos los hechos".[18] Por lo tanto, la interpretación humana nunca es simplemente la interpretación de los hechos; es siempre también una reinterpretación de la interpretación de Dios. Negar la interpretación de Dios no es simplemente adoptar una interpretación alternativa sino igualmente válida. Es rechazar los hechos tal como son en realidad; es rechazar la realidad. No existe tal cosa como un "hecho puro" por el cual el hombre caído pueda tratar de validar su interpretación frente a la de Dios.

El hombre caído solo puede rechazar los hechos y buscar vivir en un mundo creado por él mismo. Del mismo modo, el creyente, al elaborar una interpretación fiel de los hechos, no se limita a "interpretar" los datos, sino que afirma la creación tal como es en realidad. Está aceptando la creación como el mundo que Dios hizo, y está aceptando la responsabilidad de vivir en ese mundo como realmente es. Thomas Kuhn, en su obra "*The Structure of Scientific Revolutions*" (La estructura de las revoluciones científicas) (Chicago: University of Chicago Press, 1962), argumenta que cuando no hay "hechos puros" que adjudicar a los entendimientos rivales, la actividad de la interpretación es muy parecida a la de la creación. Aunque rechazo el relativismo de Kuhn (como no teísta, asume que no tenemos ningún criterio más allá de nuestros sistemas para regular los hechos), el concepto de "recreación" que está implícito en su visión no me parece demasiado fuerte.

Hablar de "creación secundaria" y "autoafirmación secundaria" (ver 6, arriba) puede ser aterrador para aquellos que no tienen una comprensión reformada de lo que la Biblia enseña. Hacer que los seres humanos se conviertan en creadores o atestadores en cualquier sentido podría parecer que desmerece la causalidad y la autoridad última de Dios. No debemos olvidar, sin embargo, que no solo el Señor tiene autoridad y control, sino que también está presente en el pacto. Debido a que Él controla perfectamente nuestro trabajo interpretativo, todo nuestro pensamiento

---

[18] Van Til, *Christian Theistic Evidences* (unpublished syllabus), 51.

es una revelación de Él y una manifestación de Su presencia. Por lo tanto, no debemos temer que la obra de la mente humana compita necesariamente con la autoridad de Dios, porque el Señor se revela en y a través de nuestro pensamiento.

La libertad humana, entonces, no necesita bloquear la revelación de Dios. Por lo tanto, no debemos temer pensar y conocer. Así pues, una comprensión reformada o calvinista, y no arminiana, de lo que la Biblia enseña, defiende la verdadera libertad del pensamiento humano. Si es cierto, el alarde del arminiano de que es capaz de pensar autónomamente ("libremente") implicaría solamente que el pensamiento humano está en esclavitud a las fuerzas aleatorias del azar, cuando en realidad (de acuerdo con una comprensión reformada de la Biblia) no es así. Cuando pensamos en obediencia a la Palabra de Dios, sabemos que nuestros propios procesos de pensamiento nos revelarán a Dios. Nuestras mentes representan a Dios, aun en Sus atributos soberanos de control y autoridad.

iii) Ámbitos problemáticos.

Pero hay algunas áreas problemáticas. Hemos visto que los pensamientos de Dios son diferentes a los nuestros en ciertos aspectos y como los nuestros en otros. Sin embargo, he evitado deliberadamente el uso de ciertos términos que se utilizan comúnmente en el debate de estas cuestiones. Los que están familiarizados con estas discusiones se preguntarán por qué no he comentado, por ejemplo, sobre la cuestión de si podemos conocer a "Dios en sí mismo". Pues bien, mi posición es que esta expresión y otras son ambiguas y, por lo tanto, ciertas afirmaciones que las contienen deben afirmarse en uno o más sentidos y negarse en otros.

Examinemos ahora algunas de estas áreas problemáticas.

1. ¿Tenemos una idea "adecuada" de Dios? Van Til[19] y Bavinck[20] dicen No, pero esa noción me parece irracional. Seguramente, queremos decir que, aunque Dios es incomprensible, al menos tenemos un conocimiento "adecuado" de Él, que nos basta para cubrir nuestras necesidades. Bueno, el problema es un simple caso de ambigüedad. En la teología clásica, "*adequatio*" significaba algo mucho más que "adecuado" significa generalmente para nosotros, algo así como "conocimiento comprensivo". Van Til y Bavinck están pensando más en la adecuación clásica que en el uso contemporáneo de lo adecuado.

---

[19] *Introduction*, 183.
[20] H. Bavinck, *The Doctrine of God* (Grand Rapids: Wm. B. Eerdmans Pub. Co., 1951), 33.

2. ¿Conocemos la "esencia" de Dios? Ha sido común en la teología negar que lo hacemos. Así dice Bavinck: "Calvino consideró vana la especulación de intentar 'un análisis de la esencia de Dios'. Basta con que nos familiaricemos con su carácter y sepamos lo que es conforme a su naturaleza".[21] Van Til, sin embargo, dice que sabemos algo de todo, incluso de la esencia de Dios, aunque no podamos comprenderla. Así pues, Van Til enseña que con respecto al conocimiento de la "esencia" de Dios, estamos básicamente en la misma posición en la que nos encontramos con respecto a todo nuestro otro conocimiento de Dios. No hay ningún problema especial en conocer la "esencia" de Dios. Ahora, debemos tener cuidado. En tales situaciones de perplejidad teológica, a menudo nos sentimos tentados a responder a los sonidos de las palabras, más que a sus significados. A algunos les parece racionalista pretender conocer la esencia de Dios; a otros les parece irracional negarla. Pero un teólogo debe aprender a analizar primero y a reaccionar después. En realidad, la idea de "esencia" no está del todo clara.

La esencia, en general, es la cualidad o cualidades por las cuales se define algo, la cualidad o cualidades que hacen que algo sea lo que es. En teología definimos la justificación como la imputación de la justicia de Cristo y el perdón de los pecados. Muchas cosas son verdaderas sobre la justificación, pero parece que esas dos frases especifican de alguna manera qué es la justificación "realmente", cuál es su esencia. ¿Cuál es la diferencia entre una cualidad definitoria (una cualidad "esencial") y una cualidad no esencial? Es una pregunta difícil de responder, pero (ignorando algunos de los problemas) permítanme sugerir cuatro criterios para una "calidad esencial".

(a) Una cualidad esencial es aquella que es en cierto sentido real, no meramente aparente —quizás incluso lo que es "más real" acerca de algo. Parece que sentimos que cuando llegamos a la "esencia" de algo, estamos llegando a lo que "realmente" es.

(b) Una cualidad esencial es aquella que es necesaria para el ser de la cosa, de modo que la cosa no podría ser lo que es sin ese atributo. Un triángulo, por ejemplo, no puede ser un triángulo sin ser trilátero. La trilateralidad es "necesaria" para la triangularidad. "Tener un área de tres pies cuadrados" no es necesario en este sentido.

c) Un atributo esencial es distintivo del tipo de cosa que se está definiendo. Los triángulos son de tres lados, pero ningún no triángulo es de tres lados.

d) Una cualidad esencial debe ser importante para nuestra comprensión de la cosa definida; incluso se podría argumentar que debería ser la cualidad más básica

---

[21] Ibid., 25.

para nuestra comprensión. La trilateralidad, creemos generalmente, es el hecho "más básico" para nuestra comprensión de la triangularidad.

A la luz de esa discusión, ¿conocemos la "esencia" de Dios? Ciertamente conocemos un número de atributos divinos, o cualidades. Dios es un espíritu, infinito, eterno e inmutable en su ser, sabiduría, etc. Ciertamente estos atributos son reales (ver (a), arriba). Aunque hay diferencias entre los pensamientos de Dios y los nuestros, no nos atrevemos a hacer esas diferencias tan grandes que nos roben la realidad de Dios. Cuando decimos que Dios es eterno, estamos hablando de cómo es real y verdaderamente, no solo de cómo se nos aparece. Estamos hablando de Él de una manera humana, pero de una manera que es verdadera; Dios ciertamente nos ha dado el poder de hablar verdaderamente de Él. Además, al menos algunos atributos divinos, como la eternidad, son necesarios (ver (b), arriba). Dios no sería Dios si no fuera eterno. La eternidad también es distintiva de Dios (ver (c), arriba), ya que en un sentido importante solo Dios es eterno.[22]

Y seguramente, la eternidad también es importante para nuestra comprensión de Dios (ver (d), arriba), aunque es peligroso hacer juicios sobre qué atributo o atributos de Dios son "más" importantes.[23]

Con respecto al significado más natural de la esencia, entonces, Van Til tiene razón. Podemos conocer la "esencia" de Dios tanto como podemos conocer cualquier otra cosa sobre Dios (dentro de las limitaciones que señalamos anteriormente); no hay razón para trazar ninguna limitación sobre la "esencia" que no hayamos trazado ya sobre otro conocimiento de Dios. Tal vez la polémica contra el intento de conocer la "esencia" de Dios tiene por objeto más amplio desalentar la especulación (afirmaciones que no están justificadas por las Escrituras), específicamente sobre la naturaleza de Dios. Ciertamente, la gente a menudo especula cuando trata de responder a preguntas sobre la naturaleza y los atributos de Dios. Y a menudo la búsqueda de la "esencia" de Dios se convierte en un intento de sopesar la importancia de los diversos atributos entre sí, lo que generalmente es

---

[22] En otro sentido, podemos tener una vida que la Escritura llama "eterna", pero que es diferente de la eternidad que es propia del Creador.

[23] En un sentido, todos los atributos necesarios de Dios son igualmente importantes porque todos ellos están "unidos" unos con otros; representan todo el ser de Dios visto desde diferentes perspectivas. En otro sentido, es difícil determinar qué es lo más importante "para nuestra comprensión" de Dios. Las consideraciones subjetivas que plantean preguntas sobre la idea de la "esencia" ciertamente entran aquí. Tal vez lo que es "esencial" tiene tanto que ver con nuestra necesidad subjetiva como con la "realidad objetiva". Sin embargo, como hemos visto, se suele pensar que la esencia (véase el apartado a) arriba) es, entre todas las posibles predicciones de un sujeto, un paradigma de objetividad.

una búsqueda totalmente infructuosa. Aunque es apropiado advertirnos a nosotros mismos contra tal error, hay mejores maneras de formular esa advertencia que condenando generalmente la búsqueda de la esencia de Dios.

3. ¿Conocemos "Dios en sí mismo" o solo "Dios en relación con nosotros"? Los teólogos a menudo son terriblemente inflexibles en negar que conocemos a "Dios en sí mismo". Lamentablemente, a menudo no aclaran el significado de esa frase bastante ambigua. Incluso Bavinck, uno de los más grandes teólogos reformados, es complicado en este asunto. En la página 32 de La Doctrina de Dios dice: "No hay conocimiento de Dios como él es en sí mismo", pero en la página 337 anuncia: "Hasta ahora hemos tratado con el ser de Dios como existe en sí mismo", y en la página 152 nos dice que Dios no cambia, aunque sus relaciones con las criaturas cambian -asumiendo que tenemos algún conocimiento de la capacidad de cambio de Dios aparte de sus relaciones con nosotros.

Examinemos varias cosas que podrían significar el "conocimiento de Dios en sí mismo".

(a) Conocer a Dios sin ninguna mezcla de interpretación humana. Tal conocimiento, por supuesto, es imposible para el hombre, porque todo conocimiento humano implica una interpretación humana.

(b) Conocer a Dios de una manera "puramente teórica", sin ninguna referencia a nuestras necesidades o preocupaciones prácticas. Más adelante, argumentaré que no existe tal cosa como "conocimiento puramente teórico" en este sentido. Todo conocimiento es práctico porque satisface las necesidades humanas. Ciertamente el conocimiento de Dios en la Escritura tiene este carácter. Por lo tanto, no hay conocimiento de "Dios en sí mismo" en este sentido ilegítimo. Calvino parece tener este tipo de punto en mente en III, ii, 6 de las Instituciones, aunque tiene un concepto menos técnico de "teórico" que el que tengo actualmente en mente.

(c) Conociendo a Dios sin revelación. Claramente tal conocimiento no existe para el hombre. Calvino tiene a menudo la preocupación de someter todo nuestro pensamiento a la revelación. Nótese el contexto de I, x, 2.

(d) Conociendo a Dios como Él se conoce a sí mismo. Como hemos argumentado, esto también se excluye. John Murray argumenta que cuando Calvino niega el conocimiento de Dios *apud se* ("en sí mismo") quiere decir que no conocemos a Dios como Dios se conoce a sí mismo. Distingue *apud se de in se*, lo que (según él) tendría un significado más amplio.

(e) Conociendo a Dios exhaustivamente. Esto también está excluido por nuestra argumentación anterior.

(f) Conociendo la esencia de Dios. Ver 2, arriba.

(g) Conociendo los hechos sobre Dios (por ejemplo, su eternidad), lo que sería cierto incluso si no hubiera creado el mundo. En ese sentido podemos conocer "Dios en sí mismo". Conocemos estos hechos porque las Escrituras los revelan. Eso es lo que Bavinck tenía en mente en la página 337.

(h) Conociendo a Dios como realmente es. ¡Sí! Aunque los teólogos modernos han usado a veces la declaración de Calvino en I, x, 2 para alentar una negación de la capacidad de conocer a Dios, tal pensamiento nunca cruzó por la mente de Calvino. Las Escrituras, en cualquier caso, son claras: Dios es tanto conocible como conocido. Él es conocido verdaderamente, conocido como realmente es. Algunas personas han argumentado que debido a que nuestro conocimiento de Dios viene a través de la revelación y luego a través de nuestros sentidos, la razón y la imaginación, no puede ser un conocimiento de Dios como realmente es, sino solo de cómo se nos aparece. Es cierto que conocemos a Dios como se nos aparece, pero ¿debemos por tanto asumir que estas apariencias son falsas, que no nos dicen la verdad? Asumiríamos que solo si compráramos la presuposición kantiana de que la verdad siempre se relativiza cuando entra en nuestra conciencia, que la realidad está siempre oculta para nosotros. Pero ese es un concepto no bíblico. En la Escritura, la realidad (Dios en particular) es conocida, y nuestros sentidos, la razón y la imaginación no son barreras para este conocimiento; no necesariamente lo distorsionan.[24]

Más bien, nuestros sentidos, la razón y la imaginación son en sí mismos revelaciones de los medios que Dios utiliza para llevar su verdad a nuestro hogar. Dios es Señor; no será excluido de su mundo.

Deberíamos aprender varias lecciones de esta discusión. Las ambigüedades en términos teológicos son frecuentes. Debemos evitar reacciones emocionales a los sonidos de las expresiones teológicas. Debemos tratar de desentrañar las ambigüedades en la terminología y determinar qué significan las expresiones antes de adoptarlas o atacarlas. Cuando una expresión puede tener muchos significados, como "Dios en sí mismo", debemos distinguir cuidadosamente los significados para determinar en qué sentidos podemos aceptarla y en qué sentidos no podemos.

4. ¿Tiene un fragmento de lenguaje humano el mismo "significado" para Dios que tiene para el hombre? Para Clark, era importante decir, por ejemplo, que la frase "2 + 2 = 4" tiene el mismo significado para Dios que para el hombre. La alternativa, argumentaba, era el escepticismo: "No matarás" podría significar para Dios "Plantarás rábanos", es decir, la comunicación divino-humana sería imposible. Su argumento es persuasivo, pero se necesitan algunas aclaraciones sobre el

---

[24] Lo distorsionan cuando son empleados pecaminosos.

significado del significado (un tema que abordaré más adelante). El significado del significado ha sido objeto de mucha controversia en nuestro siglo. Creo que el significado se emplea mejor para designar ese uso del lenguaje que está autorizado por Dios.[25]

Si asumimos ese punto de vista, entonces se obtienen varias conclusiones teológicamente significativas, como veremos más adelante. Una de esas conclusiones es que el aprendizaje del significado es una cuestión de grado. Cada pieza de lenguaje tiene una multitud de usos, y los aprendemos por grados, uno por uno, cada vez mejor. Conocer el significado de una frase como "2 + 2 = 4" no es algo que ocurra de una vez por todas de forma completa, de modo que uno conoce o no el significado. Más bien, aprendemos más y más sobre el significado (es decir, los usos) de "2 + 2 = 4" a medida que comprendemos más y más sus implicaciones, sus relaciones con otras declaraciones, sus aplicaciones a la tecnología, y así sucesivamente. Dios, por supuesto, conoce exhaustivamente los significados de todas las palabras, frases y afirmaciones. Conoce todos sus usos, tanto reales como potenciales; puede usar nuestro lenguaje mejor que cualquiera de nosotros. Y por supuesto, a un nivel más profundo, debemos decir que el conocimiento que Dios tiene de nuestro lenguaje es diferente de nuestro propio conocimiento de él porque el suyo es el conocimiento del Creador, el Señor del lenguaje (cf. las discontinuidades discutidas anteriormente).

La preocupación básica de Van Til en el contexto de la incomprensibilidad de Dios es con nuestra comprensión de las Escrituras. ¿Podemos decir que hemos entendido "completamente" un pasaje cuando lo hemos exegetizado correctamente? Van Til dice que no, esencialmente por las razones que señalé anteriormente.[26]

El conocimiento de Dios, incluso del lenguaje humano, es de un orden fundamentalmente diferente al nuestro. ¿Significa eso que la Escritura es poco clara o incluso ininteligible? ¡Si es así, tendríamos que decir que Dios falló en su intento de comunicarse! No, las Escrituras son lo suficientemente claras, así que no tenemos excusa para la desobediencia. Conocemos el lenguaje lo suficientemente bien (note el énfasis en el grado) para usar la Escritura como Dios quiso. Pero debido a que el lenguaje humano es tan rico y porque el conocimiento de Dios es tan completo, la Escritura siempre contendrá profundidades de significado más allá

---

[25] Por supuesto que Dios no nos da revelaciones especiales sobre los significados de las palabras (en general), pero espera que utilicemos nuestro lenguaje adecuadamente, es decir, de manera verdadera, clara y amorosa estudiando el lenguaje en el contexto de su creación.

[26] Introducción, 181 y ss.

de nuestro entendimiento. ¿Son estas profundidades de significado irrelevantes para nosotros porque están más allá de nuestra comprensión? No. Nada es más importante en la Escritura que el sentido de misterio que transmite, la actitud de asombro que evoca de sus lectores.

Incluso para "2 + 2 = 4", podemos decir que Dios conoce profundidades de significado que nosotros no conocemos, sin mencionar las otras discontinuidades implícitas en la distinción Creador-criatura. Pero Dios también seguramente conoce los mismos niveles limitados de significado que nosotros conocemos, y dentro de esa esfera Él se comunica con una claridad que nos deja sin excusas.

5. ¿Todo el lenguaje sobre Dios es figurativo en lugar de literal? La pregunta 4 trataba del uso que Dios hace del lenguaje humano; esta trata del uso que nosotros hacemos de él. Aquí nos preguntamos si las palabras deben tener diferentes sentidos cuando se aplican a Dios que en otros usos.

Todos sabemos que la Escritura utiliza figuras de lenguaje al referirse a la "mano", "ojo" y demás de Dios. Algunos han sostenido la opinión de que todo el lenguaje humano sobre Dios es figurativo. Argumentan que el lenguaje humano es un lenguaje terrenal, un lenguaje que se refiere principalmente a las realidades finitas y temporales. Si dicho lenguaje ha de referirse a Dios, debe utilizarse de una manera diferente a su uso natural, es decir, debe utilizarse "figurativamente" o "analógicamente".

Pero ese es otro problema que es demasiado grande para que lo discutamos en detalle aquí. Ha sido uno de los principales problemas de la filosofía de la religión, especialmente desde los tiempos de Tomás de Aquino. Se han distinguido muchos tipos diferentes de analogías entre sí. Sin embargo, hay que tener en cuenta ciertos puntos básicos.

a) Diferentes referentes, no diferentes significados.

Es cierto que las palabras tienen una referencia significativamente diferente cuando se aplican a Dios. La justicia divina, por ejemplo, es significativamente diferente de la justicia humana. Pero el significado de un término no es su referente.[27] Silla no varía en significado porque se utiliza para referirse a diferentes sillas o a diferentes tipos de sillas. Si se quiere demostrar que la justicia tiene un significado figurativo cuando se aplica a Dios, habrá que demostrar no solo que la justicia de Dios es diferente de la nuestra, sino también que la diferencia es de tal naturaleza que requiere un uso figurativo.

---

[27] Cuando Pompeya fue destruida, el significado de Pompeya permaneció.

b) Distinción imprecisa.

Las diferencias entre los usos "literales" y "figurativos" son imprecisas. El uso "literal" de un término es su uso "estándar" o primario. Pero no siempre es posible distinguir claramente entre un uso "estándar" y uno no estándar.

c) El lenguaje humano se refiere naturalmente a Dios.

Una epistemología cristiana rechazará la premisa de que el lenguaje humano se refiere necesariamente en primer lugar a la realidad finita, porque esta premisa se basa en lo que hemos llamado una visión no cristiana de la trascendencia: que Dios no se revela claramente en la creación. Sobre una base cristiana debemos decir que Dios hizo el lenguaje humano para sus propios propósitos, el principal de los cuales era relacionarnos con él. El lenguaje humano es (quizás incluso principalmente, o "principalmente") un medio por el cual podemos hablarnos unos a otros sobre Dios. Liberados de esa falsa premisa, podemos ver todo tipo de términos que tienen una referencia primaria ("literal") a Dios, más que a la creación. Dios, la justicia, el amor, etc. son candidatos adecuados. ¿Por qué no deberíamos pensar que la justicia humana está modelada por la de Dios y no al revés? Ese es, de hecho, el modelo indicado en las Escrituras. También debemos tener en cuenta que todos los idiomas tienen vocabularios religiosos, y no hay pruebas de que estos términos se desarrollaron como una extrapolación sofisticada de los vocabularios naturalistas previamente existentes. El lenguaje religioso es una parte natural del discurso humano, porque Dios está tan involucrado en la vida humana como lo están las mesas, las sillas, los pájaros y los árboles.

d) Un lenguaje de Dios claramente literal.

Ciertos términos se refieren claramente a Dios literalmente, no figurativamente. Por ejemplo, tomemos atributos negativos como "Dios no es un mentiroso". ¿Qué es lo que en esa frase podría interpretarse como figurativo? No, claramente, tiene su sentido habitual. Mentiroso también es literal; estamos distinguiendo a Dios de los mentirosos literales, no, en este caso, figurativos. Como otro ejemplo, tomemos el amor. Seguramente, como hemos señalado (ver (a), arriba), hay muchos referentes diferentes aquí, es decir, entre el amor divino y el humano. Sin embargo, en la medida en que el amor tiene valor aquí, atribuye a Dios lo que uno esperaría del amor humano en su mejor momento: entrega, ayuda, compromiso, simpatía, etc. Seguramente no es como la atribución de brazos y ojos a Dios, ya que podemos decir significativamente que Dios no tiene "realmente" brazos y ojos, pero no podemos hacer una afirmación similar sobre el amor de Dios. El amor de Dios es más de lo que nuestro lenguaje puede comprender, pero seguramente no es menos. Decir que el amor se aplica a Dios solo en sentido figurado tiene la fuerza de disminuir el contenido sin añadir nada.

e) Van Til sobre la "analogía".

Van Til enseña que todo nuestro pensamiento sobre Dios es "analógico", pero en su vocabulario analógico significa "reflejo del pensamiento original de Dios".[28] Debido a que tanto el lenguaje "literal" como el "figurativo" pueden ser "analógicos" en el sentido de Van Til, su visión de la analogía no resuelve la cuestión que tenemos ante nosotros. Por lo que sé, Van Til no comenta en ninguna parte la cuestión de si el lenguaje sobre Dios puede ser literal o no.

f) Nunca comprometas la capacidad de conocimiento de Dios.

Debemos ser cuidadosos, aquí como en otras partes, de no hacer distinciones tan agudas entre el pensamiento de Dios y el nuestro que comprometan su conocimiento. Incluso cuando se utilizan expresiones figurativas sobre Dios, pueden transmitir la verdad. El carácter figurativo de algún lenguaje de la Escritura no le quita significado a ese lenguaje. "Dios es una roca" es cierto, y transmite un significado que no podría haber sido transmitido por una expresión literal. Dios ha hecho rocas, y las ha ordenado desde antes de la fundación del mundo para reflejar su fuerza y constancia. La roca es una revelación de Dios, y es por eso que es una figura adecuada.[29]

Tal lenguaje no es una mera conveniencia que Dios se ve obligado a usar a pesar de su falsedad. Como dice John Murray: "Conocemos a Dios por medio de la

---

[28] El reflexivo tiene dos sentidos aquí. En un sentido, todo el pensamiento humano refleja a Dios; en otro sentido, solo el pensamiento obediente y creyente lo hace. Esta distinción corresponde a la tradicional distinción reformada entre los sentidos "más amplios" y "más estrechos" de la imagen de Dios. El pensamiento incrédulo no imagina la verdad y la bondad de Dios (excepto de manera irónica), pero sí refleja a Dios en su habilidad. Véase nuestra posterior discusión sobre el conocimiento del incrédulo.

[29] Ver Kline, *Images*, para datos bíblicos sobre la creación entera como una imagen de Dios.

analogía, pero lo que conocemos no es una mera analogía, sino el verdadero Dios".[30]

6. ¿El "contenido del pensamiento" de Dios siempre difiere del hombre? El contenido del pensamiento jugó un papel crucial en la controversia del OPC. Los seguidores de Van Til insistieron en que cuando un hombre piensa en una rosa en particular, por ejemplo, el "contenido" en su mente siempre difiere del "contenido" en la mente de Dios cuando Él piensa en la misma rosa.[31]

Sería un error suponer que el contenido del pensamiento tiene un significado perfectamente claro y luego saltar a un vagón u otro. En mi folleto "Van Til el teólogo", sostengo que la idea de "contenido del pensamiento" es ambigua.[32]

En algunos sentidos, diría que Van Til tiene razón; en otros, Clark.

a) El contenido puede referirse a imágenes mentales. Creo que Van Til tiene esto en mente, por ejemplo, en la página 184 de Introducción: "Cuando el hombre dice que Dios es eterno, puede, debido a sus propias limitaciones, pensar en Dios solo como algo muy antiguo. Puede pensar en la eternidad solo en términos de años interminables". Esa afirmación es falsa, a menos que "pensar en" se refiera a la imagen de algún tipo, la imaginación de lo que sería para nosotros ser eternos. Si la imagen no está a la vista, entonces ciertamente hay formas en las que podemos pensar en la eternidad como algo distinto del tiempo interminable. De lo contrario, ¿cómo llegan los teólogos (incluido Van Til) a definir la eternidad como supratemporal? Si el contenido en la controversia significa "imágenes mentales", entonces todo el argumento es especulativo y tonto. No tenemos motivos para suponer que Dios piensa en algo parecido a nuestras imágenes mentales. (Incluso podemos pensar sin usar imágenes.) Y aunque lo haga, no hay razón para suponer que las imágenes de Dios son las mismas que las nuestras o que no lo son.

---

[30] Parafraseado de las inéditas "Conferencias sobre la Doctrina de Dios" de Murray. Creo que está usando la analogía en el sentido lingüístico tradicional, no en el sentido de Van Til descrito anteriormente en el apartado c).

[31] Cf. Van Til, *Introduction*, 172, sobre la proposición "2 x 2 = 4". Van Til niega que "debe haber identidad de contenido entre las mentes divina y humana en tal proposición".

[32] Curiosamente, Van Til confirma la ambigüedad de este concepto en un contexto diferente. En la página 194 de *Introduction*, argumenta que los cristianos y los no cristianos no están de acuerdo en ningún "contenido de pensamiento" sobre Dios. En la página 195, sin embargo, argumenta enérgicamente que el conocimiento de Dios por parte de los no cristianos es un contenido de pensamiento real, con el que, presumiblemente, el cristiano estaría de acuerdo. Y aún más notablemente, en las páginas 194 y 195, el "contenido del pensamiento" se contrasta con la "mera formalidad", haciendo esta última expresión igualmente ambigua.

b) El contenido puede referirse a los objetos de pensamiento. Decir que Dios y el hombre tienen el mismo "contenido de pensamiento", entonces, significaría simplemente que Dios y el hombre están pensando en las mismas cosas. Si este es el significado del contenido del pensamiento, entonces obviamente Dios y el hombre tienen un contenido de pensamiento común. Tengo pensamientos sobre mi máquina de escribir; ¡seguramente Dios también tiene pensamientos sobre ella![33]

(c) El contenido del pensamiento podría referirse a creencias o juicios de verdad. Ciertamente es posible que Dios y el hombre tengan el mismo "contenido de pensamiento" en ese sentido; las Escrituras nos instan constantemente a estar de acuerdo con los juicios de Dios. El concepto de Van Til de "razonamiento analógico" es inconcebible sin referencia a tal similitud.

d) El contenido también podría referirse a los significados asociados con las palabras en la mente. Sobre este punto, véanse las áreas problemáticas 4 y 5.

e) El contenido puede referirse a la plenitud de la propia comprensión. En esta interpretación, claramente siempre hay una diferencia divino-humana, porque el concepto de Dios de cualquier cosa es siempre más rico y completo que el concepto humano de la misma cosa.

f) Por último, el contenido puede referirse a todos los atributos del pensamiento en cuestión. Debido a que los pensamientos de Dios son todos de calidad divina y porque ninguno de los nuestros lo son (véase más arriba en "discontinuidades"), a este respecto siempre hay una diferencia de contenido entre los pensamientos de Dios y los nuestros. Sin embargo, las ambigüedades que hemos discernido en la expresión "pensamiento-contenido" deberían convencernos contra cualquier uso

---

[33] Jim Halsey ("Crítica", 129) en realidad está en desacuerdo con mi afirmación de que Dios y el hombre pueden tener las mismas creencias y pensar en las mismas cosas. Confieso que esto me deja completamente desconcertado. Con respecto a las creencias de Dios y los objetos de pensamiento, estoy dispuesto a plantear las mismas diferencias que he planteado en otros lugares, es decir, las creencias de Dios son las creencias del Creador y por lo tanto originales en lugar de derivadas, y así sucesivamente. Pero que Halsey niegue la continuidad que afirmo no tiene ningún sentido para mí. Creo que Jesús resucitó de entre los muertos. ¿Halsey quiere decir que Dios no afirma ese hecho? Es difícil para mí creer que cualquier erudito reformado pueda mantener algo tan absurdo. La preocupación de Halsey, por supuesto, es insistir en la distinción entre el Creador y la criatura en cada punto; por lo tanto, la idea de "igualdad", en su opinión, debe ser rechazada en todo momento. En mi opinión, sin embargo, este es un enfoque extremadamente mecánico, ajeno a los diferentes tipos de "igualdad" que hay. Además, el mero hecho de rechazar el concepto de "igualdad" en general crea graves problemas teológicos. Si el tipo equivocado de "igualdad" amenaza la distinción entre el Creador y la criatura, la negación de toda igualdad amenaza la presencia de Dios en nuestro mundo, ya que hace imposible pensar que Dios y el hombre vivan en el mismo universo, compartan la misma historia o establezcan relaciones significativas entre sí.

indefinido del mismo. Estoy seguro de que la confusión sobre el significado de esta frase fue un obstáculo significativo para el entendimiento mutuo entre los grupos Clark y Van Til.

7. ¿Hay una "diferencia cualitativa" entre los pensamientos de Dios y los nuestros? La diferencia cualitativa fue el gran grito de guerra de las fuerzas de Van Til contra el partido de Clark. Por un lado, Clark (se nos dice) sostenía que solo había una "diferencia cuantitativa" entre los pensamientos de Dios y los nuestros, es decir, que Dios conocía más hechos que nosotros. Por otro lado, Van Til creía que la diferencia era "cualitativa".

Estoy dispuesto a afirmar que hay una diferencia cualitativa entre los pensamientos de Dios y los nuestros, pero no estoy convencido del valor de la frase en la presente controversia. ¿Qué es una "diferencia cualitativa"? Definida de forma muy simple, es una diferencia de calidad. Por lo tanto, una diferencia entre el azul y el verde podría ser una "diferencia cualitativa". Tal uso, por supuesto, es totalmente inadecuado para hacer justicia a la distinción Creador-criatura, que las fuerzas de Van Til estaban tratando de hacer. Sin embargo, para ser justos, también debemos reconocer que en inglés la diferencia cualitativa se refiere generalmente a diferencias muy grandes de calidad, no a diferencias como la existente entre el azul y el verde.

Tendemos a hablar de "diferencias cualitativas" cuando las diferencias no pueden ser medidas cuantitativamente. Pero incluso en una definición tan máxima, la frase todavía denota diferencias dentro de la creación; no define de manera única la distinción Creador-criatura. Por lo tanto, tiendo a evitar la frase, aunque no tengo ninguna objeción al respecto. Aunque es apropiado utilizar un término superlativo como éste para describir la relación Creador-criatura, deberíamos curarnos de la noción de que lo cualitativo nos lleva automáticamente fuera de la esfera de las relaciones intracreacionales y que ningún otro término puede sustituirlo en tal contexto.[34]

En lugar de utilizar la diferencia cualitativa, prefiero utilizar términos que se relacionan más directamente con la terminología del pacto de la Escritura, por ejemplo, las diferencias entre Creador y criatura, Señor y siervo, Padre e hijo, original y derivado, autoatención y atestiguado por otro. En algunos contextos, esos términos también pueden designar relaciones intracreacionales; todos los términos del lenguaje humano pueden aplicarse a algo o a otro dentro de la creación. Pero

---

[34] Esta noción parece impregnar el artículo de Halsey. Sugiere continuamente que como no hablo de "diferencias cualitativas", debo sostener que las diferencias de vista son meramente "cuantitativas". Esa sugerencia es totalmente falsa.

cuando se refieren a la diferencia divino-humana, no son menos claros que la diferencia cualitativa, y en la mayoría de los aspectos, son más claros.

La sugerencia de que la diferencia cualitativa designa de alguna manera una diferencia mayor que estos otros términos o que es más apropiado que los términos bíblicos para denotar la diferencia en cuestión es totalmente infundada. Fue muy desafortunado que la diferencia cualitativa se convirtiera en una especie de grito de guerra partidista en la controversia del OPC. Para tal trabajo la frase es totalmente inadecuada.

Resumamos nuestra discusión sobre la incomprensión de Dios. El señorío de Dios debe ser reconocido en el área del pensamiento, así como en todos los demás aspectos de la vida humana. Debemos confesar que los pensamientos de Dios son totalmente soberanos y por lo tanto muy diferentes de los nuestros, que son los pensamientos de sirvientes. El ser de Dios también está más allá de nuestra comprensión, pero no debemos interpretar la incomprensión de Dios de tal manera que perdamos el conocimiento de Dios o la participación de Dios con nosotros en el proceso de pensar y conocer. Dios se revela y lo conocemos verdaderamente, pero es en esa revelación y debido a ella que nos maravillamos. El "Caso Clark" es un ejemplo clásico del daño que puede hacerse cuando la gente dogmatiza sobre cuestiones teológicas difíciles sin tomarse la molestia de comprenderse primero, de analizar las ambigüedades en sus formulaciones y de reconocer más de un tipo de peligro teológico que debe evitarse.

(2) CONOCER COMO UNA RELACIÓN DE PACTO

Hemos estado considerando las implicaciones del señorío de Dios para nuestro conocimiento de Él. Hemos visto cómo su señorío implica su conocimiento y, al mismo tiempo, su incomprensión. Ahora queremos preguntar más específicamente, ¿Qué clase de conocimiento es consistente con el señorío de Dios? Por encima de todo, debemos reconocer que el conocimiento humano de Dios es de carácter de pacto, como todas las actividades humanas. El conocer es el acto de un siervo del pacto de Dios. Eso significa que, al conocer a Dios, como en cualquier otro aspecto de la vida humana, estamos sujetos al control y la autoridad de Dios, enfrentados a su inevitable presencia.

Como aprendimos en nuestra discusión sobre la incomprensión de Dios, no nos atrevemos a aspirar al tipo de conocimiento que Dios tiene de sí mismo; debemos estar satisfechos con el tipo de conocimiento que un siervo puede tener de su Señor, incluso cuando ese conocimiento es un conocimiento de misterio o de nuestra propia ignorancia. Veamos ahora este "conocimiento de siervo" con más detalle. Sugeriré que el conocimiento de siervo es un conocimiento sobre Dios como Señor y un conocimiento que está sujeto a Dios como Señor.

a. Un conocimiento sobre Dios como Señor.

Conocer a Dios es conocerlo como Señor, conocer su nombre Yahvé (Ex. 14:18; 33:11-34:9; 1 R. 8:43; 1 Cr. 28:6-9; Sal. 83:18; 91:14; Pr. 9:10; Is. 43:3; 52:6; Jer. 9:23; 16:21; 33:2; Am. 5:8). Como vimos antes, Dios realiza actos poderosos "para que los hombres sepan que yo soy el Señor". Este énfasis es prominente en los documentos del tratado del pacto de las Escrituras.[35] Al principio del tratado, el Gran Rey proclama su señorío: "Yo soy el Señor tu Dios".

Conocer a Dios como Señor implica conocer ese control.[36] Como se mencionó anteriormente, Dios se da a conocer a través de Sus poderosas obras, tanto en la naturaleza (Ro. 1:18-20) como en la historia (Sal. 106:2, 8; 145:4, 12; Mt. 11:20s.; 2 Co. 12:12; He. 2:4). Estas pueden ser obras de juicio (Ex. 14:18) o de gracia (Mt. 5:45; Hch. 14:17; Mt. 11:20s.) También implica conocer su autoridad, saber que Él es la autoridad final y saber lo que nos manda hacer. Según el Génesis, la primera experiencia de Adán fue escuchar los mandamientos de Dios (Gn. 1:28s.; *cf.* 2:16s.).

El hombre nunca ha estado sin conocimiento de la voluntad de Dios. Incluso las personas no regeneradas saben lo que Dios requiere (Ro. 1:21-32, posiblemente

---

[35] Meredith Kline en su *Treaty of the Great King* Grand Rapids: Wm. B. Eerdmans Pub. Co., 1963) ha identificado ciertas partes de las Escrituras (por ejemplo, Éxodo 20:1-17, el Libro del Deuteronomio) como que tienen la forma de "tratados de protectorado" hititas, en los que un rey poderoso impondría su voluntad a un rey menor. Estos documentos generalmente incluían: 1) la identificación del gran rey —su nombre—, 2) el prólogo histórico -las relaciones pasadas entre el gran rey y el rey menor, centrándose en las formas en que el primero ha ayudado al segundo-, 3) las leyes -a) la lealtad fundamental al pacto, llamado "amor", y (b) mandamientos detallados para que el rey menor (vasallo) obedezca, (4) sanciones —bendiciones prometidas por obediencia, maldiciones por desobediencia, (5) administración del pacto— uso de los documentos, arreglos de sucesión, y así sucesivamente. En el Decálogo y en el Deuteronomio, Dios es el Gran Rey, Israel el vasallo. Kline sostiene que el pacto del Decálogo es de hecho la parte original del canon y que, como Dios inspiró Escrituras adicionales, las adiciones siguieron cumpliendo esencialmente las mismas funciones: identificación del nombre del Señor, historia del pacto, ley del pacto, sanciones del pacto y administración del pacto.

[36] Sorprendentemente, el patrón del tratado (tanto bíblico como extrabíblico), tal como lo describe Kline, sigue de cerca el patrón de control-autoridad-presencia. Siguiendo la identificación de su nombre, el Señor describe sus poderosas obras en el prólogo histórico (control), da sus leyes (autoridad) y pronuncia las bendiciones y maldiciones (presencia). La sección "administración del pacto", entonces, trata de la promulgación y aplicación de la historia del pacto, la ley y las sanciones.

2:14s.), y los pactos redentores siempre implican aplicaciones renovadas de los estatutos de Dios (Ex. 33:13; 34:5s.; 1 Cr. 28:6-9; Jer. 9:24). Además, conocer la voluntad autoritaria de Dios implica saber que Dios está presente como el que nos une a Él en una relación de pacto. Adán caminó y habló con Dios en el Jardín del Edén, e incluso el incrédulo ve a Dios con claridad (Ro. 1:19s.).

Todos los hombres son a imagen y semejanza de Dios (Gn. 1:27ss.; 9:6; 1 Co. 11:7; Stg. 3:9), y así conocen a Dios como se refleja en sus propias vidas; Dios está tan cerca que es ineludible. En la redención, Dios se acerca de nuevo a su pueblo, se dirige a él íntimamente (*cf.* el lenguaje "yo—tú" del Decálogo, como si Dios se dirigiera a una sola persona), y habita con él y lo bendice (Dt. 33:13).

b. Un conocimiento sujeto a Dios como Señor.

Decir, sin embargo, que el conocimiento es un pactual es más que decir que se trata de un pacto. Conocer al Señor no es solo saber sobre el señorío de Dios, aunque ciertamente es eso. Conocer es un proceso que en sí mismo está sujeto al señorío de Dios. Como todos los demás procesos, el conocimiento humano está bajo el control de Dios, sujeto a su autoridad y expuesto a su presencia. Por lo tanto, Dios está involucrado en nuestro conocimiento, así como está involucrado en las cosas que conocemos. El proceso de conocerse a sí mismo, aparte de cualquier información obtenida por él, es una revelación de Dios. A medida que conocemos a Dios, inevitablemente llegamos a conocerlo. Consideremos los atributos de señorío a este respecto.

(i) Conocimiento bajo el control de Dios.

En primer lugar, nuestro conocimiento de Dios siempre se basa en la revelación. Al llegar a conocer a Dios, es Él quien toma la iniciativa. No espera pasivamente a que lo descubramos, sino que se da a conocer. Además, al menos en el contexto posterior a la caída[37]— esta revelación es de gracia.

No la merecemos, pero Dios nos la da como un "favor" como parte de su misericordia redentora (Ex. 33:12s.; 1 Cr. 28:6-9; Pr. 2:6; Is. 33:5ss.; Jer. 9:23ss.; 31:33 ss.; Mt. 11:25-28; Jn. 17:3; Ef. 4:13; Fil. 1:9; Col. 1:9s.; 3:10; 2 Ti. 2:25; 2 P. 1:2s.; 2:20; 1 Jn. 4:7). Este proceso no solo implica la revelación en un sentido objetivo (es decir, Dios creando el mundo e inspirando la Biblia para que lo revelen

---

[37] Antes de la caída hubo gracia en el sentido de una bendición inmerecida pero no en el sentido de una remisión de la ira.

a un corazón abierto), sino que también implica la revelación en un sentido subjetivo, lo que la Biblia llama "iluminación" o "esclarecimiento", la obra del Espíritu Santo que abre nuestros corazones, para que reconozcamos, entendamos y usemos correctamente su verdad (2 Co. 4:6; Ef. 1:18; He. 6:4; 10:32; *cf.* 1 Ts. 1:5). Así pues, el origen del conocimiento es trinitario: El Padre lo sabe todo y nos revela la verdad por la gracia de su Hijo por obra del Espíritu en nuestros corazones. Obsérvese cómo cada persona de la Trinidad está involucrada en el proceso de conocimiento (cf. 1 S. 2:3; Sal. 73:11; Is. 11:2; 28:9; 53:11; Mt. 11:25s.; Ef. 1:17; Col. 2:3). Por lo tanto, es todo de Dios, todo de la gracia. Conocemos a Dios porque Él nos ha conocido primero como sus hijos (*cf.* Ex. 22:12; 1 Co. 8:1-3; Gá. 4:9).[38]

(ii) Conocimiento sujeto a la autoridad de Dios.

En la Escritura, el conocimiento está estrechamente vinculado a la justicia y la santidad (*cf.* Ef. 4:24; Col. 3:10). Estos "van juntos" (1 Co. 8:1-3; 1 Jn. 4:7s.). El conocimiento de Dios, en el sentido más completo, es inevitablemente un conocimiento obediente. Permítanme esbozar cinco relaciones importantes entre el conocimiento y la obediencia.

1. *El conocimiento de Dios produce obediencia* (Jn. 17:26; 2 P. 1:3, 5; 2:18-20). Los amigos de Dios necesariamente buscan obedecerle (Jn. 14:15, 21; etc.), y cuanto mejor le conocen, más obedientes se vuelven. Tal relación con Dios es inevitablemente una experiencia santificante; estar cerca de Él nos transforma, como indican las imágenes bíblicas de la gloria de Dios que se transfiere a su pueblo, de su Espíritu que desciende sobre ellos y de que se conforman a su imagen.

2. *La obediencia a Dios conduce al conocimiento* (Jn. 7:17; Ef. 3:17-19; 2 Ti. 2:25ss.; 1 Jn. 3:16; *cf.* Is. 33:6; Sal. 111:10; Pr. 1:7; 15:33).[39] Esto es lo contrario del punto anterior; hay una relación "circular" entre el conocimiento y la obediencia en la Escritura. Ninguno de los dos es unilateralmente anterior al otro, ya sea temporal o causalmente. Son inseparables y simultáneas. Cada una enriquece a la otra (*cf.* 2 P. 1:5s.). En mi opinión, algunos "intelectuales" reformados (Gordon

---

[38] La pregunta natural en este punto es si el conocimiento es un producto de la gracia redentora, entonces ¿cómo se puede decir que los no regenerados conocen a Dios en absoluto? La respuesta es que hay dos tipos de "conocimiento de Dios", el conocimiento en la fe y el conocimiento en la incredulidad. Trataremos sobre el "conocimiento en la incredulidad" más adelante. Aquí solo hablaremos del conocimiento del creyente.

[39] El "temor de Dios" es esa actitud básica de reverencia y asombro que inevitablemente lleva consigo el deseo de hacer la voluntad de Dios.

Clark se ha aplicado esta etiqueta a sí mismo) no han hecho justicia a esta circularidad. Incluso en los escritos de J. Gresham Machen, a menudo se encuentra el lema "la vida se construye sobre la doctrina" utilizado de una manera que distorsiona el hecho de que en algunos sentidos lo contrario también es cierto. Es cierto que, si se quiere obedecer a Dios de manera más completa, hay que conocerlo; pero también es cierto que, si se quiere conocer mejor a Dios, hay que procurar obedecerlo más perfectamente.[40]

Este énfasis no contradice nuestro punto anterior de que el conocimiento es por gracia. El conocimiento y la obediencia nos son dados simultáneamente por Dios sobre la base del sacrificio de Jesús. Una vez que son dados, Dios continúa dándolos en mayor y más grande plenitud. Pero Él usa medios; usa nuestra obediencia como un medio para darnos el conocimiento, y viceversa.

3. *La obediencia es conocimiento, y el conocimiento es obediencia.* Muy a menudo en la Escritura, la obediencia y el conocimiento son usados como casi sinónimos, ya sea poniéndolos en aposición el uno al otro (p. ej., Os. 6:6) o usándolos para definirse el uno al otro (p. ej., Jer. 22:16). Ocasionalmente, también, el conocimiento aparece como un término en una lista general de categorías claramente éticas (p. ej., Os. 4:1s.) y así se presenta como una forma de obediencia (*cf.* Jer. 31:31s.; Jn. 8:55 [note el contexto, esp. vv. 19, 32, 41]; 1 Co. 2:6 [*cf.* vv. 13-15; "maduro" aquí es una cualidad ético-religiosa]; Ef. 4:13; Fil. 3:8-11; 2 Ts. 1:8ss.; 2 P. 1:5; 2:20ss.). En estos pasajes, la obediencia no es solo una consecuencia del conocimiento sino un aspecto constitutivo del mismo. Sin obediencia no hay conocimiento, y viceversa.[41]

El punto aquí no es que la obediencia y el conocimiento sean sinónimos, intercambiables en todos los contextos. Sí difieren. El conocimiento designa la amistad entre nosotros y Dios (véase más adelante), y la obediencia designa nuestra actividad dentro de esa relación. Pero estas dos ideas son tan inseparables entre sí

---

[40] El círculo va aún más lejos: el conocimiento se origina en la gracia de Dios y conduce a más gracia (Ex. 33:13), lo que conduce a más conocimiento. En este caso, sin embargo, hay un comienzo "unilateral". La gracia causa el conocimiento, no al revés.

[41] F. Gerald Downing en su obra *Has Christianity a Revelation?* (Londres: SCM Press, 1964) equipara el conocimiento con la obediencia de tal manera que en realidad niega la existencia de un conocimiento revelado de Dios en el sentido conceptual del conocimiento. En mi opinión, él lleva su caso demasiado lejos (ver, por ejemplo, su exégesis de Fil. 3:8 y sig., que es un tanto extraña). Pero hace muchas sugerencias útiles, y el libro es muy útil para combatir nuestra imagen tradicional del "conocimiento" como algo meramente intelectual. (¡"Meramente" puede ser una palabra tan útil en teología! Si Downing hubiera dicho que el conocimiento no es meramente intelectual, habría dicho algo verdadero y útil).

que a menudo pueden utilizarse legítimamente como sinónimos, describiéndose cada una de ellas desde una perspectiva particular.

4. *Por lo tanto, la obediencia es el criterio de conocimiento.* Para determinar si alguien conoce a Dios, no solo le damos un examen escrito, sino que examinamos su vida. El ateísmo en la Escritura es una posición práctica, no meramente teórica; negar a Dios se ve en la corrupción de la vida de uno (Sal. 10:4ss.; 14:1-7; 53). Del mismo modo, la prueba de la fe o el conocimiento cristiano es una vida santa (Mt. 7:21ss.; Lc. 8:21; Jn. 8:47; 14:15, 21, 23s.; 15:7, 10, 14; 17:6, 17; 1 Jn. 2:3-5; 4:7; 5:2s.; 2 Jn. 6s.; Ap. 12:17; 14:12). La razón última de esto es que Dios es el Dios real, viviente y verdadero, no una abstracción sobre la que solo podemos teorizar, sino uno que está profundamente involucrado en cada una de nuestras vidas. El propio "Yo soy" de Yahvé indica su presencia. Como dice Francis Schaeffer: Él es "el Dios que está ahí". Por lo tanto, nuestra relación con Él es una relación práctica, una relación con Él no solo en nuestra actividad teórica sino en toda la vida. Desobedecer es ser culpablemente ignorante de la participación de Dios en nuestras vidas. Así que la desobediencia implica ignorancia y la obediencia implica conocimiento.[42]

5. *Por lo tanto, está claro que el conocimiento en sí mismo debe ser buscado de manera obediente.* Hay mandamientos en la Escritura que tienen que ver muy directamente con la forma en que debemos buscar el conocimiento, que identifican las diferencias entre el verdadero y el falso conocimiento. En este sentido, debemos meditar en 1 Corintios 1-2; 3:18-23; 8:1-3; y Santiago 3:13-18. Cuando buscamos conocer a Dios obedientemente, asumimos el punto fundamental de que el conocimiento cristiano es un conocimiento bajo autoridad, que nuestra búsqueda del conocimiento no es autónoma sino sujeta a las Escrituras. Y si eso es cierto, se deduce que la verdad (y hasta cierto punto el contenido) de la Escritura debe considerarse como el conocimiento más seguro que tenemos. Si este conocimiento ha de ser el criterio para todos los demás conocimientos, si ha de regir nuestra aceptación o rechazo de otras proposiciones, entonces no hay ninguna proposición que pueda ponerlo en duda. Por lo tanto, cuando conocemos a Dios, lo conocemos con mayor certeza, más seguramente que cualquier otra cosa. Cuando Él nos habla, nuestro entendimiento de Su Palabra debe gobernar nuestro entendimiento de todo lo demás. Este es un punto difícil porque, después de todo, nuestro entendimiento de la Escritura es falible y a veces puede necesitar ser corregido. Pero esas

---

[42] Varias ideas de este párrafo provienen de las conferencias de Shepherd, citadas anteriormente.

correcciones pueden hacerse solo sobre la base de una comprensión más profunda de la Escritura, no sobre la base de algún otro tipo de conocimiento.

Es en este punto que nos presentamos al término por el cual la apologética de Van Til es más conocida, el término presuposición. Una presuposición es una creencia que tiene prioridad sobre otra y por lo tanto sirve como criterio para otra. Una presuposición última es una creencia sobre la que no tiene precedencia ninguna otra.[43]

Para un cristiano, el contenido de la Escritura debe servir como su presuposición última. Nuestras creencias sobre la Escritura pueden ser corregidas por otras creencias sobre la Escritura, pero en relación con el conjunto de información extraescritural que poseemos, esas creencias son de carácter presuposicional. Esta doctrina es meramente el resultado del señorío de Dios en el área del pensamiento humano. Simplemente aplica la doctrina de la infalibilidad de las Escrituras al reino del conocimiento. Visto de esta manera, no puedo entender por qué cualquier cristiano evangélico debería tener problemas para aceptarlo. Estamos simplemente afirmando que el conocimiento humano es conocimiento de servicio, que al buscar saber algo nuestra primera preocupación es descubrir lo que nuestro Señor piensa sobre ello y estar de acuerdo con su juicio, para pensar sus pensamientos después de Él. ¿Qué alternativa podría haber? ¿Alguien se atrevería a sugerir que, aunque nos comprometamos sin reservas con Cristo, no hay lugar para tales compromisos en nuestro trabajo intelectual? Así, esta doctrina de presuposiciones afirma pura y simplemente el señorío de Cristo sobre el pensamiento humano. Todo lo que no sea esto es inaceptable para Él.

iii) Conocimiento expuesto a la presencia de Dios.

Comúnmente distinguimos entre el conocimiento de los hechos ("saber que..."), el conocimiento de las habilidades ("saber cómo...") y el conocimiento de las personas ("saber-conocer-a alguien").[44]

---

[43] Algunos pueden pensar que esta definición de presuposición tiene un tono demasiado intelectualista. Por supuesto, en este contexto nos ocupamos principalmente de creencias, proposiciones, etc. Pero ciertamente quiero subrayar que los "presupuestos" están enraizados en "compromisos básicos" del corazón. El hecho de que utilicemos el término "presuposición" tal como se ha definido anteriormente o que lo definamos como "compromiso básico" y encontremos otro término para emplearlo en el contexto estrictamente epistemológico no me parece un problema muy importante.

[44] El conocimiento de las cosas podría ser una cuarta categoría. A menudo, cuando hablamos de conocer cosas (plátanos, Suiza, la estructura de precios del mercado de los cereales), pensamos en el conocimiento de los hechos. Otras veces, o quizás siempre en

Estos tres están relacionados, pero no son idénticos entre sí. Conocer a una persona implica conocer hechos sobre ella (a diferencia de algunos teólogos "personalistas"), pero se pueden conocer hechos sobre alguien sin conocerlo, y viceversa. Un politólogo puede conocer muchos hechos sobre el presidente de los Estados Unidos sin poder decir que "conoce" al presidente. El jardinero de la Casa Blanca puede saber muchos menos hechos y, sin embargo, ser capaz de decir que conoce al presidente bastante bien.

Los tres tipos de conocimiento se mencionan en las Escrituras, y todos son importantes teológicamente. Un creyente debe conocer ciertos hechos sobre Dios, quién es Él, qué ha hecho. Noten la importancia del "prólogo histórico" dentro de la estructura del pacto: el Señor comienza el documento del pacto diciendo lo que Él ha hecho. El pacto comienza en la gracia. Aquellos que menosprecian la importancia del conocimiento de los hechos en el cristianismo están de hecho menospreciando el mensaje de la gracia (*cf.* Sal. 100:3; Ro. 3:19; 6:3; 1 Jn. 2:3; 3:2 —ejemplos aleatorios de conocimiento de los hechos que es vital para el creyente). Además, un creyente es aquel que aprende nuevas habilidades —cómo obedecer a Dios, cómo orar, cómo amar— así como habilidades en las que los creyentes difieren unos de otros —predicación, evangelización, servicio diaconal, etc. (*cf.* Mt. 7:11; Col. 4:6; 1 Ti. 3:5). Pero (y quizás lo más importante) el conocimiento cristiano es el conocimiento de una persona. Es conocer a Dios, a Jesucristo y al Espíritu Santo.[45]

A veces en las Escrituras, "conocer" a una persona se refiere principalmente a conocer hechos sobre ella, pero la mayoría de las veces significa estar involucrado con ella ya sea como amigo o como enemigo (*cf.* Gn. 29:5; Mt. 25:24; Hch. 19:15; 1 Co. 16:15; 1 Ts. 5:12. El uso común de "saber" para referirse a las relaciones sexuales también debe ser notado en este punto, por ejemplo, Génesis 4:1). Cuando la Escritura habla de que Dios "conoce" a los hombres, generalmente la referencia no es en absoluto al conocimiento de los hechos (ya que no hace falta decir que Dios conoce los hechos). En tales contextos, conocer significa generalmente "amar"

---

cierta medida, pensamos en un conocido algo análogo al conocimiento de las personas. No creo que sea edificante tratar de resolver esas cuestiones ahora.

[45] Aunque los tres tipos de conocimiento son distintos, cada uno involucra a los otros. No se puede conocer a una persona sin conocer algunos hechos sobre ella y tener alguna habilidad para relacionarse significativamente con ella, y así sucesivamente. Por lo tanto, se puede describir el conocimiento cristiano bajo tres "perspectivas": como el aprendizaje de los hechos y el dominio de las implicaciones y usos de esos hechos (Gordon Clark) o como el desarrollo de habilidades en el uso de los hechos en nuestras relaciones con los demás y con Dios o como el aprendizaje de conocer a Dios, en cuyo contexto aprendemos hechos y habilidades.

o "hacer amistad" (*cf.* Ex. 33:12, 17; Sal. 1:5s; Jer. 1:5; Am. 3:2; Nah. 1:7; Mt. 25:12; Jn. 10:14, 27).

Este es frecuentemente un punto exegético importante, especialmente en Romanos 8:29. La afirmación allí de que Dios "conocía de antemano" a ciertas personas no puede significar que Él sabía que creerían, y por lo tanto no puede enseñar que la predestinación se basa en la previsión de Dios de las elecciones autónomas del hombre. Más bien, el versículo enseña que la salvación se origina en el conocimiento soberano de Dios (es decir, el amor) de sus elegidos. Por lo tanto, las Escrituras casi nunca hablan de que Dios "conozca" a un incrédulo; los únicos ejemplos que puedo encontrar de eso (Jn. 2:25; 5:42) se refieren claramente al conocimiento de los hechos.•

El conocimiento del hombre de Dios, entonces, es muy similar al conocimiento de Dios del hombre. Conocerlo es estar involucrado con Él como un amigo o como un enemigo. Para el creyente, conocerlo es amarlo; de ahí el fuerte énfasis en la obediencia (como hemos visto) como un aspecto constitutivo del conocimiento de Dios. Sin embargo, aquí queremos centrarnos en el hecho de que el Dios a quien conocemos y amamos está necesariamente presente con nosotros, y por lo tanto nuestra relación con Él es verdaderamente personal.

La intimidad del amor asume la realidad presente del amado. Podemos amar a alguien a distancia, pero solo si esa persona juega un papel significativo y continuo en nuestros pensamientos, decisiones y emociones y en ese sentido está cerca de nosotros. Pero si Dios controla todas las cosas y se erige como la máxima autoridad para todas nuestras decisiones, entonces Él nos confronta en cada momento; su poder se manifiesta en todas partes, y su Palabra reclama constantemente nuestra atención. Él es la realidad más inevitable que existe y la más íntima, ya que su control y autoridad se extiende a los más profundos recovecos del alma. Debido a la amplitud de su control y autoridad, no podemos pensar que Dios está tan lejos. (Los gobernantes y las autoridades terrenales parecen estar muy lejos precisamente porque su autoridad y control son muy limitados). Así que Dios no es meramente un regulador o autoridad, sino que también es un conocido íntimo.

El lenguaje de las Escrituras pone de manifiesto esta intimidad. Dios habla a Israel usando la segunda persona del singular, como si toda la nación fuera una sola persona; Dios usa el lenguaje de "yo y tú". Proclama a su pueblo bendiciones y maldiciones, la marca de su continua presencia (sacerdotal). A medida que la historia de la redención progresa, la relación de alianza se describe en términos de matrimonio (Os; Ef. 5; etc.), filiación (Jn. 1:12; Ro. 8:14-17; etc.), y amistad (Jn. 15:13-15).[46]

El sentido de que el creyente hace todas las cosas no solo para la gloria de Dios sino en la presencia de Dios (*coram deo*) ha sido una verdad preciosa para los reformados. Dios no solo controla y ordena, sino que en toda nuestra experiencia es, en última instancia, "aquel con quien tenemos que relacionarnos". Nada puede estar más lejos de la marca determinista, impersonalista, intelectualista y no emocional de la religión representada en la caricatura popular del calvinismo.

En resumen, el "conocimiento de Dios" se refiere esencialmente a la amistad (o enemistad) de una persona con Dios. Esa amistad presupone el conocimiento en otros sentidos: conocimiento de los hechos sobre Dios, conocimiento de las habilidades en la vida justa, y así sucesivamente. Por lo tanto, implica una respuesta de alianza de toda la persona a Dios en todos los ámbitos de la vida, ya sea en la obediencia o en la desobediencia. Involucra, más específicamente, un conocimiento del señorío de Dios, de su control, su autoridad y su realidad actual.

EXCURSO: SABIDURÍA Y VERDAD

Los conceptos bíblicos de sabiduría y verdad se asemejan al concepto de conocimiento en formas importantes. Aunque el conocimiento designa ampliamente el pacto de amistad (o enemistad) entre Dios y el hombre, la sabiduría se centra en el elemento de conocimiento, o habilidad. Un hombre sabio es aquel que tiene la capacidad de hacer algo, no solo un conocimiento fáctico de algo, sino también la habilidad de usar su conocimiento correctamente. Ese uso puede ser en varias áreas, por ejemplo, Bezaleel el hijo de Uri fue "lleno del Espíritu de Dios y de sabiduría" (la NVI lee "habilidad", "capacidad") para hacer el trabajo de artesanía para el tabernáculo (Ex. 31:1-6). Pero más a menudo, la sabiduría tiene una connotación moral-religiosa, de modo que podemos definirla como "la habilidad de vivir piadosamente" (*cf.* esp. Stg. 3:13-17). Podemos ver, entonces,

---

[46] Algunos escritores encuentran aquí un gran "progreso", desde las categorías de pacto legal a las categorías íntimas-personales. Yo, sin embargo, veo estas últimas metáforas como el resultado natural de la intimidad ya involucrada en la relación de alianza. ¿Qué podría ser más íntimo que la relación asumida en Deuteronomio 6:5? La idea de que la ley es necesariamente algo frío e impersonal proviene del pensamiento humanista moderno, no de las Escrituras.

cómo la sabiduría, como el conocimiento, implica una comprensión del señorío de Dios, así como una obediencia real al Señor (Pr. 9:10; *cf.* 1:7).[47]

También podemos ver que la sabiduría, como el conocimiento, es un don de la gracia de Dios y tiene un origen trinitario: Dios Padre es la fuente de la sabiduría, en el Hijo están escondidos todos los tesoros de la sabiduría, y el Espíritu es el Espíritu de la sabiduría. La sabiduría es comunicada por la Palabra y por el Espíritu (*cf.* Ex. 28:3; 31:3; Dt. 34:9; Pr. 3:19; 8:30; 28:7-9; 30:5; Jer. 8:8ss.; Hch. 6:3; 1 Co. 1:24, 30; 2:6-16; Col. 2:3; 3:16; 2 Ti. 3:15).

La verdad se usa en varios sentidos en la Escritura. Podemos distinguir un sentido "metafísico" (la verdad es lo absoluto, lo completo, en oposición a lo relativo, lo parcial, etc. —Jn. 6:32, 35; 15:1; 17:3; He. 8:21; 1 Jn. 5:20), un sentido "epistemológico" (la verdad es lo correcto —Dt. 17:4; 1 R. 10:6; Ef. 4:24— es decir, "verdad propositiva"), y un sentido "ético" ("caminar en" la verdad, es decir, hacer lo correcto —Neh. 9:33; Sal. 15:2; 25:5; 26:3; 51:6 [observe el paralelo con la sabiduría]; 86:11; Ez. 18:9; Os. 4:1; Jn. 3:20ss.; Gá. 5:7; 1 Jn. 1:6).[48]

La verdad, como el conocimiento y la sabiduría, viene por gracia, por comunicación trinitaria, por la Palabra y por el Espíritu (Dn. 10:21; Jn. 8:31s.; 14:6; 17:17 [*cf.* vv. 6, 8; 2 S. 7:28; Sal. 119:142, 160]; Ro. 2:8; 2 Co. 4:2; 6:7; Gá. 2:5; Ef. 1:13; Col. 1:5; 2 Ts. 2:12; 1 Ti. 3:15; Stg. 3:14; 1 P. 1:22; 2 P. 2:2; Ap. 6:10; 15:3; 16:7).

Aunque los conceptos bíblicos de sabiduría y verdad no son precisamente sinónimos de "conocimiento", corroboran ciertos énfasis hechos en nuestra discusión sobre el conocimiento. Aunque tanto la sabiduría como la verdad están significativamente relacionadas con el conocimiento proposicional o conceptual, ninguna de las dos puede explicarse plenamente mediante categorías proposicionales. Ser "sabio" o "conocer la verdad" en el sentido bíblico más completo no es simplemente conocer hechos sobre la teología (ni es un tipo de conocimiento místico desprovisto de contenido proposicional). La sabiduría y la verdad, al igual que el conocimiento, se dan por la gracia de Dios y, en el sentido más profundo de los términos, implican la obediencia y la implicación íntima y personal entre el Creador y la criatura.

---

[47] La sabiduría y el conocimiento son casi sinónimos en los Proverbios y en otra literatura de sabiduría bíblica.

[48] Con respecto a esta triple distinción, véase John Murray, *Principles of Conduct* (Grand Rapids: Wm. B. Eerdmans Pub. Co., 1957), 123-28, y Vos, *Biblical Theology*, 382s.

C. EL CONOCIMIENTO DEL NO CREYENTE

Ahora nos enfrentamos a un problema. Si el conocimiento en las Escrituras no solo implica el conocimiento de los hechos, sino que también es (1) un don de la gracia redentora de Dios, (2) una respuesta obediente del pacto con Dios, y (3) una participación amorosa y personal, ¿cómo se puede decir que el no creyente conoce a Dios en modo alguno? Hemos visto que, según las Escrituras, el no creyente conoce a Dios (Ro. 1:21), pero ¿cómo puede ser eso?

Bueno, la Escritura también nos dice que los incrédulos no conocen a Dios (*cf.* los pasajes mencionados anteriormente). Evidentemente, entonces, hay un sentido (o sentidos) en el que sí lo conocen y un sentido (o sentidos) en el que no. Ahora debemos tratar de resolver algunas de estas distinciones.

1) Similitudes

De manera importante, el conocimiento del incrédulo es como el del creyente. Examinando el esquema de la última sección, podemos decir (1) que Dios es conocible pero incomprensible tanto para el creyente como para el incrédulo y (2) que en ambos casos el conocimiento puede ser descrito como conocimiento de pacto. Tanto el creyente como el incrédulo conocen el control, la autoridad y la presencia de Dios. El conocimiento del incrédulo, como el del creyente, es un conocimiento de que Dios es Señor (*cf.* pasajes mencionados anteriormente). Y ambas formas de conocimiento están sujetas al control, autoridad y presencia de Dios.

El incrédulo, como el creyente, conoce a Dios solo por iniciativa de Dios, aunque se niega a obedecer esa autoridad. Su conocimiento no es solo un conocimiento sobre Dios, sino un conocimiento de Dios mismo (Ro. 1:21). De hecho, es un enfrentamiento con Dios como presente, aunque experimente la presencia de la ira de Dios (Ro. 1:18), no su bendición redentora (*cf.* Ex. 14:4, donde el conocimiento de Dios de los egipcios se produce en medio de la experiencia del juicio).[49]

(2) Diferencias

---

[49] Por supuesto, el incrédulo experimenta la bendición de la "gracia común" de Dios (Mt. 5:45ss.; Hch. 14:17ss.), la bondad no redentora de Dios por la cual busca atraer a los hombres amorosamente hacia el arrepentimiento y la fe.

Las diferencias esenciales pueden derivarse de la discusión anterior. El conocimiento del incrédulo implica (1) una falta de gracia salvadora, (2) una negativa a obedecer, y (3) una falta de bendición redentora. Pero debemos ser más específicos. ¿Cómo afectan estas diferencias a la conciencia del incrédulo y a su expresión de esa conciencia mientras vive, toma decisiones, discute, filosofa, teologiza, etc.? Examinemos varias posibilidades.

a. La revelación no tiene impacto en el no creyente

Podríamos estar tentados a decir que el "conocimiento" del incrédulo consiste simplemente en el hecho de que está rodeado por la revelación de Dios, aunque esa revelación no tiene ningún impacto en su conciencia. Desde este punto de vista, podríamos decir que en cierto sentido Dios se ha revelado a todos. También podríamos hablar enfáticamente sobre los efectos de la depravación en el conocimiento. Tan depravado es el pecador que destierra a Dios de su mente por completo; la revelación de Dios no tiene absolutamente ningún impacto en su pensamiento.[50]

Encuentro este punto de vista inadecuado por las siguientes razones:

(1) De acuerdo con este punto de vista, podríamos hablar de la revelación de Dios al hombre caído, pero ciertamente no podríamos hablar de que el hombre caído tenga conocimiento de Dios. Pero la Escritura describe a los incrédulos como conocedores de Dios.

(2) La Escritura representa a los incrédulos, e incluso a los demonios, como interactuando constantemente con la revelación de Dios. Dios no solo se les revela, sino que "se ve claramente" (Ro. 1:20). Ellos "conocen" a Dios (Ro. 1:21), y "cambian la verdad por la mentira" (Ro. 1:23, 25). ¿Pero cómo puede uno intercambiar algo que nunca ha entrado en su mente? Según las Escrituras, los incrédulos también hablan verdaderamente de Dios, como veremos.

b. El incrédulo debería saber, pero no lo hace

---

[50] En algunas traducciones de la Biblia, Romanos 1:28 sugiere algo como lo siguiente. El incrédulo no quiere tener a Dios en su conciencia, por lo que su conciencia está desprovista de Dios. Sin embargo, *epignosei* en griego significa mucho más que "conciencia", y en cualquier caso el rechazo previsto en el versículo es un acto deliberado que presupone en un momento dado un conocimiento de Dios; el incrédulo está rechazando algo que conoce.

Jim S. Halsey (mencionado antes en otra conexión) sugiere en su libro *For a Time Such As This*[51] [Para un tiempo como este], que el incrédulo debe saber por la naturaleza solamente que el verdadero Dios es el Creador del mundo, que su providencia está por encima de todas sus obras, y así sucesivamente. Añade: "Lo anterior, debe ser cuidadosamente anotado, son conclusiones a las que todo hombre debe llegar; sin embargo, no se debe insinuar que cualquier hombre pueda realmente llegar a ellas... 'Debe' no implica necesariamente habilidad".[52]

El punto de Halsey es que el conocimiento del incrédulo es solo potencial, no real, que, aunque está obligado a saber, no sabe realmente. Van Til también habla así en ocasiones, pero estoy convencido de que tales expresiones son inadecuadas. Esencialmente, es la misma posición que la del no creyente, que no sabe realmente; simplemente está obligado a saber. Pero las Escrituras dicen que el no creyente sabe, como hemos visto. Además, ni Halsey ni Van Til mantienen esta posición de manera consistente, como veremos.

c. Conoce a Dios "psicológicamente"

En la página 65 de su libro, Halsey sugiere otra formulación: el incrédulo conoce a Dios en un sentido "psicológico", no "epistemológico".[53]

No me queda muy claro lo que Halsey quiere decir con "epistemológico", pero en las siguientes páginas lo relaciona repetidamente con la "actividad interpretativa". Así, parece argumentar, el no creyente conoce a Dios, pero su actividad interpretativa siempre niega a Dios. Sin embargo, (1) este punto de vista contradice a b, que Halsey aparentemente también desea sostener. Según este punto de vista, el conocimiento del incrédulo no es solo potencial, sino real, aunque solo sea "psicológico". En su libro, Halsey no muestra ninguna conciencia de ningún problema aquí. (2) ¿Qué significa hablar de un conocimiento en el hombre ("psicológico") que está completamente desprovisto de "interpretación"? ¿No implica todo conocimiento una "interpretación" en algún sentido? ¿No implica necesariamente el conocimiento una "interpretación" de lo que se conoce? Confieso que no encuentro este punto de vista inteligible.

---

[51] Nutley, N.J.: Presbyterian and Reformed Pub. Co., 1976.

[52] Ibid., 63.

[53] Van Til usa algo de la misma terminología, como señala Halsey, pero no estoy seguro de que la use como lo hace Halsey. En cualquier caso, está claro (véase más abajo) que Van Til (a diferencia de Halsey) no considera esta distinción como una solución definitiva al problema.

d. Reprime su conocimiento psicológicamente

Algunos estudiantes de la apologética reformada han estado tentados de pensar en el asunto en términos algo freudianos, es decir, el incrédulo "reprime" su conocimiento hasta tal punto que se vuelve totalmente subconsciente o inconsciente.[54]

Este punto de vista, a diferencia de los otros, presenta un sentido algo inteligible en el que podemos hablar del "conocimiento" del incrédulo, pero al mismo tiempo considerar su depravación tan radical que destierra el conocimiento de Dios de la "conciencia". El problema aquí, sin embargo, es que la Escritura habla de los incrédulos —e incluso de los demonios— como (al menos a veces) conscientes de la verdad y dispuestos a afirmarla (véase Mt. 23:3s.; Mr. 1:24; Lc. 4:34; 8:28; Jn. 3:2; Hch. 16:17; Stg. 2:19).

e. Sus acuerdos con los creyentes son "puramente formales"

De vez en cuando, Van Til se refiere a los "acuerdos" entre creyentes e incrédulos como "puramente formales", es decir, los dos utilizan las mismas palabras para expresar significados totalmente diferentes.[55]

Ciertamente, situaciones como ésta surgen, por ejemplo, cuando los teólogos herejes usan la revelación para referirse a sus propias ideas religiosas. Claramente esta es una forma en la que la incredulidad suprime la verdad. Sin embargo, sería erróneo generalizar y decir que todos los acuerdos entre los incrédulos y la Escritura tienen este carácter.

(1) Si eso fuera cierto, no se podría decir que el incrédulo tiene conocimiento; su "conocimiento" sería solo aparente. Si digo "2 + 2 = 4" pero quiero decir con ello "2 + 2 = 7," no he expresado ningún conocimiento, solo error. Pero sin conocimiento genuino, nos dice Romanos 1, el incrédulo podría excusarse.

(2) La Escritura no presenta las declaraciones de Satanás o de los incrédulos como solo formalmente verdaderas (ver la lista bajo *d* arriba). Tales declaraciones son una mezcla ingeniosa de verdad y error.

---

[54] Van Til ocasionalmente habla de esta manera. Nótese su frecuente estribillo de que el no creyente conoce la verdad "en el fondo", y a veces su lenguaje es incluso más psicológico que eso. Sin embargo, no creo que esta representación sea consistente con otras cosas que dice Van Til, ni creo que sea en absoluto central para su perspectiva.

[55] Cf. Van Til, *Introduction*, 92, 113; *Defense of the Faith* (Philadelphia: Presbyterian and Reformed Pub. Co., 1955, 1967), 59.

(3) Si los incrédulos hablaran solo de la verdad formal, entonces la comunicación con ellos sería imposible; un cristiano no podría hablarles de árboles porque para ellos árbol no se referiría a los árboles.

(4) Dudo que exista un acuerdo puramente formal. Incluso la decisión de "usar las mismas palabras" en una conversación (sobre árboles o Dios) es una decisión que presupone más que un conocimiento formal de la verdad. Incluso cuando el teólogo moderno utiliza la revelación para referirse a sus propias ideas religiosas, muestra que sabe algo sobre sus ideas religiosas, sobre las potencialidades de la revelación y sobre la verdad que ingeniosamente trata de evitar.

f. Su "Conocimiento" siempre es falsificado por su contexto

¿O deberíamos decir que el incrédulo acepta proposiciones que son verdaderas en el aisladamente, pero falseadas en el contexto en que las suministra?[56] Por ejemplo, el no creyente dice verdaderamente que "la rosa es roja", pero la afirmación se vuelve falsa cuando se ve en el marco general de pensamiento del no creyente, es decir, "la rosa no creada por el Dios trino es roja por casualidad".

Y como las declaraciones se entienden correctamente "en contexto" y no "fuera de contexto", podemos decir que se entienden correctamente, todas las declaraciones del no creyente son falsas. Bueno, es cierto que una declaración normalmente verdadera puede ser usada para comunicar falsedad cuando se pone en un contexto falso. Y es ciertamente cierto que el marco antitético (que todo incrédulo adopta) es un contexto falso. Pero la idea de que las frases verdaderas usadas como parte de un sistema falso se convierten en falsas por sí mismas es una especie de teoría idealista del lenguaje que no tiene base cristiana y que sería rechazada por casi todos los lingüistas, ¡incluso los idealistas! Podemos afirmar legítimamente que los incrédulos a veces reprimen la verdad tratando de integrarla en un marco global que es falso, pero (como en e) no debemos generalizar tanto como para decir que todos los incrédulos siempre lo hacen. Decir eso (incluso aceptando las premisas lingüísticas cuestionables) sería negar al incrédulo todo lo que podría llamarse legítimamente "conocimiento".[57]

---

[56] Cf. Van Til, *Introduction*, 26.

[57] Por lo tanto, cuando Van Til dice que el conocimiento del incrédulo es "verdadero hasta donde llega", no debemos usar eso como pretexto para saltar a una teoría idealista del lenguaje que, según entiendo, Van Til repudia.

g. Su conocimiento solo existe cuando es irreflexivo

Algo relacionado con lo anterior (y con la c) es la voluntad de Van Til de decir que los incrédulos dicen la verdad cuando son irreflexivos, pero no en sus "sistemas de pensamiento".[58] Hay un punto en esto. Típicamente, los filósofos no cristianos tratan de utilizar sus filosofías para articular e inculcar su oposición a la verdad; tratan de hacer que su incredulidad sea convincente, para mostrar cómo los hechos se tratan mejor sobre una base no creyente. Dado que tienden a dedicar más esfuerzo y energía a suprimir la verdad en su trabajo teórico que en su vida práctica, uno esperaría que estuvieran más desprevenidos en las situaciones prácticas, que estuvieran más inclinados que sin darse cuenta a reconocer a Dios. Bueno, creo que este es usualmente el caso, pero ciertamente esto no es nada más que una generalización aproximada.

No tenemos ninguna base para negar las excepciones a esta regla, y ciertamente no tenemos ninguna justificación para localizar aquí la diferencia básica entre el conocimiento creyente y el no creyente. ¿Alguien sugeriría que un filósofo incrédulo es necesariamente menos depravado en su vida personal que en su vida profesional? Y si sabe alguna verdad, ¿cómo podemos afirmar que tal conocimiento no influirá en su erudición, ya que influye en su vida ordinaria? Las Escrituras nunca establecen una línea de este tipo entre la vida y la teoría. Al contrario, en la Escritura el pensamiento es parte de la vida y está sujeto a las mismas influencias morales y religiosas que rigen el resto de la vida.

h. No cree en suficientes proposiciones.

Gordon H. Clark, en su *Religion, Reason and Revelation*[59] [Religión, Razón y Apocalipsis] (87-110) y en el *Johannine Logos*[60] [Logos de Juan] (69-90), busca definir la fe salvadora como el asentimiento a ciertas proposiciones. Rechaza la posición tradicional de la Reforma de que la fe como "confianza" (fiducia) es más que "asentimiento". Un incrédulo, entonces, es simplemente aquel que no ha aceptado el número requerido de proposiciones. Los demonios en Santiago 2:19,

---

[58] En un ensayo universitario, critiqué a Van Til por afirmar que el incrédulo "no sabía nada en realidad". Escribió en los márgenes varias veces que en su opinión la ignorancia de los incrédulos se centra "en su sistema", Van Til, *Introduction*, 81–84, 104.

[59] Philadelphia: Presbyterian and Reformed Pub. Co., 1961.

[60] Nutley, N.J.: Presbyterian and Reformed Pub. Co., 1972; cf. Gordon H. Clark, *Faith and Saving Faith* (Jefferson, Md.: Trinity Foundation, 1983).

Clark argumenta, creen que Dios es uno, pero fallan en creer otras proposiciones y por lo tanto se pierden.

Clark está dispuesto a describir esta posición como una forma de "intelectualismo", y así es. Sin embargo, no debemos olvidar la firme insistencia de Clark en que la voluntad está muy implicada en el asentimiento y que, de hecho, no es prudente hacer una distinción clara entre la voluntad y el intelecto. La voluntad está activa en todos los actos intelectuales, y viceversa. Además, la noción de Clark de "asentimiento" es robusta. Asentir, en su opinión, no es simplemente tener ideas "revoloteando en el cerebro", como le gustaba decir a Calvino, sino aceptar una proposición con el suficiente entusiasmo para actuar sobre ella. Así, Clark no está ciego a la conexión bíblica entre el conocimiento y la obediencia. Aunque su punto de vista tiene un reparto mucho más intelectual que el más tradicional, no podríamos mantener seriamente que el "asentimiento" de Clark es menos rico que la fiducia de la Reforma. Mi problema con el punto de vista de Clark, más bien, es que pasa por alto algunas complicaciones en la psicología de la creencia.

i) Clark reconoce en un momento dado que las creencias pueden ser más o menos fuertes, pero este principio juega poco papel en su análisis. En términos generales, para Clark o se cree una proposición o no se cree, y la fuerza de esa creencia no entra en el análisis. Pero la cuestión de la fuerza relativa de la creencia es bastante relevante para nuestras preocupaciones actuales. Una creencia relativamente débil puede tener muy poca influencia en la conducta y por lo tanto estar lejos de la fiducia bíblica. Por ejemplo, un hombre puede saber que su hijo ha dejado unos patines en la entrada, pero le prestará tan poca atención a ese conocimiento que se tropezará con los patines y se caerá. Pero si ese es el caso, entonces seguramente la fe debe ser analizada en términos no solo de asentimiento sino también de fuerza de asentimiento. El simple hecho de hablar de asentimiento no nos dará el tipo de compromiso sincero con la verdad que Clark defiende. Y sospecho que esto es parte de la razón por la que los reformadores no estaban satisfechos de definir la fe como asentimiento.

ii) Una vez que reconocemos la importancia de discutir la fuerza de las creencias a este respecto, se nos hace más fácil ver cómo una persona puede tener creencias conflictivas. A menudo una persona creerá grupos de proposiciones inconsistentes, y se le debe enseñar que estas creencias son realmente inconsistentes. El ejemplo más relevante aquí es el caso del autoengaño. Alguien sabe que la ruleta es una proposición perdedora, pero de alguna manera se persuade a sí mismo de que esto no es cierto, al menos para él, en este momento. Y, sin embargo, "en el fondo", sigue conociendo la verdad. La cree, pero no la cree. La situación es paradójica, y la psicología de la misma es difícil de interpretar, sin embargo, sucede todo el tiempo.[61]

Se vuelve un poco más inteligible cuando interpretamos las dos creencias en términos de sus fortalezas relativas. La convicción autoengañada del hombre de que puede vencer las probabilidades rige su conducta hasta cierto punto. Lo mantiene en las mesas. Pero después de que la noche termine y examine sus pérdidas, puede "despertar", puede reprenderse a sí mismo, ya que "siempre supo" que las probabilidades estaban en su contra. Y quizás incluso en la ruleta tiene dudas. Así que el hecho es que ambas creencias, contradictorias como son, gobiernan sus acciones, actitudes y pensamientos hasta cierto punto. Así, la fe debe implicar no solo el asentimiento, y el de una cierta fuerza, sino también la relativa ausencia de asentimientos contrarios. La incredulidad, entonces, puede ser compatible con algún grado de asentimiento a la verdad de la Escritura, tal vez incluso a toda la verdad de la Escritura, siempre y cuando este asentimiento sea un asentimiento débil, junto con asentimientos contrarios que mantengan el dominio sobre la persona. (*cf.* Ro. 6:14. La diferencia entre el creyente y el incrédulo no es que el creyente esté libre de pecado, sino que el pecado no tiene "dominio" sobre él).

iii) La necesidad de este tipo de análisis es especialmente evidente en lo que respecta al conocimiento de los demonios (Stg. 2:19). En opinión de Clark, el conocimiento de los demonios es defectuoso porque creen ciertas proposiciones, pero no otras. ¿Pero qué proposiciones no creen? ¿Que Dios es soberano? ¿Que Cristo es divino? Las especulaciones de este tipo son bastante inverosímiles porque en las Escrituras los demonios se presentan como seres altamente inteligentes que, en general, saben más sobre los planes de Dios que los seres humanos. Tiene mucho más sentido pensar en ellos como creyentes e incrédulos al mismo tiempo, con la incredulidad en el control de su comportamiento. Además, la incredulidad de los demonios no se debe a una mera falta de inteligencia o información. Es una incredulidad culpable. ¿Pero qué es una incredulidad culpable si no es una incredulidad de lo que uno sabe que es verdad? Lo mismo, de hecho, es el caso del incrédulo humano. Así, la incredulidad no es solo la falta de asentimiento a ciertas proposiciones, sino la falta de asentimiento a una cierta fuerza, junto con el asentimiento contrario a una cierta fuerza. Es un estado de conflicto mental (y por lo tanto práctico). Es la creencia en la verdad, dominada por la creencia en una mentira. Por lo tanto, es irracional, insensato, estúpido, usar el lenguaje garantizado

---

[61] Para un excelente análisis del autoengaño de un filósofo y teólogo cristiano, véase la (inédita) tesis doctoral sobre el tema de Greg L. Bahnsen (Universidad de California del Sur, Departamento de Filosofía).

por las Escrituras. No busquemos hacer a Satanás más sabio de lo que es; él también es un tonto.

Y hay una pregunta más. ¿Es legítimo analizar la fe en términos de asentimiento, siempre y cuando añadamos comentarios sobre la fuerza del asentimiento y sobre los asentimientos contrarios? El análisis de Clark hace, como hemos visto, justicia a la conjunción bíblica de la fe (conocimiento) y la obediencia. Podríamos, tal vez, también argumentar que hace justicia al elemento de la amistad (conocimiento de la persona) que hemos encontrado tan central. Aunque la amistad no se reduce al conocimiento de los hechos, es cierto que quien crea de todo corazón en todas las proposiciones de la Palabra de Dios será un amigo de Dios. Asentimiento, obediencia y amistad: no puedes tener una sin las otras. Ya que cada uno implica a los otros, cualquiera de ellos podría ser usado para definir la fe. Así que el "asentimiento" es adecuado (con las calificaciones hechas anteriormente), pero no es el único análisis posible ni necesariamente el mejor.

Las connotaciones intelectualistas del asentimiento, que Clark considera con razón tan valiosas para combatir la mentalidad contraria a la verdad de nuestros días, también tienden a inducir a la gente a pensar que nuestra relación con Dios es esencialmente de carácter teórico o académico. El término, tal como lo usa Clark, no justifica tal confusión, pero podría causarla. Y lo que es más grave, Clark no parece reconocer el hecho de que otras perspectivas (por ejemplo, la obediencia, la amistad) son al menos formas igualmente adecuadas de caracterizar la fe. Estos son los conceptos que se reflejan en el término fiducia. Así pues, aunque (como dice Clark) la fe no es algo "más" que el asentimiento, por lo menos tiene ciertamente otros aspectos además del aspecto intelectual que sugiere el asentimiento. Y podemos ver, entonces, por qué los Reformadores sintieron la necesidad de algo "más".

i. Su conocimiento es "intelectual", pero no "ético"

Pasamos a otro posible análisis. ¿Por qué no decimos simplemente que el incrédulo puede conocer a Dios en un sentido intelectual, pero no ético? Es decir, puede conocer muchas proposiciones sobre Dios, pero no actúa sobre ellas, no obedece a Dios. Este es el tipo de análisis favorecido por los pensadores reformados como John H. Gerstner[62] que buscan hacer justicia a la doctrina de la depravación total y al mismo tiempo mantener que no hay diferencia fundamental entre el razonamiento

---

[62] Ver, R. C. Sproul, John H. Gerstner, and A. Lindsley, *Classical Apologetics* (Grand Rapids: Zondervan Publishing House, 1984).

cristiano y el no cristiano. La diferencia, sostendrían, es ética, no epistemológica. Esta posición ciertamente evoca una imagen bíblica.

Las Escrituras a menudo describen a los incrédulos como aquellos que saben, pero no actúan correctamente sobre ese conocimiento (*cf.* Mt. 23:2s.; Lc. 12:47s.; Ro. 1:18-21; 2 Ts. 1:8; Stg. 2:19s.). Pero la Escritura, tal como yo la entiendo, no permite una dicotomía tan aguda entre lo ético y lo epistemológico. El conocimiento, como hemos visto, es una parte de la vida, y por lo tanto debe ser alcanzado y mantenido de una manera que honre a Dios. Es decir que hay una ética del conocimiento.

Hay maneras correctas e incorrectas de pensar y aprender. Y si la depravación es total, si se extiende a todos los ámbitos de la vida, entonces el incrédulo es aquel que piensa mal. Y cuando la gente piensa mal, llega a conclusiones erróneas. Su pensamiento es tonto y estúpido, para usar el lenguaje bíblico. "Israel no sabe", dice Dios con exasperación (Is. 1:3). La desobediencia en sí misma, debemos decir, es una respuesta ignorante y estúpida a Dios, y estúpida incluso en un sentido "intelectual". Si Dios es quién es y nosotros somos quienes somos, entonces no tiene ningún sentido desobedecer. Los renombrados incrédulos intelectuales son verdaderamente inteligentes en el sentido de que hacen un uso extremadamente sofisticado e ingenioso de sus poderes mentales, pero son estúpidos en el sentido de que rechazan lo obvio.

Habiendo dicho todo esto, debo estar de acuerdo con Gerstner en que un incrédulo puede saber todo tipo de proposiciones verdaderas sobre Dios. El problema es, sin embargo, que como parte de su desobediencia también abogará por muchas proposiciones falsas sobre Dios. De hecho, abogará por proposiciones que contradigan las verdaderas proposiciones que él sostiene. En su mente habrá "asentimientos conflictivos" (*cf. h*, arriba). Y los hábitos de pensamiento que conducen a esta falsedad deben ser desafiados de forma frontal. La imagen bíblica es auténtica. Los incrédulos son personas que "saben, pero no actúan", y parte de ese "no actuar" es un fracaso en pensar como Dios requiere.

j. Mi formulación

Así que llegamos al análisis que considero el más adecuado. Vamos a tomarlo en varios pasos.

(1) Todos los incrédulos conocen suficientes verdades sobre Dios para no tener excusas y pueden conocer muchas más, tantas como estén disponibles para el

hombre. No hay límite al número de verdaderas proposiciones reveladas sobre Dios que un incrédulo puede conocer.

(2) Pero los incrédulos carecen de la obediencia y la amistad con Dios que es esencial para el "conocimiento" en el sentido bíblico más completo —el conocimiento del creyente. Sin embargo, en todo momento, están personalmente involucrados con Dios como un enemigo. Por lo tanto, su conocimiento de Él es más que meramente propositivo.

(3) La desobediencia del incrédulo tiene implicaciones intelectuales. En primer lugar, es en sí misma una respuesta estúpida a la revelación de Dios.

(4) En segundo lugar, la desobediencia es una especie de mentira. Cuando desobedecemos a Dios, testificamos a los demás y a nosotros mismos que la Palabra de Dios es falsa.[63]

(5) Tercero, la desobediencia implica luchar contra la verdad,[64] luchar contra su diseminación, oponerse a su aplicación a la vida propia, a la vida de los demás y a la sociedad. Los pecadores luchan contra la verdad de muchas maneras. Ellos (a) simplemente la niegan (Gn. 3:4; Jn. 5:38; Hch. 19:9), (b) la ignoran (2 P. 3:5), (c) la reprimen psicológicamente, (d) reconocen la verdad con los labios, pero la niegan de hecho (Mt. 23:2s.), (e) ponen la verdad en un contexto engañoso (Gn. 3:5, 12-13; Mt. 4:6), y (f) usan la verdad para oponerse a Dios. No debemos caer en la trampa de asumir que todos los pecadores siempre usan la misma estrategia. No siempre niegan la verdad de palabra o la reprimen en su subconsciente.

(6) Cuarto, la mentira y la lucha contra la verdad implican afirmaciones de falsedades. No debemos asumir que cada frase pronunciada por un incrédulo será falsa; los incrédulos pueden luchar contra la verdad de otras maneras que no sean pronunciando falsedades. Sin embargo, la desobediencia siempre implica la aceptación del ateísmo, ya sea que se afirme con palabras o que simplemente se actúe en la vida (no hay una diferencia significativa entre negar la existencia de Dios y actuar como si Dios no existiera).

(7) Quinto, estas falsedades pueden entrar en conflicto con las verdaderas creencias que tiene el pecador. En algún nivel, todo incrédulo tiene creencias conflictivas, por ejemplo, Dios es el Señor y Dios no es el Señor.

---

[63] Yo tomo *katechon* en Romanos 1:18 para significar "obstaculizar", "retener" (cf. John Murray, *The Epistle to the Romans* [Grand Rapids: Wm. B. Eerdmans Pub. Co., 1960]). El *en* puede ser instrumental: "obstaculizando la verdad con su injusticia". El punto es que la desobediencia en sí misma es un ataque a la verdad. No solo los incrédulos "intelectuales" atacan la verdad del cristianismo. Los incrédulos "prácticos" también lo hacen, viviendo en desobediencia. Su misma desobediencia es una mentira, un ataque a la verdad.

[64] Es decir, "obstaculizar".

(8) Sexto, estas falsedades afectan a todas las áreas de la vida, incluyendo la epistemológica. Así, el no creyente tiene falsas nociones incluso sobre cómo razonar, nociones que pueden entrar en conflicto con las verdaderas nociones que también sostiene.

(9) Séptimo, el creyente y el incrédulo difieren epistemológicamente en que para el creyente la verdad domina sobre la mentira, y para el incrédulo viceversa. No siempre está claro cuál es la dominante, lo que significa que no tenemos un conocimiento infalible del corazón de otro.

(10) Finalmente, el objetivo del incrédulo es imposible: destruir la verdad por completo, reemplazar a Dios con alguna deidad alternativa. Debido a que la meta es imposible, la tarea es auto frustrante (*cf.* Sal. 5:10; Pr. 18:7; Jer. 2:19; Lc. 19:22; Ro. 8:28; 9:15s.). El incrédulo es condenado de su propia boca porque no puede evitar afirmar la verdad a la que se opone. Y como los puntos de vista del incrédulo son falsos, incluso su limitado éxito es posible solo porque Dios lo permite (*cf.* Job 1:12; Is. 10:5-19). Además del hecho de que el incrédulo se frustra a sí mismo, Dios también lo frustra a él, impidiéndole cumplir sus propósitos (Gn. 11:7) y usándolo para cumplir los propósitos de Dios en su lugar (Sal. 76:10; Is. 45:1ss.; Ro. 9:17). Así, los esfuerzos del incrédulo logran el bien a pesar de sí mismo.

k. Un descargo de responsabilidad

El último párrafo representa la visión más adecuada del asunto que conozco. Sin embargo, la cuestión sigue siendo muy misteriosa. Las Escrituras dicen que el incrédulo sabe y que no sabe. La Escritura no nos da una elucidación epistemológica en tantos términos; esa elucidación debe ser sacada cuidadosamente de lo que la Escritura dice sobre otros asuntos. Y queda mucho trabajo por hacer antes de que tengamos una formulación que sea creíble para la iglesia (incluso para las iglesias reformadas) en general. Van Til se encuentra en su mejor momento en su *Introducción a la Teología Sistemática* [Introduction to Systematic Theology] (24-27) donde admite la dificultad de las cuestiones (algo que no hace a menudo) y se contenta con una descripción del hombre natural como "una mezcla de verdad con error" (27). Seguiré asumiendo la verdad del análisis de la *j* anterior, pero no aconsejo a nadie que sea dogmático en los detalles. Ciertamente no deben ser usados como pruebas de ortodoxia.

(3) La lógica de la incredulidad

Habiendo estudiado las similitudes y diferencias entre el conocimiento del creyente y del incrédulo de Dios, examinaremos ahora la estructura general del pensamiento incrédulo. ¿En qué cree el incrédulo? Bueno, obviamente los incrédulos difieren entre ellos en muchas cosas. Pero, ¿hay algo que todos tienen en común? Sí, ¡todos son incrédulos! Así que preguntamos: ¿Cuáles son las implicaciones para el conocimiento de la incredulidad en el Dios de las Escrituras? ¿Esa incredulidad en sí misma impone alguna estructura en los pensamientos de una persona?

Si el Dios bíblico no existe, hay dos alternativas: o bien no hay ningún dios, o bien algo distinto del Dios bíblico es dios. Por un lado, si no hay ningún dios, entonces todo es casualidad, todo el pensamiento es inútil, y todos los juicios éticos son nulos. Por lo tanto, llamaré a eso la alternativa irracionalista. El irracionalismo resulta no solo cuando se niega la existencia de cualquier dios, sino también cuando se afirma un dios y sin embargo se piensa que está tan distante o es tan misterioso (o ambas cosas) que no puede tener ninguna implicación práctica con el mundo.

El irracionalismo, parasitariamente, vive de ciertas verdades: que el hombre es pequeño, que la mente es limitada, que Dios está muy por encima de nosotros y es incomprensible. Así, el irracionalismo a menudo entra en la teología disfrazada de respeto por la trascendencia de Dios. Por lo tanto, describimos esta posición antes como una "visión no cristiana de la trascendencia".

Por otro lado, si el incrédulo elige deificar algo en el mundo, algo finito, entonces resulta una especie de racionalismo. La mente del hombre o es el nuevo dios o se considera competente para descubrirlo de forma autónoma, que es lo mismo. Esto es lo que antes describimos como una "visión no cristiana de la inmanencia", y también se disfraza de verdad bíblica, comerciando con el lenguaje bíblico sobre la cercanía del pacto de Dios, sobre su solidaridad con el mundo.

Tanto el racionalismo como el irracionalismo son inútiles y autodestructivos, como siempre debe ser el pecado. Si el irracionalismo es verdadero, entonces es falso.

Si todo pensamiento es producto del azar, entonces ¿cómo se puede confiar incluso en formular un irracionalismo? El racionalismo se tropieza con la verdad que es obvia para todos: la mente humana no es autónoma, no está preparada para ser el criterio final de toda verdad. Somos limitados. El racionalista puede defender su posición, entonces, solo limitando su racionalismo a ciertas verdades de las que cree que no hay duda: que existimos, que pensamos, y así sucesivamente. Luego busca deducir toda otra verdad de esas afirmaciones y negar la veracidad de cualquier cosa que no pueda ser deducida así. Pero el resultado de esto es que la mente resulta conocerse solo a sí misma o, más precisamente, conocer solo su pensamiento. El pensamiento es el pensamiento del pensar. Solo eso puede ser conocido con certeza. Una vez que se especifica un contenido más específico, la certeza desaparece. Así, el racionalista consecuente negará que haya algo, en última instancia, excepto el "pensamiento puro", el "ser puro", y así sucesivamente. Todo lo demás es ilusión (¡pero cómo se explica esa ilusión!). Pero, ¿qué es un "pensamiento puro" que no es un pensamiento de algo? ¿Tiene esa idea algún significado? Es un blanco puro. El conocimiento del que se jacta el racionalismo resulta ser un conocimiento de... ¡nada!

Así que al final, el racionalismo y el irracionalismo, tan contrarios el uno al otro en humor y estilo, resultan ser idénticos. El racionalismo nos da un perfecto conocimiento de la nada. El irracionalismo nos deja ignorantes de todo. Ambos se refutan a sí mismos, ya que ninguno puede dar una cuenta inteligible de sí mismo. El irracionalista no puede afirmar sistemáticamente su irracionalismo. El racionalista, de la misma manera, no puede afirmar su racionalismo; solo puede afirmar el "pensamiento puro", sin especificar ningún contenido. Por lo tanto, no es sorprendente que los racionalistas e irracionalistas tomen prestadas ideas de unos y otros para evitar las consecuencias destructivas de sus propias posiciones.

El racionalista, cuando busca obtener algún contenido en su "ser puro", recurre al irracionalismo. El irracionalista puede afirmar su irracionalismo solo sobre una base racionalista, la base de su propia autonomía. Así, estas posiciones se destruyen a sí mismas y se destruyen entre sí, pero también se necesitan mutuamente. Proporcionan muchas herramientas para el apologista cristiano, y es muy apropiado para el apologista cristiano confrontar al racionalista con su dependencia del irracionalismo, y viceversa y mostrar cómo cada posición es autodestructiva. Pero por supuesto, a menos que esta destructividad sea reemplazada por la verdad, nuestro testimonio no será de ayuda.

CAPÍTULO DOS: DIOS Y EL MUNDO

A. La Ley del Pacto

Hasta ahora la mayor parte de este libro ha tratado de Dios como el objeto del conocimiento humano. En esta y las siguientes secciones, continuaremos considerando "los objetos del conocimiento" discutiendo la ley de Dios, el mundo y nosotros mismos como objetos del conocimiento.

La presente sección es algo redundante porque ya hemos discutido el conocimiento de la autoridad de Dios, y no hay ninguna diferencia importante entre conocer la autoridad de Dios y conocer la ley de Dios. De hecho, en un sentido importante, la Palabra de Dios (y por lo tanto la ley, una forma de la Palabra) es divina. El discurso de Dios tiene atributos divinos (Gn. 18:14; Sal. 19:7ss.; 119:7, 86, 89, 129, 137, 140, 142, 160; Is. 55:11; Lc. 1:37; Jn. 17:17), funciona como un objeto de culto (Sal. 9:2; 34:3; 56:4, 10; 68:4; 119:120, 161s.; 138:2; Is. 66:5), y es llamado divino (Jn. 1:1; Ro. 10:6-8; *cf.* Dt. 30:11ss.).[1] Por lo tanto, no podemos conocer a Dios sin conocer su Palabra, y no podemos conocer la Palabra sin conocer a Dios.

Aun así, tengo algunas razones sistemáticas para incluir aquí una sección especial sobre el conocimiento de la ley del pacto.[2] Conocer la autoridad, el control

---

[1] Discuto este punto, y otros puntos de este capítulo, extensamente en mi *Doctrine of the Word of God*, que espero publicar eventualmente.

[2] Recientemente se ha discutido el hecho de que la Torá en el Antiguo Testamento a menudo, al menos, se traduce mejor como "instrucción" que como "ley". Algunos toman este hecho como justificación para suavizar el énfasis tradicional de la teología reformada en la normatividad de los mandamientos de Dios, el requisito de la obediencia absoluta. En respuesta, podemos notar lo siguiente. (1) Sea lo que sea que digamos sobre la Torá, también debemos hacer justicia a esa gran colección redundante de otros "términos normativos" en las Escrituras: "estatutos", "mandamientos", "testimonios", etc. (véase, por

y la presencia de Dios, implica el conocimiento de su ley, de su mundo y de nosotros mismos. Esta tríada merece un análisis. Conocer a Dios es conocer su ley. Dios mismo actúa necesariamente como ley para todos los seres que no sean él mismo. Ser el Señor es ser el dador y el ejecutor último de la ley última. Así, la Escritura habla de la naturaleza de Dios como palabra, como nombre, como luz. Obedecer la ley es obedecer a Dios mismo. La ley de Dios, por lo tanto, es divino-divina en autoridad, poder, eternidad y ultimidad. No podemos conocer a Dios sin conocerlo como ley. La ley de Dios, por lo tanto, es Dios mismo; Dios mismo es ley para su creación. Y esa ley también se nos revela a través de los medios de la criatura: la naturaleza, la historia, la conciencia, la teofanía, la profecía, la Escritura. La ley en estas "formas" no es menos divina que en su identidad esencial con Dios.

Conocer a Dios, por lo tanto, implica conocer su ley y obedecerla. Conocer a Dios (en el sentido más completo) es conocer a Dios con obediencia, conocerlo como Él quiere ser conocido. Y hay leyes divinas que rigen el conocimiento. El creyente obediente es aquel que considera la Palabra de Dios como la verdad más segura que conoce, como su "presuposición", porque el compromiso más profundo de su corazón es servir al Dios de la Palabra. El incrédulo es aquel que rechaza esa presuposición, aunque también la mantiene de una manera (ver arriba). El compromiso de su corazón es oponerse a Dios, por lo que busca escapar a su responsabilidad de obedecer cualquier ley de las Escrituras, incluidas las normas de conocimiento. Pero no puede tener éxito. De hecho, no puede ni siquiera atacar la ley sin asumir su verdad, y por lo tanto su pensamiento es confuso.

Por lo tanto, es posible y útil considerar la epistemología como una rama de la ética, aunque esta no es la única manera de clasificar la epistemología. (Diferentes clasificaciones tienen valor para diferentes propósitos; no existe una única clasificación "correcta"). La ética, podemos decir, trata de las normas, o leyes, para la vida humana en general. La epistemología trata de las normas que rigen el pensamiento. Al ver la epistemología como una rama de la ética, nos recordamos de la manera más vívida que el conocimiento no es autónomo; está sujeto a la autoridad de Dios, como lo está toda la vida humana. Este procedimiento también nos recuerda que conocer, pensar, teorizar, etc., son en realidad partes de la vida humana en su conjunto.

Aunque este punto parece obvio, a menudo no consideramos que la teoría es parte de la práctica, que el pensamiento es una forma de hacer, que el conocimiento

---

ejemplo, el Salmo 119). (2) Deuteronomio 4:1-14; 6:1-9; 8:1-9, y muchos otros pasajes dejan claro que la Palabra de Dios (incluso entendida como "instrucción") exige una obediencia absoluta. En el Nuevo Testamento, ver Mt. 4:4; Jn. 14:15, 21; Ro. 4:16-25; 1 Co. 14:37s., y en otros lugares. La Palabra de Dios es una instrucción normativa.

es un tipo de logro. A menudo nos inclinamos a poner las actividades "epistemológicas" en algún tipo especial de categoría, en la que proporcionan las normas para el resto de la vida y no están sujetas a ninguna norma en absoluto. ¡No! El pensamiento no es una actividad que nos eleva por encima del nivel normal de nuestra humanidad. Es una parte ordinaria de la vida humana, sujeta a la misma ley que el resto de la vida, y no más autónoma que cualquier otra actividad humana. De hecho, mostraré que lejos de determinar todo el curso de la vida humana, el pensamiento es tan dependiente de nuestras otras actividades como lo son de él.

La epistemología, entonces, analiza las normas de la creencia. Nos dice qué debemos creer, cómo debemos pensar, qué justificaciones deben ser aceptadas. Esos "deberes" son deberes éticos.

B. El mundo, nuestro contexto

Conocer a Dios implica conocer su mundo por varias razones:

(1) Así como conocer la autoridad de Dios implica conocer su ley, así el control de Dios implica conocer sus "obras poderosas", es decir, sus obras de creación, providencia y redención. El mundo en sí mismo es una poderosa obra de Dios, y todo el curso de la naturaleza y la historia se encuentra bajo esa categoría también.

(2) Además, conocemos a Dios por medio del mundo. Toda la revelación de Dios viene a través de los medios de las criaturas, ya sean eventos, profetas, Escrituras, o simplemente el ojo o el oído humano. Por lo tanto, no podemos saber nada sobre Dios sin saber algo sobre el mundo al mismo tiempo. Además,

(3) Dios quiere que su pueblo aplique su Palabra a sus propias situaciones, y esto implica que quiere que entiendan sus propias situaciones. Tenemos una orden divina para estudiar el mundo. Para conocer a Dios obedientemente, entonces, debemos saber algo sobre el mundo también.

Lo contrario también es cierto. No podemos conocer el mundo sin conocer a Dios. Como hemos visto, Dios se "ve claramente" en la creación. Aunque Dios no es parte de la creación, es parte del mundo en el sentido de "nuestra situación". Él es el hecho más significativo de nuestra experiencia. Está presente con y cerca del mundo que ha creado.

C. Nosotros mismos

En la primera página de sus *Instituciones,* Calvino observa que el conocimiento de Dios y el conocimiento de uno mismo están interrelacionados. Podríamos esperar que Calvino (¡como buen calvinista!) añada que, por supuesto, de los dos, el conocimiento de Dios "es lo primero". Sorprendentemente, sin embargo, Calvino dice en cambio que no sabe qué es lo primero. Este comentario lo tomo como algo sumamente perspicaz. La mejor manera de ver el asunto es que ni el conocimiento de Dios ni el conocimiento de uno mismo es posible sin el conocimiento del otro, y el crecimiento en un área siempre está acompañado por el crecimiento en la otra. No puedo conocerme bien a mí mismo hasta que me vea como la imagen de Dios: caído, pero salvado por la gracia. Pero tampoco puedo conocer a Dios correctamente hasta que busque conocerlo como una criatura, como un sirviente.

Las dos clases de conocimiento, entonces, vienen simultáneamente, y crecen juntas. La razón de esto no es solo que cada uno de nosotros es parte de la "situación" que es esencial para el conocimiento de Dios (ver arriba), sino también el hecho adicional de que cada uno de nosotros está hecho a imagen de Dios. Conocemos a Dios como se refleja en nosotros mismos. Además, toda la información que recibimos sobre Dios, a través de la naturaleza, las Escrituras o cualquier otra fuente, nos llega a través de nuestros ojos, oídos, mentes y cerebros, a través de nosotros mismos. A veces soñamos afectuosamente con un conocimiento "puramente objetivo" de Dios, un conocimiento de Dios liberado de las limitaciones de nuestros sentidos, mentes, experiencias, preparación, etc. Pero nada de esto es posible, y Dios no nos lo exige. Más bien, Él condesciende a morar en y con nosotros, como en un templo. Se identifica en y a través de nuestros pensamientos, ideas y experiencias. Y esa identificación es clara; es adecuada para la certeza cristiana. ¡Un conocimiento "puramente objetivo" es precisamente lo que no queremos! Tal conocimiento presupondría una negación de nuestra condición de criaturas y por lo tanto una negación de Dios y de toda la verdad.

D. Relaciones entre los objetos del conocimiento

Hemos visto que el conocimiento de Dios implica (y está implicado en) el conocimiento de su ley, del mundo y de nosotros mismos. También es importante ver que las tres últimas formas de conocimiento están relacionadas entre sí debido a su coordinación mutua en el plan de Dios.

1) La ley y el mundo

a. La Ley es necesaria para entender el mundo

Todo nuestro conocimiento está sujeto a la ley, y por lo tanto todo el conocimiento del mundo ("cosas", "hechos") está sujeto a las normas de la Palabra de Dios. La ley en sí misma es un hecho - parte de nuestra experiencia que debemos tener cuidadosamente en cuenta - y es un hecho que rige nuestras interpretaciones de otros hechos. Las hipótesis o interpretaciones que en un análisis cuidadoso se encuentran en contradicción con la Escritura no pueden tener validez en el pensamiento cristiano. Al rechazar la ley, el incrédulo inevitablemente malinterpreta los hechos.

b. El mundo es necesario para comprender la Ley

Dios revela su ley a través del mundo, a través de la revelación natural, como vemos en Romanos 1:32 (en el contexto). La ley revelada en la naturaleza no va más allá de la ley de la Escritura; la Escritura es suficiente para revelar la voluntad de Dios (2 Ti. 3:17). Sin embargo, a través de diferentes medios, los que no tienen la Escritura tienen acceso básicamente a la misma ley divina que se encuentra en la Escritura.

Pero el mundo también nos ayuda a entender la ley en otro sentido. La ley fue diseñada para ser usada en el mundo. Dios reveló su ley para ser usada, para ser aplicada a las situaciones de la vida humana. Para usar la ley, es necesario un cierto conocimiento del mundo. Dios le ordenó a Adán que no tomara el fruto del árbol del conocimiento del bien y del mal. Ese mandamiento supuso un conocimiento considerable por parte de Adán. Asumió que él sabía lo que era un árbol, la diferencia entre la fruta y las hojas, cómo comer una fruta, y así sucesivamente. Nada de esa información estaba incluida en el mandato divino. Dios asumió que Adán tenía otros medios para obtener esa información. Dudo, de hecho, que hubiera sido posible que toda la información relevante fuera especificada en lenguaje humano, incluso por la voz de Dios.

Si Dios le hubiera dicho a Adán lo que era un árbol, lo que era una fruta, lo que era comer, etc., aún habría sido necesario que Adán relacionara esas definiciones con su propia experiencia, para reconocer que de hecho este objeto es una fruta. No importa cuán elaborada sea una explicación lingüística, siempre es responsabilidad del oyente relacionar la explicación con la situación en la que vive y, por lo tanto, comprender el lenguaje. Nadie más puede hacerlo por él; nadie más puede entender el lenguaje por otra persona. Por lo tanto, cualquier ley requerirá el conocimiento del mundo si se va a aplicar correctamente. Así el común "silogismo moral": Desobedecer a las autoridades está mal, transgredir el límite de velocidad es desobediencia a las autoridades, por lo tanto, transgredir el límite de velocidad está mal. Para aplicar el mandamiento contra la desobediencia a las autoridades a la "situación" del límite de velocidad, necesitamos conocimiento extrabíblico.

Incluso sostendría que el significado de la ley se discierne en este proceso de aplicación. Imaginen a dos eruditos discutiendo el octavo mandamiento. Uno afirma que prohíbe la malversación de fondos. El otro cree que entiende el mandamiento, pero no ve ninguna aplicación a la malversación. Ahora sabemos que el primer erudito tiene razón. ¿Pero no debemos decir también que el primer erudito entiende el significado del mandamiento mejor que el segundo? Conocer el significado de una frase no es simplemente poder reemplazarla con una frase equivalente (por ejemplo, reemplazar la frase hebrea con la frase inglesa "No robarás"). Un animal podría ser entrenado para hacer eso.

Conocer el significado es ser capaz de usar la frase, de entender sus implicaciones, sus poderes, sus aplicaciones. Imagina a alguien diciendo que entiende el significado de un pasaje de la Escritura pero que no sabe en absoluto cómo aplicarlo. Tomar esa afirmación al pie de la letra significaría que no podría responder a ninguna pregunta sobre el texto, no recomendaría ninguna traducción a otros idiomas, no sacaría ninguna implicación de él, o no explicaría ninguno de sus términos con sus propias palabras. ¿Podríamos aceptar seriamente tal afirmación? Cuando uno no sabe cómo "aplicar" un texto, su afirmación de conocer el "significado" se convierte en una afirmación sin sentido. Conocer el significado, entonces, es saber cómo aplicar. El significado de la Escritura es su aplicación.

El resultado interesante de esa línea de razonamiento es que necesitamos conocer el mundo para entender el significado de la Escritura. A través del estudio del mundo, llegamos a un conocimiento cada vez mayor del significado de la ley. Se le dijo a Adán que reabasteciera la tierra y la sometiera. Ese "sometimiento", sin embargo, implicaba una desconcertante variedad de tareas. Desde nuestro punto de vista, podemos ver que implicaba el desarrollo de la energía hidroeléctrica y los rayos catódicos y transistores miniaturizados. Pero Adán no sabía todo eso. El significado de "someter" crecería en él gradualmente. Vería una roca y preguntaría: "¿Cómo puedo usar esto para someter la tierra?" Lo estudiaba, lo analizaba y probaba varios proyectos con él. Eventualmente, le encontraría un uso y así aprendería algo más del significado de "someter".

Esta necesidad de obtener conocimientos extrabíblicos para entender la Biblia no es una necesidad gravosa. Es una parte natural y normal de nuestra tarea, y Dios espera que la hagamos. Él esperaba que Adán obtuviera la información necesaria para entender, y las Escrituras normalmente exigen su aplicación a los temas actuales. Los fariseos fueron reprendidos porque no aplicaron adecuadamente las Escrituras del Antiguo Testamento a los acontecimientos de su propio tiempo, a saber, el ministerio de Jesús (*cf.* Mt. 16:3; 22:29; Lc. 24:25; Jn. 5:39ss.; Ro. 15:4; 2 Ti. 3:16ss.; 2 P. 1:19-21).

Por lo tanto, cada hecho nos dice algo acerca de la ley de Dios. Todo lo que aprendemos sobre los huevos, el petróleo, la energía solar o los frentes fríos, toda esta información nos muestra algo de cómo podemos glorificar a Dios en el uso de su creación. Nos ayuda la exégesis de 1 Corintios 10:31 y mucho más.

Y ahora puedo hacer una declaración aún más sorprendente: así como la ley es un hecho, los hechos son leyes en cierto sentido. Tienen fuerza normativa. ¿Por qué? Porque como hemos visto, los hechos determinan el significado de las leyes. Descubrir el significado de los hechos es al mismo tiempo descubrir las aplicaciones específicas de las leyes, aplicaciones que son tan vinculantes como las propias leyes. Al estudiar el mundo, descubrimos con más y más detalle cuáles son nuestras obligaciones. O, para decirlo de otra manera, la propia ley nos ordena vivir sabiamente, vivir de acuerdo con la comprensión de la realidad. Nos ordena que nos rijamos por los hechos, que tengamos en cuenta lo que es. Así, la ley da a los hechos un estatus normativo.

Decir todo esto no es romper la importante distinción entre las consideraciones escriturales y extra-escriturales. Solo las primeras son normas infalibles y divinas. Hay, en otras palabras, una importante diferencia entre las Escrituras por un lado y el razonamiento por el cual determinamos las aplicaciones de la Escritura por el otro. Descubrimos las aplicaciones a través de medios falibles, pero por supuesto eso es cierto con respecto a toda exégesis, toda comprensión de la Escritura. Pero una vez que descubrimos una verdadera aplicación de la Escritura, esa aplicación es incondicionalmente vinculante. Nadie tiene derecho a decir, por ejemplo: "No robaré, pero sí malversaré, ya que la prohibición de malversar es solo una 'aplicación'".

Conocer el mundo, entonces, implica conocer la ley, y viceversa. Las leyes de Dios son hechos, y sus hechos son leyes. En última instancia, conocer las leyes es lo mismo que conocer los hechos. Los dos representan un proceso visto desde diferentes "perspectivas". Si la Escritura se aplica al mundo, y si el mundo se entiende a la luz de la Escritura, entonces no habrá conflicto entre "hechos" y "ley". Los dos serán uno.

c. El no cristiano no tiene en cuenta los hechos y la ley

Pero lo que es cierto para el cristiano no lo es para el no cristiano. Por falta de fe en el Dios bíblico, los filósofos no cristianos han buscado con frecuencia otra base para la certeza, a menudo a través de los "hechos" o la "ley". Como señala Van Til, muchos, especialmente en la tradición empírica, han buscado encontrar en "hecho" una especie de cimiento sobre el que se pueda construir todo el edificio del conocimiento. Por un lado, según los empiristas, todas las ideas sobre criterios, leyes y normas deben ser verificadas sobre la base del "hecho". Pero entonces, ¿de qué clase de "hechos" estamos hablando? Hechos, aparentemente, que están más allá de toda ley, que podemos descubrir sin obedecer ninguna norma en absoluto, y por los cuales todas las normas pueden ser juzgadas. Pero tales hechos serían hechos "en bruto", hechos sin ningún significado.

Por otra parte, la tradición racionalista reconoce que no podemos identificar los hechos en absoluto sin presuponer algunos criterios de facticidad. Así que los racionalistas buscan encontrar el "fundamento" de la ley en los principios por los cuales identificamos e interpretamos los hechos. Pero esta "ley", entonces, debe ser superior a todo conocimiento fáctico, y por lo tanto no puede ser conocida como un hecho. Su significado no puede ser determinado por los hechos, como es el caso de la visión cristiana de la ley. El resultado es que esta "ley" se convierte en una cáscara vacía, un principio sin aplicaciones, una forma de palabras sin significado. El problema en ambos casos es la idolatría, un intento de deificar el "hecho" o la "ley". Una vez que tratamos de hacer un dios de los "hechos", perdemos la facticidad por completo. Y una vez que tratamos de hacer un dios de la "ley", perdemos toda la normatividad. El "factualista", en este caso, es lo que antes llamábamos un "irracionalista"; el defensor de la ley es el "racionalista".

(2) El Mundo y el Ser

a. El autoconocimiento y el conocimiento del mundo son correlativos

Los seres humanos son, en primer lugar, criaturas de Dios y por lo tanto parte del "mundo". Estamos entre los "hechos" que hay que conocer. Y como parte de ese sistema creado de hechos, llegamos a conocernos a nosotros mismos al interactuar con otras personas y cosas, especialmente con Dios y su Palabra, pero también con otras criaturas. Es difícil imaginar cómo sería un "pensamiento puro del yo", un pensamiento meramente del yo y no de otra cosa. Por un lado, el yo "en sí mismo" es, como Dios, misterioso. Nos conocemos a nosotros mismos conociendo otras cosas.

Cada pensamiento de un árbol es un pensamiento de mí pensando en el árbol. Nos conocemos al ver los reflejos de nosotros mismos en los espejos, al oír los sonidos que hacemos, al experimentar los efectos de nuestras decisiones. Pero de manera importante, el yo es esquivo. No podemos mirarnos a nosotros mismos como el ojo puede mirarse directamente a sí mismo (sin un espejo). Nos conocemos a nosotros mismos conociendo el mundo.

Por otro lado, lo contrario también es cierto. Llegamos a conocer el mundo conociéndonos a nosotros mismos. Todo conocimiento, en cierto sentido, es autoconocimiento. A diferencia de Dios, por supuesto, nuestro conocimiento nunca es absolutamente autosuficiente; nuestro conocimiento está atestiguado, o validado, por el conocimiento previo de Dios. Además, hay un sentido en el que el autoconocimiento de Dios es autosuficiente: Él sabe todas las cosas conociéndose a sí mismo y a sus planes. Él sabe todas las cosas absolutamente conociéndose a sí mismo. Pero como no somos los creadores y determinantes del mundo, eso no es cierto para nosotros. Lo sabemos porque alguien fuera de nosotros -Dios- nos ha dado la revelación. Aun así, porque somos la imagen de Dios, hay un sentido en el que todo el conocimiento es autoconocimiento, incluso para nosotros. Toda nuestra información llega a nosotros por nuestras propias facultades - nuestros ojos, oídos, cerebro, intuición, etc. Conocer un hecho es saber algo sobre el contenido de nuestra propia experiencia, nuestro pensamiento, nuestra capacidad de comprender.

Y así llegamos al famoso problema de la "relación del sujeto y el objeto". A lo largo de la historia de la filosofía, este tema ha causado todo tipo de perplejidades. Parece que o bien el yo desaparece en el mundo o el mundo desaparece en el yo ("solipsismo" —la visión de que nada existe excepto el yo). Los filósofos no cristianos han sido totalmente incapaces de mantener un equilibrio viable aquí. Parece que o bien el mundo es algo totalmente ajeno al yo, tan ajeno que apenas se puede conocer o hablar de él ("trascendencia"), o bien es idéntico al yo, de modo que no hay un mundo del que hablar, solo el yo ("inmanencia"). Algunos, en su desesperación, buscan un tipo especial de conocimiento que supuestamente "trasciende la distinción sujeto-objeto", pero son incapaces de afirmar coherentemente cuál es ese conocimiento o cómo se va a obtener. Su reivindicación es esencialmente una reivindicación de conocer lo incognoscible, de lograr, por un salto místico, el acceso a la trascendencia que es incognoscible por los medios ordinarios.

El cristiano no escapa por completo a las dificultades que entraña una formulación adecuada de la distinción sujeto-objeto, pero sabe por la fe, por la revelación divina, que no es el único ser del universo. No es divino y por lo tanto no puede existir solo; algo existe más allá de él mismo. También sabe que no es un mero "objeto", una mera cosa entre otras cosas. No tiene que temer desaparecer en el mundo, porque el ser humano es la imagen de Dios -distinto de todas las demás criaturas y creado para el dominio de la tierra. Solo la revelación divina puede justificar que afirmemos ambos principios simultáneamente. De lo contrario, nada impide que perdamos el mundo o a nosotros mismos. Si el no cristiano mantiene la realidad de estos dos polos, no lo hace basándose en sus teorías antiteístas, sino bajo la presión de la revelación de Dios.

Es interesante que los problemas involucrados en el conocimiento del yo son bastante similares a los involucrados en el conocimiento de Dios. En ambos casos, el conocimiento es "indirecto", es decir, a través de los medios; y en ambos casos el conocimiento es "directo", es decir, el objeto está siempre presente en y con los medios. Por un lado, si nos limitáramos a enumerar los "hechos" que aparecen en nuestra experiencia de percepción, no enumeraríamos el yo, pues el yo no se ve ni se oye. Lo mismo ocurre con Dios. Incluso cuando Él habla "directamente" (como en el Monte Sinaí), Él aparece en los medios creados (en el Monte Sinaí era humo, fuego y ondas de sonido). Por otro lado, Dios está tan íntimamente involucrado con los hechos que ningún hecho puede ser explicado aparte de Él. Y lo mismo ocurre con el yo. Esto es, creo, parte de la semejanza entre Dios y el hombre. Es útil en la apologética (*cf.* Alvin Plantinga, *Dios y otras mentes*) [3] señalar que, si la creencia en Dios es irracional, la creencia en la mente humana también lo es.

Otra implicación de lo que estoy diciendo es esta. Solo el cristiano tiene los recursos conceptuales para distinguir entre las personas y las cosas, distinción que es necesaria si queremos levantar una protesta creíble contra la deshumanización de nuestra época. Al mismo tiempo, la unidad entre el yo y el mundo también debe ser apreciada. Nunca se encuentra un "mundo desnudo", no interpretado por el yo, ni tampoco un "yo desnudo", desprovisto de todo entorno. La búsqueda de uno u otro es una búsqueda no cristiana; es un intento de encontrar algún punto de referencia final que no sea la revelación de Dios. Esa búsqueda, como hemos visto, es inútil. El yo y el mundo se experimentan juntos; los dos son aspectos de un solo organismo de conocimiento. El yo se conoce en y a través de los hechos; el mundo se conoce en y a través de mi experiencia y pensamiento. Aunque el yo y el mundo son diferentes, el conocimiento del yo y el conocimiento del mundo son en última instancia idénticos. Ambos son el mismo proceso, visto desde diferentes perspectivas.

---

[3] *God and Other Minds*, Ithaca, N.Y., and London: Cornell University Press, 1967.

b. Los hechos y sus interpretaciones son inseparables

Por razones similares, la distinción común entre "hecho" e "interpretación" debe ser reconsiderada a la luz de la Escritura. Nos servirá adecuadamente si pensamos en los "hechos" como el mundo visto desde el punto de vista de Dios (o, tal vez, cuando realmente son vistos desde el punto de vista humano) y en las "interpretaciones" como nuestra comprensión de esos hechos, ya sean verdaderos o falsos. Sin embargo, a menudo en la filosofía se piensa que el "hecho" es una especie de realidad en sí misma, una realidad totalmente desprovista de toda interpretación -divina o humana- por la que se han de poner a prueba todos los intentos de interpretación. En respuesta:

(1) Debemos insistir en que no hay hechos totalmente desprovistos de interpretación; no hay "hechos brutos", para usar la terminología de Van Til. Todos los hechos han sido interpretados por Dios, y puesto que todas las cosas son lo que son en virtud del eterno plan de Dios, debemos decir que "la interpretación de los hechos precede a los hechos" (Van Til). La idea de "hecho bruto" es una invención destinada a proporcionarnos un criterio de verdad distinto de la revelación de Dios. Sin embargo, como todos los demás sustitutos, ni siquiera puede hacerse comprensible. Un "hecho" desprovisto de toda interpretación normativa sería un hecho sin significado, sin características, en resumen, una nada.

(2) Debemos insistir también en que la interpretación humana está implicada en cualquier conocimiento de los hechos. No podemos tener ningún conocimiento de los hechos desprovistos de interpretación humana, porque el conocimiento en sí mismo es interpretación. No tenemos acceso a la realidad aparte de nuestras facultades interpretativas. Buscar ese acceso es buscar la liberación de la criatura (ver arriba). No podemos salir de nuestra propia piel. El deseo de un "hecho" totalmente desprovisto de interpretación humana que pueda servir como criterio autoritario para todas las interpretaciones es un deseo no cristiano, un deseo de sustituir la Palabra de Dios por otra autoridad. Y podemos ver, de nuevo, que este deseo conduce a un sinsentido ininteligible, a un "hecho" que no puede ser conocido o interpretado como un hecho. ¡No! Es mejor reconocer francamente que todas las afirmaciones de un hecho son interpretaciones de la realidad y que todas las interpretaciones auténticas son factuales.

Cuando hablamos de "comprobar los hechos", estamos hablando de comparar ideas (interpretaciones) de las que no estamos seguros con ideas (interpretaciones) de las que estamos más seguros. Pero nunca cavamos lo suficientemente profundo como para llegar a algún "lecho de roca" de hechos factuales puros no contaminados por ninguna actividad interpretativa. Tales hechos, por definición, no podrían ser conocidos en absoluto, porque el conocimiento en sí mismo es siempre interpretación.

Por lo tanto, no es de extrañar que, aunque la gente trate de hacer que sus interpretaciones sean coherentes con "los hechos", éstos se determinen en función a su sistema de interpretación (véase Thomas Kuhn, *The Structure of Scientific Revolutions*).[4] Y así es como debe ser. Determinar cuáles son los hechos y determinar el mejor sistema de "entendimientos" interpretativos no son dos procesos (con uno de ellos totalmente "anterior" al otro) sino el mismo proceso visto desde diferentes perspectivas. Es perfectamente cierto que nuestro conocimiento (incluso de la teología) debe estar "basado en los hechos". Pero es igualmente cierto decir que nuestros juicios de hecho deben "basarse en" una interpretación adecuada de nuestra situación.

Algunos apologistas han soñado que todo el edificio de la cristiandad podría ser construido por referencia a algo llamado "los hechos", es decir, que podría ser entendido aparte de cualquier compromiso cristiano. John W. Montgomery, por ejemplo, argumenta de esa manera en *Faith Founded on Fact* (La fe fundada en los hechos).[5] Pero lo que constituye un hecho para Montgomery (por ejemplo, la Resurrección) no será aceptado como un hecho por todos (por ejemplo, Rudolf Bultmann). ¡Es posible estar en desacuerdo sobre lo que son los hechos por razones filosóficas o teológicas! Por lo tanto, la elección de los hechos depende de la elección de una teología, y no simplemente al revés. Y sin una teología o filosofía —sin un marco para los hechos— y sin una metodología, es imposible concebir que un hecho sea identificado o comprendido. Por lo tanto, el sueño de Montgomery no se hará realidad. La base del cristianismo y de todo el pensamiento es la revelación de Dios. Los "hechos" son los hechos de esa revelación, interpretados por Dios, conocidos y por lo tanto ya interpretados por el hombre. No hay hechos desprovistos de tal interpretación, y si los hubiera, no podrían ser conocidos, y mucho menos usados como base de nada.

3) La ley y el yo

Se pueden hacer comentarios similares aquí. El yo no es la ley, ni la ley es el yo, pero conocer el yo y conocer la ley son esencialmente el mismo proceso, ya que no podemos conocer el uno sin conocer el otro.

---

[4] Chicago, Ill.: University of Chicago Press, 1962.
[5] Nashville and New York: Thomas Nelson Publishers, 1978.

La filosofía no cristiana confunde la ley y el yo, ya que confunde los hechos y la ley, y el mundo y el yo. Como en los demás casos, o bien los aísla unos de otros o los identifica. La ley se identifica con el yo, por ejemplo, en el existencialismo, donde la doctrina de la autonomía aparece de la manera más vívida. Sartre creía que el yo es la única ley que existe. Pero esto significa, en efecto, que no hay ninguna ley y que el yo, siendo totalmente producto del azar, pierde su personalidad, su yo. En el idealismo, sin embargo, el yo se reduce a una instancia de una ley universal. Así, la individualidad del yo se destruye y la ley misma se vuelve (en contra de los deseos de los idealistas) totalmente abstracta, una ley que no trata de nada excepto de sí misma. La ley, para ser una ley sobre dichos puntos de vista, debe ser radicalmente distinta de sus sujetos. Y los sujetos, los yoes, deben ser totalmente autónomos, distintos de la ley; o deben ser su propia ley, que es lo mismo.

En el cristianismo, distinguimos el yo y la ley por revelación, no por aislarlos primero uno del otro y luego intentar de alguna manera juntarlos. El yo y la ley se descubren al mismo tiempo, ya que cada uno es necesario para la comprensión del otro. La ley nos habla de nosotros mismos, y un estudio de nosotros mismos revela las aplicaciones de la ley (véase más arriba; así como los hechos son en cierto sentido normativos, también lo es el yo). La ley está inscrita en nosotros y dentro de nosotros porque somos la imagen de Dios. Y a medida que nos renovamos a imagen de Cristo, llegamos a reflejar cada vez más la justicia de Dios, de modo que nos convertimos cada vez más en una fuente de revelación —a nosotros mismos y a los demás— de la ley de Dios.

E. Perspectivas

En la última sección, sostuve que, aunque la ley, el mundo y el yo son "objetos" de conocimiento distintos, están tan estrechamente relacionados entre sí que la ley, el mundo y el yo del conocimiento constituyen el mismo proceso, visto desde "perspectivas" distintas. Hay que decir más sobre estas perspectivas. Sugerí anteriormente en este capítulo que sería provechoso para nosotros ver la epistemología como una subdivisión de la ética, describiendo nuestras obligaciones en el ámbito del conocimiento, respondiendo a preguntas como ¿De qué deberíamos alegar conocimiento? ¿Y cómo deberíamos buscar el conocimiento? —preguntas usando el "debería" ético. Al tomar decisiones éticas, volvemos a encontrarnos con los factores que hemos estado discutiendo: la ley, la situación, el yo.

Toda decisión ética implica la aplicación de una ley (norma, principio) a una situación por parte de una persona (el yo). Por lo tanto, al asesorar a las personas con problemas, generalmente tratamos de determinar tres cosas: 1) ¿Cuál era la situación (el problema)? (2) ¿Cómo está respondiendo a ella? (3) ¿Qué dice la Escritura? Para el cristiano, como hemos visto, estas preguntas son interdependientes. El individuo y la Escritura son parte de la situación, la situación y la Escritura son parte de la experiencia de la persona, y un análisis de la situación y de la persona ayuda a mostrarnos lo que dice la Escritura (es decir, cómo se aplica en este caso). Sin embargo, en la ética no cristiana, estos tres factores tienden a separarse o a perderse totalmente el uno en el otro.

La ética de Kant hace mucho de la ley moral (y hasta cierto punto del yo), pero en su teoría, la situación no contribuye de manera significativa a la decisión ética. Para John Stuart Mill, sin embargo, el comportamiento correcto puede ser calculado casi enteramente con base en factores situacionales. Y para Sartre, solo el yo ético que busca la autenticidad merece alguna atención. La ética no cristiana tiende a absolutizar o eliminar uno u otro factor, porque busca encontrar algún punto de referencia absoluto fuera de la revelación de Dios y porque no tiene recursos para mostrar cómo todos estos factores funcionan juntos. La Escritura, sin embargo, nos dice que Dios tiene el control, es la autoridad y está presente; por lo tanto, la situación, la ley y la persona son parte de un todo orgánico, que juntos revelan el señorío de Dios.

Por lo tanto, mantendría que los cristianos no deberían seguir modelos no cristianos, abogando por una "ética de la ley" en oposición a una "ética de la situación" o una "ética de la existencia auténtica". Más bien, la ética cristiana debe presentar la ley, la situación y el sujeto ético en unidad orgánica. Una comprensión cristiana de la ley será esencialmente la misma que una comprensión cristiana de la situación y de la persona. Las tres serán "perspectivas" unas de otras y del conjunto. Cada una de ellas incluirá (no excluirá) a las demás; así pues, cada una cubrirá el mismo terreno con un énfasis diferente. Llamo a estas tres "perspectivas" normativas (la ley), situacionales (los hechos, el mundo) y existenciales (la persona). La perspectiva normativa estudia la Escritura como la ley moral que se aplica a las situaciones y a las personas; sin estas aplicaciones, la ley no dice nada. La perspectiva situacional estudia el mundo como un campo de acción ética, particularmente aquellas situaciones que encontramos éticamente problemáticas. Pero al hacerlo, acepta la descripción bíblica del mundo y la realidad de las personas en el mundo.

La perspectiva existencial estudia el sujeto ético -sus penas, sus alegrías, sus capacidades para tomar decisiones- pero solo según lo interpretado por la Escritura y en el contexto de su entorno situacional.

Las mismas "perspectivas" pueden utilizarse con respecto a la epistemología. La perspectiva normativa se centra en la autoridad de Dios expresada a través de su ley. Esa autoridad es auto-atendida; no puede ser probada por ningún criterio superior. El hombre fue hecho para pensar de acuerdo con la ley de Dios, pero se rebeló. Aunque el hombre caído trata de reprimir su conocimiento de la ley, sigue conociéndola e incluso la utiliza para sobrevivir en el mundo de Dios. Los redimidos vienen una vez más a aceptar, incluso a deleitarse en la ley de Dios. Se convierte en su "presuposición" fundamental, aunque no la mantendrán con absoluta consistencia hasta su glorificación en el Último Día. La ley es integral, rige todos los ámbitos de la vida, y cualquier afirmación que entre en conflicto con ella debe ser rechazada como falsa.

La perspectiva situacional se centra en la ley tal y como se revela tanto en las Escrituras como en la creación en general. Dios nos ordena entender la creación lo suficientemente bien como para aplicar las Escrituras a todas las áreas de la vida. El conocimiento de la creación es necesario si queremos aplicar las Escrituras correctamente. Cada hecho plantea preguntas éticas (por ejemplo, ¿Cómo utilizo esto para la gloria de Dios?) y sugiere respuestas (en el ejemplo, las cualidades del objeto que indican los usos para la gloria de Dios). La perspectiva situacional, por lo tanto, analizará lo que sabemos sobre el mundo, para sugerir una comprensión bíblica del mismo.

La perspectiva existencial se centra en la ley revelada en el hombre como imagen de Dios. Llegamos a conocer mejor la ley a medida que nos conocemos mejor a nosotros mismos. Además, aprendemos cómo la regeneración y la santificación (es decir, la obediencia) son esenciales para el conocimiento en el sentido más completo y cómo éstas interactúan con la ley y la situación para llevarnos a la verdad.

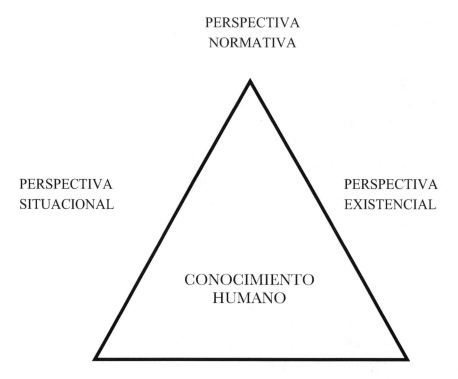

Fig. 2. El conocimiento humano puede entenderse de tres maneras: como conocimiento de la norma de Dios, como conocimiento de nuestra situación y como conocimiento de nosotros mismos. Ninguno puede ser alcanzado adecuadamente sin los otros. Cada uno incluye a los otros. Cada uno, por lo tanto, es una "perspectiva" de la totalidad del conocimiento humano.

CAPÍTULO TRES: DIOS Y NUESTROS ESTUDIOS

A. Teología

No solo hablamos de conocer a Dios y la ley, sino también de "conocer la teología". ¿Qué es lo que afirmamos saber cuando afirmamos "conocer la teología"; o, para decirlo de otra manera, cuál es el objeto del conocimiento teológico? ¿Qué es lo que la teología afirma saber? La teología ha sido frecuentemente equiparada (como en Abraham Kuyper, *A Principles of Sacred Theology* [Principios de la teología santa])[1] con el conocimiento de Dios en algún sentido. No me opongo a esa ecuación, pero creo que hay algún valor en especificar con más precisión el tipo de conocimiento de Dios que se tiene en mente. En lo que sigue argumentaré que podemos definir la teología como "la aplicación de la Palabra de Dios por las personas en todas las áreas de la vida".

Primero, una palabra sobre las definiciones. No hay una definición "correcta" de la teología. El lenguaje es un organismo flexible, y puede tolerar numerosas y variadas definiciones de términos, siempre y cuando los hablantes hagan esfuerzos razonables por ser claros. Esto no significa que todas las definiciones sean igualmente válidas. Si uno define cenicero como "máquina de escribir", no sirve para nada y es especialmente probable que cause confusión. Pero puede haber dos o más definiciones de un término, incluso definiciones contradictorias, que tienen una validez más o menos igual. Así pues, si alguien quiere definir la teología como "un estudio de Dios" o "estudio de las Escrituras" o incluso como un estudio del

---

[1] Grand Rapids: Wm. B. Eerdmans Pub. Co., 1965, 228–340.

"aspecto de la fe de la existencia humana" (Dooyeweerd),[2] las quejas serán mínimas, a menos que me nieguen el derecho a utilizar la teología o algún otro término para denotar mi concepto de teología.

En términos generales, la teología se refiere al estudio, conocimiento, enseñanza y aprendizaje de Dios. Ese es el "juego de pelota" en el que se debe buscar una definición si vamos a usar el término de una manera históricamente responsable. Dentro de esa área general, sin embargo, ha habido muchas versiones diferentes del concepto.

(1) Schleiermacher

Schleiermacher, por ejemplo, dijo que "las doctrinas cristianas son relatos de los afectos religiosos cristianos establecidos en el idioma". Sin duda es bueno describir los afectos religiosos cristianos (sentimientos, intuiciones y sensibilidades), y no tengo ninguna objeción fuerte al uso de la teología para denotar tales relatos. Lo que es objetable, sin embargo, es que Schleiermacher pretendía que estos relatos reemplazaran lo que comúnmente se llamaba teología, es decir, la exposición de enseñanzas bíblicas. Pretendía reemplazar la Escritura con el sentimiento humano (Gefuhl) como la autoridad final de la teología, la interpretación definitiva de nuestra situación y el poder final para el crecimiento espiritual. Por lo tanto, por su definición, Schleiermacher buscó promulgar su "subjetivismo" general; y, deseando distanciarme de ese mismo subjetivismo, no usaré la definición de Schleiermacher.

(2) Hodge

Por otro lado, llegamos a una definición que podría describirse como "objetivista". Charles Hodge, el gran teólogo reformado del siglo XIX del Seminario Teológico de Princeton, argumentó que la teología es necesaria para poner la verdad bíblica en una forma diferente. Las Escrituras contienen "hechos", y el teólogo recoge estos hechos, como un científico recoge los hechos de la naturaleza, y formula "leyes" sobre ellos. "La teología, por lo tanto —dijo Hodge—, es la exposición de los hechos de la Escritura en su orden y relación apropiados, con los principios o

---

[2] Ver, Herman Dooyeweerd, *In the Twilight of Western Thought* (Nutley: N.J.: Presbyterian and Reformed Pub. Co., 1968), 132–56.

verdades generales implicadas en los hechos mismos, y que impregnan y armonizan el conjunto".[3]

Hodge no se conformaba, como Schleiermacher, con describir los estados subjetivos humanos; quería que la teología describiera la verdad, que es el caso aparte de nuestros sentimientos, la verdad "objetiva". Quería exponer los hechos tal como son (objetivamente), en su orden adecuado (el orden objetivo), no solo un orden que refuerce nuestros sentimientos, con aquellos principios o verdades generales que están realmente (objetivamente) involucrados en los hechos.

Hodge estaba ciertamente más cerca de la verdad que Schleiermacher, ya que Hodge se preocupaba por distinguir lo verdadero de lo falso en la teología y por determinar la verdad sobre la base de las Escrituras. La formulación de Hodge, sin embargo, plantea una serie de problemas.

a. Teología y Ciencias Naturales

Hodge hace demasiado del paralelismo entre la teología y las ciencias naturales. Ciertamente hay "hechos" en la Biblia que los teólogos deben investigar. Pero estos hechos (como he señalado anteriormente con respecto a los hechos en general) no son "hechos brutos", hechos desprovistos de interpretación, ni tampoco son hechos como los cuásares o los electrones, que esperan pasivamente el avance de la ciencia antes de que puedan ser descritos en el lenguaje humano. No, la Biblia es lenguaje. Se describe a sí misma. No solo es preinterpretada por Dios (como todos los hechos), sino que también interpreta y describe sus propios hechos. Y las auto-interpretaciones y auto-descripciones de la Escritura son infalibles y normativas; en el sentido más importante, no pueden ser mejoradas.

Ahora bien, ciertamente Hodge sabía todo eso, pero debería haber tenido más en cuenta las implicaciones de la singularidad de la Escritura para la naturaleza de la teología. El trabajo del teólogo no puede ser dar la primera o más definitiva descripción de la Escritura en lenguaje humano. ¿Por qué? Porque la Escritura ya lo ha hecho. Entonces, ¿cuál es el trabajo del teólogo? Si va a ser un "examinador científico de la Escritura", se debería decir mucho más sobre cómo su "método científico" difiere de los métodos de las otras ciencias.

b. El intelectualismo y la teología

---

[3] *Systematic Theology* (Grand Rapids: Wm. B. Eerdmans Pub. Co., 1952), I, 19.

Hodge también se equivoca en la dirección de un concepto demasiado intelectualista de la teología, de nuevo porque fue algo descarriado por la analogía teología-ciencia. Vio la teología en gran medida como un ejercicio de construcción de la teoría, en la descripción de los hechos, en la declaración precisa de "principios" o "verdades generales". ¿Pero por qué la teología debe ser vista en términos tan académicos? La Escritura no es solo un cuerpo de declaraciones factuales, sino que está llena de otros tipos de lenguaje: imperativos, interrogantes, promesas, votos, poesía, proverbios, lenguaje emotivo, etc.

El propósito de la Escritura no es simplemente darnos una lista autorizada de cosas que debemos creer sino también exhortarnos, mandarnos, inspirar nuestra imaginación, poner canciones en nuestros corazones, cuestionarnos, santificarnos, y así sucesivamente. Seguramente la labor de la enseñanza en la iglesia no es solo enumerar lo que la gente debe creer sino también comunicarles todo el resto del contenido de la Escritura. ¿Por qué la teología debe limitarse a teorizar académicamente? Ahora, sin duda, se podría dar algún argumento para tal restricción. Alguien podría argumentar, por ejemplo, que la teología debería declarar el contenido proposicional de la Escritura y que alguna otra disciplina, como la predicación, debería ocuparse de los demás aspectos de la Escritura.

Más tarde, argumentaré en contra de este tipo de planteamiento. Pero Hodge, hasta donde puedo ver, no ofrece ningún argumento. El problema es que en este contexto pensaba en la Escritura como un "cuerpo de hechos" y descuidaba el hecho de que también es lenguaje. Con un mero "cuerpo de hechos", lo único que se puede hacer es describir y analizar. Pero con el lenguaje, uno necesita hacer mucho más.

c. Escritura, Hechos, Orden y Relaciones

También me preocupa la afirmación de Hodge de que la teología exhibe los hechos de la Escritura "en su orden y relación apropiados" (el énfasis es mío). Una vez más, Hodge descuida el hecho de que la Escritura es tanto lenguaje como hecho y que por lo tanto la Escritura ya ha exhibido, descrito y explicado los hechos de una manera ordenada (cf. Lc. 1:3). ¿Por qué, entonces, necesitamos otro orden? Y más grave aún, ¿por qué el orden de la teología (en oposición, presumiblemente, al orden de la Escritura) debe ser descrito como el orden "apropiado"? ¿Hay algo "impropio" en el orden de la propia Escritura? Sospecho que esta redacción es una especie de descuido de la pluma; Hodge nunca hubiera deseado ser conocido como un crítico de la Escritura. Pero la relación entre el orden de la teología y el orden de la propia

Escritura sigue siendo un misterio. Y es un misterio que debe ser aclarado, ya que la perfección y la normatividad de la Escritura están en juego.

La salida de este atolladero es reconocer que la Escritura es lenguaje, que tiene un orden racional propio, que da una descripción y un análisis perfecto, normativo y racional de los hechos de la redención. No es tarea de la teología suministrar tal descripción y análisis normativo; ese relato ha sido dado a la teología por revelación. La teología debe ser, pues, una descripción secundaria, una reinterpretación y una reproclamación de la Escritura, tanto de su contenido proposicional como no proposicional. ¿Por qué necesitamos tal reinterpretación? Para satisfacer las necesidades humanas.

El trabajo de la teología es ayudar a la gente a entender mejor la Biblia, no dar algún tipo de relato abstracto perfecto de la verdad como tal, independientemente de si alguien la entiende o no. Más bien, el trabajo de la teología es enseñar a la gente la verdad de Dios. Aunque las Escrituras son claras, por varias razones la gente no las entiende ni las usa apropiadamente. La teología se justifica no solo por su correspondencia con la verdad —si ese fuera el criterio, la teología no podría hacer nada mejor que simplemente repetir la Escritura—, sino que la teología se justifica por la ayuda que brinda a la gente, por su éxito en ayudar a la gente a usar la verdad.

Esa, al menos, es la opinión que argumentaré más sistemáticamente en la próxima sección. Y honestamente creo que si Hodge estuviera vivo hoy y se enfrentara a este argumento, lo aceptaría, ya que la alternativa sería afirmar que la Escritura es de alguna manera inadecuada y que la teología debe corregir las insuficiencias de la Escritura. Sin embargo, Hodge nunca formuló el asunto como yo lo he hecho, probablemente porque no quería permitir ningún elemento de subjetividad en su formulación de la naturaleza de la teología. Tenía miedo del fantasma de Schleiermacher. Temía que, si hacía de la teología una reinterpretación de la Escritura para satisfacer las necesidades humanas, esas necesidades humanas determinarían en cierta medida la estructura y el contenido de la Escritura y, por tanto, sustituirían a la Escritura como autoridad del hombre. Si ese fue el motivo de Hodge, entonces es comprensible y, en parte, loable. Aunque a Hodge le preocupaba la autoridad y suficiencia de la Escritura cuando se la contrastaba con la autoridad y suficiencia del sentimiento religioso humano, no se dio cuenta de que excluir sistemáticamente la necesidad humana de un papel estructural en la teología es precisamente perder la autoridad y suficiencia de la Escritura. Si la teología es una disciplina puramente "objetiva" en la que el científico determina "la verdad tal como es" aparte de cualquier necesidad humana, entonces no puede evitar competir con la Escritura. Buscará una mejor formulación que la propia Escritura, o al menos un mejor "orden".

El "objetivismo" sigue siendo un peligro en los círculos cristianos ortodoxos. Es muy fácil para nosotros imaginar que tenemos una tarea más importante que la de ayudar a la gente. Nuestro orgullo se opone constantemente al modelo de servicio. Y es demasiado fácil para nosotros pensar en las formulaciones teológicas como algo más que una verdad para la gente, como una especie de visión especial de Dios mismo (sobre la que los escritores bíblicos habrían escrito, si hubieran sabido tanto como nosotros). Pero no, la teología no es "verdad puramente objetiva"; como vimos anteriormente, no existe tal cosa como verdad absolutamente objetiva, o "hecho bruto". Nuestras teologías no son ni siquiera la mejor formulación de verdad-para-personas para todos los tiempos y lugares; la Escritura es eso. Nuestras teologías son meramente intentos de ayudar a la gente, en general y en tiempos y lugares específicos, a usar mejor la Escritura.

Por lo tanto, un concepto adecuado de teología será un concepto que haga justicia a la interdependencia de las tres "perspectivas" del conocimiento que hemos discutido anteriormente. Implicará la aplicación de la Escritura (perspectiva normativa) por las personas (perspectiva existencial) a las situaciones (perspectiva situacional). No tratará de sustituir a la Escritura ni de mejorarla, sino de utilizar la Escritura en las situaciones de la vida humana. A tal concepto de teología nos dirigimos ahora.

3) Una definición "Pactual"

Sugeriría que definamos la teología como "la aplicación de la Palabra de Dios por las personas en todos los ámbitos de la vida". El significado de esta definición debería ser bastante claro, excepto para la aplicación. Yo definiría la aplicación como "enseñanza" en el sentido del Nuevo Testamento (*didache, didaskalia*), un concepto representado en algunas traducciones por doctrina. La enseñanza en el Nuevo Testamento (y creo que también en el Antiguo) es el uso de la revelación de Dios para satisfacer las necesidades espirituales de las personas, para promover la piedad y la salud espiritual. A menudo la enseñanza en el Nuevo Testamento va unida a un adjetivo como *hugiainos* (saludable), o *kalos* (bueno o bello), o con alguna otra indicación de que la enseñanza es conducente a la salud espiritual.

Naturalmente, entonces, la enseñanza no es una mera descripción de los sentimientos religiosos humanos (Schleiermacher), ni es un intento de formular la verdad en algún sentido meramente "objetivo" (que era la tendencia de la posición de Hodge, aunque seguramente habría rechazado las malas implicaciones de la misma). No es una disciplina estrictamente intelectual o académica. Y aunque hay "especialistas" de algún tipo (los "maestros" del Nuevo Testamento), también hay importantes sentidos en los que todos los cristianos enseñan (He. 5:12) de palabra y obra, e incluso en su canto (Col. 3:16). Y este concepto de teología coordina las tres perspectivas de conocimiento que hemos discutido; se basa en la Palabra de Dios (normativa), y aplica esa Palabra a situaciones (situacional) sobre una base de persona a persona (existencial).

Además de ser una clara alternativa a las otras dos definiciones, esta definición tiene muchas ventajas.

(1) Da una clara justificación a la labor de la teología. La teología no es necesaria para remediar los defectos formales (¿Hodge?) o materiales (Schleiermacher) de la Escritura, sino para remediar los defectos en nosotros mismos, los oyentes y los lectores de la Escritura.

(2) La teología en este sentido (en contraposición a la teología en otros sentidos) tiene una clara garantía escritural: La Escritura nos ordena "enseñar" de esta manera (*cf.* Mt. 28:19s., y muchos otros pasajes).

(3) A pesar de su enfoque en la necesidad humana, esta definición hace plena justicia a la autoridad y suficiencia de la Escritura. *Sola scriptura* no requiere que las necesidades humanas sean ignoradas en la teología, solo que la Escritura tenga la última palabra acerca de las respuestas a esas necesidades (y acerca de la propiedad de las preguntas presentadas).

(4) La teología se libera así de cualquier falso intelectualismo o academicismo. Es capaz de utilizar métodos científicos y conocimientos académicos cuando son útiles, pero también puede hablar de manera no académica, como lo hace la propia Escritura —exhortando, interrogando, contando parábolas, formando alegorías y poemas y proverbios y canciones, expresando amor, alegría, paciencia... la lista no tiene límites.

(5) Esta definición nos permite hacer uso de los datos de la revelación natural y del hombre mismo, sin separar artificialmente las tres "perspectivas".

¿Pero por qué deberíamos usar la aplicación en esta definición? Si aplicación significa "enseñanza", entonces ¿por qué no hablar simplemente de "enseñanza"? Bueno, podríamos. No hay nada sagrado en la aplicación. Lo elegí para desalentar una falsa distinción entre "significado" y "aplicación" que creo que ha causado mucho daño al pueblo de Dios. Una y otra vez, los predicadores (y otros) tratan de proclamar el "significado" del texto y luego su "aplicación" —la primera parte es "lo que significa", la segunda "lo que significa para nosotros". A veces se nos dice que debemos entender "lo que significa" antes de poder entender "cómo se aplica".

El significado "viene primero", la aplicación se "basa en" el significado. Incluso se distinguen varias disciplinas de esta manera, pero no siempre de forma muy consistente. A veces se nos dice que las "traducciones" de la Biblia nos dan "el significado" pero las "paráfrasis" nos dan "la aplicación". Alternativamente, a veces se nos dice que tanto las traducciones como las paráfrasis dan el significado, y el exégeta o intérprete da la aplicación. O aún de manera diferente, el exégeta da el significado y el teólogo da la aplicación; o el teólogo da el significado y el predicador da la aplicación. Uno tiene la impresión bastante rápida de que, aunque muchas personas están seguras de que la distinción entre significado y aplicación es importante, no están muy seguras de dónde termina una y comienza la otra.

¿Podría guardarse la distinción haciéndola más precisa? Intentémoslo. Usemos el ejemplo del octavo mandamiento. (1) El "texto" serían las palabras hebreas. (2) La "traducción" sería "No robarás". (3) La "interpretación" sería "No tomes nada que no te pertenezca". 4) Luego se podría pensar en varias "fórmulas de aplicación" como "no malversar", "no hacer trampa en el impuesto sobre la renta", "no tomar rosquillas sin pagar", etc. (5) Entonces más allá de la aplicación-formulación sería la aplicación "práctica", la aplicación en la vida real, las decisiones reales que tomamos para no malversar, engañar, y así sucesivamente.

Sin embargo, incluso esta forma más precisa de hablar se rompe en el análisis final porque las cuatro transformaciones del texto (2-5) pueden ser descritas como "significado" y todas pueden ser descritas como "aplicación". Algo del significado falta si solo tenemos (2) y (3) y no (4) y (5). De manera similar, incluso en las etapas (2) y (3) la aplicación está en marcha. "El significado", claramente, se encuentra en la etapa (2): la traducción da el significado del hebreo. (En un sentido importante, seguramente, se encuentra incluso en la etapa (1); cada texto significa lo que dice). Pero también se encuentra en la etapa (3); de hecho, es usualmente "interpretación" lo que la gente está pidiendo cuando piden "significado". ¿Pero qué hay de (4)? Imaginemos dos eruditos que están de acuerdo en la traducción "No robarás" pero no están de acuerdo en las fórmulas de aplicación.

Por ejemplo, uno cree que robar está mal, pero piensa que el texto le permite malversar a su empleador. El otro no está de acuerdo. ¿Digamos que ambos entienden el "significado" igual de bien, pero difieren en la "aplicación"? Seguro que no. Es evidente que ambos difieren, no solo en cuanto a la "aplicación" sino también en cuanto al significado del texto. "Robar" a la una tiene un significado totalmente diferente al que entiende la otra. Y seguramente, si ambos están de acuerdo en una traducción (2) pero uno realmente malversa y el otro no (5), aunque ambos profesan estar ligados al texto, la diferencia de comportamiento manifiesta una diferencia en la comprensión.

"El significado", entonces, se encuentra en los cinco puntos, y también lo es la "aplicación". Recuerde, "aplicación" es el uso de las Escrituras para satisfacer alguna necesidad humana. Uno puede satisfacer tales necesidades ya sea simplemente repitiendo el texto hebreo (¡a un erudito hebreo! (1)) o traduciendo ((2)) o interpretando ((3)) o formulando una política ((4)) o llevando a cabo una política ((5)). Lo importante es que en cada una de esas etapas se satisface alguna necesidad humana. Ninguna de esas actividades nos presenta una verdad "puramente objetiva" que se aleje de todas las cuestiones y preocupaciones humanas. Cada solicitud de "significado" es una solicitud de aplicación porque siempre que pedimos el "significado" de un pasaje estamos expresando una carencia en nosotros mismos, una ignorancia, una incapacidad para usar el pasaje. Pedir "significado" es pedir una aplicación de la Escritura a una necesidad; estamos pidiendo a la Escritura que remedie esa carencia, esa ignorancia, esa incapacidad. Del mismo modo, toda petición de "aplicación" es una petición de sentido; el que pide no entiende el pasaje lo suficientemente bien como para usarlo él mismo.

En cada etapa, entonces, se encuentra el significado; y en cada etapa, se hace la aplicación. No hay, de hecho, ninguna distinción importante que hacer entre el significado y la aplicación, por lo que los usaré indistintamente. Encontrar el "sentido" es hacer una pregunta a la Escritura, expresar una necesidad, y que esa necesidad sea satisfecha. "Aplicar" es aprender más de lo que está en el texto, ver más de su potencial, sus poderes, su sabiduría. Entiendo la distinción entre significado y aplicación como un remanente de objetivismo, como un intento de encontrar en algún lugar un "fundamento" de pura facticidad (significado) en el que deben basarse todos los demás usos del texto. Pero el verdadero fundamento del significado de la Escritura es la propia Escritura, no algún producto del ingenio del hombre; y hemos visto en otra parte lo que ocurre cuando la gente intenta sustituir el verdadero fundamento por uno falso: la noción de "hecho bruto" aparece lo suficientemente extensa como para destruirse a sí misma. No, la labor de la teología no es descubrir alguna verdad en abstracción de todo lo humano; es tomar la verdad de la Escritura y servir humildemente al pueblo de Dios enseñándola y predicándola y aconsejando y evangelizando.

Esta es, en efecto, la imagen que la propia Escritura presenta. Como vimos antes, aprendemos el significado de la Escritura al aplicarla a las situaciones. Adán aprendió el significado de "someter la tierra" al estudiar la creación y descubrió aplicaciones para ese mandato. Una persona no entiende la Escritura, como nos dice la Escritura, a menos que pueda aplicarla a nuevas situaciones, a situaciones que ni siquiera están previstas en el texto original (Mt. 16:3; 22:29; Lc. 24:25; Jn. 5:39ss.; Ro. 15:4; 2 Ti. 3:16ss.; 2 P. 1:19-21 —en contexto). Las Escrituras dicen que su único propósito es aplicar la verdad a nuestras vidas (Jn. 20:31; Ro. 15:4; 2 Ti. 3:16s.).

Además, las aplicaciones de la Escritura son tan autoritarias como las declaraciones específicas de la Escritura. En los pasajes mencionados anteriormente, Jesús y otros consideraron a sus oyentes responsables si no aplicaban las Escrituras correctamente. Si Dios dice "No robarás" y yo tomo una rosquilla sin pagar, no puedo excusarme diciendo que la Escritura no menciona las rosquillas. A menos que las aplicaciones sean tan autoritarias como las enseñanzas explícitas de la Escritura (*cf.* La Confesión de Fe de Westminster, I, sobre "la buena y necesaria consecuencia"), entonces la autoridad escritural se convierte en letra muerta. Ciertamente, somos falibles en la determinación de las aplicaciones apropiadas; pero también somos falibles en la traducción, exégesis y comprensión de las declaraciones explícitas de la Escritura. La distinción entre declaraciones explícitas y aplicaciones no nos salvará de los efectos de nuestra falibilidad. Sin embargo, debemos traducir, hacer exégesis y "aplicar" -no con temor sino con confianza-porque la Palabra de Dios es clara y poderosa y porque Dios nos la da para nuestro bien.

Así que todo el proceso desde la traducción hasta la aplicación en la vida podría llamarse "interpretación" o "encontrar el significado", o podría llamarse "aplicación". Y también se pueden encontrar otros nombres. No tengo fuertes sentimientos acerca de qué término debe usarse, pero creo que es bueno usar un término para describir todo el proceso para indicar que se están haciendo las mismas cosas a lo largo de la línea. Y mi preferencia personal es la aplicación, ya que, si definimos la teología como "aplicación", es menos probable que dibujemos esa dicotomía fatal entre "significado" y "aplicación".

Una nota final. Al definir la teología como aplicación, no pretendo menospreciar el trabajo teórico de los teólogos. La teoría es un tipo de aplicación. Responde a ciertos tipos de preguntas y satisface ciertos tipos de necesidades humanas. Sin embargo, estoy tratando de desalentar la noción de que la teología es "propiamente" algo teórico, algo académico, en oposición a la enseñanza práctica que se lleva a cabo en la predicación, el asesoramiento y la amistad cristiana. Una vez que veamos la similitud esencial de la "interpretación" y la "aplicación", veremos que es arbitrario restringir el trabajo de la teología al área teórica o pensar que cuanto más teórica es una pieza de la enseñanza cristiana, más "teológica" es. Además, veremos que es arbitrario insistir en que la teología sea escrita en un estilo formal y académico. En cambio, los teólogos deben hacer un amplio uso del lenguaje humano —poesía, drama, exclamación, canto, parábola, símbolo— como lo hace la propia Escritura.

B. Filosofía y ciencia

a. Filosofía

Es difícil para mí hacer una distinción clara entre la teología cristiana y la filosofía cristiana. La filosofía generalmente se entiende como un intento de entender el mundo en sus rasgos más amplios y generales. Incluye la metafísica u ontología (el estudio del ser, de lo que "es"), la epistemología (el estudio del saber) y la teoría de los valores (ética, estética, etc.). Si uno busca desarrollar una filosofía verdaderamente cristiana, ciertamente lo hará bajo la autoridad de la Escritura y así aplicará la Escritura a las cuestiones filosóficas. Como tal, estaría haciendo teología, según nuestra definición. La filosofía cristiana, entonces, es una subdivisión de la teología. Además, como la filosofía se ocupa de la realidad en un sentido amplio y comprensivo, puede muy bien tomar como su tarea "aplicar la Palabra de Dios a todos los ámbitos de la vida". Esa definición hace que la filosofía sea idéntica a la teología, no una subdivisión de la misma.

Si existen diferencias entre el teólogo cristiano y el filósofo cristiano, probablemente serían: 1) que el filósofo cristiano dedica más tiempo al estudio de la revelación natural que el teólogo, y el teólogo dedica más tiempo al estudio de las Escrituras, y 2) que el teólogo busca una formulación que sea una aplicación de las Escrituras y, por lo tanto, absolutamente autoritaria. Su objetivo es una formulación ante la cual pueda pronunciar "Así dice el Señor". Un filósofo cristiano, sin embargo, puede tener una meta más modesta: un juicio humano sabio que concuerde con lo que la Escritura enseña, aunque no esté necesariamente justificado por la Escritura.

Una filosofía cristiana puede ser de gran valor para ayudarnos a articular en detalle la visión bíblica del mundo. Debemos tener cuidado, sin embargo, con el "imperialismo filosófico". La amplitud de la filosofía ha llevado a menudo a los filósofos a tratar de gobernar sobre todas las demás disciplinas, incluso sobre la teología, sobre la Palabra de Dios. Incluso los filósofos que intentan construir una filosofía cristiana han sido culpables de esto, ¡y algunos incluso han insistido en que la propia Escritura no puede ser entendida correctamente a menos que sea leída de una manera prescrita por el filósofo! Ciertamente, la filosofía puede ayudarnos a interpretar la Escritura; los filósofos tienen a menudo interesantes ideas sobre el lenguaje, por ejemplo. Pero hay que trazar la línea: cuando un esquema filosófico contradice la Escritura o cuando busca inhibir la libertad de la exégesis sin la garantía de la Escritura, debe ser rechazado.

b. Ciencia

Los científicos estudian varias áreas de la creación. Un cristiano que es científico hará esto bajo la autoridad de la Palabra de Dios y por lo tanto estará haciendo teología (es decir, aplicando las Escrituras) la mayor parte del tiempo. Sin embargo, como las Escrituras no se nos dan como un catálogo completo de principios científicos, gran parte del tiempo del científico se dedicará al estudio de la revelación de Dios en la naturaleza. En la medida en que sea coherente con su compromiso cristiano, tal científico presupondrá en su estudio de la naturaleza la verdad de las enseñanzas de las Escrituras, especialmente en lo que se refiere a su trabajo como científico.

Aunque las Escrituras no pretenden ser principalmente un libro de texto de física o biología o psicología, dicen muchas cosas relevantes para esas disciplinas, no solo sobre las amplias realidades de la creación, la caída y la redención, sino también sobre asuntos más detallados como la unicidad biológica del hombre, la autenticidad de los sentimientos de culpa, la legitimidad de hacer juicios de valor en el estudio de las culturas humanas y la cronología de la historia de Israel, por nombrar solo algunos ejemplos.

Un cristiano que es científico también debe ser crítico con las teorías de otros científicos, no solo por los motivos lógicos, metodológicos y matemáticos habituales, sino también por motivos religiosos. Los científicos que desarrollan teorías sobre el supuesto de la autonomía deben ser llamados a rendir cuentas. Normalmente es más fácil y más efectivo para los cristianos que son científicos hacer esto que para los teólogos cristianos. Últimamente ha sido bastante común que biólogos y geólogos no cristianos recomienden la teoría de la evolución basándose en que la única alternativa es el creacionismo bíblico. En efecto, están admitiendo que su punto de vista está sesgado por suposiciones religiosas. Ese hecho debería ser proclamado alto y fuerte. Y es solo un ejemplo del tipo de crítica que deberíamos llevar a cabo. Aunque no está escrito desde una perspectiva cristiana, *The Structure of Scientific Revolutions* (La estructura de las revoluciones científicas) de Thomas Kuhn[4] es extremadamente útil para destruir el mito de la supuesta "objetividad" de la ciencia. La ciencia no cristiana es ampliamente deificada y adorada, pero es más vulnerable ahora de lo que lo ha sido en los últimos cuatrocientos años.

---

[4] Chicago: University of Chicago Press, 1962.

C. Apologética

La apologética puede definirse como la aplicación de la Escritura a la incredulidad y, como tal, puede considerarse como una subdivisión de la teología. Es importante entender que esa definición hace que la apologética sea parte de la teología, no una "base neutral" para ella. Con demasiada frecuencia, los escritores sobre estas cuestiones han asumido que la labor del apologista es razonar con el incrédulo, utilizando criterios y presuposiciones que son aceptables tanto para la creencia como para la incredulidad.

Se supone que, sobre la base de ese razonamiento, el apologista establece la existencia de Dios, la verdad sustancial del Evangelio y la autoridad de la Escritura. Una vez establecidos estos puntos, el resto del cuerpo doctrinal cristiano puede basarse en la exégesis de la Escritura. Así que la transición de la apologética a la teología sistemática es una transición del razonamiento neutral al razonamiento bajo la autoridad de la Escritura. Esta opinión común, sin embargo, debe ser rechazada por ser poco sólida. El razonamiento "neutral", el razonamiento no sujeto a la autoridad escritural, nos está prohibido, incluso en la etapa "preliminar". (Se debe decir, más bien, especialmente en la etapa "preliminar", pues es en esa etapa donde se establece el marco al que deben ajustarse todas las conclusiones posteriores). El razonamiento, incluso con los incrédulos, debe ser obediente y piadoso, por más tonto que le parezca a la mente incrédula. Solo tal razonamiento es capaz de mantener y defender la verdad. Por el propio bien del incrédulo, no debemos —en este punto especialmente— comprometer el único mensaje que es capaz de salvarlo. Y en el análisis final, la "neutralidad" no solo está prohibida, sino que es imposible. Se está a favor o en contra de Dios; abandonar la autoridad de la Palabra de Dios es adoptar la autoridad del hombre autónomo y la mentira del Diablo.

Pero si la apologética no es "neutral", entonces no hay ninguna razón particular para decir que proporciona una "base" o "presuposición" para la teología. Probablemente sea más esclarecedor ponerlo al revés: la teología proporciona los presupuestos para la apologética. La teología formula la verdad que el apologista debe defender y describe el tipo de razonamiento que el apologista debe practicar. En la medida en que el apologista (razonando de manera no neutral) establece verdades tales como la existencia de Dios y la autoridad de la Escritura, se puede decir que está desarrollando una "base" para la teología, pero solo en la medida en que él mismo es un teólogo. Es mejor decir que la base de la teología es la Palabra de Dios. No hay ninguna otra disciplina o cuerpo de conocimiento que medie entre la Palabra y el teólogo, como tampoco hay un reino de "hecho bruto" o "ley abstracta" al que se deba recurrir.

APÉNDICE A:
PERSPECTIVALISMO

He argumentado que el conocimiento de la ley de Dios, el mundo y el yo son interdependientes y, en última instancia, idénticos. Entendemos la ley estudiando sus relaciones con el mundo y las "aplicaciones" del yo, de modo que su significado y su aplicación son, en última instancia, idénticos. Así pues, todo conocimiento es un conocimiento de la ley. Todo conocimiento es también un conocimiento del mundo, ya que todo nuestro conocimiento (de Dios o del mundo) viene a través de medios creados. Y todo conocimiento es de uno mismo, porque conocemos todas las cosas por medio de nuestra propia experiencia y pensamientos. Los tres tipos de conocimiento, por lo tanto, son idénticos pero relacionados "perspectivamente"; representan el mismo conocimiento, visto desde tres diferentes "ángulos" o "perspectivas".

Supongo que todo esto sonará bastante extraño para algunos oídos reformados. Estamos acostumbrados a colocar la ley de Dios (la Escritura) en una posición privilegiada, de modo que nuestro conocimiento de la Escritura determina nuestro conocimiento de uno mismo y del mundo, pero no viceversa. Bueno, soy un defensor acérrimo de la inerrancia y suficiencia bíblica. Ciertamente la Escritura tiene una posición privilegiada. Lo que dice la Escritura debe gobernar nuestro pensamiento sobre el mundo y el yo y sobre la Escritura también. La reciprocidad funciona de esta manera. Llegamos a conocer la Escritura a través de nuestros sentidos y mentes (el yo) y a través de las relaciones de la Escritura con el resto del mundo. Pero entonces lo que leemos en la Escritura debe ser permitido para corregir las ideas que nos hemos formado sobre estas otras áreas. Entonces, a medida que entendemos mejor las otras áreas, entendemos mejor la Escritura. Hay una especie de circularidad aquí, un "círculo hermenéutico", si se quiere, pero eso no impide que la Escritura gobierne nuestros pensamientos; simplemente describe el proceso por el cual esa regla tiene lugar.

Por extraño que todo esto pueda sonar a los reformados, insisto en que este enfoque es nada menos que el calvinismo genérico. Es en la fe Reformada donde la naturaleza como revelación es tomada más seriamente. Ya que Dios es soberano y presente, todas las cosas lo revelan. Y es la teología Reformada la que hace el mayor uso del concepto bíblico de la imagen de Dios, que el hombre es una revelación. Así, en la primera página de las *Instituciones,* Calvino habla de la interdependencia del conocimiento de Dios y el conocimiento de sí mismo y luego, sorprendentemente para algunos de nosotros, ¡afirma que no sabe qué es lo primero! Así, en la *Introduction to Systematic Theology*, (Introducción a la Teología Sistemática) de Van Til, hay cuatro capítulos sobre la revelación general, interrelacionando la revelación de la naturaleza, del hombre y de la voz divina: "Revelación sobre la naturaleza de la naturaleza", "revelación sobre la naturaleza del hombre", "revelación sobre la naturaleza de Dios", "revelación sobre el hombre de la naturaleza", y así sucesivamente. Sospecho que solo un teólogo reformado podría escribir de esa manera. Solo busco llevar este desarrollo un paso más allá.

APÉNDICE B: ENCICLOPEDIA

Hay quienes, como los grandes pensadores holandeses Kuyper y Dooyeweerd, creen que la "enciclopedia de las ciencias" es terriblemente importante. En la "enciclopedia de las ciencias" se intenta establecer el tema adecuado de cada ciencia y su relación con todas las demás. Uno casi tiene la impresión de que para algunos pensadores holandeses este es el problema supremo de la filosofía - tal vez el único problema - de modo que una vez que uno determina las relaciones de las ciencias, no quedan más problemas. Entre estos pensadores existe también la tendencia a pensar que solo hay una manera correcta de clasificar las ciencias y que las definiciones de las ciencias deben ser tan precisas como sea posible.

Yo cuestiono todos esos supuestos. Me parece que puede haber muchas maneras legítimas de organizar la materia del universo para su estudio, así como hay muchas maneras de cortar un pastel con el fin de comer y al igual que hay muchas maneras de dividir el espectro de colores con fines de descripción. (En algunos idiomas puede haber cinco colores, en otros ocho, y así sucesivamente; y los términos de color de un idioma a menudo se superponen a los términos de color de otro). También cuestiono la importancia de esto y la necesidad de una enorme precisión. Curiosamente, Van Til, aunque es holandés, parece estar más cerca de mi punto de vista que de los de Kuyper y Dooyeweerd. En la *Introduction to Systematic Theology* (Introducción a la teología sistemática) (3), Van Til reconoce la dependencia mutua de las diferentes disciplinas, en contraposición a la tendencia holandesa de querer establecer prioridades inequívocas entre una y otra disciplina. Sostiene que la distinción entre "teología dogmática" y "teología sistemática" no es importante (Ibid.), y reconoce que una disciplina puede ocuparse de una cosa "en primer lugar" y de otra "en segundo lugar" (1, 2).

Mi temor, en relación con la intensa preocupación por la enciclopedia entre algunos pensadores, es que esa preocupación representa en parte una búsqueda de una especie de "fundamento" inequívoco, una prioridad última, un "punto de partida" absoluto distinto de la Escritura. Dooyeweerd finalmente ubica su "punto de Arquímedes" en el corazón humano, el cual se cree en algún sentido extraño que trasciende el tiempo. Kuyper nunca resolvió la cuestión de la "prioridad" de esa manera tan decisiva. Pero en Van Til hemos encontrado un pensador que no necesita encontrar alguna forma de pensamiento humano que sea "anterior a" todos los demás, ya que es mucho más consciente de las implicaciones de la primacía de la propia Escritura. Si encontramos nuestro "punto de partida" en la Escritura, entonces realmente no importa tanto qué ciencia se basa en cuál. Lo importante es que todas se basan en las enseñanzas de la Escritura, y más allá de eso pueden trabajar sus interrelaciones como parezca prudente. Tampoco es tan terriblemente importante que cada disciplina tenga límites absolutamente precisos que no se atrevan a ser transgredidos por otra. Si la Escritura es nuestra autoridad, no debemos temer la flexibilidad en esta área. La Escritura da a sus creyentes una visión integral que trasciende los "límites" entre campos.

APÉNDICE C: SIGNIFICADO

El "significado del significado" es un tema que ha sido discutido frecuentemente por lingüistas, filósofos, teólogos y otros. Como con la mayoría de los términos, no hay una única definición correcta del significado. Sin embargo, algunos tipos de definiciones promueven los malentendidos y otros ayudan a mitigarlos. A este respecto, compararemos varios enfoques del "significado del significado". Mi discusión en este apéndice está en deuda con la *Philosophy of Language*,[1] (Filosofía del lenguaje) de William P. Alston, aunque he hecho algunas adaptaciones.

En sus *Foundations of the Theory of Signs*,[2] (Fundamentos de la teoría de los signos), Charles W. Morris distinguió entre sintáctica, semántica y pragmática como elementos de la teoría de los signos. Morris definió la sintáctica como "el estudio de las relaciones sintácticas de los signos entre sí en abstracción de las relaciones de los signos con los objetos o con los intérpretes".[3] La semántica, dijo: "trata de la relación de los signos con sus significados y por lo tanto con los objetos que pueden o no denotar."[4] Y Morris dijo que la pragmática se ocupa de "la relación de los signos con sus usuarios".[5] Por medio de esas categorías, podemos distinguir varios conceptos de significado posibles.

(1) SINTÁCTICO

A menudo, cuando preguntamos por el significado de una palabra o frase, lo que queremos es una expresión sinónima. Debido a que la sinonimia es la igualdad de

---

[1] William P. Alston, *Philosophy of Language* (Englewood Cliffs, N.J.: Prentice Hall, 1964).

[2] Charles W. Morris, *Foundations of the Theory of Signs* (Chicago: University of Chicago Press, 1938).

[3] Ibid., 13.

[4] Ibid., 21.

[5] Ibid., 29.

significado, es tentador equiparar el significado con la sinonimia. Si el significado es sinónimo, entonces el significado de una expresión es el conjunto de expresiones que son sinónimos con ella. Este enfoque parece tener la ventaja de permitir que los significados se determinen por "sintaxis pura"; el significado de una expresión puede determinarse sin saber nada de sus referentes o de los usos de sus términos. Esa ventaja, sin embargo, es ilusoria. El concepto de sinonimia en sí mismo nos lleva más allá de la sintaxis pura. No podemos saber si dos palabras son sinónimos a menos que sepamos algo sobre sus referentes o las formas en que se utilizan. Por esa misma razón, no podemos derivar una definición adecuada del significado de la sinonimia. Por ejemplo, podemos saber que *amare* y *aimer* son sinónimos, sin conocer el significado de ninguna de ellas.

(2) SEMÁNTICO

Algunos estudiosos han argumentado que el significado de una palabra es un objeto al que se refiere, su referente. Si eso fuera cierto, entonces el significado de una frase sería un estado de cosas afirmado por la frase. Cinco consideraciones muestran por qué tal teoría es incorrecta.

a) Dos expresiones pueden tener el mismo referente, pero significados diferentes (en algunos sentidos normales de significado). Por ejemplo, Scott y el autor de Waverly tienen el mismo referente, pero no son intercambiables ni tienen un significado idéntico.

b) Una expresión puede variar en su referente de un objeto a otro, pero mantener el mismo significado, por ejemplo, los pronombres personales.

c) El significado y el referente no suelen ser intercambiables. El referente de Pompeya es la ciudad de Pompeya, pero esa ciudad no es el significado de Pompeya. Cuando Pompeya fue destruida, el significado de Pompeya no pereció.

(d) No todas las palabras se usan para referirse. De acuerdo con esta teoría, ¿cuál sería el significado de *y*, *¡oh!*, y *si*? ¿Cuál sería el significado de las frases que no afirman estados de cosas pero que hacen preguntas o que dan órdenes?

e) El concepto mismo de referencia nos lleva más allá de la semántica. ¿Cómo enseñamos referencias a alguien que está aprendiendo a hablar? ¿Señalando ("definición ostensiva")? ¿Pero cómo enseñamos entonces el significado del gesto de señalar (que ciertamente es parte del lenguaje)? ¡No señalando nada! No hay nada que puedas señalar para definir el acto de señalar. Sin algún conocimiento o competencia en la pragmática del lenguaje, uno no puede aprender referentes. Y así seguimos adelante.

(3) PRAGMÁTICO

Hay seis subtipos en esta categoría.

a. Conductual

En *Language*,[6] (Lenguaje), Leonard Bloomfield definió el significado de una expresión como "la situación en la que el hablante la pronuncia y la respuesta que provoca en el oyente". Bloomfield siguió el ejemplo de la relación estímulo-respuesta que los psicólogos del comportamiento enfatizaron. Entendió las expresiones lingüísticas como un tipo de estímulo, presentado en una situación particular, que evoca una respuesta particular de sus oyentes. Sin embargo, las similitudes de situación y respuesta no parecen correlacionarse muy bien con las similitudes de significado, ya que el significado se utiliza de forma general. Por una parte, las palabras con significados diferentes pueden hablarse en situaciones similares y provocar respuestas similares. Por otra parte, dos expresiones con el mismo significado, incluso dos expresiones idénticas, pueden pronunciarse en situaciones diferentes y/o provocar respuestas bastante diferentes.

b. Imagen mental

A veces podemos estar tentados de equiparar el significado de una expresión con una imagen mental que el orador o el oyente asocie con ella. Sin embargo, no es el caso de que la zanahoria, por ejemplo, indique siempre la presencia de una imagen de zanahoria en la mente del hablante o evoque tal imagen en la mente del oyente. Además, la presencia o ausencia de esas imágenes es totalmente irrelevante para determinar el significado de una expresión, como lo demostró Wittgenstein en *Philosophical Investigations*[7] (Investigaciones filosóficas).

c. La intención del orador

Este es uno de los candidatos más plausibles para una definición de significado. A menudo cerramos un argumento sobre el significado de una expresión diciendo:

---

[6] Leonard Bloomfield, *Language* (London: Allen and Unwin, 1935), 139.

[7] Ludwig Wittgenstein, *Philosophical Investigations* (New York: Macmillan, 1958), 175ff., passim.

"Esto es lo que el orador (o el escritor) pretendía". Sin embargo, hay que tener en cuenta algunos requisitos. a) Si la intención se refiere a un estado psicológico oculto del autor, entonces no tenemos más acceso a eso que a sus imágenes mentales (ver (3), B arriba). Y tal estado psicológico oculto es tan irrelevante para determinar lo que un autor o un orador quiere decir como lo son sus imágenes mentales. Las intenciones, por supuesto, pueden definirse para referirse a algo distinto de los estados psicológicos, a algo objetivo que es posible que descubramos, al menos provisionalmente. Pero tales definiciones de intención hacen que la búsqueda de la intención de un autor sea idéntica a la búsqueda de otra cosa, como d o f a continuación. b) Lo que la gente dice es a menudo diferente de lo que pretende decir. Si alguien tiene la intención de decir "efectos noéticos del pecado" pero dice "efectos poéticos del pecado", ¿"poético" significa "noético"? Seguramente no. Creo que los escritores bíblicos no cometieron tales errores, aunque debido a la corrupción del texto, errores de este tipo a veces aparecen en copias de la Escritura.

Los escritores bíblicos, sin embargo, dicen más de lo que conscientemente querían decir. ¿Tenía Moisés la intención de que la historia de Abraham y Agar se usara como una alegoría (Gá. 4:21-31)? ¿Se dio cuenta David de lo mucho que decía sobre Jesús en el Salmo 110? El exégeta debe, por lo tanto, tener en cuenta la intención del autor divino, así como la intención del autor humano. ¿Pero cómo lo hacemos? Otros relatos de significado proporcionan una guía más concreta que las teorías basadas en la intención.

d. La comprensión de la audiencia original

A menudo determinamos el significado preguntando: ¿Cómo habrían entendido esta expresión sus oyentes originales? Aunque es una pregunta útil, no es adecuada como criterio de significado por las siguientes razones.

a) Los oyentes y los lectores del lenguaje a menudo se malinterpretan entre sí. Por lo tanto, si preguntamos cómo entendió el público original una expresión, podríamos ser engañados. E incluso cuando los oyentes originales van por el buen camino, a menudo no entienden la plenitud de significado que una reflexión prolongada sobre la declaración podría revelar. ¿Debemos tratar de determinar el significado de las parábolas de Jesús, por ejemplo, preguntando cómo las habrían entendido inicialmente sus discípulos?

b) En el ámbito de la exégesis bíblica, debemos recordar que el autor divino del texto tiene la intención de dirigirse no solo a los oyentes y lectores originales, sino también a nosotros (Ro. 15:4). La audiencia a la que se dirige la Escritura abarca muchos siglos y culturas.

e. Verificación

Los filósofos positivistas lógicos argumentaron que "el significado de una declaración es el método de su verificación". Es cierto que a veces, cuando nos enfrentamos a una expresión difícil, es útil preguntarse: ¿Cómo estableceríamos su verdad o falsedad? A veces tales preguntas ayudan a determinar el significado.

a) La verificabilidad, sin embargo, es una guía para el significado solo para las expresiones indicativas, para las expresiones que pretenden establecer hechos. La verificabilidad no ayuda a determinar el significado de las preguntas, exclamaciones, órdenes, etc.

b) El concepto de verificabilidad ha sido filosóficamente controvertido. Muchos filósofos han intentado definirlo con precisión, y todos han fracasado.[8] Debido a que el concepto de verificabilidad se ha utilizado para cuestionar el significado de las declaraciones religiosas, también ha sido criticado por motivos teológicos.[9]

c) En la mayoría de los casos, como ha señalado George Mavrodes,[10] debemos conocer el significado de una expresión antes de poder aprender a verificarla. Por lo tanto, el significado parece ser independiente del método por el cual se verificaría una declaración.

f. Uso

Wittgenstein sostuvo que en muchos, aunque no en todos los casos en los que usamos el significado, el significado de una expresión es su uso. Comparó las palabras con las herramientas adecuadas para hacer diferentes trabajos en la sociedad. Así, el significado de una pieza de lenguaje puede ser encontrado descubriendo qué trabajo realiza el lenguaje. Pero es necesario hacer algunas aclaraciones. Wittgenstein y Ryle pensaron en el "uso" (en oposición al mero "uso")

---

[8] Ver: Carl Hempel, "The Empiricist Criterion of Meaning," en A. J. Ayer, ed., *Logical Positivism* (Glencoe, Ill.: The Free Press, 1959), 108–29 and my *Christianity and the Great Debates*, 20–22.

[9] Ver mi libro: "God and Biblical Language," en J. W. Montgomery, ed., *God's Inerrant Word* (Minneapolis: Bethany Fellowship, 1974), 159–77.

[10] George Mavrodes, *Belief in God* (New York: Random House, 1970), 47f.

como un concepto normativo: el "uso" no nos dice cómo la gente usa realmente una expresión sino cómo debe usarla. ¿Pero cómo descubrimos tales normas? ¿De quién es el uso que debe ser normativo en nuestros juicios sobre el significado? ¿El del orador? ¿El de los oyentes originales? ¿El nuestro? Desde una perspectiva cristiana, las normas son aplicaciones de la Palabra de Dios. A menos que Dios haya hablado, no puede haber normas. Por lo tanto, debemos decir que el significado de una expresión es su uso ordenado por Dios. ¡Por supuesto que Dios no nos da un diccionario que nos enseñe a usar las palabras! Más bien, el significado de una expresión es el que tiene cuando se usa con comprensión y responsabilidad.

Sin embargo, eso no significa que la blasfemia y las mentiras no tengan sentido; normalmente hay una continuidad entre los usos irresponsables y responsables de las palabras. El lenguaje pecaminoso a menudo imita el lenguaje piadoso, usando los significados ordenados por Dios para hablar en contra del Señor. Pero el discurso piadoso es la norma. El lenguaje impío solo tiene sentido de manera parasitaria; toma prestadas las normas de lo piadoso. Esa es la explicación del significado que encuentro más útil, un "punto de vista de uso" Wittgensteiniano que se basa en normas distintivamente cristianas. Eso ayuda a explicar mi declaración anterior: "El significado es la aplicación".

En resumen, podemos decir lo siguiente:

1. Preguntar por el significado de una expresión es pedir una solicitud. Cuando pedimos saber el significado de una palabra o una frase, estamos expresando un problema. Estamos indicando que no somos capaces de usar el lenguaje en cuestión. Ese problema puede aliviarse de muy diversas maneras: expresiones sinónimas, definición ostensiva, referencias a imágenes mentales, intenciones, métodos de verificación, etc. pueden ser de ayuda. Sin embargo, el objetivo no es simplemente proporcionar uno de ellos; el objetivo es aliviar el problema, ayudar al interrogador a utilizar el idioma en cuestión.

2. Así como los significados son aplicaciones, también las aplicaciones son significados. Uno no conoce el significado de un texto o pieza de lenguaje si no puede usarlo de alguna manera. Las Escrituras dejan claro que aquellos que no pueden aplicar la Palabra de Dios no la entienden realmente. Para entender la Palabra de Dios, debemos ser capaces de aplicarla a situaciones que no se mencionan explícitamente en el propio texto (véase Mt. 16:3; 22:29; Lc. 24:25; Jn. 5:39 ss.; Ro. 15:4; 2 Ti. 3:16 ss.; y 2 P. 1:19-21, que indica que la Escritura debe ser usada para combatir a los falsos maestros contemporáneos).

3. Algunas personas encuentran este relato demasiado subjetivo y quisieran que el significado fuera la base objetiva de toda aplicación. ¡Los cristianos tienen una sana resistencia al subjetivismo! Y es cierto que, ¡la aplicación debe ser la aplicación de algo! Pero en mi opinión, la base objetiva de la aplicación debe ser el texto mismo, nada más y nada menos. Soy flexible en materia de definición. Si alguien desea definir el significado como el texto mismo, entonces puedo aceptar una distinción entre el significado y la aplicación. El significado es el texto, y la aplicación es nuestro uso del texto. Esas definiciones son, sin embargo, totalmente contrarias al uso normal, y por eso las rechazo. Lo que debemos rechazar categóricamente, sin embargo, es una misteriosa cosa intermedia llamada "el significado" que se encuentra entre el texto y su aplicación. En lugar de aumentar la objetividad de nuestro conocimiento, ese intermediario es una construcción subjetiva que inevitablemente nubla nuestra comprensión del texto mismo.

4. Ese tipo de subjetividad es especialmente evidente en el contexto teológico. Supongamos que hay algo llamado "el significado" de la Escritura que es distinto del texto y de las aplicaciones de la Escritura. ¿De dónde vendría ese significado? En teología, ¿quién suministra el significado? ¿El exégeta? ¿El teólogo bíblico? ¿El teólogo sistemático? ¿El filósofo cristiano? Todos ellos han afirmado, en varias ocasiones, suministrar el significado fundamental de la Escritura que todas las otras formas de teología se supone que deben tratar de aplicar. Pero esas diversas afirmaciones se anulan entre sí. No, la base objetiva de la teología es el texto de la Escritura, no cualquier producto de un esfuerzo teológico. *Sola scriptura.*

APÉNDICE D: HECHOS E INTERPRETACIÓN

Los hechos han significado varias cosas en la historia de la filosofía. Para algunos, un hecho es simplemente un asunto que se acuerda en un contexto particular de discusión. Para otros, los hechos son los últimos bloques de construcción de los cuales el mundo mismo y el conocimiento humano del mundo están construidos.

En este libro un hecho es, en primer lugar, un estado de cosas. Un estado de cosas no es una cosa. El estado de cosas incluye las cosas, junto con sus propiedades y relaciones con otras cosas. Aunque las cosas pueden ser designadas con sustantivos, los estados de cosas solo pueden ser representados por frases o cláusulas. La silla designa una cosa. La silla azul afirma un estado de cosas. La tiza designa una cosa. La tiza está a la derecha del borrador y afirma un estado de cosas. Por lo tanto, el hecho es a menudo seguido por una "esa cláusula". Hablamos del "hecho de que" la silla es azul o del "hecho de que" la tiza está a la derecha del borrador.

Esa distinción ha jugado un papel importante en la controversia filosófica. La Metafísica de Aristóteles describe el mundo como una colección de cosas, o "sustancias", hechas de forma y materia. Sin embargo, el *Tractatus Logico-Philosophicus* (Tratado lógica filosófica) de Wittgenstein[1] enseña que "el mundo es la totalidad de los hechos, no de las cosas" (sección 1.1). Según Wittgenstein, aunque conociéramos todas las cosas del mundo, no conoceríamos el mundo, porque no sabríamos cómo se relacionan realmente las cosas entre sí. No sabríamos lo que le estaba sucediendo a esas cosas. Whitehead y sus seguidores, los filósofos y teólogos del proceso, llevan el debate un paso más allá. Así como las cosas son inteligibles solo en el contexto de los hechos, argumentan, los hechos son

---

[1] Ludwig Wittgenstein, *Tractatus Logico-Philosophicus* (London: Routledge and Kegan Paul, 1961).

comprensibles solo en el contexto de los procesos. Sin embargo, en este momento no entraremos en ese debate en particular, ya que nuestra preocupación actual son los hechos.

Hecho también puede ser la abreviatura de declaración de hecho. Algunas formas de lenguaje —frases y cláusulas indicativas— afirman que existe algún estado de cosas, que tal o cual es el caso. Las declaraciones de los hechos, por supuesto, pueden ser verdaderas o falsas. Por lo tanto, pueden resultar, en un sentido, no ser factuales.

En este libro, cuando digo que "el hecho y la interpretación son una sola cosa", estoy usando el hecho en el segundo sentido como declaraciones de hecho. No sería cierto decir que los hechos en el sentido de estados de cosas son idénticos a nuestras interpretaciones de ellos, pero los hechos en el sentido de declaraciones de hecho son interpretaciones. Hacer una declaración de hecho es ofrecer una interpretación de la realidad. No hay una diferencia significativa entre una declaración de hechos y una interpretación de la realidad.

Recuerde también que todas nuestras percepciones del mundo están influenciadas por nuestras interpretaciones; no hay conocimiento de los hechos que no esté influenciado por nuestra actividad interpretativa.[2] El cristiano sabe por la fe que este mundo no es de su propia creación, que hay un "mundo real" -un mundo de hechos- que existe aparte de nuestra interpretación de él. Pero en la vida real solo nos encontramos con el mundo a través de la mediación de nuestras interpretaciones, por lo que el mundo en el que vivimos es en cierta medida de nuestra propia creación.

Eso ayuda a explicar mi énfasis en este libro en los seres humanos como creadores secundarios. ¿Qué nos impide construir un mundo absolutamente descabellado? Solo nuestra fe. Solo nuestra fe nos asegura que hay un "mundo real" que existe aparte de nuestra interpretación. Solo la revelación de Dios nos proporciona un conocimiento seguro de ese mundo y sirve para comprobar nuestras fantasías. Los no cristianos, entonces, no tienen garantías contra tal locura, excepto por su tendencia a vivir parasitariamente del capital cristiano.

---

[2] Cf. Thomas Kuhn, *The Structure of Scientific Revolutions* (Chicago: University of Chicago Press, 1962).

SEGUNDA PARTE:

LA JUSTIFICACIÓN DEL CONOCIMIENTO

En la primera parte consideramos la naturaleza general del conocimiento de Dios y sus "objetos", la cuestión de lo que sabemos. Ahora en la segunda parte consideraremos la base o justificación del conocimiento. ¿Cómo puede justificarse una afirmación de conocimiento? ¿Qué derecho tenemos a creer en lo que hacemos?

Como antes, en esta parte del libro nos ocupamos principalmente del conocimiento de Dios. Pero el conocimiento de Dios está íntimamente relacionado con otras formas de conocimiento. Conocemos a Dios a través del mundo creado, y conocemos el mundo creado por medio de la autorrevelación de Dios. Por lo tanto, al considerar el conocimiento de Dios, tendremos que mirar el conocimiento en general.

CAPÍTULO CUATRO: EL PROBLEMA DE LA JUSTIFICACIÓN DEL CONOCIMIENTO

A. ¿Necesita el conocimiento una justificación?

Hemos definido el conocimiento de Dios como un pacto de amistad. El "conocimiento intelectual", el conocimiento de los hechos sobre Dios, es un aspecto de esa amistad para aquellos que han alcanzado una edad de responsabilidad intelectual. Si amamos a Dios, buscaremos alabarle por sus perfecciones y actos maravillosos. Para ello, debemos conocer su naturaleza y sus actos, y debemos buscar continuamente conocer más y más sobre ellos.

El conocimiento en el sentido "intelectual" es a menudo definido como "justificado, creencia verdadera". Obviamente, cualquier afirmación de conocimiento expresa una creencia, y ninguna creencia califica como "conocimiento" a menos que sea verdadera. Además, tal creencia no será conocimiento si simplemente resulta ser verdadera. Imaginen a un astrólogo que predice correctamente el resultado de una elección presidencial. Él tenía una "verdadera creencia" sobre la elección. ¿Conocía por adelantado el resultado de las elecciones? Generalmente, diríamos que no. El astrólogo tenía una verdadera creencia, no conocimiento. ¿Por qué no? Porque simplemente resultó haber tenido la razón. Tenía una creencia verdadera, pero no tenía una justificación adecuada para esa creencia. Creía en la verdad, pero lo hacía con fundamentos inadecuados; creía en la verdad, pero no tenía justificación para creer en la verdad.

El conocimiento de Dios en las Escrituras también implica una creencia justificada. En la Escritura la fe no es un "salto en la oscuridad", sino que se basa en la clara revelación de Dios de sí mismo en la naturaleza, el hombre y la Biblia, como vimos en la Primera Parte. El Dios de la Biblia demuestra ser fiel y digno de confianza. No hay necesidad, entonces, de que los cristianos sean "fideistas", gente que renuncia a la razón en asuntos religiosos.[1]

Por lo tanto (aunque el punto ha sido discutido por algunos filósofos) creo que la justificación es un componente esencial del conocimiento. Sin embargo, eso no significa que toda demanda de justificación sea legítima. Un niño cree que hay un pájaro fuera de su ventana. Si le pides que justifique esa creencia, probablemente no podrá hacerlo. ¿Significa eso que su creencia es injustificada o infundada? ¡Claro que no! Muchas de nuestras creencias se sostienen de esta manera: las creemos, tenemos derecho a creerlas, pero no podemos articular nuestras razones para creerlas.

Seguramente George Mavrodes tiene razón cuando sostiene que es posible "tener una razón" para una creencia sin ser capaz de "dar una razón" para ello.[2] De hecho, ¡muy pocos de nosotros podríamos justificar cualquiera de nuestras creencias en la forma exigida por algunos filósofos! A veces los filósofos parecen decirnos que no podemos tener ninguna creencia justificada a menos que tengamos una filosofía de la creencia completamente articulada, una epistemología. Pero seguramente eso también está mal. Si debemos ser capaces de dar una razón a cada creencia, entonces debemos ser capaces de dar una razón a cada razón, y así el proceso de justificación requeriría infinitas cadenas de razonamiento. La justificación sería una tarea imposible.

La epistemología, entonces, debe ser vista en perspectiva. Es una disciplina útil, pero no es absolutamente necesaria para que todos caminen con Dios. Hay razones adicionales, también, por las que la epistemología es una preocupación subordinada o secundaria.

1) Como sostiene Mavrodes, las cuestiones epistemológicas dependen frecuentemente de cuestiones "sustantivas" o "de contenido". Por ejemplo, la

---

[1] Los críticos de Van Til suelen afirmar que es un fideísta. Pero no hay nada en sus escritos que justifique esa afirmación, y Van Til a menudo ataca el fideísmo. Ver: *Christian Theistic Evidences*, 34f.; *Common Grace and the Gospel* (Nutley, N.J.: Presbyterian and Reformed Pub. Co., 1972), 184; *The Defense of the Faith* (Philadelphia: Presbyterian and Reformed Pub. Co., 1955, 1967), 41, 100f., 199; *Why I Believe in God* (Philadelphia: Great Commission, n.d.), 16.

[2] George Mavrodes, *Belief In God* (New York: Random House, 1970), 11ff.

cuestión epistemológica de si se puede probar la existencia de Dios depende de la cuestión sustantiva de si Dios existe.[3]

2) Además, no podemos probar la existencia de Dios o de cualquier otra cosa a menos que tengamos algún conocimiento que sirva de premisa para las pruebas. Así, una persona no puede, según Mavrodes: "Aprender todo lo que sabe de las pruebas".[4]

3) También se considera que la epistemología es simplemente una disciplina demasiado técnica y demasiado intrincada (y por lo tanto demasiado incierta) para servir de base a todo el conocimiento. En este momento creo que hay un árbol de hoja siempre verde fuera de mi ventana. Para algunos epistemólogos, sin embargo, esa creencia está sujeta a duda. Puede ser; pero las teorías epistemológicas también están sujetas a duda. Y cuando considero todas las complicadas formas en que las teorías epistemológicas pueden equivocarse, no puedo imaginarme a ningún epistemólogo persuadiéndome de que mi creencia sobre el árbol de hoja siempre verde es falsa. Debe haber algo malo en cualquier teoría que requiera que abandone tal creencia. La epistemología, entonces, no tiene suficiente credibilidad para gobernar todas mis creencias, sobre todo. Por el contrario, las teorías epistemológicas deben respetar mis creencias fundamentales y construir sobre ellas.

A menudo la búsqueda de un "fundamento" o "justificación" del conocimiento es también teológicamente objetable. Eso puede sonar extraño. ¿No es cierto que los cristianos, más que nadie, tienen el derecho y el deber de preocuparse por la "justificación"? Sí, en cierto sentido, como veremos. Los cristianos tienen la obligación de conformar todas sus ideas y decisiones a la Palabra de Dios. Pero a menudo la búsqueda de "fundamentos" y "justificaciones" es precisamente el resultado de una insatisfacción impía con la Escritura. Ocasionalmente, algunos cristianos sienten que la Biblia no es suficiente para servir como norma última de juicio, por lo que creen que necesitan algo más para servir como tal norma. Pueden intentar identificar su norma última como algo en la Escritura (por ejemplo, un "tema central", tal vez), o en algo que se deriva humanamente de la Escritura (por ejemplo, "el significado" de la Escritura, entendido como un sistema de exégesis o teología —véase la Primera Parte), o en algo que es extra escritural (por ejemplo, una epistemología filosófica). Así pues, una vez más vemos que, aunque la justificación es un aspecto necesario del conocimiento, la exigencia de que demos una justificación, especialmente una justificación de cierto tipo, es a menudo

---

[3] Ibid., 41ff.; cf. 72ff., 76f., 95ff., 112ff.

[4] Ibid., 41f. Recuerde también lo que dije en la introducción de este libro acerca de cómo uno debe tener frecuentemente experiencia en hacer algo antes de que pueda elaborar una definición para ello, y eso se aplica a la teología en particular.

ilegítima, al igual que la exigencia de que apoyemos nuestras creencias con referencia a una teoría epistemológica.

¿Para qué sirve entonces la epistemología? Bueno, es útil para ser lo más consciente posible de nuestras razones para creer en lo que creemos. Cuando no somos conscientes de nuestras razones para creer algo, es difícil analizar y evaluar esa creencia, y ciertamente es difícil discutirla con alguien más. Es apropiado, entonces, que pasemos algún tiempo pensando en la justificación del conocimiento, pero debemos evitar convertirnos en fanáticos epistemológicos.

B. Perspectivas de la justificación

En la primera parte, traté la ley, el objeto y el sujeto (yo) como elementos de cada pieza de conocimiento. El conocimiento siempre involucra a un sujeto que conoce un objeto de acuerdo a algún estándar o criterio (ley). También argumenté en la primera parte que, aunque la ley, el objeto y el sujeto son distintos entre sí, también son inseparables: no podemos conocer uno de ellos sin conocer a los demás. Así pues, todo nuestro conocimiento es conocimiento del mundo (objeto); todo es conocimiento de sí mismo; y todo es conocimiento de la norma de Dios. Estas distinciones, entonces, generan tres "perspectivas" sobre el conocimiento. Cuando pensamos en el conocimiento como conocimiento del mundo, lo examinamos bajo la perspectiva "situacional". El conocimiento como autoconocimiento constituye la perspectiva "existencial". Y el conocimiento como conocimiento de la ley o del criterio constituye la perspectiva "normativa".

Estas perspectivas no son "partes" distintas del conocimiento. Son "perspectivas"; cada una de ellas describe el conjunto del conocimiento de una determinada manera. La perspectiva existencial describe todo el conocimiento como autoconocimiento, la perspectiva situacional como conocimiento del mundo y la perspectiva normativa como conocimiento de la ley.

La estructura de este libro se basa en esa tríada. La primera parte trata de los "objetos" del conocimiento, con el conocimiento desde la "perspectiva situacional". La tercera parte tratará sobre los "métodos" de conocimiento, cómo nosotros como sujetos vamos a conocer la "perspectiva existencial". La presente sección, que trata de la justificación y los criterios de conocimiento, se centra en la "perspectiva normativa". Sin embargo, el lector debe recordar que estas perspectivas, precisamente porque son perspectivas, no son claramente separables. Así pues, no podemos entender la justificación del conocimiento (normativa) a menos que también entendamos algo sobre el mundo (situacional) y sobre nosotros mismos (existencial). Recordemos de nuevo los puntos de Mavrodes sobre cómo las preguntas epistemológicas están subordinadas a las preguntas de contenido ("preguntas situacionales", en mi vocabulario).

También tiene algunas observaciones útiles sobre cómo las preguntas epistemológicas son "variables de la persona" ("existenciales"), un tema que discutiremos más adelante. Mavrodes no negaría, creo, que también se pueden hacer los puntos opuestos: las preguntas sobre la persona y el contenido no se pueden responder sin criterios, aunque esos criterios no siempre sean del tipo que exigen los epistemólogos (véase A arriba). Así pues, cuando discutamos la justificación del conocimiento, tendremos que considerar los objetos y sujetos, así como los criterios. Para decirlo de otra manera, los criterios de conocimiento incluyen los objetos y sujetos de una cierta manera. La revelación normativa de Dios nos llega a través de cada objeto y sujeto, así como a través del medio especial de la Escritura. Y los objetos y sujetos son en sí mismos normativos en cierto sentido: el conocimiento "debe" (un "debe" normativo) representar correctamente su objeto, y "debe" ser adecuado a su sujeto.

Por lo tanto, aunque la "justificación del conocimiento" se centra en la perspectiva normativa, debe prestar atención a las "funciones normativas" de las tres perspectivas. Distinguiremos, pues, tres tipos de justificación. 1) La justificación normativa justificará una creencia demostrando que está de acuerdo con las "leyes del pensamiento" (es decir, en este contexto, las leyes de Dios para el pensamiento humano). (2) La justificación situacional justificará una creencia demostrando que concuerda con la "evidencia" (es decir, los hechos de la creación —revelación natural— interpretada de acuerdo con las Escrituras). Y (3) la justificación existencial garantizará una creencia demostrando su capacidad para servir a las necesidades del sujeto tal como esas necesidades son definidas por las Escrituras. Debido a que las tres perspectivas se unen, conducirán a los mismos resultados.

C. Ética y conocimiento

Es útil ver la epistemología como una subdivisión de la ética. En la ética, como en la epistemología, nos preocupa la "justificación", la justificación de las intenciones, actitudes, decisiones y comportamientos humanos. La justificación ética puede lograrse de tres maneras que corresponden a nuestro sistema de tríadas. Los filósofos de la ética han tratado de justificar un acto: 1) mostrando que concuerda con una norma ética (ética normativa, que tradicionalmente se ha llamado "deontología"), 2) mostrando que produce consecuencias deseables (ética "teleológica" o "utilitaria", que se centra en nuestra "perspectiva situacional"), y 3) mostrando que es el producto de un buen motivo (ética de la autorrealización o ética "existencial"). Una ética cristiana debería reconocer cierta validez en cada uno de esos enfoques. Debido a la centralidad de las Escrituras, ciertamente en el cristianismo hay lugar para la ética normativa. Pero si permitimos que las Escrituras gobiernen nuestro pensamiento sobre estos asuntos, entonces la ética cristiana también debería preocuparse por las consecuencias y los motivos de nuestras acciones. Los cristianos deben buscar glorificar a Dios en todo lo que hacen (1 Co. 10:31, es decir, las consecuencias), y siempre deben actuar por amor y fe (Ro. 14:23; 1 Co. 13:1-13, es decir, los buenos motivos).[5]

Pedirle a una persona que justifique una creencia es hacer una pregunta ética. Es preguntar qué derecho ético tiene esa persona a creer tal o cual cosa; es preguntar cómo y por qué estamos éticamente obligados a creerlo. ¿Cuál es la "presión" que sentimos para aceptar una creencia justificada? No es una presión física, como una droga que causa alucinaciones en el cerebro. ¡Al menos esperamos que no! Tampoco es simplemente el deseo de creer lo que es conveniente o en nuestro mejor interés. Muchas creencias justificadas no son convenientes, y muchas creencias injustificadas sí lo son. La presión, creo, solo puede entenderse como presión moral, como presión de la conciencia. Después de todo, creer es una actividad humana entre otras actividades humanas, y como todas esas actividades, creer está sujeto a una evaluación ética. Las creencias pueden ser responsables o irresponsables, obedientes o desobedientes a Dios. Por lo tanto, sentimos la obligación de aceptar las creencias justificadas y actuar en consecuencia, para vivir "de acuerdo con la verdad". Podemos resistir esa obligación, podemos embotar nuestra conciencia en ese sentido, pero esa obligación siempre permanece vigente.

Por lo tanto, las tres perspectivas epistemológicas son idénticas a las tres perspectivas éticas. Cuando investigamos la perspectiva normativa del conocimiento, nos preguntamos qué debemos creer a la luz de las normas reveladas de Dios. Cuando investigamos la perspectiva situacional del conocimiento, nos preguntamos, en efecto, qué creencias son las más propicias para los objetivos del reino de Dios. Y cuando investigamos la perspectiva existencial del conocimiento, nos preguntamos qué creencias son las más piadosas, que surgen de los mejores motivos del corazón.

---

[5] Habrá más discusión sobre estos asuntos en mi Doctrina de la Vida Cristiana, un texto de ética que espero publicar algún día.

La correlación entre la ética y la epistemología subraya nuestro énfasis en la centralidad de las presunciones. Si estoy en lo cierto, cada creencia presupone un juicio de valor ético. Cuando una persona afirma saber algo, también afirma estar bajo una cierta obligación ética, tener un cierto derecho ético. Pero si las afirmaciones de conocimiento presuponen juicios de valor de esa manera, entonces no existe tal cosa como conocimiento ético o religiosamente "neutral". Hay dos tipos de alegaciones de conocimiento: las que asumen normas éticas piadosas y las que no.

D. Epistemologías tradicionales

En esta sección describiré ciertas "tendencias" que han aparecido a lo largo de la historia de la epistemología. Me refiero a ellas como "tendencias" más que como "puntos de vista", porque rara vez, si es que alguna vez, se han mantenido en forma "pura". La mayoría de los filósofos, especialmente los más importantes, han tratado de combinar elementos de más de una de estas tendencias. Sin embargo, estas tendencias son claramente distinguibles; aunque no hayan sido sostenidas por nadie, ¡han sido disputadas por muchos! No es importante para mi argumento que la siguiente enumeración sea la mejor clasificación posible de tales tendencias o una clasificación exhaustiva de las mismas. Basta con que reconozcamos que estas tres tendencias han existido y han influido por igual en el pensamiento cristiano y no cristiano.

La primera tendencia, el racionalismo, o un priorismo, es la opinión de que el conocimiento humano presupone ciertos principios que se conocen independientemente de la experiencia de los sentidos y por los que se rige el conocimiento de nuestra experiencia de los sentidos.[6] La segunda tendencia, el empirismo, es la opinión de que el conocimiento se basa en la experiencia sensorial. Y la tercera tendencia, el subjetivismo, es la opinión de que no hay verdad "objetiva" sino solo verdad "para" el sujeto conocedor, verificada por criterios internos del sujeto.

Estas tres tendencias corresponden a las perspectivas normativa, situacional y existencial, respectivamente. Para el racionalista, el conocimiento es la

---

[6] Se trata de un concepto de "racionalismo" algo diferente al utilizado en la Primera Parte. En la Primera Parte el racionalismo se refería a una característica de todo el pensamiento no cristiano, y, en un sentido diferente, a una característica del pensamiento cristiano también. Aquí, el racionalismo se refiere a una escuela particular de epistemología.

conformidad de la mente con las leyes, con las normas de pensamiento. Para el empirista, el conocimiento es la correspondencia de una idea con un objeto. Y para el subjetivista, el conocimiento es un estado de la conciencia del sujeto.

Que esas tendencias reflejen mis "tres perspectivas" es interesante, pero no debe sorprender. Cualquier epistemología debe hacer justicia al sujeto, al objeto y al criterio. Cuando, como la mayoría de los filósofos famosos, la gente trata de hacer epistemología sin Dios, debe encontrar un absoluto en otro lugar que en Dios. Para tales personas es tentador tratar de hacer absoluto, es decir, deificar, uno de los tres elementos del conocimiento humano —el sujeto (subjetivismo), el objeto (empirismo) o la ley (racionalismo)— y poner en tela de juicio los otros dos elementos. En tales sistemas epistemológicos no hay ningún Dios que garantice la cohesión de los tres elementos, por lo que el filósofo debe estar preparado para elegir entre esos elementos cuando haya, como en su supuesto habrá, conflictos irresolubles.

Ningún filósofo ha logrado ser un racionalista consistente, empirista o subjetivista, aunque unos pocos lo han intentado. Parménides estuvo cerca de ser un racionalista consistente, John Stuart Mill un empirista consistente, y Protágoras y otros subjetivistas consistentes. Pero los fracasos de tales intentos se han hecho bien conocidos en la literatura filosófica. Los más grandes filósofos, como Platón, Aristóteles, Aquino y Kant, no trataron de lograr la pureza epistemológica en términos de nuestras categorías. En cambio, tales filósofos han buscado hacer justicia a las divergencias epistemológicas. Pero eso también ha demostrado ser una tarea difícil. El racionalismo, el empirismo y el subjetivismo simplemente no pueden reconciliarse, y creo que es imposible, sin el compromiso cristiano, reconstruir estos enfoques lo suficiente para que sean adecuados. No obstante, no es sorprendente que los filósofos hayan tratado de combinar estas tendencias inconsistentes, ya que cada una parece surgir de preocupaciones legítimas que se harán evidentes a medida que examinemos más de cerca cada uno de estos enfoques a su vez.

(1) Racionalismo

La principal preocupación del racionalista es la certeza. Para el racionalista, las experiencias sensoriales parecen inciertas y problemáticas, al igual que los estados subjetivos. Por lo tanto, piensa que debe haber una alternativa: alguna forma de conocimiento que no se derive de la experiencia sensorial y que no esté distorsionada por la subjetividad humana. Ese conocimiento, cree el racionalista, está de hecho disponible. Es un conocimiento de criterios.

Por ejemplo, hemos experimentado un gran número de objetos "circulares", ninguno de los cuales, sin embargo, es perfectamente circular. En todos ellos hay defectos, diminutos en algunos, más evidentes en otros. Por lo tanto, nunca hemos experimentado un círculo perfecto. Sin embargo, de alguna manera, misteriosamente, sabemos lo que es un círculo perfecto. Podemos probar los círculos para ver cuán cerca o lejos de la perfección están, porque de alguna manera tenemos en nuestra mente un criterio de circularidad.

Platón, un racionalista, más o menos, concluyó a partir de tales pruebas que existía todo un mundo de objetos perfectos (que él llamó "formas") que sirven como criterio para los objetos de nuestro conocimiento, y argumentó que debemos conocer las formas con mayor certeza que cualquier otra cosa. El criterio de circularidad, por ejemplo, no puede ser problemático, cambiante y falazmente aprehendido, como lo son los círculos de nuestra experiencia. Nuestro conocimiento de ese criterio, por lo tanto, debe provenir de una fuente distinta de la experiencia de los sentidos. Y así Platón especuló que llegamos a conocer los criterios en una vida anterior cuando vivíamos en el mundo de las formas, sin el estorbo de un cuerpo material que inhibiera nuestro conocimiento.

Independientemente de las especulaciones de Platón sobre la preexistencia, los racionalistas creen que los criterios juegan un papel único en el tejido del conocimiento humano. No derivamos los criterios de la experiencia sensorial, argumentan; los llevamos a la experiencia sensorial. Son "a priori" (de antes), es decir, se presuponen en cualquier análisis de la experiencia.

Así que tenemos nuestros criterios; ¿qué sigue? En general, los racionalistas han argumentado que nuestro conocimiento se construye mediante un proceso deductivo. Comenzamos con las verdades criteriales y luego derivamos las consecuencias de ellas por la lógica deductiva. ¿Por qué la lógica deductiva? Porque solo la lógica deductiva preserva la certeza que el racionalista anhela. Si se parte de premisas seguras y se aplican correctamente las leyes de la lógica a esas premisas, se llega a una conclusión también segura. Así, Descartes comenzó con la certeza criterial de que existía como un ser pensante, y de ello pudo, según pensó, deducir una serie de conclusiones: la existencia de Dios, la realidad del mundo, etc. Así, el objetivo del racionalista es establecer un cuerpo de conocimiento que esté totalmente libre de las incertidumbres de la experiencia de los sentidos y la subjetividad.

Todo esto debe haber sonado maravillosamente prometedor para Platón, Descartes y otros racionalistas, pero hoy en día solo parece una curiosidad histórica.

Nadie quiere ahora ser racionalista como lo fueron aquellos pensadores más antiguos. Los pensadores modernos han encontrado el enfoque racionalista inadecuado por razones como las siguientes.

a. Conocimiento innato

La idea de que tenemos una colección de ideas infalibles de origen misterioso que no surgen de la experiencia de los sentidos parece mitológica para las mentes del siglo XX, por lo que se han ofrecido relatos alternativos de la fuente de tales criterios. Algunos han argumentado que conceptos como el de "circularidad", por ejemplo, son producto de definiciones lingüísticas que, a su vez, surgen de diversas necesidades humanas (por ejemplo, la arquitectura y la navegación) que pueden encontrarse en toda la gama de nuestras facultades epistémicas, incluida la experiencia sensorial.[7] Y han argumentado que los conceptos utilizados en la lógica y en las matemáticas también pueden entenderse de esa manera. Sin embargo, no creo que estos enfoques alternativos sean adecuados, porque no tienen en cuenta la normatividad de los criterios. Si no hay normatividad, no puede haber epistemología (véase C arriba). No obstante, no creo que la necesidad de normatividad en el conocimiento nos obligue a avanzar en la dirección de los racionalistas.

La Escritura nos dice que las leyes, las leyes de Dios, están al alcance de todos los hombres a través de la creación (Ro. 1:32, *cf.* v. 20). No veo ninguna razón para negar que la experiencia de los sentidos juega un papel en nuestro conocimiento de estas leyes. Si la derivación de estas leyes de la experiencia sensorial es misteriosa, entonces seguramente hay un misterio igualmente grande en la noción de una idea innata que no se basa en la experiencia sensorial.

b. Sensación

Si se argumenta que la sensación es falible y, por lo tanto, inadecuada como fuente o fuente parcial de criterios, entonces debemos responder que los criterios racionales pueden ser tan falibles como la experiencia de los sentidos y que no es en absoluto obvio que debamos guiarnos por el razonamiento de un filósofo en lugar de nuestra propia experiencia de los sentidos. Parménides afirmó que la razón exigía un universo inmóvil, contradiciendo así todas las pruebas de la experiencia

---

[7] Ver la discusión de la lógica y las matemáticas en la tercera parte.

sensorial, pero la mayoría de la gente ha pensado que sus sentidos eran más fiables que el razonamiento de Parménides.

c. Formalismo

Después de que se han presentado todos los argumentos en contra del conocimiento innato (ver a), no hay muchas áreas en las que los argumentos del racionalista sean persuasivos, aunque hay unas pocas. El conocimiento de las leyes de la lógica, de nuestros propios estados mentales y de la existencia de la verdad objetiva, por lo menos, puede argumentarse plausiblemente que son ideas *a priori* (ideas independientes de la experiencia de los sentidos) que son, tal vez, incluso innatas. Sin embargo, podemos deducir muy poco de tales ideas a priori.

Ciertamente, no podemos deducir toda la trama del conocimiento humano de ellas o incluso el conocimiento suficiente para constituir una filosofía significativa. Nada se desprende de las leyes de la lógica, tomadas por sí solas, excepto posiblemente más leyes de la lógica. De las proposiciones sobre nuestros propios estados mentales, no se desprende nada, excepto otras proposiciones sobre nuestros propios estados mentales. De la afirmación "hay verdades objetivas" no se desprende nada concreto, y una afirmación que no nos dice nada concreto (que no tiene "aplicaciones") no es una afirmación significativa (véase la discusión sobre el significado y la aplicación en la Primera Parte y en el Apéndice C). Así pues, si el conocimiento se limita al tipo de proposiciones que acabamos de examinar, solo conoceremos nuestra propia mente y no el mundo real.[8] No podemos razonar desde nuestros estados mentales al mundo real porque nuestros estados mentales nos engañan a menudo. Así, el racionalismo no nos deja con el cuerpo de certezas con el que soñaron Platón y Descartes sino con ningún conocimiento del mundo real. Y así, en el análisis final, no hay diferencia entre el racionalismo, por un lado, y el subjetivismo y el escepticismo, por el otro.

d. Un análisis cristiano

Desde el punto de vista cristiano, es evidente que las dificultades del racionalista tienen un origen espiritual. El racionalista busca la certeza fuera de la Palabra de Dios. Busca el criterio último para el pensamiento dentro de sus propias ideas innatas y razonamiento deductivo. En términos bíblicos, la búsqueda del

---

[8] Es decir, sobre la lógica y los estados mentales.

racionalista es idolátrica porque es el intento de deificar el pensamiento humano. Pero cuando creamos falsos dioses, inevitablemente nos fallan, y así hemos visto que el pensamiento humano y lógico es simplemente incapaz de suministrarnos un cuerpo infalible de conocimiento. Cuando intenta proporcionar cierto conocimiento, el pensamiento racional debe restringir su alcance a las verdades más abstractas que, en efecto, no proporcionan ningún conocimiento en absoluto sobre el mundo real. Así, usando el esquema que desarrollamos en la Primera Parte, podemos ver cómo el racionalismo no cristiano se convierte en irracionalismo.

e. Un segundo análisis cristiano

Esencialmente, el mismo punto puede hacerse en términos algo diferentes. Van Til dice que el pensamiento humano busca relacionar la "unidad" con la "pluralidad" en el mundo. Busca unificar los detalles encontrando patrones entre ellos que nos ayuden a entenderlos. Así, los filósofos (especialmente los racionalistas) han buscado a menudo conceptos racionales abstractos que son lo suficientemente amplios como para incluir muchos detalles bajo su alcance. Oso, por ejemplo, incluye todos los osos del mundo; árbol incluye todos los árboles; ser vivo incluye todos los árboles, osos y mucho más; y ser incluye todo.

Cuanto más abstractos se vuelven nuestros conceptos, menos nos dicen sobre las cosas particulares. El perro incluye más animales que el *corgi galés*, pero es menos descriptivo de los animales que designa. El ser incluye todo, pero no dice casi nada sobre nada. El racionalismo busca el conocimiento más abstracto posible, pero al hacerlo encuentra que no puede hacer afirmaciones específicas sobre el mundo (ver c arriba). La búsqueda idolátrica del conocimiento humano exhaustivo siempre lleva al vacío, al escepticismo y a la ignorancia.

f. La paradoja del análisis

Otra forma de hacer el mismo punto ha sido descrita como la "paradoja del análisis". Imagina que trato de obtener conocimiento de los canguros formulando varias ecuaciones como "canguro = mamífero", "canguro = mamífero marsupial", "canguro = mamífero marsupial que se encuentra en Australia", y así sucesivamente. Tal proceso podría llamarse un "análisis" del concepto "canguro". Funciona bien, hasta que decido que debe haber una identidad absoluta entre los dos lados de la ecuación, que es el deseo de un conocimiento perfecto o exhaustivo del canguro. Cuando hago esa demanda, puedo satisfacerla solo con la ecuación "canguro = canguro". Aunque esa ecuación me da una identidad absoluta, no me da ninguna información útil. La moraleja es la misma: cuando buscamos un conocimiento divino, exhaustivo e infalible, es probable que solo logremos una ignorancia total. El racionalismo engendra el irracionalismo.

(2) Empirismo

El empirismo gana su plausibilidad, creo, a partir de la comprensión popular del método científico. La opinión común es que, durante los períodos antiguo y medieval, el crecimiento del conocimiento humano fue lento porque los métodos para adquirirlo se basaban en la tradición y la especulación. Sin embargo, grandes pensadores como Bacon y Newton, convencieron al mundo de una forma mejor: olvidar las tradiciones y las especulaciones. Verifique sus hipótesis yendo a los hechos. Experimente. Observe. Mida. Gradualmente, los hechos observados se acumularán en un cuerpo de conocimiento fiable. ¿No es ese el método que hizo de la era moderna una época de enormes avances científicos?

Ese tipo de investigación tiene éxito, según el argumento, porque proporciona procedimientos de comprobación públicamente observables. Si no estás de acuerdo con una teoría, puedes ir y comprobarla. Los hechos están ahí para que todos los vean; solo hay que comparar la teoría con los hechos.

Aunque los empiristas no están tan preocupados por la certeza como los racionalistas, creen que su procedimiento es el camino para que logremos la mayor certeza posible. ¿Qué mayor certeza existe que lo que surge del encuentro directo con los hechos de la experiencia? Creo que mi camisa es marrón. Creo eso con mayor certeza de lo que creo en cualquier epistemología filosófica e incluso con mayor certeza de lo que creo en algunas proposiciones de la lógica y las matemáticas.

El empirismo, entonces, busca evitar la especulación y la fantasía y probar todas nuestras ideas con el estándar de la dura realidad: "los hechos". ¡Aquí, entonces, hay otro programa prometedor! A diferencia del racionalismo, el empirismo ha sido un movimiento muy popular entre los filósofos del siglo XX que se preocupan por hacer que la filosofía esté a la altura de los rigurosos estándares de la ciencia moderna. Sin embargo, el empirismo, al igual que el racionalismo, no nos ha proporcionado una base para el conocimiento. Considere las siguientes razones.

a. Verificación

¿Sabemos algo solo después de haberlo verificado empíricamente, después de haberlo comprobado directamente mirando los hechos? Seguramente no. Sabemos muchas cosas que no hemos comprobado nosotros mismos y que no podríamos comprobar por nosotros mismos. Para mí, ese conocimiento incluye proposiciones sobre la historia antigua, sobre las partículas nucleares, sobre el cielo y el infierno, y así sucesivamente. En muchas áreas, aceptamos el testimonio de aquellos en quienes confiamos, aunque no podamos verificar las cosas por nosotros mismos. Como Mavrodes argumenta,[9] la demanda de verificación es una demanda que a veces, pero no siempre, es apropiada. Es apropiada cuando tenemos dudas, pero convertirla en un requisito general de conocimiento significaría que toda verificación tendría que ser verificada ad infinitum.

b. Verificabilidad

Por lo tanto, la verificación no es esencial para el conocimiento; podemos saber algo sin haberlo verificado empíricamente. Pero quizás al menos la posibilidad de verificación es esencial. Si la verificación no es un criterio de conocimiento, tal vez la verificabilidad sí lo sea. Algunos han afirmado que el cristianismo no puede ser verificado y por lo tanto no es digno de una seria consideración. Esa acusación, sin embargo, se basa:

i) A menudo en los presupuestos de la filosofía positivista lógica y por lo tanto está abierta a la crítica en el plano teológico.[10] Y el tipo de verificación que los positivistas lógicos exigen utiliza los métodos de la ciencia autónoma, que el cristiano no puede aceptar.

ii) Mavrodes ofrece una respuesta más sencilla: la verificabilidad no puede ser un criterio general de conocimiento, porque a menudo no podemos decir si una afirmación es verificable a menos que primero comprobemos que es verdadera.[11]

iii) A diferencia de la verificación, la verificabilidad no puede servir de base para el conocimiento; a lo sumo puede ser una condición necesaria del mismo. Aunque todos los conocimientos deben ser verificables, no todas las proposiciones

---

[9] Mavrodes, *Belief*, 75ff.

[10] Véase mi ""God and Biblical Language," en J. W. Montgomery, ed., *God's Inerrant Word* (Minneapolis: Bethany Fellowship, 1974), 159–77 y mi *Christianity and the Great Debates* hasta ahora inéditos.

[11] Mavrodes, *Belief*, 76ff.

verificables constituyen conocimientos. "La luna está hecha de queso verde" es verificable, pero es falsa y por lo tanto no constituye un elemento de conocimiento.

c. Engaño

Muchos filósofos han señalado que nuestros sentidos nos engañan, que no es tan fácil como parece "comprobar los hechos" por la experiencia de los sentidos.

d. El método científico

La "comprensión popular del método científico" que mencionamos anteriormente es realmente una seria simplificación excesiva. Los científicos no se limitan a "comprobar los hechos" por medio de la experiencia de los sentidos.

i) Generalmente utilizan instrumentos, en lugar de sus sentidos desnudos, porque los sentidos por sí mismos no suelen ser suficientemente precisos para fines científicos. Pero los instrumentos que utilizan los científicos suponen una gran cantidad de ingenio teórico humano entre el observador y las cosas que observa. Cuando utiliza esos instrumentos, el científico no solo comprueba su teoría con observaciones, sino que también comprueba sus observaciones mediante instrumentos dependientes de la teoría.

ii) La labor científica no consiste solo en hacer y comunicar observaciones, sino en analizar y evaluar datos.

iii) Las teorías científicas no se limitan a informar de los datos de las observaciones, sino que van más allá. Las leyes científicas suelen ser generales; afirman ser válidas para todo el universo.

iv) Lo que "vemos", "oímos", "olemos", "saboreamos" y "sentimos" está influenciado por nuestras expectativas. Esas expectativas no provienen solo de la experiencia de los sentidos sino de las teorías, la experiencia cultural, las lealtades de grupo, los prejuicios, los compromisos religiosos, etc. Por lo tanto, no hay una investigación "puramente empírica". Nunca nos encontramos con hechos "brutos", es decir, no interpretados. Solo encontramos hechos que han sido interpretados en términos de nuestros compromisos existentes.[12]

v) Así pues, a menudo los científicos no reconocen los datos que contradicen sus teorías. Pero incluso cuando lo hacen, no aceptan inmediatamente esos datos como refutaciones de las teorías en cuestión. Un dato aparentemente contradictorio

---

[12] Ver: Thomas Kuhn, *The Structure of Scientific Revolutions* (Chicago: University of Chicago Press, 1970).

constituye un "problema" que debe resolverse en términos de la teoría, no una refutación de la misma. Solo cuando los problemas se multipliquen y las teorías alternativas comiencen a parecer más prometedoras, el científico abandonará su teoría por otra. Por todas esas razones, el trabajo de la ciencia es mucho más que simplemente "comprobar los hechos". Y si los científicos son incapaces de separar la teoría de los hechos, difícilmente se puede esperar que los no científicos lo hagan. La ciencia no opera por medio de un empirismo puro, y ciertamente no se puede esperar que el resto de nosotros tampoco.

e. El empirismo es demasiado limitado

Si siguiéramos sistemáticamente un enfoque empírico del conocimiento, tendríamos que abandonar muchas afirmaciones sobre el conocimiento que de otro modo haríamos sin dudarlo.

i) El empirismo no puede justificar una proposición general, como "todos los hombres son mortales" o "F = MA". (Fuerza = Masa x Aceleración). Tales proposiciones generales siempre van más allá de cualquier cosa que podamos observar, porque abarcan todo el universo. Del mismo modo, las proposiciones de la lógica y las matemáticas, proposiciones que afirman ser universalmente verdaderas, no pueden establecerse sobre una base empírica.

ii) El empirismo no puede justificar ninguna afirmación sobre el futuro, ya que nadie ha conocido el futuro por experiencia sensorial, por lo que el empirismo no puede justificar la predicción científica. Así pues, debemos limitar drásticamente el alcance de lo que llamamos "conocimiento" o bien abandonar el empirismo.

iii) Como señaló Hume, el empirismo no puede justificar ninguna afirmación sobre valores éticos. Las declaraciones sobre hechos sensatos no implican nada sobre la bondad o la maldad ética, el bien o el mal, o la obligación o la prohibición. Pero como hemos visto anteriormente en C, la epistemología es una subdivisión de la ética, y el conocimiento depende de nuestra adopción y uso de los valores éticos. Si el empirismo no puede justificar el lenguaje sobre los valores empíricos, entonces no puede justificar ninguna pretensión de conocimiento.

iv) Por lo tanto, el empirismo no puede justificar el empirismo. Porque el empirismo es una visión de cómo uno debería (un "debería" ético) justificar sus creencias, y sobre una base empírica, no podemos justificar desde la experiencia de los sentidos la proposición de que debemos justificar nuestras creencias de esa manera.

f. Conocimiento de Dios

El empirismo también descarta las pretensiones de conocer a Dios, si se piensa que Dios es invisible o se resiste a los "procedimientos de verificación" empíricos. Para algunos empiristas, ese hecho descarta el conocimiento de Dios. Para los cristianos, descarta el empirismo como teoría general del conocimiento.

g. Hechos

¿Cuáles son los "hechos" que los empiristas creen que experimentamos directamente? Estos "hechos" son difíciles de identificar, como hemos visto. ¿Hay algún "hecho" del que podamos estar seguros? Algunas personas han sugerido que, si no podemos conocer el mundo infaliblemente a través de nuestros sentidos, ¡al menos podemos conocer infaliblemente nuestra propia experiencia sensorial! Por ejemplo, yo tengo una sensación de verdor. Eso puede o no significar que hay algo verde en mi entorno; mis sentidos pueden estar engañándome.

Una cosa que sí sé, sin embargo, es que tengo una sensación de verde. (A veces esto se llama un "sentido-dato" verde.) Bueno, tal vez sea así. Pero noten que aquí el empirista ha cambiado su terreno bastante drásticamente. En lugar de pretender conocer el mundo por medio de la experiencia sensorial, ahora pretende conocer solo su experiencia sensorial, solo sus propias ideas. En lugar de conocer "hechos", ahora conocemos solo un cierto tipo de hechos, los de nuestra propia subjetividad. Y sobre la base de esos hechos, no podemos determinar nada sobre el mundo más allá de nuestras propias mentes. Así como vimos que en el análisis final no hay diferencia entre el racionalismo y el subjetivismo, ahora vemos que no hay diferencia entre el empirismo y el subjetivismo.

h. Un análisis cristiano

Al igual que los problemas del racionalismo, los problemas del empirismo son esencialmente espirituales. Como los racionalistas, los empiristas han tratado de encontrar la certeza aparte de la revelación de Dios, y esa falsa certeza ha demostrado estar en bancarrota. Incluso si las leyes de la lógica son conocidas por nosotros (y no está claro cómo podrían serlo sobre una base empírica), no podríamos deducir nada de las afirmaciones sobre la sensación, excepto, como mucho, otras afirmaciones sobre la sensación. Así, una vez más, el racionalismo se convierte en irracionalismo:[13] un plan audaz para construir autónomamente el edificio del conocimiento termina en la ignorancia total.

(3) Subjetivismo

Parece, pues, que estamos atrapados en el subjetivismo, tanto por el proceso de eliminación como por el hecho de que el racionalismo y el empirismo solo son defendibles en formas que no se distinguen del subjetivismo.

Sin embargo, aparte de los problemas del racionalismo y el empirismo, el subjetivismo tiene mucho que recomendar. Como indica Mavrodes, las pruebas de las proposiciones son "persona-variable".[14] Por ejemplo, se puede tener un argumento que sea lógicamente válido (las premisas implican la conclusión) y sólido (las premisas son verdaderas) que no persuada a la persona con la que se está discutiendo. En ese caso, aunque se tiene un argumento válido y sólido, en cierto sentido no se ha "probado" el caso. La prueba, o la persuasión, depende de muchos factores personales sutiles que son difíciles, si no imposibles, de formular en una epistemología general.

¿Qué sucede cuando finalmente me persuaden de algo? ¿Hay algo que identifique el momento de la persuasión, el momento en que una hipótesis se convierte en una creencia o conocimiento? Esa es una pregunta difícil de responder. ¿Podría la "única cosa" ser un argumento sólido? Pero como Mavrodes indica, los argumentos sólidos no siempre persuaden. Puede que me enfrente a un argumento sólido y todavía piense que no es sólido, debido a varias objeciones que se me ocurren. Pero a veces, al comparar el argumento con las objeciones, en algún momento me convenzo de la solidez del argumento. Las objeciones se vuelven menos convincentes para mí, el argumento más convincente, y en algún momento decido afirmar el argumento y rechazar las objeciones.

¿Qué sucede para que haga eso? Es difícil de decir. Es algo que ocurre dentro de mí, un cambio psicológico, tal vez una creciente amistad hacia una conclusión y una hostilidad hacia otra. El cambio puede tener varias causas. El razonamiento lógico es una, pero ¿qué hace que el razonamiento lógico sea persuasivo para mí? La experiencia sensorial es otra, pero ¿qué me hace aceptar una interpretación de la experiencia sensorial en lugar de otra diferente? Las presuposiciones religiosas, las lealtades de grupo, los gustos estéticos, los prejuicios socioeconómicos y raciales,

---

[13] En el sentido del "racionalismo" discutido en la Primera Parte, el empirismo es en sí mismo una forma de racionalismo.

[14] Mavrodes, *Belief*, 7f., 27ff., 31–41, 80–89, 101–11.

cualquier número de factores buenos o malos pueden influir en el proceso de persuasión.

Entonces pareciera que, en el análisis final, los reclamos de conocimiento son estados psicológicos, y cada uno de nosotros evalúa esos reclamos por una amplia gama de criterios altamente personales e individuales. No hay una verdad "objetiva", una verdad que sea públicamente accesible por criterios universalmente aceptados; solo hay una verdad "para" el individuo. Por lo tanto, no hay conocimiento de una verdad objetiva, solo conocimiento de mi propia experiencia que se basa en mis propios criterios internos.

O eso parece. ¡Pero hay problemas incluso con el subjetivismo!

a. Verdad inter-subjetiva

El subjetivismo no puede ser afirmado o argumentado de manera consistente. El subjetivista trata de convencer a los demás de su punto de vista, y por lo tanto concede que hay una verdad conocida por los demás aparte de él mismo. Pero su teoría niega tal verdad intersubjetiva. Afirma conocer objetivamente la verdad de que no existe una verdad objetiva, y eso es un argumento contraproducente, una especie de contradicción. Este argumento se remonta a Parménides y Platón y ha sido utilizado durante siglos por racionalistas y empiristas contra el subjetivismo y el escepticismo. Debido a que el subjetivista afirma inevitablemente su subjetivismo de manera dogmática, su irracionalismo no cristiano se reduce al racionalismo (al igual que el racionalismo no cristiano se reduce al irracionalismo).

b. Coherencia

Ante esta contradicción, el subjetivista puede optar por volverse aún más irracional. Puede responder que no está afirmando que el subjetivismo es objetivamente cierto, solo que es cierto para él. Pero aquí el objetor puede preguntarse correctamente si el subjetivista está dispuesto a aplicar su teoría a su vida. Si el subjetivista se detiene en los semáforos en rojo y trata de evitar comer sustancias venenosas, podemos concluir que es realmente un objetivista de corazón. Por otra parte, si el subjetivista está dispuesto a vivir sin ningún tipo de limitaciones objetivas, entonces está loco y no hay mucho que podamos decirle, a excepción de dar nuestro testimonio.

c. Hechos y criterios

Además, aunque admitamos que la verdad y el conocimiento son internos al sujeto y que descansan en criterios internos y subjetivos, todavía no nos hemos deshecho de las afirmaciones de racionalismo y empirismo. El subjetivista todavía debe enfrentarse a las preguntas sobre "hechos" y "criterios". Concediendo que no hay una verdad "objetiva", ¿cuáles son los criterios para la "verdad subjetiva" de un individuo? Concedido que él está "encerrado en su experiencia interior", aún debe hacer un juicio sobre lo que en esa experiencia interior determinará sus decisiones de vida. Parte de su experiencia interior, por ejemplo, será la Biblia, o un conjunto de imágenes y pensamientos sobre la Biblia.

El individuo debe preguntarse si dejará que esa Biblia gobierne su vida o si dejará que algún otro elemento de su experiencia gobierne su vida. No importa si la Biblia es un hecho externo o un dato interno; aun así debe ser tratado. Y lo mismo es cierto sobre las leyes de la lógica, el yo y los hechos del mundo. El subjetivista debe preguntarse cómo se relacionan todas ellas entre sí. Su subjetivismo no le ha liberado en lo más mínimo de la lucha con estas cuestiones epistemológicas; su subjetivismo no ha resuelto ninguna de ellas. El subjetivista debe decidir si es un subjetivo racionalista, un subjetivo empírico, un subjetivo subjetivista o, quizás, un subjetivo cristiano. Por lo tanto, dado que el movimiento subjetivista no logra nada, difícilmente puede ser considerado como una alternativa epistemológica significativa al racionalismo y al empirismo. Y así el irracionalismo del subjetivismo se manifiesta como otra forma de racionalismo o empirismo.

d. Un análisis cristiano

Una vez más, las cuestiones son espirituales. El subjetivista busca evitar la responsabilidad hacia cualquier cosa fuera de sí mismo; busca convertirse en su propio señor, y eso es una forma de idolatría. Como un dios, el yo es un fracaso. Y mientras huye dentro de sí mismo para escapar de la responsabilidad ante los hechos y los criterios, el subjetivista descubre los hechos y los criterios dentro de su propio ser, observándolo a la cara, porque el verdadero Dios se revela incluso en el corazón del subjetivista. Incluso cuando buscamos huir dentro de nosotros mismos, Dios está ahí. Sus leyes y sus hechos no pueden ser evitados.

(4) Combinaciones

Nadie, por supuesto, es un racionalista, empirista o subjetivista puro. Platón era subjetivista sobre el mundo de la experiencia de los sentidos o "opinión" y racionalista sobre el "mundo de las formas". Kant era escéptico sobre la metafísica y la teología, pero combinó elementos de racionalismo y empirismo en su relato de las matemáticas y la ciencia. ¿Podría una de estas epistemologías más sofisticadas tener éxito donde las más simples fallan? Creo que no. Si se añade el cero a cero, se hace el cero. Combinar una epistemología en bancarrota con otra no lleva a ninguna parte.

a. Platón

Platón era escéptico sobre el mundo de la experiencia de los sentidos, pero creía que podíamos tener un conocimiento infalible de los criterios, las formas que existen en otro mundo. Se supone que las formas son los modelos de los que el mundo de la experiencia es una imagen, pero el mundo de la experiencia es una imagen inadecuada del mundo de las formas. El mundo de la experiencia contiene imperfecciones que las formas no tienen. Después de todo, entonces, las formas no hacen su trabajo; no dan cuenta de todas las cualidades del mundo de la experiencia. Las imperfecciones de este mundo hacen que las formas sean imperfectas. Sin embargo, si las formas fueran perfectas, entonces el mundo imperfecto no existiría; sería idéntico al mundo de las formas. Por lo tanto, el intento de Platón de combinar el racionalismo (las formas) con el irracionalismo (el mundo de la experiencia) fracasa. Los dos no pueden coexistir en el mismo universo sin destruirse mutuamente o sin que uno se convierta en el otro.

b. Kant

Kant era escéptico sobre "lo que realmente es" (el "noumenal" en su terminología) y racionalista sobre las "apariencias" (lo "fenomenal"). Según Kant, no podemos saber lo que realmente es, pero podemos tener una comprensión racional y completa de los fenómenos. Pero si no sabemos nada de la realidad, ¿cómo podemos siquiera entender lo que los fenómenos "realmente" son? Y si podemos distinguir claramente entre lo fenomenal y lo noumenal, entonces ¿no sabemos algo, después de todo, sobre el noumenal, es decir, que existe? Todos los argumentos tradicionales contra el escepticismo (véase el punto 3) pueden utilizarse contra el relato de Kant sobre el noumenal, y todos los argumentos tradicionales contra el racionalismo y el empirismo (véase los puntos 1) y 2) pueden utilizarse contra su relato sobre el fenomenal.

CAPÍTULO CINCO: PERSPECTIVAS SOBRE LA JUSTIFICACIÓN DEL CONOCIMIENTO

A. Justificación normativa

Ningún cristiano debería ser racionalista, empirista o subjetivista, en el sentido en que estos términos han sido usados históricamente. Aunque estas tres tradiciones epistemológicas han sido desarrolladas principalmente por pensadores no creyentes, tienen algún valor positivo. A pesar de su naturaleza incrédula, estas posiciones muestran un cierto conocimiento de la verdad.

El racionalismo reconoce la necesidad de criterios o normas; el empirismo, la necesidad de hechos objetivos y públicamente conocidos; y el subjetivismo, la necesidad de que nuestras creencias cumplan con nuestros propios criterios internos. Una epistemología cristiana reconocerá todas esas preocupaciones, pero se diferenciará de las escuelas de pensamiento racionalista, empirista y subjetivista de manera importante. Lo más importante es que el cristiano reconocerá el señorío de Dios en el campo del conocimiento.

Dios es soberano y coordina la ley, el objeto y el sujeto, de modo que los tres se cohesionan; un verdadero relato de uno nunca entrará en conflicto con un verdadero relato de los otros. No es necesario, pues, elegir uno de esos tres elementos, convertirlo en la "llave" del conocimiento y enfrentarlo a los otros dos. En efecto, en la mayoría de los casos, buscar esa "llave" es una idolatría; es un intento de encontrar una guía infalible que no sea la Palabra de Dios en la Escritura, de encontrar algún otro criterio absoluto de verdad.

Pero no hay necesidad de que los cristianos caigan en la desesperación epistemológica. Aunque evitamos la búsqueda racionalista de algo infalible más allá de la Escritura, no necesitamos caer en el escepticismo, como si fuera la única alternativa. Debido a que Dios se ha revelado claramente en la Escritura y en la creación, podemos hablar con confianza de la justificación de nuestro conocimiento de Él, una justificación que puede ser descrita desde tres perspectivas. En la "justificación normativa", consideraremos la ley divina, la revelación de Dios, como justificación del conocimiento; y en los apartados siguientes, consideraremos los papeles que la creación ("situacional") y el yo ("existencial") desempeñan en la justificación de nuestro conocimiento de Dios.

(1) La autoridad epistemológica de Dios

Hemos visto que el señorío de Dios es integral, que se extiende a cada área de la vida humana, incluyendo nuestros pensamientos, creencias y conocimientos.

a) Las Escrituras enseñan ese tipo de señorío de varias maneras. Enseña que Dios debe prevalecer en cualquier disputa sobre su verdad o justicia. No está obligado a responder a las acusaciones contra sí mismo. De hecho, cuando se le acusa, Él cambia las tablas; Él acusa a sus acusadores. En Génesis 3:4, la serpiente acusó a Dios de mentir maliciosamente, y Adán y Eva aceptaron el punto de vista del Diablo. Sin embargo, cuando Dios apareció, no se defendió de la falsa acusación. En cambio, juzgó a sus acusadores y prevaleció contra ellos (vv. 14-19). Cuando por orden divina Abraham levantó el cuchillo contra su propio hijo (Gn. 22:1-18), Dios no explicó cómo podía ordenar justamente a un hombre que matara a su propio hijo. En lugar de ello, simplemente elogió a Abraham por su obediencia.[1]

b) Dios rechaza la sabiduría del mundo y llama a su pueblo a una sabiduría especial propia que está muy en desacuerdo con los valores del mundo. Los creyentes deben estar a favor de la sabiduría de Dios y en contra de las falsas

---

[1] Ver también Job 38-42; Is. 45:9ss.; Mt. 20:1-15; Ro. 3:3ss., 26, y note cómo Pablo respondió a las preguntas dudosas reprendiéndolas primero con la exclamación *me genoito*, "¡que no sea así!" Veremos esos pasajes más de cerca en mi próxima Doctrina de Dios en la sección sobre el problema del mal.

enseñanzas, incluso bajo los desafíos más difíciles.[2] Este es un tema delicado para la gente moderna; ¡el autoritarismo intelectual es difícil de presentar de forma atractiva! La libertad intelectual, la libertad académica, la libertad de expresión y de pensamiento, son valores importantes en nuestro tiempo. ¿Puede la gente moderna ser llevada a adorar a un Dios que es un autoritario intelectual? Eso depende, por supuesto, de Dios y su gracia. El hecho es, sin embargo, que este autoritarismo es la fuente de la verdadera libertad intelectual.

El pensamiento humano debe estar sujeto a una norma, a un criterio. Si rechazamos a Dios como nuestra norma, debemos encontrar otra (racionalismo) o desesperarnos totalmente del conocimiento (escepticismo). El racionalismo trae la esclavitud intelectual a los sistemas humanos, y el escepticismo es la muerte intelectual. Sin embargo, cuando servimos a Dios, nuestras mentes se liberan de las tradiciones humanas y de la muerte del escepticismo para cumplir sus grandes tareas.

(2) Presuposiciones

Anteriormente definimos una presuposición última como "una creencia sobre la que no tiene precedencia ninguna otra", o, más profundamente, como un "compromiso básico del corazón". Como Dios es el Señor y nos gobierna con su Palabra, los cristianos tienen presuposiciones. Nuestros corazones están comprometidos con Él, y ninguna otra creencia puede tener prioridad sobre nuestra creencia en Él y en Su Palabra.

El término "presuposición" puede ser confuso en algunos aspectos. En varios libros recientes, como Mark Hanna, *Crucial Questions in Apologetics* (Preguntas cruciales en apologética)[3] y R. Sproul, J. Gerstner, y A. Lindsley, *Classical Apologetics* (Apologética clásica),[4] la presuposición parece designar una mera "suposición", "supuesto" o "postulado", una creencia que se elige arbitrariamente, sin ninguna base racional. Sin embargo, ese no es ni mi concepto ni el de Van Til. Sin duda, mucha gente elige sus presuposiciones arbitrariamente, o al menos con bases insuficientes. Los no creyentes están precisamente en esa posición. Pero la idea de la selección arbitraria no es una parte necesaria del concepto de una

---

[2] Ver Pr. 1:7 passim; Jer. 9:23s.; 1 Co. 1:18-2:16; 3:18-23; 8:1-3; 2 Co. 10:2-5; Gá. 1:8s.; Ef. 3:8s.; Col. 2:2-23; 1 Ti. 1:3-11; 4:1-5; 2 Ti. 3:1-17; Stg. 3:13-17; 2 P. 1:16-2:22; 1 Jn. 1:20-23; 4:1-6; Jud. 3-4; Ap. 2:14-15.

[3] Grand Rapids: Baker Book House, 1981.

[4] Grand Rapids: Zondervan Publishing House, 1984.

presuposición. De hecho, la presuposición cristiana tiene la base racional más fuerte posible: está basada en la revelación de Dios. En términos de Hanna, es "conocimiento verídico", no un "postulado". Incluso puede ser probado, por una especie de argumento (circular, por supuesto, pero convincente), como veremos.

A pesar de ese potencial de malentendido, sigo prefiriendo el término presuposición a punto de partida, que a veces es utilizada por Van Til y otros como sinónimo de presuposición. El punto de partida es aún más ambiguo que la presuposición y creo que ha causado bastante confusión en las discusiones sobre epistemología y apologética. Un punto de partida para una discusión puede ser: (a) un punto con el cual uno literalmente comienza la discusión (por ejemplo, puede no ser más que una broma u otro "rompehielos"), b) un punto que recibe mayor énfasis en la discusión, c) una hipótesis que debe ser evaluada en el curso de la discusión, d) un método por el cual uno se propone presentar el material, e) Una convicción sobre lo que es más importante (no necesariamente lo mismo que b)), f) Un punto que se presenta mejor antes que otros, por ejemplo, por razones pedagógicas, g) Una condición necesaria o suficiente de la conclusión que se va a argumentar, h) Datos presentados para el análisis, o i) Una presuposición. Esta última, por supuesto, no debe confundirse con ninguna de las otras. Desafortunadamente, sin embargo, ha habido confusión de este tipo, tanto entre los discípulos de Van Til como entre sus críticos.

Tanto los no cristianos como los cristianos tienen presuposiciones. Todos las tienen porque todos tienen algún compromiso que en un momento determinado (concedido, puede cambiar) es "básico" para él. Todos tienen una escala de valores en la que una lealtad se antepone a otra hasta llegar a una que se antepone a todas las demás. Ese valor es el presupuesto de esa persona, su compromiso básico, su criterio último. Teológicamente, el punto puede expresarse de esta manera: cuando la gente abandona al verdadero Dios, se encuentra bajo la esclavitud de los ídolos. Cuando rechazan el verdadero criterio, adoptan uno falso.

Por lo tanto, es erróneo decir que los cristianos son "parciales" o "prejuiciosos" por sus presuposiciones y que los no cristianos son "neutrales", "imparciales" y "objetivos". Ambos grupos tienen el mismo sesgo y los mismos prejuicios. Jesús dijo: "El que no está a favor de mí, está contra mí" (Mt. 12:30). El no cristiano se preocupa tan apasionadamente por rechazar a Dios como el cristiano por amarlo. En el Jardín, Eva pudo haber pensado que estaba desempeñando el papel de un juez "neutral" que podía elegir entre la palabra de Dios y la de Satanás, pero en realidad su decisión de considerar esas revelaciones en competencia sobre una base igualitaria provino de una mente caída. Ella no era "neutral"; para ese entonces ella odiaba a Dios.

La situación se complica aún más en el sentido de que el no creyente conoce a Dios (como vimos en la primera parte), y este conocimiento influye en sus pensamientos, su habla y sus acciones en diversos grados y formas. En cierto sentido, entonces, el no creyente tiene dos presuposiciones. Presupone tanto la verdad como la falsedad, tanto la realidad de Dios como la irrealidad de Dios. Su pensamiento, por lo tanto, es radicalmente contradictorio. Sin embargo, si preguntamos cuál es su último presupuesto, el compromiso más básico de su corazón, tendríamos que decir que es la incredulidad, un deseo apasionado de oponerse y frustrar los propósitos de Dios.

(3) La dificultad del lenguaje religioso

Los filósofos de la escuela de análisis del lenguaje han argumentado a menudo que cuando se compara con otros tipos de lenguaje, el lenguaje religioso es más bien "raro". Hay, por supuesto, algunos tipos de lenguaje religioso que no son nada raros. "Pasemos al himno número 215" es un tipo de lenguaje religioso, pero no es filosóficamente problemático. Cuando la gente religiosa comienza a hacer proposiciones sobre Dios, Cristo, o la salvación, cuando comienzan a usar el lenguaje de los credos, sin embargo, las dificultades comienzan a surgir.

Los filósofos de la escuela de análisis del lenguaje señalan que: a) ese lenguaje religioso tiende a ser pronunciado con mucha más certeza que otro lenguaje, que b) no parece estar abierto a los tipos de pruebas (por ejemplo, verificación, falsificación) a las que, por ejemplo, están sujetas las proposiciones de la ciencia, que c) el lenguaje religioso se convierte en una marca definitoria de una comunidad, de modo que solo se permite ser miembros de buena reputación a quienes estén de acuerdo con sus proposiciones, y que d) el lenguaje religioso tiene un fuerte componente emocional; se abraza con pasión, temor religioso, asombro y alegría.

En mi artículo "Dios y el lenguaje bíblico",[5] sostengo que la singularidad del lenguaje religioso se deriva del hecho de que dicho lenguaje expresa y aplica compromisos presuposicionales. Es el lenguaje de la certeza, porque expresa los compromisos más fundamentales de una persona, sus mayores certezas. Se resiste a lo que de otro modo son exigencias normales de verificación, porque afirma que proporciona las normas, o criterios, para la verificación. Define la comunidad, porque la comunidad existe en virtud de su lealtad mutua a estos compromisos. Y hay un fuerte elemento emocional en el lenguaje religioso, porque los compromisos

---

[5] En J. W. Montgomery, ed., *God's Inerrant Word* (Minneapolis: Bethany Fellowship, 1974).

religiosos gobiernan toda la vida de uno, incluyendo las emociones. Aquello con lo que estamos más firmemente comprometidos será la fuente de nuestras mayores pasiones, en la medida en que vivamos coherentemente con nuestras creencias.

En mi artículo argumento ese punto en mayor detalle. Resumo el material aquí para indicar la utilidad de un análisis presuposicional para entender la religión en general y para mostrar el paralelismo entre los compromisos religiosos cristianos y no cristianos en particular. El lenguaje cristiano y el lenguaje de otras creencias religiosas específicas no son los únicos tipos de lenguaje religioso que son peculiares en las formas que hemos mencionado anteriormente.

El ateísmo, el humanismo y el secularismo también usan el lenguaje en esas mismas formas extrañas. La perfectibilidad del hombre, las alegrías de la ciudad secular, e incluso la inexistencia de Dios funcionan como "presuposiciones" en mi sentido.[6] Esos supuestos, al igual que sus homólogos explícitamente religiosos, se pronuncian con certeza, resisten a la verificación, crean comunidades de pensamiento y despiertan las emociones de quienes se adhieren a ellos.[7]

(4) Todo conocimiento es teologizar

La presuposición cristiana, la revelación de Dios de sí mismo en la Escritura, es la más alta "ley de pensamiento" para los seres humanos. La Escritura, por lo tanto, justifica todo el conocimiento humano.

¿Pero cómo lo hace la Escritura?

(a) Algunas de nuestras creencias pueden justificarse explícitamente mediante la enseñanza de las Escrituras, por ejemplo, la creencia de que Dios amó tanto al mundo que envió a su Hijo a morir por nuestros pecados (Jn. 3:16).

(b) Otras creencias pueden ser justificadas como deducciones lógicas de las premisas bíblicas (*cf.* mi relato de la lógica en la Tercera Parte de este libro). Un ejemplo de ello sería la doctrina de la Trinidad, que (tal como se formuló en Nicea y Constantinopla) no se encuentra explícitamente en la Escritura, pero puede deducirse de las doctrinas que se encuentran explícitamente en la Escritura.

(c) Se pueden defender otras creencias como aplicaciones de la Escritura. El "No hagas trampa en tu impuesto sobre la renta" no puede defenderse solo con

---

[6] En mi artículo busco usar tales argumentos sobre la singularidad de todo lenguaje de compromiso final para cambiar las cosas con respecto a los críticos de la cristiandad, como Antony Flew.

[7] "Dios y el Lenguaje Bíblico" también discute un sentido en el que el lenguaje religioso es "ordinario", además del sentido en el que es "peculiar".

premisas bíblicas; se necesita información extrabíblica sobre la naturaleza del impuesto sobre la renta, aunque "no hagas trampa en tu impuesto sobre la renta" es claramente una aplicación del octavo mandamiento, y por lo tanto es parte del "significado" de ese mandamiento (véase la primera parte).

¿Qué hay de las creencias como "Sacramento es la capital de California", que no parecen encajar en ninguna de estas categorías? ¿Hay algún sentido en el que la Escritura también las justifica? Sí. Un elemento de justificación es la coherencia de una creencia con la Escritura. Las Escrituras tienen una especie de poder de veto sobre las creencias que son inconsistentes con sus enseñanzas, como "El hombre ha evolucionado". Las Escrituras no vetan las creencias que son consistentes con sus enseñanzas, y tal consistencia es una condición necesaria de justificación. No todas las creencias consistentes con las Escrituras, sin embargo, son verdaderas. "Escondido es la capital de California" no es inconsistente con las Escrituras de ninguna manera obvia, pero no por ello es verdad; por lo tanto, la coherencia con las Escrituras no es suficiente para justificar una creencia. Sin embargo, existe un sentido más fuerte en el que las creencias de la categoría d) son justificadas por la Escritura. La Escritura nos ordena que utilicemos toda la diligencia posible para descubrir la verdad y vivir de acuerdo con ella.[8] Cuando buscamos obedecer este principio bíblico, nos lleva a afirmar, entre otras cosas, que Sacramento es la capital de California. En cierto sentido, entonces, incluso creencias de este tipo son aplicaciones de la Escritura. ¡Todo conocimiento es teologizar!

En un sentido, entonces, la Escritura es el "fundamento" de todo el conocimiento humano. La posición que estoy argumentando, sin embargo, no debe confundirse con lo que se ha llamado "fundacionalismo".[9]

El fundacionalismo es la opinión de que el conocimiento comienza con un cuerpo de proposiciones que se conocen con absoluta certeza y de las que todo el resto de nuestro conocimiento puede derivarse por deducción lógica (o, tal vez, por inducción). El "racionalismo" y el "empirismo", como los hemos tratado anteriormente, son formas de fundacionalismo; el primero encuentra sus certezas fundacionales en las verdades a priori de la razón, el otro encuentra su fundamento en los testimonios de la experiencia de los sentidos. En general, estoy de acuerdo con la crítica de Wolterstorff a esas formas de fundacionalismo: es difícil encontrar suficientes proposiciones fundacionales para construir un fundamento adecuado para el conocimiento, y lo más probable es que sea imposible deducir o inducir de

---

[8] Ver Dt. 17:6s.; 19:15; Mt. 18:16; 1 Ts. 5:21; 1 Ti. 5:19; 1 Jn. 4:1ss.

[9] Cf., e.g., N. Wolterstorff, *Reason Within the Bounds of Religion* (Grand Rapids: Wm. B. Eerdmans Pub. Co., 1976), 24ss.

cualquier fundamento propuesto un cuerpo adecuado de cierto conocimiento. Además, hay muchas creencias justificadas y verdaderas (como la creencia del niño de que hay un pájaro fuera de su ventana) que no parecen ser deducibles de ningún grupo plausible de "certezas fundacionales".

El racionalismo y el empirismo también violan mi crítica a la búsqueda de conocimiento infalible fuera de las Escrituras. Ahora Wolterstorff también menciona una forma de fundacionalismo en el que la Biblia sirve como fundamento. Estoy de acuerdo con los "fundacionalistas bíblicos" en que la Biblia contiene un conocimiento del que podemos estar seguros. Si Wolterstorff está de acuerdo con esto no lo sé con certeza; si no lo está, está equivocado. Pero yo no buscaría derivar todo el conocimiento humano de la Biblia, ya sea por un proceso deductivo o inductivo. El proceso por el cual la Escritura justifica todo el conocimiento humano es diferente, en mi opinión, de cualquiera de esos dos procesos. Y no diría que una persona debe ser capaz de presentar un razonamiento bíblico para ser justificado en una creencia (ver capítulo 4, A).

Por lo tanto, no necesitamos afirmar el fundacionalismo, aunque debemos reconocer que en un sentido importante (no fundacionalista), la Escritura garantiza todo el conocimiento humano. Puesto que nuestro conocimiento requiere ese tipo de justificación escritural, la negación de la autoridad escritural deja efectivamente el conocimiento humano sin ninguna justificación. Así, de nuevo, de otra manera, vemos cómo el racionalismo no cristiano conduce al escepticismo.

(5) La Escritura se justifica a sí misma

Si la Escritura es la justificación última de todo el conocimiento humano, ¿cómo deberíamos justificar nuestra creencia en la Escritura misma? ¡Por la Escritura, por supuesto! No hay más autoridad final, no hay fuente de información más fiable, y nada más seguro por lo que la Escritura pueda ser probada.

¿Implica la autoafirmación de la Escritura que no podemos usar evidencia extrabíblica para argumentar la autoridad bíblica? Podemos usar tal evidencia, y de hecho debemos hacerlo (ver F abajo). Pero incluso cuando seleccionamos, interpretamos y evaluamos las pruebas, debemos presuponer una epistemología bíblica. Por lo tanto, en cierto sentido, nuestro argumento para la Escritura siempre será circular. Incluso en nuestro uso de la evidencia, la Escritura se justificará a sí misma.

(6) La circularidad

Por lo tanto, nos enfrentamos a un gran problema: ya que los argumentos circulares se consideran generalmente falaces, ¿cómo puede el cristiano justificar la circularidad en su argumento a favor del cristianismo?

a. No hay alternativa a la circularidad

La crítica es efectiva solo cuando el crítico puede sugerir una mejor manera. Pero no hay alternativa a la circularidad. Primero, la lealtad a nuestro Señor exige que seamos leales a Él, incluso cuando buscamos justificar nuestras afirmaciones sobre Él. No podemos abandonar nuestro compromiso de pacto para escapar de la acusación de circularidad. En segundo lugar, ningún sistema puede evitar la circularidad, porque todos los sistemas (como hemos visto) —tanto no cristianos como cristianos— se basan en presuposiciones que controlan sus epistemologías, argumentación y uso de pruebas. Así, un racionalista puede probar la primacía de la razón solo mediante el uso de un argumento racional.

Un empirista puede probar la primacía de la experiencia sensorial solo mediante algún tipo de apelación a la experiencia sensorial. Un musulmán puede probar la primacía del Corán solo apelando al Corán. Pero si todos los sistemas son circulares de esa manera, entonces tal circularidad no puede ser instada contra el cristianismo. El crítico será inevitablemente tan "culpable" de la circularidad como lo es el cristiano.

b. Circularidad restringida

La circularidad en un sistema solo se justifica adecuadamente en un punto: en un argumento para el criterio último del sistema. El cristiano emplea la circularidad en su argumento para la Escritura, el racionalista en su argumento para la razón y el empirista en su argumento para la experiencia de los sentidos, pero eso no implica que la circularidad sea permisible en otro tipo de argumentos. "Pablo escribió Segunda Timoteo porque Pablo escribió Segunda Timoteo" es un argumento circular cuya circularidad no se justifica. Es posible argumentar la autoría paulina de Segunda Timoteo sobre la base de principios más elevados y amplios que la autoría paulina de Segunda Timoteo. Permitir la circularidad en un punto del sistema, por lo tanto, no nos compromete a permitir la circularidad en todos los puntos.

c. Círculos estrechos y amplios

Es importante distinguir entre los círculos "estrechos" y "amplios". "La Escritura es la Palabra de Dios porque es la Palabra de Dios" es un círculo "estrecho", al igual que el argumento similar "La Escritura es la Palabra de Dios porque dice que es la Palabra de Dios". Pero es posible ampliar el círculo. Una forma de hacerlo es trayendo más datos bíblicos al argumento. "La Escritura es la Palabra de Dios porque en el Éxodo, el Deuteronomio y en otros lugares Dios indica su deseo de gobernar a su pueblo mediante un texto escrito, porque en 2 Timoteo 3:16 y 2 Pedro 1:21 el Antiguo Testamento se identifica con esa constitución del pacto, porque Jesús designó a los apóstoles para que escribieran palabras autoritarias", y así sucesivamente. Aunque ese argumento sigue siendo circular (estamos escuchando lo que la Escritura dice sobre la Escritura), es más persuasivo porque nos ofrece más datos. Y podemos ampliar el círculo aún más que eso: "La Escritura es la Palabra de Dios porque la arqueología, la historia y la filosofía verifican sus enseñanzas".

Si se usa correctamente, ese argumento seguirá siendo circular, porque la arqueología, la historia y la filosofía a la vista serán ciencias cristianas que presuponen la visión bíblica del mundo. Pero ese argumento será más persuasivo que un círculo desnudo. Así, decir que nuestro argumento para el cristianismo es circular no implica un círculo estrecho. Ese hecho elimina parte del aguijón de nuestra admisión de circularidad.

d. Circularidad y Persuasión

¿Pero cómo puede ser persuasivo un argumento circular, incluso uno que lo es ampliamente? De varias maneras. Primero, un argumento circular muestra más vívidamente el significado de la conclusión. Cuando exponemos las pruebas bíblicas y extrabíblicas de la autoridad escritural, por ejemplo, el significado de la autoridad escritural se hace más claro (véase nuestra anterior ecuación de significado con aplicación, o uso); y cuanto mejor entendemos la autoridad bíblica, más convincente se vuelve la idea para nosotros. En segundo lugar, un argumento circular expone la conclusión junto con su verdadera razón de ser, las razones por las que debe ser aceptada. Eso es todo lo que un argumento puede hacer.

El incrédulo puede no querer aceptar esa verdadera razón, pero esa actitud recalcitrante existe tanto si el argumento es circular como si no. En tercer lugar, incluso el no creyente, "en algún nivel de su conciencia", reconocerá la verdad de la conclusión y de su razonamiento. Ese es el mensaje de Romanos 1. El incrédulo está hecho a imagen de Dios y por lo tanto está hecho para pensar a la manera de Dios. En el contexto actual, la circularidad es el camino de Dios. Así, el incrédulo, en algún nivel de su conciencia, reconocerá la persuasión del argumento circular para el cristianismo. En cuarto lugar, el argumento circular presenta un marco para la interpretación del cristianismo -una metodología presuposicional, un esquema conceptual- y eso es siempre una ayuda para comprender la coherencia de una posición.

e. Circularidades en competencia

La perspectiva que se acaba de desarrollar debería ayudarnos a resolver el tema de las "circulaciones en competencia". Un musulmán argumenta que el Corán es la Palabra de Dios porque el Corán así lo testifica. Un cristiano argumenta que la Biblia es la Palabra de Dios porque la Biblia así lo testifica. ¿Cómo pueden resolver ese punto muerto? ¿Se reducen a gritarse unos a otros? ¿Estamos reducidos a hacer una elección arbitraria entre las dos posiciones?

Primero, considere que como cristianos no rechazamos el Islam arbitrariamente sino con base en la revelación de Dios, que sabemos que es verdadera.

Segundo, nuestro rechazo del Islam es contundente por las mismas razones que el cristianismo mismo es contundente. En tercer lugar, un argumento ampliamente circular a favor del cristianismo mostrará la coherencia interna de la posición cristiana —el hecho de que se "mantiene unida" en sus propios términos— una coherencia que puede compararse con la del sistema musulmán o de otro sistema no cristiano. El no cristiano será incapaz de mantener su sistema de manera coherente, y se basará en los conceptos cristianos en los puntos cruciales. Cuarto, debido a que el musulmán está hecho a imagen de Dios, en algún nivel es capaz de ver la fuerza del círculo cristiano y la inverosimilitud del suyo propio.

Considere una ilustración adaptada de una de las enseñanzas de R. M. Hare. Imagine que está tratando con un estudiante paranoico que cree que todos los profesores quieren matarlo. Todo lo que dice lo reinterpreta según sus presuposiciones y se convierte en evidencia de su posición. Dice que los profesores han sido amables y generosos con él, pero él responde que solo están tramando ganar su confianza para luego matarlo más fácilmente. Aquí, de nuevo, tenemos dos peculiaridades: la suya y la de los paranoicos. ¿Cómo se ocupa de él? Bueno, ciertamente no aceptas su círculo, ni intentas crear una tercera posición, supuestamente "neutral", entre tu verdad y su distorsión. Para rescatar a alguien de las arenas movedizas, debes pararte en tierra firme. Simplemente proclamas la verdad, junto con los argumentos de esa verdad (su fundamento). Supone que, por muy ingenioso que sea el paranoico para asimilar sus datos en su sistema, él sigue "sabiendo" en cierto nivel, o al menos es capaz de saber, que está equivocado y que usted tiene razón. De lo contrario, la conversación es totalmente inútil. Pero sabemos que no es inútil; a veces los paranoicos vuelven a la realidad. La comunicación es posible.

(7) Coherencia

He mencionado anteriormente ((6), e) que un argumento ampliamente circular es persuasivo en parte porque muestra la coherencia interna del sistema en cuestión. Ahora desarrollaré el concepto de coherencia.

Los filósofos seculares a veces han propugnado una "teoría de la coherencia de la verdad". Esa teoría significa que un sistema de pensamiento es verdadero si es internamente consistente consigo mismo. La teoría de la coherencia de la verdad se contrasta a veces con la "teoría de la correspondencia" de la verdad, la creencia de que la verdad es una correspondencia entre la idea y la realidad.

Los empiristas han tendido a favorecer la teoría de la correspondencia, y los racionalistas han tendido a favorecer la teoría de la coherencia. Los racionalistas (como hemos visto) dudan de la afirmación empírica del acceso a los "hechos" a través de la experiencia de los sentidos, y por lo tanto buscan un tipo de verdad que pueda ser probada sin dicho acceso, una que pueda ser probada solo por referencia a nuestras ideas. Dado que nuestra "perspectiva normativa" representa una especie de "racionalismo cristiano", es apropiado que consideremos la coherencia en este punto y la correspondencia más adelante bajo la perspectiva situacional.[10]

Ciertamente, la verdad de Dios es coherente. Dios es un Dios de orden, no de caos. Habla verdad, no falsedad. No puede mentir. No puede hacer una promesa y luego romperla. Todo lo que hace refleja un plan eterno infinitamente sabio. Por lo tanto, nuestro Dios es racional y lógico. La coherencia, entonces, es una marca de Su verdad. En las Escrituras la coherencia se usa como una prueba de la verdad religiosa.[11]

---

[10] Básicamente, mi punto de vista es que ambas teorías, con modificaciones, pueden servir como "perspectivas" de la idea de verdad, aunque ninguna debe funcionar como su única definición o criterio.
[11] Ver Dt. 18:20-22; Mt. 12:22-28; 1 Co. 15:12-20

Esa coherencia, sin embargo, no siempre es fácil de identificar para nosotros. Hay "aparentes contradicciones" en la Escritura.[12] Algunas de ellas pueden ser resueltas por la lógica y el ingenio humanos; otras pueden no serlo. Por lo tanto, no es probable que la teología cristiana llegue a formularse con éxito como un sistema deductivo axiomático.

Aunque no podemos demostrar formalmente la coherencia completa del sistema cristiano, al menos podemos mostrar que los sistemas que rechazan al Dios bíblico no son capaces de mantener la inteligibilidad, y mucho menos la coherencia. Por lo tanto, la coherencia relativa del sistema cristiano, aunque no se resuelvan todos los problemas, se verá como una ventaja. Pero la coherencia en vista debe ser definida en términos de presuposiciones cristianas. No es que la "coherencia" o la "consistencia lógica" sea una especie de principio neutro por el que se puedan probar todas las reivindicaciones religiosas.

El significado de "coherencia teológica" debe surgir de las Escrituras. De lo contrario, es difícil escapar a la objeción contra la teoría de la coherencia de que posiblemente haya más de un sistema totalmente coherente. Pero si desarrollamos nuestro concepto de coherencia a partir de las Escrituras, entonces presuponemos que los sistemas en competencia no se demostrarán coherentes en el análisis final, que son inestables en sí mismos y que dependen de los conceptos cristianos — "capital prestado"— para su aparente plausibilidad. Valoramos la coherencia porque hemos sido abrumados por la sabiduría divina que se muestra en las Escrituras, y no al revés. Usar la coherencia como una prueba de verdad es simplemente mostrar esa sabiduría en toda su maravillosa unidad.

(8) Certeza

La tradición racionalista, recordemos, se preocupaba principalmente por alcanzar la certeza. ¿Es nuestra "justificación normativa" (opuesta, pero paralela al racionalismo secular) capaz de proporcionarnos certeza? Después de todo, hemos estado haciendo hincapié en la falibilidad de los reclamos del conocimiento humano, la idolatría de tratar de encontrar una autoridad infalible fuera de las

---

[12] Véase mi discusión sobre la lógica en la tercera parte y mi ensayo "Van Til el teólogo" (Phillipsburg, N.J.: Pilgrim Publishing, 1976), que también se publicó como "El problema de la paradoja teológica" en *Foundations of Christian Scholarship*, ed. Gary North (Vallecito, California: Ross House Books, 1976).

Escrituras. ¿Significa eso que todo nuestro conocimiento es tentativo, incierto? No. Dios quiere que estemos seguros de las cosas sobre las que nos ha instruido.[13]

La naturaleza misma de una presuposición final es que se sostiene con certeza. Una presuposición última es un criterio último de verdad, y por lo tanto es un criterio por el cual todas las otras supuestas certezas son probadas. No hay ningún criterio superior por el que se pueda cuestionar la certeza de tal presunción. Así pues, por su propia naturaleza, tal presuposición es la cosa más segura que conocemos. Y la certeza que pertenece a las presunciones también pertenece a sus implicaciones y aplicaciones.

Las implicaciones y las aplicaciones constituyen el sentido de un presupuesto; ¿cómo puede ser seguro el presupuesto si su sentido es incierto? Si "No robarás" es un cierto mandato de la revelación, entonces "No malversarás" —una exégesis que aplica ese mandamiento— no es menos cierto. Ambos mandamientos son órdenes de Dios. Y puesto que, en un sentido (ver (4), arriba), todo conocimiento puede ser visto como una aplicación de nuestras presunciones, es posible decir que todo nuestro conocimiento es seguro.

Sin embargo, no siempre nos sentimos seguros. Nuestro sentido de la certeza sube y baja, por varias razones.

a. Pecado

Porque en esta vida no somos impecables, no somos puros en nuestra lealtad a nuestro Señor. Así, nuestra presuposición de la verdad de la Palabra de Dios compite en nuestras mentes con la presuposición contraria, y eso crea duda y vacilación. Aunque el Catecismo de Heidelberg hace de la seguridad un elemento necesario de la fe (pregunta 21), la Confesión de Fe de Westminster nos recuerda que "un verdadero creyente puede esperar mucho tiempo y entrar en conflicto con muchas dificultades antes de participar en la seguridad" (capítulo XX). Hay verdad en ambas posiciones. La fe y la seguridad son inseparables porque la naturaleza misma de la fe es aceptar la Palabra de Dios como nuestra certeza suprema. Pero en esta vida, la fe en sí misma es imperfecta. La fe como un grano de mostaza, la fe en su punto más débil, es suficiente para la salvación, pero una fe débil irá acompañada de muchas dificultades y dudas.

---

[13] Ver Lc. 1:4; *cf.* Hch. 1:3; Ro. 5:2, 5; 8:16; 2 Ti. 1:12; 2 P. 1:10; 1 Jn. 2:3; 5:13.

b. Ignorancia

Además del problema de la duda pecaminosa, también hay un problema intelectual. Algunos cristianos simplemente no han sido conscientes de las implicaciones de su fe. Honestamente confiesan a Cristo como su Señor y por lo tanto como su última presuposición, pero no han pensado en las implicaciones del señorío de Cristo para sus vidas intelectuales. Por lo tanto, la certeza de su fe es algo subconsciente. Necesitan aprender que la fe significa presuponer y que presuponer significa certeza. Un cristiano puede dudar, pero en términos de su presuposición, no tiene derecho a dudar, no hay justificación para dudar.

c. Conocimiento limitado

Hay otro tipo de problema intelectual. Todavía no entendemos mucho de la Biblia como nos gustaría. Por lo tanto, muchas de nuestras formulaciones teológicas son algo tentativas, y lo mismo es cierto para muchas de nuestras aplicaciones éticas de la Escritura. ¿Qué enseña la Escritura sobre el desarme nuclear, sobre la legitimidad de la legislación contra la marihuana, etc.? En muchas de estas áreas, no estamos seguros porque nuestro conocimiento es limitado. Aquí es importante recordar que no toda nuestra teología es tentativa en este sentido. La mayoría de los cristianos no albergan regularmente dudas sobre la existencia de Dios, el señorío de Cristo, la resurrección y la salvación por gracia, entre otras cosas. El progreso en la teología, por lo tanto, implica hacer extensiva la certeza que tenemos sobre tales doctrinas "fundamentales" a toda la enseñanza de la Escritura.

La certeza, por lo tanto, considerada como un estado psicológico, sube y baja por varias razones. Los cristianos, sin embargo, tienen derecho a estar seguros. La Escritura anima a los cristianos a estar seguros, y todo cristiano, por el mero hecho de su fe, ha alcanzado la certeza en alguna medida. ¿Pero ese énfasis en la certeza significa que no hay un papel para la probabilidad en la teología?[14] Creo que sí existe tal papel. Como hemos visto, debido a la debilidad de nuestra fe, nuestra certeza no siempre es perfecta. En la medida en que carecemos de certeza, todo lo que tenemos es probabilidad. Además, hay algunas cuestiones que, en la naturaleza del caso, son cuestiones de probabilidad. Incluso si nuestra fe fuera perfecta, todavía habría algunas cuestiones relevantes para la teología sobre las que, debido a nuestra finitud, solo podríamos tener un conocimiento probable. Por ejemplo, dudo que

---

[14] Recuerdo a un colega que me llamó discípulo del obispo Butler porque usé la palabra "probabilidad" en un argumento teológico.

incluso un Adán no caído, viviendo en el presente, pudiera conocer con absoluta certeza al autor de Hebreos. Ni tampoco podría conocer el futuro con absoluta certeza, excepto en la medida en que Dios lo reveló especialmente.

Butler tenía razón cuando dijo que muchas de nuestras decisiones en la vida se basan en la probabilidad en lugar de la certeza absoluta. Y también es cierto, como dijo, que tenemos la obligación moral, cuando no tenemos una certeza absoluta, de aceptar la posibilidad más probable. Las Escrituras nos dicen que vivamos de acuerdo con la sabiduría, y tales juicios son ciertamente parte de la sabiduría. Sería muy tonto, por ejemplo, que yo viviera con un terror mortal de que un terremoto se abriera delante de mi casa y me enterrara vivo. No puedo probar absolutamente que tal terremoto no ocurrirá, pero las posibilidades de que ocurra son tan remotas que sería irresponsable por mi parte dejar que una probabilidad tan pequeña gobierne mi vida.

Donde Butler se equivocó fue al decir que nuestra creencia en Jesucristo para la salvación es solo una cuestión de probabilidad y que esa probabilidad puede ser comprobada a través de métodos racionales "neutrales", aparte de la presuposición de la Escritura.

9) Jerarquías de normas

a. *Naturaleza y Escritura*

Hemos visto que en cierto sentido toda la creación es "normativa". Las Escrituras son normativas; pero su normatividad se encuentra no solo en sus enseñanzas explícitas, sino también en sus implicaciones y aplicaciones. Esto significa que tenemos una revelación normativa relativa a una amplia gama de asuntos que no se tratan explícitamente en la Biblia, y esa amplia gama es lo suficientemente amplia como para abarcar todas las acciones y actitudes humanas y todos los conocimientos humanos (véase el párrafo 4). Además, sabemos que Dios se ha revelado en la naturaleza y en nosotros mismos también. Así pues, los "hechos" y el "yo" tienen una dimensión normativa. Y así parece que todo es normativo de una manera u otra. Pero si todo es normativo, ¿no significa eso que nada lo es? ¿Y no significa eso que la propia Escritura es solo una norma entre muchas? ¿No hemos destruido la autoridad única de la Escritura?

"Todo es normativo" simplemente significa que ante Dios estamos obligados a vivir de acuerdo con la verdad, toda la verdad presente en el universo. Por lo tanto, debemos responder apropiadamente a todos y cada uno de los hechos de nuestra experiencia. ¿Pero cómo lo hacemos? Nuestras facultades son falibles y nuestras inclinaciones, aparte de la gracia, son para reprimir pecaminosamente la verdad. Pero Dios ha ideado un camino para la bendición intelectual. Aunque "todo es normativo", no todas las revelaciones están en igualdad de condiciones, en lo que respecta al camino de bendición de Dios. Pablo nos dice en Romanos 1 que, aunque Dios se ha revelado claramente en la naturaleza, la humanidad no regenerada rechaza ese conocimiento y lo cambia por una mentira. Por lo tanto, no hay salvación a través de la revelación natural solamente.

La salvación viene a través de otra revelación —el evangelio de Cristo— que no se revela a través de la naturaleza sino por los predicadores (Ro. 10:9-15; *cf.* Hch. 4:12). Dado que el propósito de esa revelación es salvarnos de nuestros errores, debe tener necesariamente prioridad sobre nuestras otras nociones, incluso cuando esas nociones han sido derivadas de la revelación natural. Una simple ilustración iluminará el corazón del asunto. Un niño lo intenta y lo intenta, pero por varias razones no puede obtener las respuestas correctas en su tarea de matemáticas. Su padre viene y le da algunas respuestas, le dice algunas y le explica cómo obtener otras. Si el niño acepta la ayuda de su padre, permitirá que las palabras de su padre tengan prioridad sobre sus propias ideas.

Las Escrituras son muy adecuadas para ese tipo de tarea correctiva, porque es una revelación de palabra, no solo una revelación de la Palabra (porque toda revelación es eso). Dios, como el padre en nuestra ilustración, nos dice las respuestas que necesitamos tener. Pero aceptar su ayuda es aceptar la primacía de sus palabras sobre nuestras propias ideas, incluso nuestras ideas sobre el resto de la revelación. Incluso en el Jardín del Edén, Adán escuchó la palabra hablada de Dios (Gn. 1:28ss.; 2:16s.) y se vio obligado a obedecerla, a dejar que gobernara su uso de la revelación natural. No es que las Escrituras sean más autoritarias que la revelación natural. Todo lo que Dios dice es igualmente autoritario. Tampoco deseo negar que la comprensión de la naturaleza puede a veces llevarnos a corregir nuestra comprensión de la Escritura. Eso sucede a menudo. Tampoco quiero negar que podemos tener certeza sobre el contenido de la revelación natural.

Como hemos visto, toda la revelación de Dios nos da el derecho a la certeza. Quiero decir, sin embargo, que una vez que hemos llegado a la certeza sobre el significado de la enseñanza de la Escritura en un determinado asunto, esa enseñanza debe prevalecer sobre cualquier idea que hayamos obtenido de otras fuentes. Aquí me limito a describir la fe de Abraham, que creyó en la Palabra de Dios (Ro. 4) a pesar del gran número de pruebas aparentes en su contra. Si no afirmamos este punto, no podemos distinguir entre caminar por la fe y caminar por la vista.[15]

b. Estructuras prioritarias dentro de la Escritura

Incluso dentro del canon bíblico, hay algunas normas que tienen prioridad sobre otras en situaciones particulares. Por ejemplo, la Escritura nos ordena que nos sometamos a las autoridades gobernantes (Ex. 20:12; Ro. 13:1 P. 2:13ss.), pero cuando esas autoridades nos ordenan hacer algo contrario a la ley de Dios, debemos negarnos (Ex. 1:15-22; Dn. 3; 6; Hch. 5:29; *cf.* Mt. 10:35-37; Lc. 14:26). Nuestra sumisión a Dios tiene prioridad sobre nuestra sumisión a la autoridad humana. Considere otro ejemplo. Algunas reglas que normalmente rigen la vida humana se suspenden en casos de emergencia (Mt. 12:3ss.). Y Jesús enseñó que la misericordia es más importante que el sacrificio (Mt. 9:13; 23:23; *cf.* 5:24). Algunos asuntos de la ley, entonces, son "más pesados" que otros y por lo tanto merecen más énfasis y atención.

c. Prioridades en nuestro uso de la Escritura

Debido a que somos finitos, no podemos cumplir todos los mandamientos de Dios simultáneamente. A menudo nuestra incapacidad para hacerlo produce una falsa culpa. Un sermón nos dice que pasemos horas rezando, otro que alimentemos al hambriento, otro que estudie la Biblia intensamente, otro que evangelice nuestros vecindarios, otro que catequice a nuestros hijos, otro que se vuelva políticamente activo. Todo esto parece estar basado en normas bíblicas, sin embargo, a menudo nos sentimos abrumados por las enormes demandas que se nos hacen. Simplemente no hay suficientes horas en el día para hacer todo lo que se nos exhorta a hacer.

Es útil recordar aquí que cuando Dios nos manda a orar, a evangelizar, a ayudar a los pobres, etc., está hablando principalmente a la iglesia en su conjunto y solo secundariamente a cada uno de nosotros como individuos. Estas son obras que la iglesia debe hacer. Cada individuo en la iglesia debe contribuir a su cumplimiento. Pero la forma en que el individuo contribuya dependerá de sus dones y su vocación. No todos estamos llamados a orar seis horas al día o a tocar timbres en nuestros vecindarios o a iniciar movimientos políticos. Cada uno de nosotros, entonces, debe

---

[15] Para una discusión más amplia de este asunto, véase mi "Racionalidad y Escritura", en *Rationality in the Calvinian Tradition*, ed. Hendrick Hart, Johan Vander Hoeven, y Nicholas Wolterstorff (Lanham, Md.: University Press of America, 1983), 293-301.

en oración, bajo la guía de las Escrituras, diseñar su propio conjunto de prioridades entre estas normas comunitarias. Eso suena peligroso. ¿Cómo puede haber "prioridades" entre los objetivos finales? ¿Y cómo puede un ser humano elegir por sí mismo qué prioridades dará a las leyes de Dios? Puede, porque la Escritura dice que puede y debe.

Muchos malentendidos entre los cristianos pueden evitarse si tenemos en cuenta estos principios. Un pastor evangelista mira a un pastor del tipo abogado canónico (uno que gasta mucha energía tratando de implementar procedimientos adecuados en su asamblea y presbiterio) y percibe que el abogado canónico está violando la Gran Comisión. Pero para el pastor tipo abogado canónigo, el evangelista parece estar violando el mandato bíblico de "hacer todas las cosas decentemente y en orden" (1 Co. 14:40).

En este ejemplo, creo que el evangelista tiene más razón que el abogado canónico. Así como la misericordia es más importante que el sacrificio, el evangelismo es más importante, en una perspectiva bíblica, que el procedimiento eclesiástico. Pero el abogado canónico no es del todo descabellado cuando responde que la propia Gran Comisión requiere procedimientos adecuados: ¿cuántas veces la desorganización ha obstaculizado los esfuerzos de evangelización? Así pues, un estudio de las estructuras prioritarias de la propia Escritura puede no ser suficiente para salir del estancamiento, pero en esos debates, a menudo es útil que cada parte considere (como, lamentablemente, rara vez lo hace) que la otra está simplemente tratando de seguir las prioridades que en parte están dictadas por sus propios dones y vocación. Si fuéramos más conscientes de la necesidad de esas estructuras de prioridades personales, nos ayudaría a entendernos mejor y a fomentar la unidad de la Iglesia.[16]

B. Justificación de la situación

Bajo la perspectiva normativa, aprendimos que nuestro conocimiento se justifica por su adhesión a las leyes de Dios para el pensamiento. Ahora pasamos a la perspectiva situacional donde veremos que nuestro conocimiento se justifica por su acuerdo con los hechos. La Escritura es verdadera porque está de acuerdo con la realidad, con la verdad, con la "evidencia".

---

[16] Para más información sobre este tema, vea mi Doctrina de la Vida Cristiana

1) Hechos y normas

Bajo la perspectiva normativa, sostuve que todos los hechos son normativos, de modo que la perspectiva normativa abarca toda la realidad.[17] También es evidente que todas las normas son hechos: es un hecho que Dios nos ha hablado. Por lo tanto, las perspectivas normativa y situacional son co-extensivas. Las creencias justificadas por las Escrituras serán las mismas creencias que las justificadas por los hechos. La Escritura exige que creamos la verdad, los hechos, ni más ni menos.

Por lo tanto, no hay "hechos brutos", hechos que están desprovistos de interpretación. Todos los hechos son lo que son en virtud de la interpretación de Dios de ellos. Y así como los hechos son inseparables de la interpretación de Dios de ellos, así nuestra comprensión de los hechos es inseparable de nuestra interpretación de ellos. Declarar un hecho e interpretarlo es la misma actividad (ver capítulo 2, D, (2), b y Apéndice D).

La filosofía no cristiana siempre ha buscado separar los hechos de las normas y verlos de alguna manera antitéticos entre sí. La dialéctica forma-materia de Platón y Aristóteles, el debate racionalista-empirista, los argumentos de Hume contra la derivación de "debería" de "es", todos manifiestan esta tendencia. Por un lado, la "norma" es el principio racionalista, la ley del pensamiento. Está aislada del mundo para que pueda ser verdaderamente última, una ley divina para el mundo. Es inmutable, pero el mundo es cambiante; es perfecto, pero el mundo es imperfecto; es uno, pero el mundo es muchos. Pero una vez que la norma está tan definida, es difícil encontrar una relación significativa entre ella y el mundo. Ninguna de las estipulaciones de la norma puede llevarse a cabo en el mundo de los cambios y la imperfección. Es un principio sin aplicaciones y por lo tanto sin sentido. Por otro lado, los "hechos" se conciben como "brutos", como algo de lo que no se pueden predicar valores. Pero como Aristóteles y otros reconocieron, tales "hechos" apenas se distinguen de la "nada".

Una epistemología cristiana, por el contrario, verá los hechos como norma y las normas como hechos. Nuestro conocimiento de los hechos diferirá solo en "perspectiva" de nuestro conocimiento de la norma. Los hechos están cargados de leyes. Nos transmiten la existencia de Dios y su voluntad para con nosotros (Ro. 1:20, 32).

Hay una diferencia de perspectiva, énfasis o enfoque: la perspectiva normativa se centra en el papel de la Escritura, la situacional en la revelación natural; la

---

[17] Véase también la primera parte, apéndice D. Note también la aclaración en el Apéndice J al final del libro.

normativa se centra en la ley (imperativa), la situacional en el hecho (indicativa). No obstante, la unidad de las perspectivas siempre será evidente, especialmente en el hecho de que incluso en la perspectiva situacional, debemos escuchar la Escritura. La Escritura nos dirá cómo hacer uso de la revelación natural.

2) Correspondencia

Cuando hablamos antes (véase el capítulo 2, D) sobre la teoría de la coherencia de la verdad, mencioné que esa teoría se contrastaba generalmente con la teoría de la correspondencia de la verdad. La teoría de la correspondencia, que define la verdad como una correspondencia entre la idea y la realidad, ha sido generalmente favorecida por los empiristas, ya que a menudo se ha pensado que solo la experiencia de los sentidos puede proporcionar el vínculo entre las ideas de la mente y las realidades del mundo exterior. Los racionalistas y subjetivistas generalmente niegan la teoría de la correspondencia de la verdad porque niegan la fiabilidad de la experiencia sensorial. En su opinión, no conocemos ninguna realidad independiente de nuestros propios pensamientos, ya sea que esos pensamientos se entiendan como conceptos racionales (racionalismo) o como nuestro flujo total de conciencia (subjetivismo). Por lo tanto, no hay nada a lo que nuestros pensamientos "correspondan".

En una epistemología cristiana, sin embargo, hay un lugar para la correspondencia, como hay un lugar para la coherencia. Puede utilizarse como definición de la verdad o como prueba de la verdad (están relacionados de forma perspectiva), siempre que se operen en el marco de una visión del mundo bíblica. Las Escrituras enseñan que, a través de la revelación divina, tenemos acceso al "mundo real". Descubrimos el "mundo real" no solo a través de la experiencia de los sentidos, sino también a través de conceptos racionales y estados subjetivos y, en particular, a través de la Escritura, nuestro criterio supremo de la realidad.

Por lo tanto, no es sorprendente que cuando buscamos la verdad, nuestro proceso de pensamiento es una especie de "comparación". Comparamos nuestra idea actual de la verdad con la que Dios nos está guiando a través de las Escrituras y los diversos elementos de nuestro proceso de pensamiento. Nunca "salimos" de nuestros propios pensamientos; los racionalistas y subjetivistas tienen razón en eso. Pero la revelación de Dios es capaz de penetrar en nuestros pensamientos, de modo que incluso dentro de nuestra propia subjetividad no estamos sin testimonio divino. Así pues, siempre hay un proceso de comparación entre nuestros pensamientos y lo que Dios nos muestra, un proceso de comparación que puede llamarse "búsqueda de correspondencia".

(3) Las evidencias como justificación de la fe

Las Escrituras enseñan claramente que podemos obtener el conocimiento de Dios a través de los eventos de la naturaleza y la historia. En Salmos 8, 19, 29, 65, 104, 145 y 148 y en Hechos 14:15-17; 17:17-28, Romanos 1, y en otros lugares leemos de la revelación de Dios en la naturaleza. Además, Dios hace grandes juicios históricos "para que sepan que yo soy el Señor". Estos juicios incluyen los milagros (1 R. 18, donde se hace una prueba específica para determinar quién es el verdadero Dios, es un buen ejemplo), especialmente la resurrección de Cristo (1 Co. 15; Hch. 17:31; Ro. 1:4), el cumplimiento de las profecías (Dt. 18:21s.; Lc. 24:25-32; Hch. 2:16s.; 26:22s.; etc.), y toda la gama de la experiencia de los apóstoles con Cristo (Hch. 1:3; 1 Jn. 1:1-3). De tales eventos aprendemos acerca de la realidad de Dios, lo que ha hecho para salvarnos. También aprendemos su ley (Ro. 1:32), un hecho que subraya la unidad perspectiva entre la situación y la norma.

Por lo tanto, es totalmente correcto y apropiado que los apologistas hayan apelado a tales eventos como evidencia de la verdad del cristianismo. La evidencia es rica y poderosa: a través de ella se "ve claramente a Dios" (Ro. 1:20). La evidencia de la naturaleza por sí sola es suficiente para dejar a los pecadores "sin excusa" (Ro. 1:20). Pero Dios añade a la evidencia de la naturaleza un gran número de milagros y profecías cumplidas y, por supuesto, la propia Escritura de la comprobación de sí mismo. Tan rica es la evidencia de que uno nunca tiene el derecho o la necesidad de exigir más (Lc. 16:19-31). La evidencia, por lo tanto, es de tan alta calidad que con razón obliga al consentimiento. Una respuesta creyente a esta revelación no es meramente opcional; es obligatoria. Nótese la demanda de arrepentimiento que sigue a la disculpa de Pablo por la fe como se describe en Hechos 17 (v. 30; *cf.* Jn. 20:27; Hch. 2:38; Ro. 1:20).

Por lo tanto, el argumento probatorio es demostrativo, no meramente probable. La evidencia obliga al asentimiento; no deja ninguna laguna, no hay lugar para el argumento. Este es un punto difícil. Estamos hablando de argumentos de tipo generalmente empírico. La mayoría de los filósofos sostienen que un argumento empírico nunca puede justificar más que una confianza probable en su conclusión. Nuestros sentidos nos engañan, e incluso en el mejor de los casos, se nos dice, no garantizan la certeza.

Este tipo de crítica es fuerte cuando se dirige contra las formas tradicionales de empirismo (véase el capítulo 2, C). Sin embargo, no amenaza la certeza del argumento probatorio cristiano por las siguientes razones.

a. Hechos seleccionados

Una razón por la que los argumentos empíricos son débiles es que solo tratan de una selección de hechos. Como somos finitos, normalmente no podemos apelar a todos los hechos de la experiencia para probar nuestro punto. Pero el argumento cristiano, aunque empírico, incluye todos los hechos de la experiencia. Dios se revela en cada hecho de la creación. Así que no nos enfrentamos a una situación en la que algunas pruebas favorezcan nuestra conclusión y otras cuenten en su contra. Todas las pruebas conducen a Dios. John Henry Newman habló de un "sentido ilativo", una acumulación gradual de muchos argumentos probables que dan un sentido de certeza. Si existe tal cosa, entonces el sentido de certeza producido por la totalidad de la evidencia empírica debe ser abrumador.

b. Probabilidad y teísmo

El concepto mismo de probabilidad presupone una visión teísta del mundo. ¿Qué significaría decir que un evento es "más probable" que otro en un mundo de azar?

c. La evidencia y el Espíritu Santo

La presentación de pruebas va acompañada del poder sobrenatural del Espíritu Santo, que convence de pecado (Jn. 16:8) y persuade de la verdad (1 Ts. 1:5).

d. Evidencias y suposiciones

El argumento probatorio cristiano nunca es meramente probatorio. La evidencia se presenta sobre las presunciones cristianas, como parte de un argumento "ampliamente circular" (ver capítulo 2, D). Ese argumento ampliamente circular es siempre plenamente convincente porque sus presuposiciones son nada menos que la Palabra de Dios (de ahí la sección (3), más adelante).

¿Significa esto que no hay lugar para la probabilidad en la teología, que todas nuestras afirmaciones sobre Dios deben ser dogmáticamente seguras? No. Hay varias razones por las que nuestra certeza teológica sube y baja (véase el capítulo

2, D). Cuando no estamos seguros, lo mejor que podemos hacer es sugerir lo que creemos más probable. (Y cuando lo hacemos, lo mejor es confesar y no pretender tener un mayor grado de certeza que el que realmente tenemos). Pero la certeza es el objetivo y nuestro derecho al tratar con la revelación de Dios, y es importante que adquiramos las calificaciones espirituales e intelectuales para lograr esa certeza.

Nuestro punto aquí, sin embargo, es que la evidencia del cristianismo garantiza la certeza, ya sea que experimentemos esa certeza subjetivamente o no. Rodeados por su clara revelación, ninguno de nosotros debe tener dudas sobre la realidad de Dios.

4) Las pruebas y la palabra

He argumentado que la evidencia debe ser vista como un aspecto de un argumento ampliamente circular construido sobre presuposiciones cristianas y escriturales. En este enfoque, hay una relación cercana, incluso inseparable, entre la evidencia y la Palabra de Dios. Y eso, de hecho, es lo que encontramos en los propios usos de las pruebas de la Biblia, como demostrarán las siguientes consideraciones.

a. La Palabra de Dios acompaña a sus obras

En el Jardín, Adán escuchó la voz de Dios y vio su obra creativa. Su tarea era relacionarlas entre sí en una respuesta obediente. Dios nunca quiso que el hombre atendiera a la revelación natural mientras ignoraba su palabra hablada. Del mismo modo, después de la Caída, la revelación verbal de Dios acompañó a sus poderosas y "objetivas" obras redentoras. El patrón de la relación entre las obras salvadoras de Dios y las palabras reveladoras es que la profecía viene primero, luego el poderoso acto redentor, luego la revelación verbal para interpretar el acto. En el ministerio de Jesús y en el de los apóstoles, encontramos de nuevo una revelación verbal que explica e interpreta los milagros y los actos redentores. Así, por ejemplo, cuando Jesús se apareció a Tomás, la evidencia consistió no solo en las manos y el costado heridos de Jesús, sino también en las órdenes autorizadas de Jesús a Tomás: "Pon tu dedo aquí; mira mis manos. Extiende tu mano y ponla en mi costado. Deja de dudar y cree" (Jn. 20:27). La *tekmeria*, las "pruebas infalibles" por las que Jesús se mostró vivo después de su resurrección, fueron acompañadas por cuarenta días de enseñanza verbal (Hch. 1:3).[18] Y el gran milagro de Pentecostés, por citar otro ejemplo, es interpretado por el sermón de Pedro (Hch. 2:14-36).

b. Las obras de Dios presuponen un contexto bíblico de interpretación

Las obras de Dios en la naturaleza nunca se presentan en las Escrituras como eventos que deben ser interpretados con algún criterio "neutral" o no bíblico de verdad. Los "Salmos de la naturaleza" (por ejemplo, Sal. 8, 19, 29, 65, 104) son expresiones del pueblo redimido de Dios, que expresan su fe. Además, el Libro de los Salmos comienza hablando del hombre justo que "medita en la ley (de Dios) día y noche". Como estudiosos de las Escrituras, los salmistas veían toda la vida, y de hecho toda la naturaleza, a la luz de los estatutos de Dios.[19]

De la misma manera, los milagros de la Escritura nunca se presentan como "hechos aislados", como simples eventos de los que de alguna manera debe construirse todo el edificio de la verdad cristiana. Tampoco son eventos que se presentan sobre la base de un criterio "neutral". Más bien, los milagros presuponen un marco de interpretación ya existente. En la mayoría de los casos, si no en todos, los milagros son el cumplimiento de las promesas del pacto de Dios. Los milagros del Nuevo Testamento cumplen las expectativas mesiánicas del Antiguo Testamento. Son persuasivos no solo por su carácter extraordinario (Satanás también puede hacer cosas extraordinarias), sino porque recuerdan a la gente las obras y palabras del Antiguo Testamento de Jehová Dios. Así, la resurrección de Jesús se hizo creíble para los discípulos en el camino a Emaús cuando llegaron a ver cómo todas las profecías del Antiguo Testamento convergieron en Él (Lc. 24:13-32). Y de manera similar, el milagro de Pentecostés y los otros milagros de los Hechos fueron interpretados en el marco de la profecía del Antiguo Testamento (Hch. 2:1-41; 3:1-4:20; cf. también Hch. 26:22s.).

Incluso los discursos de Pablo a los gentiles en Listra y Atenas (el primero surgido de un milagro de curación, el segundo que atestigua el gran milagro de la Resurrección) contienen alusiones al Antiguo Testamento (cf. Hch. 14:15 con Ex. 20:11; Hch. 17:24 con 1 R. 8:27; Hch. 17:25 con Sal. 50:9-12; Hch. 17:26 con Dt. 32:8). El discurso de Atenas fue, en efecto, una continuación de la disputa de Pablo en la sinagoga (ver v. 17).[20] Los gentiles en estos discursos se presentan con hechos

---

[18] Ver: Thom Notaro, *Van Til and the Use of Evidence* (Phillipsburg, N.J.: Presbyterian and Reformed Pub. Co., 1980), 112ss.

[19] Me ha ayudado en esta área Stephen R. Spencer, en particular su trabajo "¿Es la teología natural bíblica?", hasta ahora inédito.

[20] Para más información sobre el discurso de Atenas, véase el capítulo 11, B, (3)

que se supone que ya conocen -las misericordias de Dios bajo la lluvia y el sol, su propia ignorancia, la inmanencia divina- que en su estado natural no han reconocido.   Lejos de afirmar ese estado natural y sus supuestos criterios autónomos, Pablo ordena a los gentiles que se arrepientan de él. No se trata de una apologética "neutra" sino de la predicación del Evangelio (Hch. 14:15). La conclusión que justifica esta predicación no es una mera probabilidad, sino una cierta proclamación del juicio divino y un mandato de arrepentimiento (Hch. 17:30 ss.).

Incluso cuando la referencia del Antiguo Testamento no es prominente, el uso de la evidencia milagrosa presupone un sistema de significado ya revelado. La Resurrección, por ejemplo, no es solo un hecho extraño; es la resurrección del Hijo de Dios que murió por nuestros pecados y resucitó para nuestra justificación. A Tomás el Dubitativo no le impresionó el puro milagro de que un hombre como Jesús apareciera en medio de una habitación cerrada con llave (Jn. 20:26). Incluso en su duda, se dio cuenta de que se necesitaba algo más que un evento maravilloso. Solo se convencería cuando viera la evidencia de que se trataba del mismo Jesús que fue crucificado. Y recibió esa evidencia solo cuando prestó atención a las palabras de Jesús. El milagro en sí mismo, de hecho, es una "señal" (20:30), una revelación de la verdad salvadora de Dios. Y el autor del cuarto Evangelio va más allá, elogiando a aquellos que no vieron el milagro pero que creen con base en su relato autoritario. El milagro, entonces, presupone un cierto contenido de verdad revelada.

En Hechos 2:14-36 y en Hechos 26, la Resurrección se sitúa en el contexto de la teología del Antiguo Testamento: dada la naturaleza y los propósitos del Dios del Antiguo Testamento, la resurrección de su Mesías-Hijo es totalmente creíble. La conclusión a la que se llega es que los oyentes son responsables de la muerte de Jesús y que deben arrepentirse o enfrentarse a un terrible juicio divino. Como señala Notaro, la Resurrección sirve aquí tanto como evidencia como presuposición, como parte de un argumento "ampliamente circular".[21]

En 1 Corintios 15, la Resurrección se presenta en un contexto de teología del Antiguo y el Nuevo Testamento; no se presenta simplemente utilizando "pruebas inductivas" aparte de un marco teológico de significado. Ciertamente, Pablo apela a los testigos para establecer el hecho de la Resurrección (vv. 3-14), pero incluso eso se presenta como parte de la instrucción apostólica autorizada de Pablo (v. 3). El punto no es tanto que los Corintios pudieran verificar la Resurrección por sí mismos consultando a los testigos, aunque eso es verdad y aunque ese hecho confirma lo que Pablo dice.

---

[21] Notaro, *Van Til*, 114ff.

El punto de Pablo es más bien que el testimonio de la Resurrección era parte de la predicación apostólica y por lo tanto debe ser aceptado como parte de ese testimonio apostólico. Después de hacer este punto, Pablo da una razón adicional por la cual la Resurrección debe ser creída: si es negada, todo el contenido doctrinal del cristianismo también debe ser negado (vv. 12-19). Pablo entonces pasa a comparar a Cristo con la figura de Adán del Antiguo Testamento y la redención de Cristo con la descripción del Antiguo Testamento de la condición pecaminosa del hombre (vv. 20-22). A continuación, Pablo presenta una discusión aún más teológica del papel que la Resurrección juega en el organismo de la revelación. Claramente, entonces, la Resurrección no es un "hecho bruto o aislado", y las bases para creerla no son "puramente empíricas" o "puramente inductivas". Las consideraciones empíricas, como los testigos, juegan un papel, pero el punto crucial es que la Resurrección es central para la revelación presuposicional: no podemos presuponer consistentemente a Cristo si negamos la Resurrección.

Algunos han afirmado que Juan 10:38 y 14:11 representan excepciones a este principio. En estos pasajes, se dice que Jesús ofrece a los hombres la alternativa de creer en sus obras, aunque no crean en su Palabra. Por lo tanto, se piensa que las obras son auto-probadas, aparte de cualquier conexión con la Palabra de Dios; son vistas como medios independientes para llegar a la fe. Tal conclusión, sin embargo, distorsiona el significado de estos textos. En Juan 10:37s., Jesús dice: "No me creas a menos que haga lo que hace mi Padre. Pero si lo hago, aunque no me creáis, creed en los milagros, para que aprendáis y comprendáis que el Padre está en mí, y yo en el Padre". La cuestión aquí es si Jesús hace las cosas que hace Dios Padre. El pasaje, por lo tanto, presupone una comprensión teológica: hay un Dios que tiene un cierto carácter. Sin duda, esa comprensión teológica viene del Antiguo Testamento; Jesús está aquí hablando con los judíos. Lo que Jesús les pide que hagan, por lo tanto, es lo siguiente: si no creen en sus palabras, deben comparar sus poderosas obras con lo que saben del Dios del Antiguo Testamento, comparando las obras de Jesús con el carácter revelado de Dios. No se les pide que acepten las obras poderosas como evidencia en sí mismas, sino solo en un contexto de verdad ya revelada sobre Dios.

Juan 14:11 es similar. De nuevo, la relación del Padre con Jesús está en juego, esta vez con un discípulo en lugar de con los enemigos de Jesús. Los milagros son evidencia de la unidad de Jesús con el Padre, y sin duda se esperaba que Felipe juzgara eso con base en la revelación del Antiguo Testamento. Obsérvese también en el versículo 10 que las palabras de Jesús se enumeran entre las obras que el Padre hace en Él.[22]

La unidad de palabra y obra es aún más evidente en el caso de aquellos (como nosotros hoy en día) que no han visto los milagros de primera mano, pero que escuchan el testimonio sobre ellos. En tales casos, creer en el milagro es creer en la revelación verbal. La credibilidad del milagro es la credibilidad del testigo verbal. Obviamente, no estamos en la posición de Tomás. Incluso si su demanda a Jesús podría en alguna medida estar justificada, no es una demanda que la gente moderna estaría justificada en hacer. No estamos en posición de verificar la resurrección de Jesús con pruebas empíricas directas. Debemos creer sobre la base del testimonio - la Palabra- que según Jesús es en cualquier caso el mejor camino a seguir (Juan 20:29).

c. Las obras de Dios muestran el significado de su palabra

He argumentado que el significado y la aplicación son casi sinónimos. Si eso es correcto, entonces al buscar el significado de un texto, es importante ver lo que su autor hace con él. La Palabra de Dios interpreta sus obras, como hemos visto, pero lo contrario también es cierto. La redención de Israel de Egipto mostró vívidamente qué clase de Dios liberador es. El lenguaje redentor de la Escritura se explica constantemente en referencia a ese gran evento. La obra de Cristo en su cruz y su resurrección ilumina, como ninguna otra cosa podría hacerlo, las misteriosas profecías de Isaías 53 y el Salmo 22. De hecho, si la Resurrección no hubiera ocurrido, dice Pablo, la esperanza cristiana no tendría sentido (1 Co. 15:12-19).

d. Las obras de Dios prueban la verdad de su palabra

Aquellos que ven las poderosas obras de Dios están obligados, con base en esa experiencia, a creer en Él. Y no solo ellos, sino también aquellos que escuchan o leen el testimonio autorizado de los testigos de estos eventos se espera que respondan positivamente. Así, tanto la obra poderosa en sí como el testimonio oficial de los actos poderosos de Dios obligan a creer.

El argumento, como hemos visto, es circular, pero no por ello poco convincente (véase el capítulo 2, D). Por lo tanto, somos libres y se nos anima a construir argumentos probatorios basados en suposiciones cristianas.

---

[22] Sobre este punto ver: Colin Brown, *Miracles and the Critical Mind* (Grand Rapids: Wm. B. Eerdmans Pub. Co., 1984).

(5) La prueba y la fe

¿Cuál es la respuesta adecuada a las pruebas para el cristianismo? El consentimiento intelectual nunca es suficiente. Buscamos nada menos que la verdadera fe. Pero un argumento por sí mismo nunca puede producir fe; esa es la obra del Espíritu. Sin embargo, es apropiado exigir fe al final de un argumento (ver Hechos 2:38), porque, aunque el argumento no produce fe, la garantiza y la justifica.

Por lo tanto, no se puede responder adecuadamente a la evidencia, a menos que se crea. Observen las palabras de Jesús a Tomás: "Pon tu dedo aquí; mira mis manos. Extiende tu mano y métela en mi costado. Deja de dudar y cree" (Jn. 20:27). Jesús no le pide a Tomás que haga un juicio imparcial y neutral de la evidencia. Más bien, lo llama a mirar la evidencia con fe. Otra forma de decirlo es que debemos mirar la evidencia con una presuposición creyente.

C. Justificación existencial

Aprendimos en la primera parte que hay una dimensión "existencial" en el conocimiento en general, ya que el conocimiento siempre implica un sujeto, un objeto y una ley. ¡No hay conocimiento sin un conocedor! Por lo tanto, el que una persona tenga conocimiento depende no solo de los objetos y las leyes del pensamiento, sino también de su capacidad personal para ser un conocedor. Sin embargo, puede parecer extraño, sobre todo en una perspectiva cristiana, relacionar esta "dimensión existencial" con la justificación del conocimiento. Las capacidades subjetivas son importantes para el conocimiento, pero ¿cómo desempeñan un papel en la justificación del conocimiento? Y si es así, ¿no introduce este hecho un elemento de subjetivismo en el proceso del conocimiento? A pesar de estas preguntas, creo que existe una "justificación existencial" del conocimiento de Dios (y, de hecho, del conocimiento de todo). Consideremos los siguientes puntos.

(1) Conocimiento y vida: Verdad pragmática

Sugerí anteriormente (capítulo 4, C) que la epistemología podía entenderse como una subdivisión de la ética. Saber es saber lo que debemos creer. Justificar nuestro conocimiento es establecer la presencia de ese "debería" ético. Y una vez que ese "debería" se establece, debemos aplicarlo a todo el resto de la vida (¡las aplicaciones son el significado!). Todas nuestras decisiones deben ser reconciliadas con lo que sabemos que es verdad. Debemos vivir en la verdad, caminar en la verdad, hacer la verdad. El conocimiento, por lo tanto, es una orientación éticamente responsable de la persona hacia su experiencia. Conocer es responder correctamente a las pruebas y normas que tenemos a nuestra disposición.

Sobre la base de este concepto de conocimiento, el incrédulo "no sabe nada de verdad". En ninguna área de la vida responde a la revelación de Dios en la rectitud ética. Argumenté en la primera parte que hay otro tipo de conocimiento mencionado en las Escrituras que el no creyente tiene. Es paralelo al conocimiento cristiano en algunos aspectos, y hace al incrédulo responsable de sus decisiones ante Dios. Puede llamarse "conocimiento" por su conformidad externa (en algunos aspectos) con la ley divina, pero su radical desorientación ética introduce una grave distorsión.

Sea como fuere, debe ser evidente que cuando tratamos de justificar una creencia, estamos tratando de reconciliar esa creencia con todos los aspectos de nuestra vida. Estamos buscando, es decir, una creencia con la que podamos vivir. Francis Schaeffer describe a John Cage, el compositor, como un hombre cuya filosofía dice que todo es azar, una filosofía que busca expresar en su música. Pero como un cultivador de hongos amateur, Cage no se atiene a su filosofía del azar. Más bien, presupone un orden, un mundo de leyes. Algunos hongos son hongos, otros son setas, ¡y es importante saber cuáles escoges para comer! Así que Cage no puede aplicar su filosofía del azar a toda la vida; no puede vivir con ello. Este hecho pone en duda si realmente lo cree o no. Diría que lo cree, pero no con fuerza ni coherencia; también tiene otras creencias que no son coherentes con ésta (porque no puede escapar a la revelación de Dios). Por lo tanto, no es capaz de aplicar su incredulidad a todas las áreas de su vida.[23]

Estas observaciones nos ayudan a ver que la justificación del conocimiento tiene, después de todo, una "perspectiva existencial", en la que la cuestión de la justificación adopta una forma distintiva. Desde la perspectiva normativa nos preguntamos: ¿Esta creencia es coherente con las leyes del pensamiento? Bajo la perspectiva situacional la pregunta era, ¿Mi creencia está de acuerdo con la realidad objetiva? Ahora llegamos a la perspectiva existencial en la que preguntamos, ¿Puedo vivir con esta creencia?

Anteriormente me he referido a dos de las clásicas "teorías de la verdad", la teoría de la coherencia (ver capítulo 5, A, (7)) y la teoría de la correspondencia (ver

---

[23] Los creyentes también son inconsistentes, como he dicho. La distinción es la misma que en la doctrina de la santificación: los creyentes no están bajo el dominio del pecado (error); los incrédulos sí.

capítulo 5, B, (2)). También ha habido una tercera teoría, formulada de diferentes maneras, pero que generalmente se puede resumir con un lema como "la verdad es lo que funciona". Podríamos llamar a esto la "teoría pragmática de la verdad". Algunos filósofos, como los griegos sofistas, han usado este tipo de principio en la defensa de un subjetivismo radical: no hay verdad objetiva, solo "verdad para mí"; lo que me funcione, eso lo creeré.

Por supuesto, una epistemología cristiana rechazará ese tipo de subjetivismo radical. Pero hay algo de verdad en el concepto pragmático de la verdad, sin embargo. Las Escrituras nos dicen que, a largo plazo, solo el cristianismo "funciona", es decir, solo el cristianismo trae la bendición plena y eterna de Dios sobre los que creen. Y, por supuesto, lo que "funciona" es al mismo tiempo lo que está de acuerdo con la ley de Dios. Obsérvense las frecuentes correlaciones entre la obediencia y la bendición en las Escrituras (por ejemplo, el Salmo 1). Y lo que "funciona" es también correlativo con la realidad objetiva. Recibimos las bendiciones de Dios cuando reconocemos la realidad como Dios la ha hecho y actuamos con base en ese reconocimiento. Así, la teoría pragmática de la verdad se convierte en otra "perspectiva" de una epistemología cristiana completa.

Cuando un cristiano pregunta, ¿puedo vivir con esta creencia?, la vida a la vista es la vida regenerada en su máxima madurez. Nos preguntamos si nuestras creencias son consistentes con una conciencia y experiencia cristiana completamente santificada. Buscamos garantizar nuestras creencias mostrando que son los productos legítimos de un corazón regenerado. Así como justificamos las acciones éticas mostrando que surgen de un motivo adecuado, un motivo de fe y amor, aquí buscamos justificar nuestras creencias mostrando que son las salidas de la nueva vida dentro de nosotros, de hecho, que son el "fruto del Espíritu".

(2) Persuasión y prueba

Otra forma de señalar lo mismo es decir que la justificación de la creencia apunta a la persuasión. Es decir, no buscamos simplemente validar declaraciones sino persuadir a la gente. La justificación del conocimiento es una actividad orientada a la persona. Al tratar de justificar nuestras creencias, a menudo buscamos persuadir a otros y a veces a nosotros mismos, pero siempre se intenta persuadir de alguna manera.

Como ha señalado George Mavrodes,[24] es posible tener un argumento perfectamente válido (las premisas implican la conclusión) y perfectamente sólido (las premisas, y por lo tanto la conclusión, son verdaderas) que sin embargo no logra persuadir. Consideremos su ejemplo.

Nada existe o Dios existe. Algo existe. Por lo tanto, Dios existe.

El argumento es válido, y Mavrodes lo cree sólido porque cree en Dios.[25] Evidentemente, sin embargo, hay muchos que no se dejarían persuadir por este argumento. Por lo tanto, en la construcción de los argumentos, es importante prestar atención no solo a su validez y solidez, sino también a su poder de persuasión. Nuestro objetivo no es establecer proposiciones sino persuadir a la gente.

Por lo tanto, hay un elemento existencial en la justificación del conocimiento. Una proposición que está de acuerdo con las leyes del pensamiento y con la realidad objetiva es, podríamos decir, objetivamente justificada. Pero no tengo justificación para creerla a menos que haya aceptado esas leyes y realidades en mi propio sistema de valores, a menos que se hayan vuelto persuasivas para mí.

Mavrodes sugiere que la prueba también debería definirse en lo que él llama una forma "persona-variable", de modo que un argumento pueda ser una prueba para una persona y no para otra. Su formulación para una prueba es la siguiente: "Habremos probado una declaración a N si y solo si conseguimos presentar a N un argumento que sea convincente para él".[26] Si ignoramos el elemento de la persuasión o "convicción", dice Mavrodes, podemos encontrarnos construyendo "pruebas" perfectamente válidas y sólidas que no son de ninguna ayuda para nadie.

(3) "Descanso cognitivo"—Un sentido de satisfacción piadoso

¿Qué es lo que hace que un argumento sea persuasivo para una persona y no para otra? Parece misterioso. Cuando alguien me pregunta por qué estoy persuadido, suelo referirme a normas y hechos. ¿Qué más hay? Sin embargo, a dos personas se les pueden presentar las mismas normas y hechos, y una será persuadida, la otra no. Vemos la diferencia cuando observamos nuestros propios procesos de deliberación. Digamos que intento decidir entre dos conclusiones incompatibles, A y B. Después de completar mi investigación, me inclino por la posición A. Pero estoy inquieto.

---

[24] *Belief in God* (New York: Random House, 1970), 17–48.

[25] Si Dios existe, la primera premisa es cierta. Una frase compuesta conectada por "o" es verdadera si una de las dos cláusulas componentes es verdadera.

[26] Ibid., 35.

Lo medito. Vuelvo a examinar las pruebas que me inclinaban hacia A. Pero al reflexionar un poco más, esas mismas pruebas me empujan cada vez más hacia B. No es necesariamente que se presenten nuevos argumentos. Más bien, puede ser que argumentos que antes parecían sólidos ahora parezcan poco sólidos o quizás menos importantes, y viceversa. Después de un tiempo, decido adoptar la posición B, y me encuentro en reposo. En un momento anterior, me sentí incómodo; sentí que había que pensar más. Ahora ya no siento la necesidad de repensar el problema.

¿Qué ha sucedido para moverme de la posición A a la posición B? Las pruebas no han cambiado; los argumentos no han cambiado. En cierto sentido, no se ha añadido nada nuevo. ¿Es que mi decisión final se ha visto respaldada simplemente por más tiempo dedicado a pensar? Pero a veces paso muchos años pensando sin sentir ese "descanso cognitivo". Otras veces solo toma un segundo o dos. No parece haber ninguna cantidad particular de tiempo de pensamiento que genere una sensación de convicción.

La única forma en que puedo describirlo sonará terriblemente subjetivo para algunos lectores, pero les pido su indulgencia. El "descanso cognitivo" parece diferir de mis estados mentales anteriores debido a la presencia de algo muy parecido a un sentimiento. No es como una sensación de calor o frío, sino como la sensación de satisfacción que uno experimenta al completar una tarea. Es la sensación de que ahora uno puede comprometerse con la creencia de que puede "vivir" con ella. A veces esta sensación es apenas perceptible y bastante común, como cuando me comprometo con la creencia de que el correo de la mañana ha llegado. Otras veces es estimulante, como cuando hago un gran descubrimiento que cambia la vida, como la verdad del cristianismo.

Llegar al descanso cognitivo sobre el cristianismo es lograr un "sentido de satisfacción divina" con el mensaje de las Escrituras. Llega un momento en el que ya no luchamos contra la verdad, sino que la aceptamos de buena gana. Hay personas que "siempre están aprendiendo, pero nunca son capaces de reconocer la verdad" (2 Ti. 3:7). Luchan toda su vida, pero nunca llegan a ese sentido piadoso de satisfacción en la Palabra de Dios. Pero cuando alcanzamos esa satisfacción, a veces el sentimiento es casi palpable, como en el caso de los discípulos que se encontraron con el Jesús resucitado en el camino de Emaús. "¿No ardían nuestros corazones dentro de nosotros —dijeron— mientras hablaba con nosotros […]?" (Lc. 24:32). Sin embargo, ya sea que el sentimiento sea intenso o no, cada cristiano llega al punto en que puede decir: "Sí, esto es para mí; puedo vivir con esto".

(4) Conocimiento, regeneración y santificación

Teológicamente, cuando hablamos del "descanso cognitivo", estamos hablando de la regeneración noética (relacionada al intelecto) y la santificación, el "testimonio interno del Espíritu Santo".[27] El Espíritu acompaña a Su Palabra para producir convicción (Jn. 3:3ss.; 1 Co. 2:4-5, 14; 1 Ts. 1:5; 1 Jn. 2:20s., 27). También, la "mente de Cristo", su sabiduría, se comunica a los creyentes (Mt. 11:25s.; Lc. 24:45; 1 Co. 1:24, 30; 2:16; Fil. 2:5; Col. 2:3). Y para completar la Trinidad, hay también pasajes que hablan de Dios Padre como maestro de su pueblo (Mt. 16:17; 23:8ss.; Jn. 6:45). El descanso cognitivo, entonces, en el que uno se compromete con el cristianismo, viene por la gracia de Dios, nada menos.[28]

El descanso cognitivo es un elemento de salvación. El pecado nos ha alejado del verdadero conocimiento (Ro. 1; 8:7, 8; 1 Co. 2:14; Ef. 1:19-2:6; 4:17-19), pero la gracia de Dios en Cristo es suficiente para rescatarnos de esta ignorancia (Ez. 36:25ss.; Jn. 1:11ss.; 3:1-8; 6:44ss., 65; 7:17; 11:40; Hch. 16:14; 1 Co. 8:1-4; 12:3; 2 Co. 4:3-6; Ef. 1:17s.; 2:1-10; 3:18s.; Col. 3:10; 1 Ts. 1:9ss.; 1 Ti. 1:5-11; 1 Jn. 2:3-6, 9-11, 20-27; 4:2ss., 8, 13-17; 5:2ss., 20).

La regeneración, sin embargo, no transmite inmediatamente al creyente un sentido de descanso cognitivo sobre todos los asuntos relacionados con la fe. Nuestro compromiso básico presuposicional con Cristo comienza con la regeneración, pero otros compromisos se desarrollan de forma más gradual, o al menos tardamos un tiempo en ser conscientes de ellos. Así pues, no solo hay regeneración noética, sino también santificación noética (o, dicho de otro modo, tanto santificación noética definitiva como santificación noética progresiva). Hay un cambio radical cuando nuestra relación con Cristo comienza y un cambio gradual después.

Las Escrituras enseñan que este cambio gradual es inseparable del proceso general de santificación; la seguridad en cuestiones cognitivas es inseparable del crecimiento en la obediencia y la santidad. Los teólogos dicen a veces que "la vida cristiana está fundada en la doctrina cristiana"; pero también funciona a la inversa:

---

[27] Ver: John Murray, "The Attestation of Scripture," en P. Woolley and N. Stonehouse, eds., *The Infallible Word* (Grand Rapids: Wm. B. Eerdmans Pub. Co., 1946; republicados por Presbyterian and Reformed Pub. Co.); también mi "The Spirit and the Scriptures," en D. A. Carson and J. Woodbridge, eds., *Hermeneutics, Authority, and Canon* (Grand Rapids: Zondervan Publishing House, 1986), 213–35.

[28] Cf. las referencias a la "Palabra como presencia de Dios" y a la "Palabra a través de los medios de comunicación personales" en mi Doctrina de la Palabra de Dios, aún no publicada.

nuestra capacidad para discernir la verdad doctrinal (y otras) depende de la madurez general de nuestras vidas cristianas. A este respecto, véase Juan 7:17, y un grupo de pasajes que hacen un uso interesante de la prueba *(dokimazein)*.

a) En Romanos 12:1s., Pablo nos insta, en vista de las misericordias de Dios, a ofrecer nuestros cuerpos como sacrificios vivos, y eso implica la inconformidad con el mundo y la transformación en santidad. Este es el proceso de renovación ética, y es por este proceso, dice Pablo, que podremos "probar" cuál es la voluntad de Dios. Esto es lo contrario de lo que solemos oír, que (en términos generales) es que debemos aprender la voluntad de Dios y entonces podremos ser más santos. Ese consejo es bastante cierto, pero también funciona al revés: transfórmate, y entonces tu mente renovada será capaz de discernir la voluntad de Dios.

b) Efesios 5:8 describe claramente nuestra condición caída: una vez fuisteis tinieblas. ¡Pero ahora somos luz! Esta luz se define como transformación ética en el versículo 9. Es durante el proceso de transformación ética que "probamos" lo que agrada al Señor (v. 10).

c) En Filipenses 1:9s., Pablo ora para que el amor de los filipenses abunde cada vez más en el conocimiento y la profundidad del entendimiento. Una vez más, la renovación ética es la fuente de un conocimiento más profundo. Luego, en el versículo 10, Pablo dice que es ese conocimiento más profundo el que nos ayuda a "probar" lo que es más excelente (tal vez lo que es más adecuado o apropiado hacer en una ocasión particular), y que a su vez nos lleva a una mayor pureza e intachabilidad. Una vez más, observe la relación circular entre la santificación ética y la comprensión cristiana.

Hebreos 5:11-14 es un pasaje similar, aunque no usa *dokimazein*. El autor está impaciente por comenzar su enseñanza sobre Melquisedec, pero sabe que su audiencia no está preparada para una instrucción tan profunda. Son "lentos para aprender", listos solo para la enseñanza "elemental". Su problema es que son niños, espiritualmente inmaduros (v. 13), sin "experiencia" de la palabra de justicia. La madurez, en cambio, significa que sus "facultades" han sido "ejercitadas por el uso constante para discernir el bien y el mal" (v. 14). Obsérvese de nuevo que la madurez teológica se produce junto con la madurez ética. La capacidad de comprender a Melquisedec se produce a medida que aprendemos a discernir el bien y el mal. Y esta madurez ética no ocurre principalmente en el aula sino en el calor de la guerra cristiana; hay "ejercicio" *(gymnazein)* y "uso" *(hexis)*. La vida cristiana es un proceso de entrenamiento: cuanta más experiencia tengamos tomando decisiones difíciles en obediencia a Dios, mejor podremos hacerlo en el futuro. Cuanto mejor seamos capaces de tomar decisiones éticas, más equipados estaremos para tomar decisiones teológicas; las dos son de una pieza con la otra.

Por lo tanto, la capacidad de llegar al descanso cognitivo en relación con la enseñanza cristiana viene con la santificación, con el crecimiento en la santidad. Muchos malentendidos doctrinales en la iglesia se deben sin duda a esta inmadurez ético-espiritual. Necesitamos prestar más atención a este hecho cuando nos metemos en disputas teológicas. A veces, lanzamos argumentos una y otra vez, una y otra vez, tratando desesperadamente de convencernos unos a otros. Pero a menudo hay en uno de los contendientes —o en ambos— el tipo de inmadurez espiritual que impide la percepción clara. Todos sabemos cómo funciona en la práctica. Por falta de suficiente amor por el otro, buscamos interpretar los puntos de vista de la otra persona en el peor sentido posible. (Olvidamos la tremenda importancia del amor, incluso como concepto epistemológico; *cf.* 1 Co. 8:1-3; 1 Ti. 1:5s.; 1 Jn. 2:4s.; 3:18s.; 4:7s.). Por falta de suficiente humildad, también sobreestimamos el alcance de nuestro propio conocimiento. En tal caso, con uno o más debatientes inmaduros, puede ser mejor no buscar un acuerdo inmediato en nuestra controversia. A veces, necesitamos retroceder un poco, por un tiempo. Necesitamos irnos y pasar algún tiempo —mes o años, tal vez— en un trabajo constructivo para el Señor, luchando la guerra cristiana, ejerciendo nuestras facultades morales. Entonces podemos volver más tarde a la cuestión doctrinal y abordarla de nuevo desde un punto de vista más maduro. ¿Ve cómo los problemas teológicos pueden a veces, en efecto, tener soluciones prácticas?

¿Cuántos seminaristas, me pregunto a menudo, tienen la madurez espiritual para justificar las decisiones teológicas que se les pide que tomen en preparación para la licenciatura y la ordenación? En este contexto, las palabras de Pablo adquieren una nueva importancia: "No ordene a un novato, o se volverá engreído y caerá en el mismo juicio que el diablo" (1 Ti. 3:6).

(5) "Ver como"—Perspectivas existenciales y normativas

Sobre este "descanso cognitivo", esta "sensación de satisfacción divina", ¿podemos decir algo más al respecto? Muchas preguntas surgen en este punto, ya que estas ideas son bastante vagas y misteriosas. En particular, algunos podrían estar preocupados por la coherencia de estos conceptos con la doctrina de la suficiencia de las Escrituras. ¿Es esta "satisfacción" una nueva revelación del Espíritu? ¿Es un añadido al canon? ¿Es una norma adicional? Si no lo es, ¿qué es?

Defiendo firmemente la doctrina de la Reforma sobre la suficiencia de la Escritura.[29] Pero los reformadores no vieron ninguna dificultad en afirmar tanto la suficiencia de la Escritura como la necesidad del testimonio del Espíritu. Dejaron claro (porque incluso en su época había malentendidos en este ámbito) que el testimonio del Espíritu no era una nueva revelación, sino que la obra del Espíritu era iluminar y confirmar la revelación ya dada. En la Escritura, el testimonio del Espíritu es para Cristo (Jn. 14:26; 15:26; 16:9ss., 13ss.) y para la Palabra de Dios (1 Co. 2:4; 1 Ts. 1:5). El Espíritu atestigua que la Palabra es verdadera, ¡pero la Palabra ya nos lo ha dicho!

Aun así, las Escrituras no se resisten a describir esta obra como una obra de revelación (Mt. 11:25ss.; Ef. 1:17). Es revelación en el sentido de que, a través del ministerio del Espíritu, estamos aprendiendo algo de lo que de otra manera seríamos ignorantes; estamos aprendiendo la Palabra de Dios. O, dicho de otra manera, estamos siendo "persuadidos", "noéticamente regenerados y santificados", "llevados al descanso cognitivo". Se nos está dando una "sensación de satisfacción divina".

La obra del Espíritu también nos ayuda a usar y aplicar la Palabra. Obviamente, el Espíritu no puede asegurarnos la verdad de la Escritura a menos que también nos enseñe su significado. Y el significado, como hemos visto, incluye las aplicaciones. Podemos ver esto en 2 Samuel 11 y 12 donde David pecó contra Dios cometiendo adulterio con Betsabé y enviando a su marido, Urías, a su muerte. Aquí, David, el "hombre según el corazón de Dios", parecía atrapado en una peculiar ceguera espiritual. ¿Qué le pasó a David? En cierto sentido, conocía perfectamente las Escrituras; meditaba en la ley de Dios día y noche. Y no era ignorante de los hechos del caso. Sin embargo, no tenía la convicción de pecado. Pero el profeta Natán se acercó a él y le habló de la Palabra de Dios. No reprendió a David directamente, sino que le contó una parábola, una historia que hizo que David se enfadara con otra persona. Entonces Natán le dijo a David: "Tú eres el hombre". En ese momento, David se arrepintió de su pecado.

¿Qué había aprendido David en ese momento? Ya conocía la ley de Dios, y, en cierto sentido, ya conocía los hechos. Lo que aprendió fue una aplicación de lo que la ley decía de él. Anteriormente, puede que haya racionalizado algo como esto: "Los reyes de la tierra tienen derecho a tomar las mujeres que quieran; y el comandante en jefe tiene derecho a decidir quién lucha en el frente. Por lo tanto, mi relación con Betsabé no fue realmente un adulterio, y mi orden a Urías no fue realmente un asesinato." Todos sabemos cómo funciona eso; lo hemos hecho

---

[29] Vea mi *Doctrina de la Palabra de Dios,* aún no publicada.

nosotros mismos. Pero lo que el Espíritu hizo, a través de Nathan, fue quitar esa racionalización.

Así, David llegó a llamar a sus acciones por sus nombres correctos: pecado, adulterio, asesinato. Llegó a leer su propia vida en términos de los conceptos bíblicos. Llegó a ver su "relación" como adulterio y su "orden ejecutiva" como asesinato. Aprendió a "ver como".

"Ver como" es un concepto interesante que han explorado varios pensadores recientes, en particular Ludwig Wittgenstein. "Ver como" no es lo mismo que "ver". Una persona, mirando una cierta imagen, la verá como un pato, otra como un conejo.

Fig. 3. El conejo-pato.

En cierto sentido, ven las mismas líneas en el papel. Pero ven diferentes patrones, diferentes formas, o *gestalts*. Así es con nosotros cuando buscamos ver nuestras vidas a la luz de las Escrituras. Una persona verá una relación sexual como un "coqueteo recreativo"; otra lo verá como un adulterio. A veces el asunto se complica cuando parece haber más de una posible interpretación bíblica de un evento. Supongamos que siento ira. ¿Es esta la ira justa que Jesús mostró con los cambistas en el templo, o es la ira asesina que prohíbe en todas las circunstancias? ¿En qué categoría bíblica encaja?

Esas preguntas no son obviamente preguntas sobre hechos o normas. Uno no suele responderlas simplemente dando información o una orden. Más bien, lo que se necesita es una exhortación que nos ayude a ver las cosas de una manera diferente. Por lo tanto, el arte y los matices juegan un papel particular aquí. Nathan no se limitó a repetir la ley, sino que contó una historia. Esa historia tuvo el efecto de sacudir a David de su racionalización, de ayudarle a hacer diferentes patrones de los hechos, a llamar a las cosas por sus nombres correctos. Debemos ser más sensibles a las circunstancias y ocasiones en que esos métodos son apropiados en la teología.

Gran parte de la obra del Espíritu en nuestras vidas es de esta naturaleza, asegurándonos que las Escrituras se aplican a nuestras vidas de manera particular. El Espíritu no añade nada al canon, pero su trabajo es realmente un trabajo de enseñanza, de revelación. Sin esa revelación, no podríamos hacer uso de la Escritura en absoluto; sería letra muerta para nosotros.

Así, en un sentido, el Espíritu no añade nada; en otro sentido, lo añade todo. Cuando se nos pide que justifiquemos nuestras creencias cristianas, no señalamos al Espíritu sino a la Palabra, porque es la Palabra la que declara la justificación. Pero aparte del Espíritu, no tendríamos conocimiento de esa justificación. Y a menudo se vuelve importante, en la justificación de las creencias, (1) dar evidencia de nuestra propia madurez espiritual y así indicar nuestras calificaciones espirituales para hacer las declaraciones que hacemos, y (2) declarar nuestra justificación de una manera debidamente artística para ayudar a la otra persona a ver la verdad como lo hacemos nosotros.

(6) Una perspectiva existencial corporativa

La mayor parte de la discusión anterior se ha centrado en el conocimiento de Dios del individuo que viene a través de su propia conciencia privada e interior. No me disculpo por eso. Dios se preocupa por cada individuo y se relaciona con cada uno de nosotros individualmente. En cierto modo, todos somos diferentes, con diferentes herencias, historias de vida, dones naturales y espirituales, y debilidades naturales y espirituales. Dios cuenta cada cabello y observa la caída de cada gorrión; todas las diversidades de la creación están en su mano. Él satisface las necesidades especiales de cada individuo con su gracia salvadora. Las Escrituras cuentan con amor las historias de cómo el amor de Dios se encuentra con los individuos. Y nos dice que hay alegría en el cielo por un pecador que se arrepiente.

Sin embargo, se puede argumentar que el énfasis de las Escrituras es diferente. Ese énfasis no está en la salvación de los individuos sino en la salvación de un pueblo. A lo largo de la historia, Dios se ha preocupado por las familias, las naciones y, de hecho, por el mundo. Su objetivo no es simplemente la perfección de los individuos, sino la perfección de la iglesia, el cuerpo de Cristo.

Efesios es una de las porciones más notables de la Escritura en ese sentido. También es un libro que tiene mucho que decir sobre el conocimiento de Dios. Hemos citado Efesios 1:17s.; 3:14-19; y 5:8-21 en lo que respecta a la perspectiva existencial. Estos textos muestran que el conocimiento de Dios es inseparable del testimonio revelador y santificador del Espíritu. Pero el "conocimiento" en Efesios no parece ser principalmente el conocimiento que cada uno de nosotros tiene como individuo sino el conocimiento que la iglesia comparte como un cuerpo. Se atribuye a "usted" (plural). Es un conocimiento "junto con todos los santos" (3:18). El resultado final de ese conocimiento es:

> Hasta que todos alcancemos la unidad en la fe y en el conocimiento del Hijo de Dios y maduremos, alcanzando la medida total de la plenitud de Cristo... Creceremos en todas las cosas hasta llegar a quien es la cabeza, es decir, Cristo. De él todo el cuerpo, unido y sostenido por todos los ligamentos de soporte, crece y se edifica en el amor, mientras cada parte hace su trabajo (4:13, 15s.).

La "madurez" de la que se habla aquí no es la madurez de cada individuo, aunque eso esté implícito, sino la madurez del cuerpo corporativo a medida que crece hasta convertirse como Cristo, su Cabeza. Es mejor, entonces, ver el conocimiento, también, como algo compartido por todo el cuerpo, aunque por supuesto el conocimiento de los individuos no es irrelevante para eso.

Por lo tanto, parece que hay una especie de "conocimiento" poseído por la iglesia, así como un conocimiento poseído por los individuos. Al igual que el conocimiento de los individuos, el conocimiento de la iglesia puede ser visto desde tres perspectivas: se basa en las normas de las Escrituras, en las realidades de la creación y la redención, y también en la obra de Cristo y el Espíritu en la santificación corporativa del cuerpo (Ef. 4:4s.; 5:22-33).

La "sociología del conocimiento" tiene mucho que decir sobre el efecto de las lealtades de grupo en los compromisos de creencia. Mucho se ha escrito en esta área desde los puntos de vista marxista y freudiano y de los filósofos de la ciencia como Kuhn, Hanson y Polanyi. Nuestras presuposiciones y nuestras opiniones sobre los objetos del mundo están profundamente afectadas por nuestras diversas relaciones interpersonales —familia, nacionalidad, religión, partido político o ideología, situación económica, educación, ocupación, asociación profesional, etc. Los grupos tienden a desarrollar "mentes de grupo", que, sin determinar el pensamiento de los individuos dentro de los grupos, sí influyen profundamente.

Tendemos a desconfiar del "pensamiento grupal", y en la mayoría de los casos con razón. Hay importantes beneficios intelectuales en el cultivo de la independencia de pensamiento. Pero es imposible escapar completamente de nuestras asociaciones con otros, y tal independencia total no es realmente deseable. Lo ideal (una situación previa) sería que toda la raza humana trabajara en equipo, buscando juntos todos los misterios de la creación, confiando los unos en los otros, colaborando pacíficamente en un gran edificio de aprendizaje, cada uno contribuyendo con su parte a un cuerpo de conocimiento mucho más grande de lo que cualquier individuo podría comprender.

Algo así es lo que Dios pretende para su iglesia. Quiere que crezcamos juntos hacia un conocimiento de Él que es más amplio que cualquiera de nosotros, que, maravillosamente, de alguna manera coincide con el de su Cabeza, Jesucristo (*cf.* Ef. 4:15s.).

Y por supuesto, el crecimiento del conocimiento corporativo enriquecerá a cada individuo. Cuando la iglesia alcance la madurez, sus individuos "ya no serán niños" (Ef. 4:14). Por lo tanto, es sabio que escuchemos a la iglesia cuando habla a través de sus ancianos-maestros y su disciplina judicial (Mt. 18). La iglesia y, obviamente, las iglesias no son infalibles, pero tienen la autoridad para gobernar la enseñanza dentro de su jurisdicción. Las personas de las iglesias deben cultivar un espíritu de sumisión y humildad, reconociendo que en la mayoría de los casos todo el cuerpo de creyentes (especialmente todo el cuerpo a lo largo de la historia de la iglesia) sabe más que cualquier miembro. Si la conciencia me obliga a ir en contra del cuerpo, entonces debo tomar mi posición, pero aun así no debo precipitarme. Ni siquiera la conciencia es infalible; debe ser entrenada para discernir adecuadamente, de acuerdo con la Escritura.

Y por supuesto la iglesia hace más por nosotros que simplemente anular nuestros errores. Incluso si nunca cometemos errores, sería a través de los procesos de discutir los temas, amarse unos a otros (Ef. 4:16), llevar las cargas de los demás (Gá. 6:2), luchar juntos en la guerra cristiana, que llegamos a la plenitud del conocimiento. Dios nos ha dado a cada uno de nosotros como regalos para los demás (Ef. 4:4-13).

¿Debería este asunto ser discutido bajo la perspectiva existencial, o (como en mi syllabus, *Doctrina de la vida cristiana*) bajo la situacional? (Allí, el cuerpo de creyentes funcionaba como un aspecto de nuestra situación que nuestro conocimiento debe tener en cuenta). Bueno, ya que todas las perspectivas son interdependientes, no importa mucho. La iglesia también tiene una función normativa, una autoridad derivada de Dios, como hemos visto. Pero las Escrituras parecen presentar el conocimiento corporativo principalmente como una especie de subjetividad superindividual que crece y se desarrolla como lo hace el individuo, con el cual el individuo se relaciona principalmente no como sujeto al objeto sino como miembro al cuerpo. Por lo tanto, mi subjetividad es parte de la de la iglesia, y su subjetividad es la plenitud de la mía; un dolor que se siente en el dedo es experimentado y comprendido plenamente solo por todo el cuerpo.

(7) ¿Autonomía de nuevo?

En toda la discusión anterior, hemos concedido en efecto cierta verdad a la posición subjetivista: No puedo considerar justificada ninguna creencia a menos que esté de acuerdo con mis inclinaciones subjetivas. "Descanso cognitivo", "sentido de satisfacción", "ver como", ¿cuáles son estas condiciones sino subjetivas? Pero, ¿no hemos abierto la puerta a la autonomía humana?

El subjetivista no cristiano diría que sí. Argumenta que, si quieres ser racionalista, empirista, kantiano, platonista, budista, marxista o cristiano, solo puedes aceptar estos puntos de vista por medio de tu propia autoridad autónoma. Si aceptas el racionalismo, lo aceptas, finalmente, porque te atrae. Si aceptas el platonismo, lo aceptas porque te parece correcto, porque puedes vivir con él. Y lo mismo es cierto para aceptar el cristianismo, ¡Cómo argumentarían los subjetivistas no cristianos! Por lo tanto, ya sea que seamos racionalistas, empiristas, cristianos, o lo que sea, todos somos esencialmente subjetivistas de corazón, el argumento es. ¿Se puede responder a esta crítica?

Creo que sí. Recordemos nuestra anterior discusión sobre el subjetivismo (ver capítulo 4, D, (3)). El subjetivismo es o bien una autorreflexión (reivindicando un conocimiento objetivo del hecho de que no hay un conocimiento objetivo) o bien una renuncia al diálogo epistemológico (en cuyo caso no tiene nada que decirnos). Además, así como el racionalismo, el empirismo y otros sistemas pueden ser presentados (como en el caso anterior) para reducirlos al subjetivismo, lo contrario también es cierto: ¡el subjetivismo se reduce a ellos! Porque el subjetivista debe elegir qué elemento de su subjetividad será "verdad para él". Debe elegir su norma, sus objetos de entre muchas posibilidades. Puede elegir como norma la razón, la experiencia sensorial, el Corán o la Biblia, pero cuando lo haga, ya no será un subjetivista.

Nuestra preocupación actual, sin embargo, es si bajo nuestra perspectiva existencial hemos hecho algún compromiso fatal con el subjetivismo, de modo que nuestra posición final sea autónoma, en lugar de la posición de siervos del pacto. No lo creo. Una pequeña reflexión nos mostrará que, entendida en un marco de supuestos cristianos, la perspectiva existencial es realmente idéntica a las otras dos.

Una perspectiva existencial cristiana no insta a la gente a seguir sus sentimientos sin crítica, haciendo y pensando lo que, en la primera impresión, le parezca bien. Nos damos cuenta de que lo que se siente bien inicialmente puede sentirse mal más tarde. Y hay muchos sentimientos buenos que no son sentimientos de "descanso cognitivo". El descanso cognitivo que buscamos es un profundo sentido de satisfacción con nuestras creencias, que a menudo requiere mucha búsqueda, análisis y oración. Y no es cualquier "sentido profundo de satisfacción". Más bien, es un sentido de plena conformidad con la revelación de Dios. No buscamos cualquier sentimiento, sino ese sentimiento. Y sabemos cómo llega, por más difícil que sea a veces: llega a través de probar todas nuestras ideas con el criterio de la Escritura, aplicando ese criterio a todo el cuerpo de nuestra experiencia. Para un cristiano, ningún otro criterio produce esa clase de seguridad, ese "sentido de satisfacción piadoso".

Así, el sentido de satisfacción piadosa puede ser definido en términos de la Escritura. Lo que me satisface es lo que creo que la Escritura garantiza. O puede ser definido situacionalmente como un sentimiento de que he entendido los hechos. ¡Las tres perspectivas son una! El Espíritu de santificación no nos llevará a ningún otro lugar que a la Palabra de Dios y a un verdadero entendimiento de su creación.

D. ¿Qué perspectiva es la última?

Racionalistas, empiristas y subjetivistas a lo largo de los años han tratado cada uno de hacer justicia a las preocupaciones de los demás. Sin embargo, normalmente han argumentado que hay que dar primacía a uno de estos enfoques. Los racionalistas están de acuerdo en que debemos prestar atención a la experiencia de los sentidos y a los sentimientos para ayudarnos en la vida, pero insisten en que, en caso de conflicto, el voto final y decisivo debe ir a la razón. ¡La razón, después de todo, debe decidir qué uso del sentido y la subjetividad es razonable! ¿Dónde más podemos recurrir?

Los empiristas responderían que lo que pensamos que es "razonable" depende de los hábitos de pensamiento desarrollados a lo largo de nuestra experiencia. Cualquier afirmación de racionalidad debe ser probada mirando los hechos. Todas las teorías deben ser juzgadas por los hechos, no viceversa.

El subjetivista, entonces, señalará que lo que llamamos "razonable" y "factual" depende mucho de lo que queremos creer, y en última instancia tales argumentos nos persuaden solo si queremos creerlos.

Pero el empirista y el racionalista responderán al subjetivista: no debes sentirte tranquilo hasta que sepas lo que es realmente cierto. ¿Y cómo sabes cuando has encontrado el descanso? ¿Cómo puedes identificar ese sentimiento, si no tienes criterio ni conocimiento de los hechos?

Así que damos vueltas y vueltas en un círculo. Y los cristianos a veces se plantean las mismas preguntas, en efecto, sobre nuestras tres perspectivas. Se preguntan cuál es la "anterior" o la "última". Comúnmente, los cristianos quieren que la perspectiva normativa sea primaria debido a la suprema autoridad de las Escrituras. Otros (tal vez más sofisticados) toman nota de que la Biblia, aunque inspirada e infalible, es un relato de algo más —creación, caída, redención. Esos eventos, dicen, son más últimos, más fundamentales que el relato bíblico de ellos. Por lo tanto, debemos mirar a través de la Biblia a los eventos descritos en ella. Un tercer grupo de cristianos, aunque están de acuerdo con los demás en la autoridad de la Escritura y la importancia de los eventos descritos en ella, encuentran el centro del cristianismo en la nueva vida, el corazón transformado, por el cual solo la Escritura y su historia pueden ser apropiadas. Entonces el primer grupo responde que el corazón es transformado solo por la escucha obediente de la Palabra, y así sucesivamente, y así sucesivamente.

Bueno, ¿realmente necesitamos elegir? ¿No podemos estar de acuerdo con todos estos grupos y decir que hay una dependencia mutua (en última instancia una identidad) entre las tres perspectivas? Por supuesto que la Escritura es autoritaria. Por supuesto que la leemos, no por su propio bien, sino por el bien de su enseñanza. Por supuesto que no podemos apropiarnos del Libro o de la enseñanza sin corazones renovados. Por supuesto que no podemos obtener corazones renovados sin apropiarnos del Libro y su enseñanza.

La objeción más fuerte contra tales prioridades mutuas y recíprocas entre las tres perspectivas es la que proviene de los "normativistas" —la perspectiva normativa debe ser absolutamente superior porque la Escritura es superior. Es, después de todo, nuestra autoridad suprema. Esta objeción, sin embargo, no reconoce que hay una diferencia entre la Biblia y la "perspectiva normativa". Las dos no son iguales. La perspectiva normativa no es la Biblia. Es mi comprensión de la Biblia en sus relaciones conmigo y con toda la creación. Bajo la perspectiva normativa, examino todo mi conocimiento, centrándome en la Escritura (pero también en otras formas de revelación normativa de Dios). Bajo la perspectiva normativa, examino todo mi conocimiento como "aplicación de la Escritura" (véase este capítulo, A, (4)). Así entendida, la perspectiva normativa es ciertamente importante, pero no es la Biblia, y la primacía de la Escritura no implica por sí misma la primacía de la perspectiva normativa. Sobre todo, porque las otras dos perspectivas también se ocupan de la Escritura: la situacional la considera como el "hecho" central de la estructura de autoridad, la existencial como el dato subjetivo más autorizado. En última instancia, las tres perspectivas difieren solo en el énfasis o el enfoque. Cada una incluye las otras dos, y así las tres cubren el mismo territorio; tienen el mismo contenido.

Por lo tanto, mantengo que las tres perspectivas son igualmente últimas, igualmente importantes. Cada una depende de las otras, de modo que sin las otras no podría ser inteligible.

E. Justificación en la Apologética

Todo bien y bueno para la teología, se podría decir. ¿Pero qué pasa si estás tratando de presentar la verdad a un incrédulo? Está bien que los creyentes busquen la verdad examinando el mundo según el criterio de las Escrituras hasta llegar al descanso cognitivo. ¿Pero cómo podemos esperar que un incrédulo acepte tal procedimiento? No aceptará el criterio de las Escrituras, y por lo tanto no aceptará los mismos hechos que nosotros, y no estará de acuerdo con nosotros en cuanto a cuándo debe encontrar el descanso cognitivo.

Así va la objeción. Pero, yo respondo, ¿qué alternativa hay? ¿Razonar con alguna otra autoridad? Pero eso sería idólatra y alejaría al incrédulo de la verdad. ¿Deberíamos evitar cualquier autoridad, razonando de forma neutral? Pero no hay neutralidad.

Así que razonamos de la única manera que Dios quiso que razonáramos. Razonamos de la única manera que nos llevará a la verdad. Por un lado, si el no cristiano rechaza esto, rechaza su única esperanza. Pero eso es su propia culpa; "en lo profundo de su corazón", él sabe mejor. Por otro lado, si acepta nuestro testimonio, lo acepta por gracia.

No hay ningún método especial de justificación en la apologética, aparte del que usamos en la teología y, de hecho, en todo el resto del conocimiento. Solo hay una verdad y una manera de encontrarla. Aquellos que no les gusta ese camino son como el paranoico de nuestra ilustración anterior (ver este capítulo, A, (6), e). Podemos orar por ellos, dar testimonio ante ellos, incluso razonar con ellos (a nuestra manera, no a la de ellos), pero no podemos transigir con sus presuposiciones incrédulas. Más bien, buscamos llevar cada pensamiento cautivo a Cristo (2 Co. 10:5).

TERCERA PARTE:

LOS MÉTODOS DE CONOCIMIENTO

Ahora pasamos al tema del método. Aquí la pregunta es ¿Cómo obtenemos el conocimiento? En esta parte de nuestro estudio, nos centraremos algo más estrechamente que antes en las preocupaciones específicas de la teología y la apologética. Hemos visto, por supuesto, que no hay una línea clara entre el conocimiento teológico y todos los otros tipos de conocimiento —"todo conocimiento es teologizar". Sin embargo, considerar todas las formas de conocimiento en detalle, sería un proyecto poco realista para un libro de este tamaño. Así pues, pensaremos en la teología en un sentido algo estrecho, confiando, por supuesto, en que lo que aprendamos aquí sobre la teología será en cierta medida (y de manera importante) aplicable también a otras disciplinas.

En cierto sentido, esta parte del libro se centrará en la "perspectiva existencial", ya que nos estamos preguntando qué debe hacer el sujeto para obtener el conocimiento que busca. Sin embargo, como hemos visto, las tres perspectivas se superponen y se cruzan regularmente. Así, también en el área del método, hay aspectos normativos, situacionales y existenciales.[1] Aquí, la perspectiva normativa se ocupará de nuestro uso de la Escritura (sin olvidar que la Escritura debe entenderse en el contexto de la revelación de Dios en la naturaleza y en el yo). La perspectiva situacional se ocupará del uso de hechos extrabíblicos y "herramientas" (como las ciencias) para descubrir esos hechos (sin olvidar que la propia Escritura es el criterio de conocimiento de los hechos y que los hechos no se entienden aparte de un marco interpretativo personal). La perspectiva existencial se ocupará de las capacidades, habilidades, facultades y actitudes del conocedor pertinentes a su conocimiento (sin olvidar que esos asuntos deben entenderse a través de las Escrituras y aplicarse a nuestras circunstancias).

Esta parte, por lo tanto, tendrá cuatro secciones. Los capítulos 6 a 10 tratarán del método teológico bajo las tres perspectivas, y el capítulo 11 discutirá asuntos de interés específico para la apologética.

Por supuesto, no existe un "método teológico" en el sentido de una serie de pasos definidos por los que se puedan resolver todos los problemas teológicos. Como veremos, la teología es en muchos aspectos más parecida a un arte que a una

---

[1] Si se quiere multiplicar las categorías técnicas, se puede considerar que esta parte trata de las perspectivas existencial-normativa, existencial-situacional y existencial-existencial. Y, por supuesto, éstas pueden subdividirse aún más en existenciales-normativas-normativas, existenciales-normativas-situacionales, y así sucesivamente, ad infinitum. Sin embargo, no creo en la multiplicación de un aparato técnico más allá de su utilidad prevista, por lo que no utilizaré una estructura tan detallada.

ciencia (aunque la ciencia en sí misma es más parecida al arte de lo que a menudo se reconoce). Siempre hay muchos factores a sopesar, muchos peligros a evitar, muchos procedimientos para resolver las cuestiones. Cada problema es de alguna manera diferente de todos los demás. Sin embargo, hay puntos generales que tienen cierta utilidad en una amplia gama de cuestiones, algunas de las cuales trato de describir en lo que sigue.

CAPÍTULO SEIS: LA PERSPECTIVA NORMATIVA - EL USO DE LAS ESCRITURAS

Cuando discutimos el uso de la Escritura en la teología, estamos, por supuesto, entrando en el área de la hermenéutica bíblica. Los expertos en hermenéutica generalmente son expertos en lingüística o en estudios del Antiguo o Nuevo Testamento o en filosofía Heideggeriana, ninguna de las cuales está entre mis áreas de especialización. Por lo tanto, soy reacio a entrar en la discusión hermenéutica como tal. Sin embargo, me siento obligado a discutir algunos temas que no se han tratado extensamente en la literatura hermenéutica pero que, sin embargo, tienen una importante relación con nuestro uso teológico de la Escritura.

A. ANTIABSTRACCIONISMO

Una preocupación común de la exégesis y la teología ha sido que la Escritura se lea "en contexto". En el nivel más simple eso significa que cuando tratas de entender Juan 3:16, debes relacionar ese versículo con Juan 3:1-15 y 17-21, los versículos que vienen antes y después de él. Pero hay, por supuesto, muchos niveles de "contexto". A menudo es útil relacionar un verso no solo con lo que viene inmediatamente antes y después de él, sino también con las preocupaciones más amplias del libro en el que se encuentra. Otro contexto podría ser el lugar del verso en el corpus de los escritos de un autor en particular (en nuestra ilustración, los escritos juaninos). O bien, se podría preguntar cómo se relaciona un pasaje con otros pasajes con vocabulario o preocupaciones similares o con otros del mismo género literario o con otros de propósito común. O uno podría preguntarse la función del versículo en el contexto general del Nuevo Testamento o incluso de toda la Biblia. Un pasaje del Nuevo Testamento podría estar relacionado con su "fondo" del Antiguo Testamento o un texto del Antiguo Testamento con su "cumplimiento" del Nuevo Testamento. O uno podría preguntarse sobre el "contexto" extrabíblico del versículo. ¿Cómo se relaciona con la vida de la iglesia primitiva, con la cultura general de la época, con nuestra situación actual? ¿Cuál es su relación con las diversas realidades descritas en la Escritura, con Dios mismo, con Cristo, con la redención? Y si el texto enseña una doctrina particular, siempre es útil ver cómo se relaciona con otras doctrinas, con su "contexto doctrinal". Dado que este tipo de contexto es especialmente importante para la teología, me gustaría examinarlo con más detalle.

Los teólogos siempre han tratado de presentar sus doctrinas "en relación con" las demás. Rara vez se han contentado con formular una doctrina como la doctrina de la creación ex nihilo, por ejemplo. Más bien, han tratado de describir también las relaciones entre esa doctrina y otras doctrinas, como la soberanía divina, el poder de la Palabra de Dios, la regeneración y la renovación cósmica. Es ese tipo de preocupación (unida, por supuesto, al deseo de lograr cierto grado de exhaustividad) lo que ha llevado a muchos a escribir "sistemas" de teología.

Sin embargo, en el período moderno, la preocupación por el contexto y la relación se ha convertido en una preocupación omnipresente, tal vez incluso fundamental, de los teólogos, incluso de los teólogos que se oponen a la idea misma de un sistema teológico, como ilustran las siguientes citas.

> La Palabra de Dios no es algo que deba describirse, ni un concepto que deba definirse. No es ni un contenido ni una idea. No es "una verdad", ni siquiera la más alta verdad. Es la verdad porque es la persona de Dios la que habla, *Dei loquentis persona.* No es algo objetivo. Es el objetivo, porque es lo subjetivo, es decir, lo subjetivo de Dios. Ciertamente la Palabra de Dios no es la posibilidad formal del discurso divino, sino su realidad plena. Siempre tiene un contenido objetivo perfectamente definido. Dios siempre pronuncia un *concretissimum*. Pero este *concretissimum* divino no puede ser ni anticipado ni repetido. Lo que Dios pronuncia nunca es conocido y verdadero en abstracción de Dios mismo. Es conocido y verdadero por ninguna otra razón que por el hecho de que Él mismo lo dice, que Él en persona está y acompaña lo que dice... debemos considerarlo en su identidad con Dios mismo. La revelación de Dios es Jesucristo, el Hijo de Dios.[1]

Obsérvese cómo la distinción entre "concreto" y "abstracto" impregna esa cita. La Palabra de Dios, dice Barth, nunca debe ser abstraída de Dios mismo. Ni la Palabra

---

[1] Karl Barth, *Church Dogmatics* (New York: Charles Scribner's Sons, 1936), I, 1, 155.

"conocida" o "verdadera" en abstracción del propio Dios. Dios está en la Palabra y es la Palabra. Por lo tanto, su relación con Él es su característica más importante y debe, en opinión de Barth, determinar todo lo demás que decimos sobre la Palabra. Además, el contenido de la Palabra, lo que dice, es siempre "perfectamente concreto" (*concretissimum*).

La cita de Barth es un buen ejemplo de lo que yo llamo "antiabstraccionismo" en la teología moderna. Destaca la importancia de ver ciertas cosas "en el contexto de" o "en relación con" otras cosas (en la cita anterior, ver la Palabra de Dios en relación con Dios mismo). Ver algo en su propio contexto es verlo "concretamente". Cuando no lo vemos de esa manera, lo estamos viendo "abstractamente". Algunos sinónimos comunes (más o menos) para "en abstracción de" son "en aislamiento de", "separado de", "aparte de" e "independiente de". "Concretamente" puede ampliarse para indicar el contexto específico de la concreción: "en relación con x", "en relación con x", "en su identidad con x" (recuerde esta terminología en la cita de Barth). A veces, sin embargo, "concreto" y "abstracto" se utilizan de manera absoluta, por así decirlo (estoy tentado de decir "abstracto"), sin una relación particular a la vista. La abstracción no es una abstracción de algo en particular, y la concreción no es una relación particular con algo. El "*concretissimum*" de la cita anterior se utiliza de esa manera. Barth nos dice que Dios siempre pronuncia un "*concretissimum*", pero no parece en este punto significar que la pronunciación esté en relación con algo en particular.

Ese tipo de argumentación es muy común en Barth, pero también en muchos otros teólogos recientes. Aquí hay algunos otros ejemplos:

> Toda abstracción ha sido quitada de [nuestro pensamiento] cuando a la luz de la Palabra concreta de Dios vemos el lugar desde el cual, sin precipitación, debemos escuchar la revelación que es para nosotros y para nuestros hijos.[2]
>
> ¿Qué sabemos entonces de ti? Todo. Porque ya no sabemos nada aislado de él... En el principio es la relación.[3]
>
> Los autores de las Escrituras nunca hacen abstracciones, nunca teologizan, ni siquiera a Pablo.[4]

---

[2] G. C. Berkouwer, *Divine Election* (Grand Rapids: Wm. B. Eerdmans Pub. Co., 1960), 25. Berkouwer es el "sumo sacerdote del antiabstraccionismo". Este tipo de argumento impregna todos sus escritos.

[3] Martin Buber, *I and Thou* (New York: Charles Scribner's Sons, 1958), 11, 18.

[4] A. De Graaff, in A. De Graaff and C. Seerveld, *Understanding the Scriptures* (Hamilton, Ont.: The Association for the Advancement of Christian Scholarship, 1968), 2; cf. 9, 11.

Por "palabra" no entendemos la palabra aislada. Esta palabra, como unidad de lenguaje, es una abstracción frente a la concepción original de la palabra como contenedora de un encuentro.[5]

... Dios no era una proposición que completara un silogismo, o una idea abstracta aceptada por la mente, sino la realidad que daba sentido a sus vidas.[6]

Con esta visión dinámica de la revelación como un proceso continuo (porque Dios no está muerto, sino que es el Señor de la historia) no estamos atados por palabras fijas o por formulaciones históricas de la fe. El factor importante en la educación son las relaciones. El lenguaje mediante el cual comunicamos la verdad de Dios que actúa en la historia y en la vida de los hombres es el lenguaje de las relaciones.[7]

No avanzaremos en el problema de la gracia común con la ayuda de abstracciones.[8]

Así vemos que escritores de muchas posiciones teológicas —tanto conservadoras como liberales— de diferentes orientaciones filosóficas y de diferentes intereses, todos cantan las alabanzas de la concreción, las relaciones, etc., y denuncian la abstracción, la separación y el aislamiento. Por lo tanto, podemos preguntarnos, ¿cómo es que la abstracción tiene tan mala fama entre los teólogos recientes?

Es una larga historia, y no puedo acortarla mucho, pero trataré de ser lo más conciso posible. Los filósofos siempre han buscado lo que podría llamarse el "contexto ideal" para el pensamiento. Según escritores posteriores, Tales, considerado el primer filósofo griego, enseñó que "todo es agua". Podemos, tal vez, interpretar esto como la afirmación de que el agua es la realidad más fundamental y que otras cosas pueden ser mejor comprendidas considerando su relación con el agua. Otros filósofos no estaban de acuerdo con Tales y buscaban otros tipos de "contextos maestros", la mayoría de ellos mucho más complejos.

Podemos describir la búsqueda de un "contexto maestro" como una búsqueda de "concreción" en nuestro sentido teológico, una búsqueda para descubrir las relaciones más significativas en este mundo. Sin embargo, irónicamente, como parece desde nuestra perspectiva moderna, los griegos veían la abstracción como una herramienta indispensable y valiosa en la búsqueda de la concreción. Tales, después de todo, tuvo que pensar muy abstractamente para concluir que el agua era la esencia de todo. El agua, para él, se convirtió en el "ser", la más alta abstracción.

---

[5] G. Ebeling, *The Nature of Faith* (Philadelphia: Fortress Press, 1961), 185.

[6] John Hick, *Philosophy of Religion* (Englewood Cliffs, N.J.: Prentice-Hall, 1963), 61.

[7] Randolph C. Miller, *Education for Christian Living* (Englewood Cliffs, N.J.: Prentice-Hall, 1956).

[8] C. Van Til, *Common Grace* (Nutley, N.J.: Presbyterian and Reformed Pub. Co., 1972), 74; cf. 34, 68, passim.

Los filósofos atomistas (Demócrito, Epicuro y más tarde el poeta latino Lucrecio) parecían ser una excepción a este patrón general entre los pensadores griegos. Ellos veían el universo no como "agua" o "ser" abstracto (Parménides) sino como una colección de pequeños objetos indestructibles. Esos diminutos "átomos" ciertamente aparecen, a los ojos de nuestra mente, como realidades concretas. Pero los atomistas llegaron a esta visión del mundo por medio del razonamiento abstracto. Nadie había visto nunca un átomo; no era un elemento de la experiencia de nadie. Los atomistas, además, postularon la existencia de los átomos como algo común a todos los seres, despojados de todas esas cualidades que distinguen a un ser de otro. En estos aspectos, los átomos eran tan abstractos como el "agua" de Tales o como el "ser" de Parménides.

Ciertamente parecía, por lo tanto, que la abstracción era el camino real hacia el conocimiento, incluso el conocimiento de las realidades concretas. En la abstracción buscamos, de una manera u otra, pensar en lo que varias cosas tienen en común, aparte de los "detalles" que las distinguen. Pensamos en Coby, Misty, Muffy, Midge, Bonnie, Pebbles y Rusty, y los agrupamos bajo el término general ("abstracto") corgi galés. Luego pensamos en corgi galés, collies, cocker spaniels, bracos de Weimar, caniches, etc., y los agrupamos bajo el término abstracto de perro. Luego, tal vez, queramos pasar a niveles más altos de abstracción: mamífero, animal, forma de vida, criatura y (el más alto) ser.[9]

Es comprensible que para muchos pensadores esa abstracción se considerara el mejor camino hacia el conocimiento. Después de todo, la educación puede entenderse como el proceso por el cual aprendemos a ver niveles cada vez más altos de semejanza entre las cosas. Es un logro en el aprendizaje cuando observamos, por ejemplo, lo que todos los perros corgis tienen en común, de modo que podemos utilizar el término abstracto corgi para referirnos a esa similitud. Los avances en el desarrollo intelectual (en algunos niveles y de algún tipo) pueden medirse por la creciente capacidad de la persona para utilizar términos y conceptos abstractos. Por lo tanto, es razonable suponer que los mejores pensadores son los que piensan de manera más abstracta. Después de todo, alguien que sabía sobre el "ser", la más alta abstracción, ¡sabía algo sobre todo! Y era el pensador abstracto, por lo que parecía, quien más sabía, incluso sobre lo concreto. Porque la persona que conoce la "corginidad" es la que conoce las relaciones (similitudes) entre Coby, Misty, etc.

---

[9] Así, "pensar en forma abstracta" es pensar en generalidades. Sin embargo, tal vez debamos señalar que en la discusión teológica moderna es posible "pensar abstractamente" incluso sobre un individuo en particular. "Pensamos abstractamente" sobre Coby, por ejemplo, cuando lo consideramos "separado de", "aislado de", "en abstracción de" su "contexto" de Misty, Muffy y otros, por ejemplo.

La persona que conoce sobre los perros en general es la que conoce las diferentes relaciones entre corgis, collies, etc., y por lo tanto entre Coby, Misty y el resto. Al menos esa línea de razonamiento parecía un programa epistemológico prometedor.

Pero había problemas para relacionar la abstracción con la concreción. Resultó que centrarse en abstracciones cada vez más elevadas no era el camino hacia el conocimiento perfecto. Era, de hecho, un camino que tenía muchas desventajas. El hombre que pasa su tiempo pensando en el "ser en general", ignorando las características específicas de las cosas individuales, resulta que no sabrá mucho en absoluto. Alguien que piensa mucho en la "Perrocidad", sin aprender nada sobre los perros individuales, será ignorante en ciertos aspectos significativos. Los términos abstractos añaden generalidad a nuestro conocimiento, pero restan especificidad. En cierto sentido, cuanto más alto se sube en la escalera de la abstracción, menos se sabe sobre cosas específicas. "Coby" denota un perro específico; "corgi galés" no. "Corgi galés" denota ciertas propiedades específicas de un cierto tipo de perro; "perro" no. Por lo tanto, cuando un filósofo busca el conocimiento llegando a los niveles más altos de abstracción, a menudo no dice nada importante sobre el mundo en el que todos vivimos, el mundo de las realidades específicas.

Esta discusión puede estar relacionada con las discusiones sobre "irracionalismo" y "racionalismo" de la Primera Parte. A través del conocimiento abstracto, un racionalista puede tratar de obtener un conocimiento exhaustivo y cierto de la realidad. Pero cuanto más alto se mueve en la escalera de la abstracción, en un sentido, menos sabe. "Ser", la abstracción más alta, se refiere a todo, pero no denota nada específico sobre nada. "Todas las cosas son seres" no nos dice nada sobre todo! Como Hegel señaló, es imposible incluso distinguir de manera significativa entre el "ser" como una generalidad y el "no-ser" (cierre los ojos, y trate de imaginar la diferencia entre ellos). O pensarlo de esta manera: "Todas las cosas son seres" es una afirmación sin aplicaciones específicas y por lo tanto no tiene sentido, de acuerdo con nuestras anteriores discusiones sobre el significado. Así, el racionalista, que sostiene que el único conocimiento verdadero es el conocimiento de las más altas abstracciones, no es mejor que el irracionalista. El irracionalista no sabe nada; el racionalista no sabe nada de todo.[10]

Los filósofos llegaron a ver, entonces, que se necesitaba algo más que la abstracción. Los griegos sofistas y escépticos vieron que el proyecto abstraccionista

---

[10] Van Til se refiere a esto como el "problema del uno y del muchos". Por un lado, la abstracción nos da "unidad" entre muchos detalles, pero nos pone fuera de contacto con las diferencias entre estos detalles, sus pluralidades. Por otra parte, un enfoque en las pluralidades puede ponernos fuera de contacto con las unidades de la experiencia.

no llevaba a ninguna parte. Esta sospecha de pensamiento abstracto fue recogida por los nominalistas medievales y los empiristas modernos. Incluso los racionalistas buscaron algún tipo de anclaje en los particulares, especialmente el conocimiento del yo como la declaración de Sócrates "Conócete a ti mismo" y como ilustra el "Pienso, luego existo" de Descartes. Aristóteles y Aquino buscaron un papel para la experiencia de los sentidos en el conocimiento e hicieron del conocimiento de las cosas individuales ("sustancias") el foco de toda comprensión. Pero para ellos, aun así, el conocimiento en el sentido más verdadero era el conocimiento de la forma de una cosa, de sus propiedades abstractas. Lo que distinguía a un perro de otro era la "materia", algo que era estrictamente incognoscible, de hecho, era en sentido estricto el no ser, la irrealidad. Por lo tanto, seguían siendo "abstraccionistas"; nunca resolvieron los problemas del abstraccionismo.

La teología, también, se frotó bajo las limitaciones de la metodología abstraccionista. Después de todo, la Escritura significa sobre todo decirnos algo muy específico, no verdades generales sobre el ser-como tal, sino sobre el Señor, el Dios vivo, sobre acontecimientos históricos específicos en los que Dios nos salvó del pecado, sobre nuestro propio carácter, decisiones, acciones, actitudes, etc. Las pruebas teístas que concluían la existencia de "una primera causa" o de "un movimiento inmóvil" no parecían decir lo que había que decir. Así, los cristianos generalmente han tenido dificultades con la abstracción como método teológico preeminente.

Por lo tanto, se desarrolló entre los pensadores el deseo de encontrar una nueva forma de conocer, una forma que fuera menos dependiente del pensamiento abstracto y más útil para aumentar nuestro conocimiento de las realidades concretas. Immanuel Kant (m. 1804) sugirió un método "trascendental". Argumentó que el pensamiento humano (incluido el pensamiento abstracto) era incapaz de conocer el mundo "real" —"las cosas en sí mismas", "el mundo noumenal", las cosas como realmente son. Sin embargo, podemos lograr un conocimiento fiable de nuestras propias experiencias (de las "apariencias" o los "fenómenos") planteando la pregunta: ¿Cuáles son las condiciones que hacen posible el pensamiento? La propuesta de Kant fue un paso hacia la "concreción", un énfasis en el conocimiento como conocimiento de nuestra propia experiencia y de la naturaleza de nuestra propia capacidad de razonamiento.

G. W. F. Hegel, el siguiente gran filósofo después de Kant, pensó que, al contrario que Kant, podríamos conocer el "mundo real" si lo conociéramos correctamente. Aceptó el punto de vista de Kant de que la mente humana se enreda en contradicciones cuando busca el conocimiento más allá de su experiencia inmediata. Pero en opinión de Hegel, estas contradicciones solo son aparentes, y, si somos lo suficientemente inteligentes, podemos usarlas como pistas de la naturaleza de la realidad última. Las contradicciones muestran que el mundo real, el mundo "concreto", es una mezcla de características positivas y negativas. Cada estado de cosas se niega a sí mismo mientras avanza hacia el siguiente estado de cosas. Las situaciones generan sus opuestos, que, al mismo tiempo, completan y cumplen las situaciones originales. De manera similar, el pensamiento humano se mueve de una idea a su opuesto hasta que llega a un conocimiento "absoluto" consumado. Este conocimiento absoluto era el conocimiento de una realidad absoluta, un "universal concreto", como lo llamó Hegel. Esperaba y creía que había descubierto un programa para alcanzar la plenitud del conocimiento sin perder la concreción.

Otros, sin embargo, rebatieron la afirmación de Hegel. Soren Kierkegaard, por ejemplo, argumentó que el sistema de Hegel era incapaz de dar cuenta de la individualidad humana. Ningún sistema, pensó Kierkegaard, era capaz de eso. El verdadero autoconocimiento trasciende todos los sistemas racionales y solo puede lograrse a través de algo como una decisión de fe (*cf.* nuestra discusión en la Segunda Parte sobre el "descanso cognitivo", o "sentido de satisfacción divina" bajo la "perspectiva existencial"). Más tarde, los filósofos "fenomenólogos" y "existencialistas" trataron de describir más a fondo el camino de Kierkegaard hacia el conocimiento concreto, ya sea en el propio marco cristiano de Kierkegaard o en una forma secularizada. Distinguieron entre el conocimiento "abstracto" y "objetivo" descubierto por las ciencias y el conocimiento concreto de la experiencia preteórica o no teórica.

Mientras tanto, en Gran Bretaña y Norteamérica los filósofos del análisis del lenguaje llegaron a descubrir importantes diferencias entre lo que se podía aprender de los sistemas abstractos y lo que solo se podía determinar prestando atención a las experiencias de la vida ordinaria, como se describe en el "lenguaje ordinario".

Al mismo tiempo, se puso en duda la supuesta objetividad de la propia ciencia (véase mi análisis en la segunda parte). Sociólogos del conocimiento, lingüistas modernos, marxistas, freudianos, kuhnitas y otros, así como filósofos fenomenólogos, argumentaron que la ciencia en sí misma comienza con presuposiciones derivadas de nuestra "concreta" experiencia no científica.

El antiabstraccionismo, por lo tanto, ha sido omnipresente en el clima filosófico moderno. Tanto los racionalistas como Hegel y (más o menos) los irracionalistas como los existencialistas han visto valor en él. El racionalismo moderno evita la abstracción para poder buscar el conocimiento exhaustivo de todos los detalles; el irracionalismo moderno trata de evitar las limitaciones de un sistema de racionalidad abstracta.

El clima filosófico influye inevitablemente en las mentalidades teológicas. Los cristianos tienen, como indicamos anteriormente, sus propias razones para sospechar de la abstracción. Y los teólogos liberales han añadido sus propias razones distintivas, especialmente una aversión por la "revelación proposicional", "doctrina revelada". Dado que las proposiciones y doctrinas se formulan en términos que son abstractos en algunos aspectos y grados, los teólogos liberales consideraron conveniente argumentar que Dios, y tal vez la humanidad también, no podía ser conocida o experimentada por medio de abstracciones. Tanto los motivos de "trascendencia" como los de "inmanencia" (véase la primera parte) se han utilizado para alejar a Dios del alcance de las abstracciones. Por una parte, la doctrina de la trascendencia (no cristiana) sostiene que Dios es único y, por lo tanto, no puede ser descrito adecuadamente por ningún concepto abstracto (recuerde que todo concepto abstracto se refiere a más de un ser; el argumento es que no hay ningún otro ser con el que se pueda unir a Dios bajo una etiqueta abstracta común). Por otra parte, la doctrina de la inmanencia (no cristiana) trata de evitar toda formulación que "aísle" o "separe" o "haga abstracto" a Dios del mundo.

Sin embargo, la retórica antiabstraccionista se utiliza no solo de la relación Dios-hombre o Dios-mundo, sino también de las relaciones dentro de la creación: la relación de la Biblia con la historia, de los creyentes con la iglesia, de los creyentes con los incrédulos, del cristianismo con la cultura, etc. Se nos dice que la teología también debe hacerse siempre "en relación con" ciertas realidades, conceptos bíblicos, categorías teológicas. Así hemos tenido una era de "teologías de" esto y aquello: teologías de la esperanza, de la liberación, del encuentro personal, de la Palabra de Dios, de la crisis, de la reconciliación, de pacto, del sentimiento, de la historia, del reino de Dios, de la autocomprensión existencial, etc.

Así, Schleiermacher, el padre de la teología liberal moderna, argumentó que ninguna doctrina puede ser aceptada "a menos que esté conectada con la causalidad redentora [de Cristo] y pueda ser rastreada a la impresión original hecha por su existencia".[11] Nótese el uso algo vago de "conectado con", típico del vocabulario antiabstraccionista. Ritschl trató de evitar las especulaciones llevando a sus lectores a la situación histórica concreta en la que apareció el cristianismo. Barth, como hemos visto, hace un uso extensivo del contraste abstracto-concreto. Brunner, Buber y otros teólogos del "encuentro" evacúan la revelación de todo el contenido, excepto la pura relación entre Dios y las personas humanas. Bultmann sigue el enfoque existencialista, presentando un evangelio que considera totalmente alejado

---

[11] F. Schleiermacher, *The Christian Faith* (Edinburgh: T. and T. Clark, 1928), 125.

de los conceptos objetivos o abstractos. Pannenberg sigue a Hegel, tratando de lograr una racionalidad "concreta", en la que se hace difícil distinguir a Dios del proceso histórico. Los liberacionistas modernos y los teólogos del proceso buscan un Dios que "no esté separado del" mundo, aunque el Dios que afirman haber encontrado apenas se distingue de él.

El antiabstraccionismo, entonces, es una mentalidad que impregna la teología contemporánea - conservadora, liberal, católica romana, protestante, reformada, arminiana. Entra en casi todos los temas de discusión teológica. Creo, por ejemplo, que el principal argumento teológico de los teólogos liberales contra la doctrina ortodoxa de la autoridad bíblica es de tipo antiabstraccionista. Los liberales sostienen que la visión ortodoxa "abstrae" la Escritura del propio Dios, de Cristo, de la historia, del encuentro personal, de la "praxis" socioeconómica, etc. También hay, por supuesto, argumentos sobre si la ciencia, la arqueología o la crítica bíblica han demostrado errores en las Escrituras. Estos argumentos, como todos los argumentos, son en cierto modo teológicos, pero su carácter teológico no es evidente hasta que se identifican los presupuestos que subyacen a las diversas posiciones. De los argumentos que son explícitamente teológicos, todos ellos, en mi opinión, son del tipo antiabstraccionista. Además, muchas otras cuestiones teológicas se plantean de manera similar en este tipo de debate. Por lo tanto, es importante que desarrollemos una perspectiva analítica y crítica sobre el antiabstraccionismo. Y así considerar en ese sentido las siguientes observaciones.

(1). Los significados de "abstracto" y "concreto"

Los significados de lo abstracto y lo concreto no siempre son tan claros como podrían parecer.

i) Ya he mencionado la ambigüedad entre los usos absolutos y relativos de estos términos: algo puede describirse como "abstracto de" otra cosa (por ejemplo, una visión de la Biblia en abstracción de Jesucristo) o como "abstracto" puro y simple (por ejemplo: "ser es un término abstracto"). El primero puede describirse como un uso "relativo" del abstracto, el segundo como un uso "absoluto".

ii) El término "abstracto" y "concreto" puede aplicarse a diferentes tipos de sujetos. Se puede hablar de términos abstractos o concretos, conceptos, realidades, proposiciones, discusiones, métodos, incluso actitudes (¡ver más abajo!).

iii) En el sentido "absoluto", estos términos se aplican generalmente a palabras, conceptos y realidades (cosas, personas). En el sentido "relativo", se aplican a todos los diferentes tipos de sujetos enumerados en el inciso número ii. Cuando se aplican a las palabras, conceptos y cosas en sentido relativo, el centro de atención suele ser una discusión o un método que emplea esas palabras, conceptos y cosas o una actitud hacia ellas.

Por ejemplo, alguien nos instará a ver la gracia "concretamente" en un contexto de justicia, por ejemplo. Ese punto es realmente un punto sobre nuestra formulación, método o actitud, más que sobre la naturaleza intrínseca de la gracia como término, concepto o realidad (aunque a menudo se hace hincapié en que se necesita una formulación, método o actitud adecuados si queremos comprender la naturaleza de la gracia). Por lo tanto, discutiré el uso "absoluto" de estos términos en lo que se refiere a las palabras, conceptos y realidades y el uso "relativo" en lo que se refiere a las discusiones, métodos y actitudes.

(2). El sentido absoluto de lo "abstracto" y lo "concreto"

Veamos primero la "abstracción" y la "concreción" en el sentido absoluto como se aplican a las palabras, conceptos y realidades. Las palabras, los conceptos y las realidades, por supuesto, no son del todo similares, y no todos tienen los mismos tipos de "concreción" y "abstracción". No obstante, los problemas planteados a estos tres niveles son similares.

i) Obsérvense algunos usos absolutos de nuestros términos: "El ser es un término abstracto", "la justicia es un concepto abstracto", "ese árbol es una realidad concreta". Este uso "absoluto" no es, en algunos aspectos, absoluto en absoluto, ya que permite diferencias de grado. Hay muchos grados de abstracción en este sentido (Coby, corgi galés, perro, mamífero, forma de vida, criatura, ser). No siempre está claro en la literatura antiabstraccionista qué grado de abstracción es permisible y qué grado está prohibido.

ii) No solo hay diferentes grados de abstracción y concreción, sino que también hay diferencias de tipo. Los teólogos modernos utilizan "abstracto" y "concreto" no solo para referirse a los niveles de la escala de abstracción tradicional, sino también para referirse a diversos tipos de "separaciones" entre las cosas. Así leemos sobre "la revelación en abstracción de Dios". Podríamos hablar, entonces, de "la tiza en abstracción de la pizarra". Pero por supuesto, hay muchos tipos diferentes de relaciones entre la tiza y el pizarrón, la revelación y Dios, y por lo tanto muchas formas en las que las "separaciones" pueden ocurrir. La no identidad entre objetos (o, de manera similar, la no sinonimia entre términos) puede ser un tipo de separación (recordemos la cita de Barth en la que insistía en una identidad entre Dios y la Palabra, considerando cualquier relación menor como "abstracta"). Pero la tiza y el pizarrón también pueden estar separados por la distancia (hay, por supuesto, muchos grados de separación por la distancia) o por sus diferentes funciones o por tener diferentes colores o formas o texturas o componentes materiales. Pueden estar "juntas" en una relación, "separadas" en otra. Análogamente, Dios y la Palabra se relacionan de muy diversas maneras. Dios habla la Palabra; en una visión ortodoxa la escribe en papel; la Palabra lleva su sabiduría, y así sucesivamente. Si afirmo esto, pero niego la supuesta relación de Barth entre Dios y la Palabra, ¿estoy pensando de forma abstracta? Obviamente no.

iii) Si alguien responde que no se permite ningún grado o tipo de abstracción, entonces debemos cuestionar la inteligibilidad de la demanda. Es dudoso que cualquier palabra, concepto o cosa pueda ser puramente abstracta o puramente concreta. Incluso "Coby", han argumentado algunos, puede considerarse una abstracción de nuestras variadas experiencias con este perro en particular: la sensación de una oreja borrosa, el sonido de un ladrido, y así sucesivamente. Y el "sonido de un ladrido" es en sí mismo un concepto abstracto, formado como una generalización de muchos ladridos particulares y distinguidos ("aislados") de otros tipos de ruidos. ¿Cuál es la realidad concreta (la realidad perfectamente concreta) de la que el concepto abstracto se deriva, supuestamente, en última instancia? Algunos filósofos ("atomistas lógicos") han argumentado que nuestra experiencia con los perros, ladridos, etc., está constituida por ciertas experiencias constitutivas finales de "hechos atómicos" —experiencias momentáneas de azulosidad, sonoridad o lo que sea. ¿Pero qué es una "experiencia momentánea de una mancha azul"? ¿Puede alguno de nosotros recordar tal experiencia? ¿O es ese concepto en sí mismo precisamente una abstracción? ¿No surge nuestro concepto de una "mancha azul momentánea" por abstracción de nuestras experiencias no momentáneas de, digamos, mirar al cielo? Por lo tanto, no hay una concreción perfecta; siempre que la buscamos, volvemos a la abstracción de nuevo. Esta es mi respuesta a la conferencia de Barth (ver la primera cita antes de esta discusión) sobre que Dios siempre revela un mínimo concreto. La búsqueda de un modo perfectamente concreto de conocimiento humano es una búsqueda apóstata, un intento de obtener lo que solo Dios tiene. (Un conocimiento perfectamente concreto sería un conocimiento de cada detalle de la creación, el conocimiento exhaustivo único de Dios). Cuando alguien lo busca, su conocimiento "concreto" se desvanece en los tonos de la abstracción.

(iv) De manera similar, no hay "abstracción pura". Aunque ser es el término más abstracto que existe, hay algunos sentidos en los que incluso es concreto. A) Se refiere al mundo de nuestra experiencia. (B) Aunque el ser cubre toda la realidad en un sentido, en otro sentido no lo hace. Porque el ser debe distinguirse de los seres. Soy un ser; no soy un ser en general o un ser en abstracto. Así el ser designa un aspecto (¡concreto, específico!) del mundo (¡el aspecto abstracto!) que puede y debe ser distinguido de los demás. (Una forma de describir la dificultad de los filósofos griegos es decir que en un sentido su "ser" abstracto cubría todo en el universo, pero en otro sentido importante solo cubría el aspecto abstracto del universo, dejando fuera todo lo que nos interesa concretamente).

v) Como ninguna palabra, concepto o cosa es perfectamente abstracta o perfectamente concreta, debemos decir que cada una es a la vez concreta y abstracta en algún grado o manera. No es sorprendente, entonces, que la concreción esté a menudo en el ojo del observador. Imaginen una habitación bien decorada con una fina pintura sobre la chimenea. Un decorador de interiores podría decir: "Piensa concretamente. Debes ver la pintura en el contexto de la habitación. Aparte de su entorno, el cuadro es una abstracción". Pero un crítico de arte podría verlo de manera diferente: "No debemos pensar abstractamente en la habitación en general, sino concretamente en la pintura en sí misma." ¿Quién piensa en abstracto, el decorador de interiores o el crítico de arte? ¿Es la pintura una de las realidades concretas de las que está compuesta la habitación, o es la habitación la realidad concreta de la que extraemos sus diversos aspectos y partes? ¿Qué es lo concreto, la parte o el todo? Bueno, las dos cosas, en diferentes aspectos. El crítico de arte piensa concretamente en el sentido "absoluto", pensando en la pintura como un objeto palpable. El decorador de interiores piensa concretamente en el sentido "relativo", buscando relacionar la pintura con lo que él piensa que es su "contexto" apropiado. Y aquí hay otra forma de verlo. El crítico de arte está más interesado en la pintura; ese es el "foco" de su pensamiento. El decorador está interesado en la habitación en su conjunto. Así, para el crítico, la pintura es el objeto concreto; para el decorador, la habitación lo es.

Las unidades más pequeñas o más grandes también pueden ser tomadas como "concretas". Para un experto en pintura, las moléculas del lienzo podrían ser las unidades de hormigón. Para un arquitecto, la habitación en sí misma podría ser solo una "abstracción" del edificio total, que es la unidad realmente concreta (¡quizás literalmente!). Lo que es "abstracto" u "concreto" para nosotros depende de nuestros intereses, nuestros valores, nuestros puntos de vista. Cuando entendemos la relatividad-persona del concepto de abstracción, podemos ver lo difícil que es argumentar que alguien más está "pensando de forma abstracta".

(3). El sentido relativo de lo "abstracto" y lo "concreto"

Consideremos ahora lo que antes (a, arriba) llamábamos los usos "relativos" de lo abstracto y lo concreto en lo que se refiere a discusiones, métodos y actitudes. A veces, con este entendimiento, una discusión "abstracta" es aquella que trata de una serie de palabras, conceptos o realidades abstractas. En efecto, ya hemos examinado algunas cuestiones relacionadas con este tipo de debate. En segundo lugar, sin embargo, una discusión "abstracta" también puede ser una discusión en la que las relaciones adecuadas entre las cosas no se tratan adecuadamente. En el primer sentido, una discusión "abstracta" puede ser deseable; en el segundo sentido, llamar "abstracta" a una discusión es siempre un reproche. Es posible confundir estos dos sentidos de lo abstracto en nuestro perjuicio teológico.

Pensemos ahora en las discusiones que son abstractas en el segundo sentido. ¿Qué significa describirlas como "abstractas"? Intentemos interpretar la frase "No debemos ver a x en abstracción de y". A mi juicio, este tipo de lenguaje es muy ambiguo. Consideremos algunas cosas que podría significar.

i) Mi primera impresión, cuando escucho tales advertencias, es que el escritor quiere que tenga una imagen mental particular. Ver "la revelación en relación con Dios" sería tener una imagen mental o un diagrama de la "revelación" (como de alguna manera) en estrecha proximidad física a Dios. (Dado que el "ver" no es evidentemente físico, pensamos, debe ser algún tipo de "vista" mental - una imagen mental). Obviamente, eso no es lo que estos escritores quieren decir, pero creo que la aparente claridad de sus propuestas está ligada a la facilidad con la que construimos tales imágenes mentales. Una vez que empezamos a preguntarnos qué más podrían significar estas advertencias, su aparente claridad se desvanece.

ii) A veces, parece que se ve algo como un "énfasis". Ver x en relación con y" es enfatizar y siempre que hablamos de x. Así, "ver la revelación en relación con Dios" significa que debemos enfatizar a Dios siempre que hablamos de la revelación. Pero aquí también surgen problemas.

A) El énfasis es una cuestión de grado. ¿Cuánto debemos enfatizar a Dios para "ver la revelación en relación con" Él? ¿Cómo podríamos calcular eso? (Este tipo de pregunta subraya lo extraño de la demanda que se hace.) ¿Es necesario hablar de Dios un cierto porcentaje del tiempo cuando hablamos de la revelación? ¿Cuánto? Seguramente ese no puede ser el punto.

B) ¿Es realmente plausible decir que la teología debe hacerse con un "énfasis" en lugar de otro? Aunque es cierto que la Escritura tiene un "mensaje central", un mensaje que debería ser la principal preocupación de nuestro trabajo teológico, me parece que se puede hacer un trabajo teológico valioso en áreas que son relativamente "menores" o distantes del "mensaje central" de la Escritura. Por ejemplo, alguien podría escribir un artículo sobre el velo de las mujeres en 1 Corintios 11. ¿Es ese artículo ilegítimo porque presta relativamente poca atención al "mensaje central" de la Escritura? ¿Debemos menospreciar ese artículo porque no tiene un "énfasis" adecuado?

C) Es imposible que la teología tenga precisamente el mismo "énfasis" que la Escritura. Para ello, la teología tendría que repetir simplemente la Escritura desde el Génesis hasta el Apocalipsis. Pero la tarea de la teología, como hemos visto, no es repetir la Escritura sino aplicarla. Por lo tanto, la teología no solo puede, sino que debe tener un énfasis diferente al de la propia Escritura.

D) Si un teólogo requiere de nosotros un énfasis que no es el énfasis de la Escritura, ¿de dónde viene el énfasis de ese teólogo? No conozco otra fuente que la Escritura para establecer un "énfasis normativo".

E) Es cierto que las discusiones teológicas son a veces débiles debido a los énfasis retorcidos, énfasis que engañan al lector en cuanto a la verdad o que generan falta de claridad, restan fuerza al caso del autor, etc. (En tales casos, en efecto, usamos la Escritura como nuestro criterio para juzgar que el énfasis es defectuoso, sin requerir que el teólogo en cuestión reproduzca el énfasis de la propia Escritura). Pero en esos casos, el problema puede ser analizado más claramente no como un problema de "énfasis", sino como un problema de verdad o claridad o contundencia. El problema no es con el énfasis como tal, sino que en este caso particular el énfasis induce a error.

iii) A menudo, pienso, cuando los teólogos nos piden que no hagamos abstracto al Dios de la revelación, por ejemplo, lo que realmente quieren decir es que debemos tener ciertos puntos de vista sobre Dios y ciertos puntos de vista de la revelación. Me parece justo. Pero el lenguaje antiabstraccionista tiende a oscurecer la naturaleza del debate entre posiciones opuestas. Tanto Gordon Kaufman como Herman Ridderbos, por ejemplo, dicen que "la revelación nunca debe ser abstraída de la historia". Para Kaufman, esa afirmación implica que la revelación debe estar sujeta a los cánones de la historiografía secular, pero para Ridderbos implica lo contrario: los historiadores deben reconocer la presencia de la revelación divina en la historia y someterse a ella.

El hecho es que la mayoría de los eslóganes antiabstraccionistas pueden ser aceptados con entusiasmo por casi todos los teólogos profesionalmente cristianos. Pero son tan ambiguas que el mismo eslogan tendrá implicaciones doctrinales contradictorias en los sistemas de los diferentes pensadores. Por lo tanto, el eslogan sugiere una especie de terreno común que en realidad no existe. Puedo estar de acuerdo con Barth, por ejemplo, en que la revelación debe ser vista "en relación con Dios", pero mi idea de esa relación es muy diferente a la suya. Para mí, afirmar esa afirmación no me acerca ni un poco más a él de lo que lo hacía antes. Debo decir, por lo tanto, que el uso de tales consignas es a menudo, quizás normalmente, o bien ignorante o bien deshonesto. Es ignorante si el teólogo usa tales eslóganes sin ser consciente de su ambigüedad. Es deshonesto si es consciente de su ambigüedad, pero los usa para engañar a los lectores y hacerles imaginar un falso terreno común. (Para la consideración de algunos puntos de vista reales que se consideran necesarios por los principios antiabstraccionistas, véase d más abajo).

iv) El uso más defendible del lenguaje antiabstraccionista, en mi opinión, es reforzar la tradicional preocupación teológica por la exégesis contextual. En sentido estricto, esto significa que estamos llamados a dejar que la Escritura interprete la Escritura, a leer cada parte de la Biblia a la luz del resto. En un sentido algo más amplio, se refiere a nuestra preocupación como teólogos de tener una teología consistente o "sistemática" en la que cada doctrina se entienda de manera coherente con las demás. Afirmar esta preocupación no es exigir al teólogo ninguna imagen mental o énfasis particular o conclusiones teológicas.

Es especialmente importante que mostremos las relaciones que cada texto y cada doctrina sostienen con Cristo y su obra redentora. Él es la clave de las Escrituras (ver Lc.24:13-35; Jn. 5:39-47). No hemos entendido qué es lo más importante de un pasaje bíblico hasta que hemos visto cómo ese pasaje predica a Cristo.[12]

Sin embargo, incluso en este simple, obvio y válido nivel de antiabstraccionismo, algunas advertencias están en regla.

A) Recuerde lo que dije antes (primer párrafo de esta sección, A): cada versículo tiene muchos contextos que son relevantes para sus contextos de interpretación, tanto dentro como fuera de las Escrituras. No hay un único contexto que deba estar siempre en primer plano, en todas las situaciones en las que enseñamos el pasaje, para todos los públicos. Esto es para repetir el punto hecho anteriormente en mi definición de teología (Primera Parte): que la tarea de la teología no es reorganizar la Escritura en algún tipo de orden idealmente perfecto para todas las ocasiones, sino aplicar la Escritura, arreglando su presentación para satisfacer las necesidades de un público en particular. La teología es libre de utilizar

---

[12] Véase E. Clowney, *Preaching and Biblical Theology* (Grand Rapids: Wm. B. Eerdmans Pub. Co., 1961; reeditado por Presbiteriano y Reformado) para un fuerte argumento en este sentido. Cristo cumple la ley y la profecía. Él es el antitipo de todos los tipos del Antiguo Testamento. Es el profeta, sacerdote y rey perfecto. Él es la principal preocupación del evangelio del Nuevo Testamento (1 Co. 2:2).

diversos contextos de interpretación, siempre que no distorsione la enseñanza de la Escritura en el proceso.

B) Hay demasiados contextos para que hagamos justicia a todos ellos simultáneamente. Por lo tanto, algunas relaciones y contextos, importantes en sí mismos, deben pasarse por alto en cualquier debate teológico particular. No debemos avergonzarnos de esto; es simplemente una consecuencia de nuestra finitud. La propia Escritura a menudo expone doctrinas sin explorar todas las relaciones significativas entre ellas y otras doctrinas. Santiago presenta su enseñanza sobre la fe y las obras sin hacer justicia a la enseñanza paulina sobre la justificación. Hebreos 6 presenta un punto de vista de la apostasía que no empieza a responder a nuestras preguntas sobre la perseverancia. El Cantar de los Cantares habla del amor humano, sin abordar las preguntas del lector sobre cómo ese amor, precisamente, está relacionado con Dios o con Cristo. (He dicho antes que Cristo es la clave de las Escrituras y que lo más importante de cualquier texto o doctrina es su relación con Cristo. Sin embargo, no diría que cada vez que estudiamos el texto, Cristo, el contexto más importante, debe estar en primer plano. A veces es legítimo considerar aspectos de un texto o doctrina que son "menos importantes". No es erróneo escribir un artículo buscando identificar la práctica del velo de las mujeres en 1 Corintios 11, aunque esa práctica es, en general, menos importante que la relación del pasaje con el evangelio de la salvación en general).

C) Por importante que sea subrayar las relaciones entre los textos, las doctrinas y las realidades teológicas, también es útil "aislarlas" de cierta manera. Juan 3:16, por ejemplo, tiene un significado propio que es distinto del significado de los versículos 1 a 15 y los versículos 17 a 21. Aunque su significado depende en cierto modo de su contexto, ese significado no se reduce al significado de su contexto. Es importante que en algún momento de la investigación se pregunte: ¿Qué añade el versículo 16, específicamente, al contexto general? Si se trata de una forma de "aislamiento" o "abstracción", que así sea.

D) La idea de que existe un "contexto maestro" en las Escrituras que debe tener siempre algún tipo de prominencia suprema en cualquier discusión teológica es peligrosa. Sugiere que necesitamos algún "cimiento de verdad", algún "punto de partida final" que no sea toda la Escritura (Mt. 4:4).

E) Los puntos sobre la exégesis de la Escritura en su contexto y la comprensión de todas las doctrinas a la luz de todas las demás pueden hacerse mucho más clara y eficazmente sin el uso de la retórica antiabstraccionista.

(4). ¿Qué intentan demostrar los antiabstraccionistas?

Habiendo explorado las diversas ambigüedades en el significado del lenguaje antiabstraccionista, preguntémonos ahora qué es lo que los teólogos tratan de probar usando argumentos de tipo antiabstraccionista. Cuando oímos consignas como "la revelación no debe ser abstraída del propio Dios", ¿qué conclusiones se espera que saquemos? El hecho de que esta retórica pueda ser utilizada para recomendar muchos tipos diferentes de conclusiones nos ayudará a ver aún más claramente la ambigüedad intrínseca de este lenguaje. Volvamos a las citas mencionadas al principio de esta sección para ver algo de la variedad de conclusiones (y tipos de conclusiones) que los antiabstraccionistas nos urgen.

i) En la cita de Barth, el autor parece querer que planteemos una identidad metafísica u ontológica entre Dios y la Palabra. Cualquier otra cosa que no sea eso la consideraría una "abstracción" impropia de uno del otro. Pero eso, curiosamente, es el tipo de concreción que exige Hegel (cuyo pensamiento en otros aspectos es anatema para Barth, como lo fue para Kierkegaard), la identidad ontológica definitiva entre la mente y sus objetos. Algo similar parece estar sucediendo también en la cita de Buber, pero es más difícil de decir.[13] Sin embargo, seguramente, el lenguaje antiabstraccionista no suele implicar la identidad ontológica. Cuando alguien dice: "Napoleón no debe ser entendido en abstracción de la situación económica de su tiempo", ciertamente no está afirmando ninguna identidad ontológica entre Napoleón y "la situación económica". Y lo mismo ocurre con los otros ejemplos teológicos, como "no debemos ver la doctrina de la elección en abstracción de la historia redentora". El punto aquí, también, no es ciertamente una identidad ontológica. Y claramente, si Barth desea establecer una identidad ontológica entre Dios y la Palabra, no podrá, por lo tanto, establecerla sobre la base de su antiabstraccionismo solamente. Concedida nuestra reticencia a "abstraer la Palabra del propio Dios", no se deduce claramente que la Palabra sea el propio Dios; ni está claro que el lenguaje antiabstraccionista dé alguna plausibilidad al caso de Barth, excepto añadiendo a ello algún florecimiento retórico.

ii) Algunas de las demás expresiones de la cita de Barth indican relaciones *epistemológicas* entre los términos de la relación no abstracta. La Palabra es verdadera y conocible por su relación con Dios mismo. Pero seguramente eso también podría ser dicho por muchos no-barthianos. Un protestante ortodoxo, por

---

[13] Buber parece estar afirmando una primacía ontológica de las relaciones mismas (sea lo que sea que eso signifique), en lugar de una identidad ontológica entre las cosas que se relacionan.

ejemplo, podría decir que la Palabra es verdadera y conocible porque Dios la ha hablado de una manera que la hace verdadera y conocible. No está claro qué añade la retórica antiabstraccionista a esta afirmación.

iii) A veces el lenguaje antiabstraccionista parece ser una forma de expresar el desagrado por el intelectualismo, la reducción de la realidad de Dios o sus acciones redentoras a un conjunto de conceptos intelectuales. Las citas de Berkouwer, De Graaff y Hick parecen tener ese tipo de empuje. Pero, de nuevo, no está claro cómo el vocabulario antiabstraccionista realmente les ayuda a hacer este tipo de punto. Evidentemente, Berkouwer quiere decir que cuando estamos impresionados con la salvación por la Palabra de Dios, tendemos a olvidarnos de nuestras brillantes e ingeniosas teorías teológicas y enfrentarnos al Señor con asombro, maravilla, arrepentimiento y fe. Es cierto. ¿Pero en qué sentido se nos quita la "abstracción" en ese tipo de experiencia? ¿Se nos prohíbe usar términos abstractos al dirigirnos a nuestro Señor? Tonterías. ¿Desaparece el sentido de separación entre el Creador y la criatura en tal confrontación? Seguramente no; todo lo contrario, es cierto (*cf.* Is. 6). ¿Es la retórica anti-abstraccionista aquí, tal vez, solo una forma poco clara de expresar la insuficiencia del pensamiento teórico? Probablemente sí, pero no, creo, de una manera muy clara o efectiva. Del mismo modo, la cita de De Graaff, si se toma al pie de la letra, es una tontería; los escritores bíblicos hacen abstracción. De Graaff probablemente no piensa en la abstracción en ningún sentido literal sino en el pensamiento teórico (probablemente en el sentido técnico Dooyeweerdiano).

Su lenguaje sobre cualquier interpretación no está claro, y tampoco está claro qué es lo que el antiabstraccionismo añade a una polémica contra el intelectualismo. En la cita de Hick, el contraste es entre Dios como "idea abstracta" y Dios como "realidad". Dios es, por supuesto, en el pensamiento cristiano, un individuo concreto más que una forma abstracta de algún tipo; pero eso parece obvio y poco relevante. ¿Cuántos de los lectores de Hick están tentados a pensar en Dios como una forma platónica? Más bien, aquí, como en las citas de Berkouwer y De Graaff, el lenguaje anti-abstraccionista parece ser solo una especie de florecimiento retórico en una denuncia del intelectualismo.

iv) La cita de Miller (y creo que algo de esto también puede estar detrás del lenguaje de Buber) une el contraste dinámico-estático con el contraste abstracto-concreto ("relación"). Aquí el punto es que las relaciones interpersonales son la cosa más importante, relaciones entre nosotros y Dios, nosotros mismos y el uno al otro. Sin embargo:

A) No me queda claro por qué el señorío de Dios sobre la historia implica que "no estamos atados por palabras fijas" o por qué esta última conclusión hace que las relaciones sean más importantes de lo que serían de otro modo. Imagine lo que sería si Dios se revelara por "palabras fijas", dándonos poder y aplicándonos esas palabras siempre de nuevo por su Espíritu, como en la concepción ortodoxa. ¿Sería entonces nuestra relación con Él menos importante que en la construcción de Miller?

B) Miller parece estar haciendo una transición casi inconsciente entre un punto epistemológico y un punto pastoral. Si podemos leer entre las líneas de su argumento, la revelación, desde su punto de vista, no consiste en verdades "fijas" (= ¿"abstractas"?) sino en una especie de verdad que está en constante cambio a medida que cambian las circunstancias, y que por lo tanto está "en relación" con el mundo cambiante. Por lo tanto, dado que la revelación está "en relación" con las circunstancias, la educación debe llevarse a cabo a través de las relaciones interpersonales. Pero ese argumento es claramente un *non sequitur*.

C) Miller ignora la cuestión crucial del contenido. Concediendo que la educación de Dios de Israel fue una educación en y por una relación y que nuestra educación de unos a otros debe ser similar, ¿qué es lo que vamos a enseñar por medio de la relación? ¿Hay "palabras fijas" o hay alguna otra forma de comunicación? El énfasis en la relación realmente no responde a esa pregunta en absoluto. Dentro de una relación, se pueden enseñar muchos tipos de contenido, incluyendo el contenido de "palabras fijas". Por lo tanto, es simplemente erróneo decir que la "enseñanza en relación" excluye (o que es una alternativa inteligible a) la enseñanza por "palabras fijas".

D) Pero mi principal propósito aquí es notar otro elemento de falta de claridad en el vocabulario anti-abstraccionista: su énfasis en las relaciones epistemológicas a menudo se transmuta en un énfasis en las relaciones interpersonales, sin ninguna justificación lógica clara.

v) La cita de Van Til (en su contexto, y siguiendo la pauta de su razonamiento en otros lugares) equipara el pensamiento abstracto con el deseo humano de autonomía.[14] Este también es un punto epistemológico (aunque algo diferente de los demás); pero lo más importante es que es un punto religioso: la abstracción es un defecto de la piedad, un defecto de la devoción a Dios. Ciertamente, es cierto que el deseo de un conocimiento autónomo es una rebelión contra Dios. Y el deseo de autonomía ciertamente se encuentra detrás del método de los filósofos griegos, de buscar el conocimiento exhaustivo a través de la abstracción, como hemos visto. Por lo tanto, la autonomía y la abstracción están efectivamente relacionadas. Aun así, es fácil exagerar este punto.

---

[14] Irónicamente, esto también es un énfasis en los escritos de Barth.

El hecho de que la abstracción formara parte de la epistemología griega idolátrica no significa que toda la abstracción provenga de motivos idolátricos. ¿Por qué deberíamos pensar que sí? Tal vez detrás de esta idea está la idea de que, como Dios es único, no puede ser colocado con otros seres bajo una etiqueta común, lo que siempre ocurre en el uso de términos abstractos. Así, hablar de forma abstracta sobre Él parecería reducir a Dios al nivel de otras cosas o elevar esas otras cosas a su nivel. Como hemos visto, sin embargo, ningún término está totalmente desprovisto de abstracción. Si evitáramos el lenguaje abstracto por completo, no podríamos hablar de Dios ni de ninguna otra cosa. La mayoría de los teólogos, incluyendo a Van Til, emplean alguna doctrina de analogía u otro principio para indicar que incluso cuando Dios se agrupa con otras realidades bajo una etiqueta común, Él es sin embargo singularmente diferente de todas ellas. Por lo tanto, la retórica anti-abstraccionista es innecesaria.

vi) Las citas de Berkouwer, De Graaff y Hick sugieren otros sentidos en los que la abstracción puede ser un defecto de piedad.

A) Este punto está relacionado con el anterior número iii: el pensamiento abstracto (¿= "intelectualismo"?) establece una especie de barrera entre Dios y nosotros. El pensamiento es comprensible. A menudo, las personas normalmente piadosas sienten una disminución de su cercanía a Dios cuando piensan "abstractamente" en Él. Pero no es evidente que esto ocurra siempre o necesariamente o que sea una función del pensamiento abstracto como tal y no de la propia debilidad del pensador. Tampoco es evidente que cuando perdemos el sentimiento de cercanía a Dios estemos necesariamente cometiendo algún tipo de pecado. No es evidente que Dios siempre tenga la intención de que su pueblo se sienta cerca de Él.

B) Y uno se pregunta, al leer estos teólogos, si lo abstracto a veces significa "pensar sin una 'relación' adecuada con Dios". Estoy tentado de pensar que en algunos escritores (no Van Til, sino quizás Berkouwer) este puede ser el caso. Pero seguramente este tipo de charla se basa (como (iv)) en una confusión entre diferentes tipos de "relaciones".

C) Mientras pensamos en la relación Dios-hombre, es importante señalar que, a pesar de todo lo que se puede decir sobre la importancia de una "relación" o incluso una "cercanía" entre el creyente y Dios, es igualmente importante subrayar la distinción, de hecho, la distancia, entre el Creador y la criatura. Tal vez el pensamiento "abstracto", si de alguna manera aumenta nuestro sentido de distancia, ¡puede tener un valor devocional positivo!

D) Los teólogos de todo tipo (no solo los conservadores) tienen la tendencia a cuestionar la piedad de aquellos que no están de acuerdo con sus puntos de vista.

Esto no es sorprendente, y no siempre es erróneo. A veces las ideas falsas resultan de la impiedad y la manifiestan. Sin embargo, los teólogos suelen ser reacios a decirlo explícitamente. Es más fácil para ellos decir "Fulano de Tal es impío porque razona en abstracto" que decir "fulano de tal es impío porque no está de acuerdo con mi punto de vista sobre la revelación". Puede ser, sin embargo, que las dos formas de hablar se reduzcan a la misma cosa.

(5). Una observación filosófica general sobre el antiabstraccionismo

Ya vimos anteriormente en nuestro demasiado rápido estudio histórico que los problemas con la abstracción como método general de conocimiento llevaron a los filósofos y teólogos a reemplazar la abstracción por la concreción como objetivo general de conocimiento. La abstracción condujo al vacío, a la pérdida de lo específico. Por los métodos abstraccionistas, el racionalismo llevó a la ignorancia. Pero ahora deberíamos ser capaces de ver que la concreción como objetivo general del conocimiento es tan problemática como lo fue la abstracción.

(i) Una "concreción pura" es tan inimaginable como la "abstracción pura". Como hemos visto, ningún término es perfectamente abstracto o perfectamente concreto. Y ningún acto humano de conocimiento es capaz de explicar perfectamente todas las características específicas de sus objetos. Buscar ese tipo de concreción es tan racionalista como buscar la perfecta abstracción. Es buscar un conocimiento disponible solo para Dios.

(ii) Y así como el racionalismo abstraccionista conduce a la ignorancia y al irracionalismo, también lo hace el racionalismo anti-abstraccionista. Cuando no estamos satisfechos con algo que no sea la perfecta concreción, nunca lograremos nuestro objetivo. Así terminaremos sin saber nada, excepto aquellas cosas que aprendemos inadvertidamente de manera contraria a nuestros propios métodos. Así, los pensadores antiabstraccionistas tienden a buscar el conocimiento, no por ningún método definido en absoluto, sino por saltos de fe, experiencias místicas y similares. Ahora hay un lugar para la fe en el conocimiento, y hay algo místico, podríamos decir, sobre el "descanso cognitivo" que discutimos anteriormente. Pero hay revelaciones normativas de Dios que nos dicen cómo lograr ese descanso cognitivo. Los pensadores modernos antiabstraccionistas (a menos que su pensamiento esté fuertemente templado por una perspectiva normativa, como es el caso de Van Til) niegan la existencia de tal revelación normativa, pensando que la idea misma de la revelación normativa es demasiado abstracta. Por lo tanto, no tienen realmente ningún criterio de verdad, ninguna manera de saber cuándo han alcanzado su objetivo.

(iii) Esta es, por supuesto, la razón por la que los griegos buscaron el conocimiento en el ámbito abstracto. Cuando miraron hacia su experiencia aparentemente concreta, todo lo que encontraron fue un movimiento y cambio desconcertante. Nada, encontraron, podía ser identificado o nombrado sin la terminología abstracta. El pensamiento moderno, frustrado por el mundo de las abstracciones, ha vuelto ahora al "flujo" de la experiencia del aquí y ahora. Pero los pensadores modernos no han tenido más éxito que los griegos en la racionalización del mundo del flujo. Han buscado formas no abstractas de entenderlo y no han encontrado nada.

iv) Por último, ¿no es contradictorio, no solo a primera vista sino en el análisis final, buscar la concreción en general, la concreción en lo abstracto? ¿No muestra esta contradicción la imposibilidad de un conocimiento puramente concreto a nivel humano?

Así hemos visto muchos problemas con el antiabstraccionismo. Es ambiguo en muchos aspectos. Se han hecho muchas y muy diferentes críticas a la abstracción en la literatura teológica moderna, con una gran variedad de intenciones. El vocabulario anti-abstraccionista puede utilizarse para argumentar un tipo particular de relación (como la identidad ontológica), para hacer puntos epistemológicos, para oponerse al intelectualismo, para recomendar un énfasis en las "relaciones personales", para oponerse a la autonomía o para denunciar ciertos tipos de impiedad. En todos estos casos, o bien el lenguaje antiabstraccionista es demasiado poco claro para ser útil para hacer el punto o bien el punto en sí mismo es inválido. Y hemos visto que el deseo mismo de un conocimiento "perfectamente concreto" de Dios y del mundo es pecaminoso y por lo tanto uno que Dios no honrará. Es una búsqueda de un conocimiento idéntico al de Dios o de algún punto de referencia infalible fuera de sus Escrituras inspiradas. Por esas razones, evito el uso de un lenguaje anti-abstraccionista. (Ocasionalmente, puedo usarlo como un florecimiento retórico en un punto hecho en otro lugar de manera más clara, habiendo dejado claro que mi propia epistemología es radicalmente diferente del antiabstraccionismo autónomo prevaleciente). Aconsejo a los estudiantes y a otros teólogos que hagan lo mismo. La "abstracción" de un término, concepto, proposición, discusión o método nunca es razón suficiente para aceptarlo o rechazarlo.

Una epistemología bíblica nos libera para razonar de manera abstracta (reconociendo las limitaciones de las abstracciones) y para buscar la concreción (relativa) (dándonos cuenta de que nunca escaparemos del todo de la naturaleza abstracta del pensamiento finito). Nos recuerda que nunca debemos buscar nuestra máxima seguridad epistemológica ni en la abstracción ni en la concreción de nuestro propio pensamiento, sino que debemos buscarla en la certeza infalible de la propia Palabra de Dios.

Los patrones de pensamiento pecaminosos siempre nos tientan a pensar que necesitamos algo más seguro que eso o al menos algo en nuestro propio pensamiento que nos proporcione un acceso infalible a la Palabra infalible. En ese sentido, los teólogos más opuestos a la idea de infalibilidad están, irónicamente, a menudo más ansiosos, en efecto, de encontrar ese algo escurridizo e infalible. (Su verdadero problema, por supuesto, no es con la idea de infalibilidad como tal, sino con su tendencia a buscar la infalibilidad en sí mismos, más que en Dios). Pero Dios nos llama a caminar por la fe. Nos ha dado una palabra de verdad segura que espera que obedezcamos. Podemos conocerla, entenderla.

No necesitamos tener un conocimiento totalmente abstracto o concreto; necesitamos ser fieles, obedientes. Y la fidelidad a menudo significa estar satisfecho con algo menos que el conocimiento que nos gustaría tener. Caminar por la fe a menudo significa caminar sin ver, mirando a través de un cristal oscuro. Y eso a su vez puede significar aceptar más o menos abstracción de la que nos haría sentir plenamente cómodos. Dios nos da descanso cognitivo, pero a menudo nos retiene la comodidad cognitiva total.

B. PERSPECTIVALISMO

He hablado de las relaciones "perspectivales" (o de perspectivas) antes en este libro. Allí vimos que la ley, el objeto y el sujeto, como aspectos del conocimiento humano, están relacionados de manera perspectival. Esto significa, por ejemplo, que cuando llegamos a conocer la ley, inevitablemente también llegamos a conocer el objeto y el sujeto al mismo tiempo (y de manera similar para las otras dos perspectivas). La ley, pues, no es solo una parte del conocimiento humano; es el conjunto del conocimiento humano visto desde una "perspectiva" particular.[15] No se puede preguntar, entonces, si el conocimiento del derecho "precede" o "sigue" al conocimiento del objeto o del sujeto. No tiene sentido preguntar sobre la "prioridad" en este caso. Dado que aprendemos sobre la ley, el objeto y el sujeto al mismo tiempo, no hay prioridad temporal. Debido a que el conocimiento de cada

---

[15] Véase también el apéndice A al final de la primera parte.

perspectiva es igualmente dependiente de las otras dos, no hay prioridad de dependencia.

Dentro de la teología hay muchas relaciones de ese tipo. Creo que el enfoque perspectivo del conocimiento es fructífero para ayudarnos a comprender los atributos divinos, las personas de la Trinidad, los aspectos de la personalidad humana, los mandamientos del Decálogo, el orden de los decretos divinos, los oficios de Cristo, y quizás también otros asuntos.[16] Comprender estos asuntos de manera perspectival nos ayuda a evitar los argumentos más bien infructuosos sobre la "prioridad" que han tenido lugar en la teología durante muchos años. ¿Es el intelecto "prioritario" a la voluntad en la naturaleza humana? ¿Es el decreto de Dios para elegir un pueblo "prioritario" a su decreto para crearlo? ¿Es la benevolencia de Dios "prioritaria" a su justicia? Como veremos más adelante, aunque lo prioritario en teología es muy ambiguo, ha desempeñado un gran papel en la historia de la teología porque, en mi opinión, los teólogos han descuidado la opción de ver las relaciones de forma perspectival.

La Palabra de Dios tiende a presentar las relaciones de manera perspectiva porque refleja la naturaleza de Dios mismo, supongo. Dios es un Dios en tres personas; Él es muchos atributos en una sola Deidad - el eterno uno y muchos. Ninguna de las personas es "prioritaria" a las otras; todas son igualmente eternas, últimas, absolutas, gloriosas. Ninguno de los atributos es "prioritario" a ninguno de los otros; cada uno es igualmente divino, inalienable y necesario para la deidad de Dios.

En esta sección mi interés es establecer la naturaleza perspectival de la teología como tal. Mi sugerencia aquí es que las diversas doctrinas de la Escritura están relacionadas perspectivamente, al igual que otros elementos o aspectos de la Escritura.

Nuestra discusión sobre el antiabstraccionismo (A, arriba) nos apunta en esta dirección. En ese debate subrayé que, aunque es legítimo buscar una "exégesis contextual" de la Escritura, debemos tener cuidado de no asumir que hay un único "contexto maestro" que debe estar siempre a la vista. Hay, sin duda, un enfoque de la Escritura. Hay un "mensaje central". La Escritura está escrita para que la gente crea en Cristo (Jn. 20:31) y para que los creyentes sean edificados en la piedad (2 Ti. 3:16s.). Cristo es el centro de las Escrituras (Lc. 24:13-35; Jn. 5:39-47). Pero, por supuesto, no todas las partes de las Escrituras son igualmente importantes a la luz de esos propósitos. (Como John W. Montgomery observó una vez, a menudo damos el Evangelio de Juan a la gente en las calles; rara vez damos copias de 2

---

[16] Espero exponer estas relaciones en futuros escritos.

Crónicas). Así, en un sentido, la obra redentora de Cristo es el contexto "central" de las Escrituras. Considere, sin embargo, las siguientes calificaciones.

(1) Para entender el alcance completo de la obra redentora de Cristo, necesitamos todo el canon bíblico. ¡De lo contrario, Dios no nos habría dado un documento tan grande!

(2) Así, el mensaje central de las Escrituras, aunque se encuentra más destacado en algunos pasajes que en otros, está definido por toda la Biblia.

(3) Por lo tanto, hay una reciprocidad "perspectival" entre el mensaje central de la Escritura y sus mensajes detallados y particulares. El mensaje central está definido por los mensajes particulares, y los mensajes particulares deben ser entendidos a la luz del mensaje central.

(4) La obra redentora de Cristo puede ser descrita de muchas maneras diferentes: pacto, sacrificio, expiación, resurrección, purificación, nueva creación, obediencia-justicia, conquista del reino, liberación, reconciliación, redención, propiciación, revelación, juicio, noviazgo, adopción, dar fe, esperanza, amor, alegría, paz, etc. Estos, también, están relacionados de manera perspectiva. Cada uno resume todo el evangelio desde un punto de vista particular. Como mencioné anteriormente, en el período moderno ha habido muchas "teologías de esto y aquello" —teologías de la Palabra de Dios, de la liberación, la esperanza, el encuentro, la crisis (juicio), y así sucesivamente. Cada una de esas teologías ha avanzado argumentos convincentes para mostrar por qué expresa el "mensaje central" de la Escritura. Bueno, uno puede estar de acuerdo con todas ellas, ¡hasta cierto punto! Casi todas estas teologías tienen una visión genuina de las Escrituras. Cada una ha descubierto un concepto o doctrina que puede ser usada para resumir todo el evangelio. Cada una ha descubierto una "doctrina central". Eso significa que el cristianismo tiene muchos "centros", o, para decirlo de otra manera, el cristianismo tiene un centro (Cristo) que puede ser expuesto de muchas maneras.

(5) Aunque podemos estar de acuerdo con estos teólogos en su afirmación de que la esperanza, la liberación, la Palabra de Dios, o lo que sea, es "central" para la Escritura, debemos estar en desacuerdo con ellos en su intento de excluir "centros" rivales. Si estos conceptos se relacionan de manera perspectiva, entonces no se excluyen entre sí; no tenemos que elegir entre ellos. Más bien, podemos encontrar en cada uno un aspecto de la preciosa diversidad, la preciosa riqueza que Dios ha escrito en su Palabra.

La idea de que hay un solo "concepto central" que impregna todo el canon excluyendo a los demás es inicialmente incongruente. Mi colega Allen Mawhinney me recuerda la relevancia, por ejemplo, del carácter "ocasional" de los escritos de Pablo. Simplemente no parecen el trabajo de un hombre que está desarrollando un sistema estricto centrado en una idea en particular. Más bien, Pablo utiliza una amplia variedad de recursos para hacer frente a cualquier problema que se presente. Se destacan diferentes ideas, dependiendo de la naturaleza del evangelio para estar seguros, pero también dependiendo de los problemas que se plantean en la actualidad.

(6) Decir que Cristo es el centro no significa que una teología deba estar siempre hablando de Él o "enfatizándolo". Como ya he dicho, no hay razón para que un teólogo no escriba un artículo sobre el velo de las mujeres en 1 Corintios 11, sin mencionar en absoluto a Cristo (aunque su motivo a largo plazo debería ser glorificar el nombre de Cristo a través de su trabajo teológico). Lo mismo ocurre con los diversos "subcentros" de las teologías (por ejemplo, la esperanza, la liberación).

(7) Cuando un teólogo dice que hay que "ver todo en relación con x (una 'doctrina central')" o que "nunca hay que teologizar en abstracción de x", utiliza expresiones muy ambiguas y corre el riesgo de cometer numerosos errores metodológicos (como ya se ha dicho en la sección A). También está en peligro teológico, el peligro de adoptar algo menos que toda la Escritura como su autoridad final.

(8) No todas las "perspectivas" son igualmente prominentes en la Escritura o igualmente útiles para el teólogo. Es muy correcto que un teólogo prefiera una perspectiva a otra. Solo se equivoca cuando da a esa perspectiva el tipo de autoridad que solo se debe al canon bíblico en su conjunto o cuando trata de excluir otras perspectivas que también tienen alguna validez.

(9) Este tipo de discurso a veces suena a relativismo. En realidad, sin embargo, está lejos de eso, y el motivo detrás de ello es todo lo contrario. El punto principal de mis argumentos para el perspectivalismo es defender la autoridad absoluta de la Escritura como un todo contra todas las pretensiones de los teólogos. Es la Escritura la que es nuestra autoridad, no esta o aquella "teología de" algo u otro. Es toda la Escritura la que es nuestra autoridad, no este o aquel "contexto" dentro de la Escritura. Sí, para "absolutizar" la Escritura debemos de alguna manera "relativizar" la teología. No me disculpo por eso. La teología es una obra humana falible (aunque también tiene una especie de certeza; véase la segunda parte).[17]

---

[17] En esta sección estoy en deuda con algunos escritos inéditos de Vern S. Poythress (¡como también ha estado en deuda conmigo por algunas de sus formulaciones!).

C. EXÉGESIS CONTEXTUAL

En las secciones anteriores he respaldado (en términos generales) la tradicional preocupación por la "exégesis contextual", en particular la preocupación por relacionar toda la Escritura con Cristo y su obra redentora. Sin embargo, también he indicado algunos peligros al hablar de "contextos", así como algunos sentidos en los que es bueno "aislar" un texto de su contexto (véase la sección A anterior). Sin embargo, es conveniente hacer algunas observaciones más sobre estos temas.

(1) Exégesis a nivel de la frase

En primer lugar, "exégesis contextual" significa que las palabras deben interpretarse en el contexto de las frases de las que forman parte. Eso suena como un punto bastante obvio, pero es un principio que muchos teólogos han violado. El erudito bíblico James Barr se hizo famoso al contar esta historia.[18] Como él lo explica, los teólogos que habían abandonado el concepto de "revelación proposicional" necesitaban alguna fuente de verdad teológica en la Biblia que no fueran las proposiciones bíblicas. Por lo tanto, trataron de desarrollar su teología a partir del estudio de las palabras, con la esperanza de poder encontrar la verdad teológica en los términos teológicos de la Biblia y en los conceptos que subyacen a esos términos, más que en las frases de la Biblia. Pero al analizar los significados de las palabras bíblicas, los teólogos a menudo llegaron a depender de etimologías y teorías fantasiosas sobre la raíz léxica (por ejemplo, que los hebreos pensaban de manera más "dinámica" y menos "abstracta" que los griegos debido a la supuesta prominencia de los términos de acción en el idioma hebreo).

Barr señaló que esas teorías eran en gran medida erróneas y que el uso de la etimología era un error. Los significados etimológicos de las palabras son a menudo muy diferentes de lo que esas palabras significaban en realidad cuando se usaban en el momento en que se escribió la Escritura en cuestión. En lugar de depender del estudio de las palabras para determinar su significado, Barr argumentó que deberíamos derivar el significado de las palabras de su uso en oraciones, párrafos y unidades literarias más grandes.

Los cristianos evangélicos no tienen problemas con la revelación proposicional y, por lo tanto, no deberían tener dificultades para seguir el esquema de Barr

---

[18] Ver su: *The Semantics of Biblical Language* (London: Oxford University Press, 1961) and *Old and New in Interpretation* (London: SCM Press, 1966).

(aunque el propio Barr es muy crítico con el evangelicalismo). La teología evangélica debería construirse sobre frases, párrafos y libros bíblicos, no sobre palabras "en abstracto". Pero los evangélicos, también, a veces se equivocan en esta área. Después de todo, es casi demasiado fácil usar concordancias y diccionarios de términos bíblicos para tratar de determinar el significado de las palabras. Estas herramientas pueden ser útiles para iluminar las frases bíblicas, pero hay que tener cuidado de no depender demasiado de materiales de estudio de palabras como fuente de teología. Algunos de los más famosos libros de estudio de palabras (como el *Diccionario Teológico del Nuevo Testamento* de Kittel) han caído a menudo en los errores metodológicos citados por Barr.

Los problemas relacionados a veces surgen en la teología sistemática. Un teólogo a veces acusará a otro de error porque el segundo teólogo utiliza una terminología que se ha usado en el pasado con fines poco saludables. En el volumen *Jerusalén y Atenas,*[19] Robert D. Knudsen encuentra fallas en Cornelius Van Til porque este último utiliza el análisis en referencia al autoconocimiento de Dios. Knudsen argumenta que el análisis ha sido usado en el pasado en interés del racionalismo filosófico, y acusa a Van Til de comprometer el cristianismo con el racionalismo. Knudsen, sin embargo, aparentemente no ha prestado mucha atención a las frases reales en las que Van Til usa el análisis.

En esas frases Van Til explica precisamente lo que quiere decir (a saber, que Dios no necesita obtener conocimiento desde fuera de sí mismo), distanciándose claramente del racionalismo filosófico. ¿No debería yo nunca usar la trascendencia porque ha sido usada incorrectamente por algunos teólogos? ¡Tonterías! G. C. Berkouwer reprocha a menudo a otros teólogos porque utilizan tal o cual término, o tal o cual imagen, o porque "hablan de" tal o cual. En mi opinión, un teólogo puede "hablar de" todo lo que quiera. ¡Puede ser criticado solo cuando dice algo equivocado al respecto! Si se nos permitiera usar solo aquellos términos que han sido usados solo por pensadores perfectamente ortodoxos, ¡entonces no podríamos usar ningún término en absoluto! Me temo que aquí veo una especie de perfeccionismo lingüístico.

El problema etimológico que acabamos de discutir también está relacionado con el antiabstraccionismo. El anti-abstraccionista tiende a ver todos los problemas teológicos en términos de metáforas espaciales. El anti-abstraccionista a menudo formula preguntas sobre la revelación, por ejemplo, así: "¿Qué tan cerca está la revelación de Cristo?" —como si pudiéramos medir la verdad de una visión teológica determinando la "distancia" entre la revelación y Cristo. El

---

[19] Editado por E. R. Geehan. Nutley, N.J.: Presbyterian and Reformed Pub. Co., 1971.

antiabstraccionista tiende a pensar en las cuestiones teológicas en términos de "proximidad de conceptos" o "proximidad de términos", en lugar de preguntarse qué es lo que realmente dice el que usa esos términos. Ese uso de las imágenes espaciales fomenta una teología centrada en los términos, en lugar de en el contenido proposicional. Irónicamente, los teólogos como Berkouwer, que son bastante antiabstraccionistas, son los que tienden más fácilmente a mirar los términos, palabras y conceptos ¡"en abstracción" de las frases en las que se usan!

(2) Múltiples contextos

También quisiera reiterar aquí lo que se dijo al principio de la sección A. Cuando hablamos de "exégesis contextual", hay muchos niveles de contexto que deben tratarse, muchas relaciones significativas entre las unidades lingüísticas, y entre las unidades lingüísticas y las realidades extralingüísticas.

(3) Textos de prueba

"Textos de prueba" se ha convertido casi en un término de reproche hoy en día, pero no siempre fue así. Después de completar su Confesión y Catecismos, se le pidió a la Asamblea de Westminster que añadiera textos de prueba a esos documentos para indicar la base escritural de la enseñanza de la asamblea. Y muchas otras personas respetadas en la historia de la doctrina han proporcionado textos de prueba para sus afirmaciones teológicas.

Un texto de prueba es simplemente una referencia de las Escrituras que tiene por objeto mostrar la base de una afirmación teológica particular. El peligro de los textos de prueba es bien conocido: a veces se hace un mal uso de ellos y se distorsiona su significado contextual en un intento de utilizarlos para apoyar enseñanzas que no apoyan realmente. Pero nunca se ha demostrado que los textos se malinterpreten siempre o necesariamente cuando se utilizan como pruebas para las doctrinas. Y después de todo lo que se ha dicho, la teología realmente no puede prescindir de los textos de prueba. Cualquier teología que busque estar de acuerdo con la Escritura (es decir, cualquier teología digna de ese nombre) tiene la obligación de mostrar de dónde saca su garantía escritural. No puede pretender simplemente basarse en los "principios generales de la Escritura"; debe mostrar dónde la Escritura enseña la doctrina en cuestión. En algunos casos, el teólogo mostrará esta justificación presentando su propia exégesis contextual de los pasajes pertinentes. Pero a menudo un tratamiento exegético prolongado es innecesario y sería contraproducente.

La relación de la doctrina con el texto puede ser evidente una vez que se cita el texto (por ejemplo, Génesis 1:1 como prueba de la creación de la Tierra), o simplemente puede requerir demasiado espacio para examinar las cuestiones exegéticas en detalle. En tales casos, la mera cita de una referencia de la Escritura, sin una discusión exegética prolongada, puede ser útil para el lector. Prohibir los textos de prueba sería prohibir una forma obviamente útil de taquigrafía teológica. No veo ningún argumento en contra de este procedimiento, excepto uno que proviene de un antiabstraccionismo extremadamente rígido y fanático. Además, la propia Biblia utiliza textos de prueba como los he definido, y eso debería resolver el asunto.

Obviamente, no debemos citar los textos de prueba a menos que tengamos una buena idea de lo que significan en su contexto. Sin embargo, no tenemos la obligación de citar siempre ese contexto con el texto, y mucho menos tenemos la obligación de presentar siempre un argumento exegético que apoye nuestro uso del texto. La Escritura puede, y a menudo lo hace, hablar sin la ayuda del exégeta.[20]

(4) El ejemplarismo

Recientemente se ha discutido mucho sobre el uso de personajes bíblicos como ejemplos para nuestras vidas.[21] Por un lado, no todo lo que hace un personaje bíblico (incluso uno bueno) es una norma para nosotros. (Josué fue llamado a matar a los cananeos; nosotros no estamos llamados a matar a los incrédulos en nuestra tierra). Por otro lado, el Nuevo Testamento sí utiliza figuras del Antiguo Testamento como ejemplos (por ejemplo, Ro. 4; He. 11).

El punto básico es que cuando utilizamos ejemplos de personajes bíblicos (como en otras situaciones, por ejemplo, cuando tratamos de hacer uso de la ley del Antiguo Testamento), debemos ser conscientes de las diferencias, así como de las similitudes entre sus situaciones y las nuestras, y también debemos ser conscientes de si las Escrituras aprueban o no sus acciones. Si las Escrituras aprueban sus

---

[20] Recordemos también lo que dije en la sección A. Aunque es importante ver cada texto "en relación con su contexto", a menudo también es importante, en otro sentido, ver el texto "aparte de" su contexto, es decir, preguntarse qué aporta específicamente este texto a su contexto.

[21] E.g., Sidney Greidanus, *Sola Scriptura* (Toronto: Wedge, 1970).

acciones, y si sus situaciones son como las nuestras en aspectos relevantes, entonces no es erróneo usar tales ejemplos en la predicación.

(5) La riqueza del significado de la Escritura

La tradicional preocupación por la exégesis contextual debe matizarse en cierta medida por algunas implicaciones de nuestro principio (expuesto en la Primera Parte) de que el significado es la aplicación y la aplicación es el significado. El significado de un texto es cualquier uso que se le pueda dar legítimamente. Esto significa que en un sentido el significado de cualquier texto es indefinido. No conocemos todos los usos que se le puedan dar a ese texto en el futuro, ni podemos definir rígidamente ese significado en una o dos frases.

Por lo tanto, encontramos que la propia Escritura a veces utiliza la Escritura de maneras sorprendentes. "No pongan bozal al buey mientras pisa el maíz" (Dt. 25:4) se usa en 1 Corintios 9:9 como el texto de prueba para un ministerio pagado. La historia de Agar y Sara (Gn. 21) se usa en Gálatas 4 como una alegoría de la relación entre el judaísmo y la iglesia cristiana. Estaríamos perplejos por estos usos del Antiguo Testamento si siguiéramos el principio de preguntar, ¿Qué significaba el texto para el autor o el público original (humano)? Esa pregunta es importante y útil, pero no siempre nos dice lo que necesitamos saber. Lo más probable es que el uso de Pablo de Deuteronomio 25:4 no se le ocurriera (conscientemente) a Moisés, ni el uso de Pablo de Génesis 21. Al menos no podríamos usar ningún método hermenéutico que yo conozca para determinar que tales ideas se le ocurrieron a Moisés. Por lo tanto, a menos que queramos acusar a Pablo de hacer un mal uso del Antiguo Testamento en esos puntos, debemos encontrar algún otro principio en funcionamiento.

El principio relevante, creo, es simplemente éste. Los textos del Antiguo Testamento que Pablo usó son capaces de ser usados de la manera en que él los usó. Ya sea que Moisés concibiera o no el Génesis 21 como una alegoría, sucede que el texto es adecuado para ser usado de esa manera. Como es adecuado para tal uso, sabemos que este uso estaba en la mente del autor divino, incluso si no fue conscientemente pretendido por el autor humano. Dios conoce y predetermina todos los usos que son propios de su Palabra inspirada. Y seguramente la doble autoría única de la Escritura debe influir en nuestra interpretación de la misma. El principio, entonces, es que podemos usar la Escritura de cualquier manera que sea adecuada para ser usada. Y el significado de cualquier texto, entonces, es el conjunto de usos para los que es adecuado.

¡Este tipo de enfoque abre las puertas de nuestra creatividad! ¡Nos anima a hacer alegorías de otros pasajes también! Eso está bien, no hay nada malo en ello. Pero nuestro principio gobernante debe ser presentar el evangelio de forma clara y convincente. Si una ilustración alegórica ayuda a ese fin, entonces nadie puede prohibirla. Pero obviamente no estamos obligados a convertir la teología en una fantasía alegórica como lo hizo Orígenes. (El error de Orígenes no fue que alegorizara la Escritura, sino que usó mal sus interpretaciones alegóricas para intentar probar proposiciones teológicas sustanciales. Eso no es lo que Pablo hace en Gálatas 4, donde usa su alegoría solo como una ilustración de, no como la base de, su punto teológico. La base de Pablo para su argumento, aclara, fue su propia revelación privada de Dios (Gá. 1:1, 11s.).

(6) Texto y telos

Pero si el significado de un texto incluye todas sus aplicaciones legítimas, y si este hecho hace que el significado sea indeterminado, entonces ¿qué debe decirse sobre el propósito (telos) de un texto? ¿Es ese propósito, entonces, vago, indefinido?

Por un lado, el concepto de "propósito" se corresponde con el de "significado". Al igual que el significado de un texto, el propósito de un texto está constituido por sus usos legítimos. Dios nos da el texto para que podamos usarlo de esta manera. Por lo tanto, si hay un sentido en el que el significado es indefinido, también hay un sentido en el que el propósito del texto es indefinido. No podemos ahora predecir todos los usos a los que el texto puede ser legítimamente utilizado.

Por otra parte, hay otro sentido en el que el propósito es definido. Podemos determinar exegéticamente lo que los autores (divinos y humanos) pretendían que hiciera el texto en su entorno original. Así, en un sermón en el que intentamos explicar el significado original del texto, ese propósito original debe desempeñar un papel central. Queremos decir a nuestra audiencia lo que el escritor bíblico estaba diciendo a su audiencia. Si nuestra audiencia no lo sabe, se están perdiendo algo importante. Y naturalmente, queremos llamar la atención de nuestra audiencia sobre cualquier paralelismo entre las situaciones antiguas y modernas para que el texto pueda tener el mismo efecto en las vidas de nuestra audiencia que su autor pretendía que tuviera en las vidas de su audiencia original. Y eso es lo que el "sermón expositivo" estándar busca hacer. Busca presentar la intención original del autor original y reproducir esa intención en el escenario moderno. Mientras reclamemos presentar tales sermones, deben incluir esos elementos. ¿Son los sermones expositivos el único tipo de sermones que están bíblicamente garantizados? ¿Debe el uso original o el propósito de un pasaje de las escrituras siempre gobernar la forma en que usamos ese texto hoy en día? Creo que no en ambos casos, pero quizás los especialistas en teología práctica están mejor equipados que yo para responder a esas preguntas.

D. USOS DE LA ESCRITURA

La mención de la riqueza del significado y el propósito de la Escritura nos lleva a considerar otras variedades en el contenido y el propósito de la Escritura que fomentan las variedades correspondientes en la teología.

(1) Variedades de lenguaje bíblico

¿Qué es lo que en la Escritura es autoritario? ¿Qué hay en la Escritura que la hace autoritaria para nosotros? Las teologías difieren en esta cuestión. En nuestra discusión sobre James Barr (C, (1), arriba), observé que algunos teólogos han tratado de evitar la autoridad de las proposiciones bíblicas, tratando de derivar su teología de las palabras o conceptos bíblicos. (También indiqué, siguiendo a Barr, la falsa realidad de ese procedimiento.) Otros, como Austin Farrer, han tratado de localizar la autoridad bíblica no en las proposiciones ni en los conceptos, sino en las imágenes de la Escritura.[22]

Los cristianos ortodoxos están tentados de decir que la Escritura es autoritaria en su contenido proposicional, en la información que transmite, en sus doctrinas. Sobre esa base, "autoridad" equivaldría a inerrancia; decir que la Escritura es autoritaria es decir que sus proposiciones son inerrantes. Sin duda, Dios nos ha revelado doctrinas, y éstas son autoritarias; estamos obligados a creerlas. Pero la Escritura contiene formas de lenguaje distintas de las proposiciones. Contiene órdenes, preguntas, exclamaciones, promesas, votos, amenazas y maldiciones. Un mandato, por ejemplo, no es una proposición. Un comando es un imperativo; una proposición es un indicativo. Una proposición declara un hecho; una orden da una orden. Una proposición busca el cambio en nuestras creencias; una orden puede buscar el cambio en muchos otros aspectos de nuestro comportamiento.

Las Escrituras, por lo tanto, transmiten revelación proposicional, pero también transmiten revelación de muchos otros tipos. Y es autoritaria no solo en sus proposiciones sino en todo lo que dice (Mt. 4:4). "Autoridad", entonces, es un

---

[22] Ver su libro: *The Glass of Vision* (Westminster: Dacre Press, 1948).

concepto más amplio que "inerrancia". Decir que la Escritura es autoritaria no es solo decir que sus proposiciones son verdaderas, sino también decir que sus mandamientos son vinculantes, sus preguntas exigen respuestas de nosotros ("¿Pecaremos para que la gracia abunde?"), sus exclamaciones deben convertirse en los gritos de nuestros corazones ("¡Oh, la profundidad de las riquezas, tanto de la sabiduría como del conocimiento de Dios!"), sus promesas deben ser confiadas, y así sucesivamente.[23]

Estos aspectos autoritativos de la Escritura están relacionados de manera perspectival. Se pueden dividir las frases de la Biblia en proposiciones, órdenes, preguntas, etc., de modo que las proposiciones forman una parte de la Escritura, las órdenes otra parte, etc. Pero también es posible ver cada una de ellas como una "perspectiva". En un sentido, toda la Escritura es propositiva; para conocer el contenido doctrinal de la Palabra de Dios, hay que mirar no solo las frases explícitamente proposicionales de la Escritura, sino también todo lo demás. Toda la Biblia, no solo la "parte" proposicional, es la base doctrinal de nuestra teología. Del mismo modo, para entender correctamente lo que Dios nos ordena, las preguntas que Dios nos hace, o las promesas que Dios nos hace, debemos mirar toda la Biblia. Por lo tanto, el contenido proposicional de la Escritura coincide, en un sentido, con sus mandatos, preguntas, etc. La "verdad proposicional" es tanto una parte o aspecto de la Escritura como una perspectiva de toda la Escritura. Toda la Escritura es proposicional en el sentido de que busca transmitirnos la verdad de Dios. Pero toda la Escritura también ordena; busca cambiar nuestro comportamiento en cada aspecto de la vida. Y toda la Escritura es pregunta, promesa y exclamación (grito de alegría).

Así podemos entender por qué los ortodoxos han querido a menudo equiparar la Escritura con la "revelación proposicional". En un sentido, toda la Escritura es una revelación proposicional. Pero también podemos ver por qué esta conclusión ha sido insatisfactoria para otros. La conclusión adecuada es que toda la Escritura es una revelación proposicional, pero también es mucho más.

La teología debería reflejar esta variedad en los aspectos autoritarios de la Escritura. El trabajo de la teología no es meramente declarar las doctrinas bíblicas en forma proposicional, sino también cuestionarnos, mandarnos y exclamar la grandeza de Dios. La teología debe tratar de aplicar todos esos diferentes aspectos de la Escritura, tarea que puede realizarse mejor, muy probablemente, adoptando

---

[23] ¡En un momento dado, pensé que tenía una idea original aquí! Entonces me encontré con el capítulo XIV, sección 2 de la Confesión de Fe de Westminster. Así es la teología: la mayoría de nuestras mejores ideas son antiguas, como, por supuesto, También muchas de nuestras peores.

nuevas formas de expresión. No hay razón por la que la teología deba hacerse solo en forma de erudición académica. También debe tomar otras formas, más calculadas para abrir al lector a la plenitud del significado de la Escritura.

(2) Formas literarias

Por eso es importante que pensemos en otro tipo de variedad de la Escritura, la variedad de sus propias formas literarias, una variedad que puede guiarnos hacia una variedad similar en las formas que toma la teología. En las siguientes explicaciones, encontraremos que la variedad literaria de la Escritura tiene características "perspectivales".

La Escritura contiene narrativa, ley, poesía, sabiduría, profecía, apocalipsis, tratado, parábola, epístola, y varias otras categorías más específicas.[24] Los teólogos han debatido si el centro de la autoridad bíblica se encuentra en la narrativa bíblica (ya que, para algunos, la intención más básica de la Escritura es narrar la historia de la redención), en la poesía bíblica (ya que la Escritura es esencialmente una colección de símbolos religiosos (según Tillich, Farrer y otros), o en el apocalipsis (ya que, según algunas opiniones, el mensaje de Jesús es "consistentemente escatológico").

En una epistemología bíblica ortodoxa, toda la Escritura, independientemente de su forma literaria, es la Palabra de Dios. Por lo tanto, la historia y la ley, la poesía y la sabiduría, el apocalipsis y la epístola —todas las formas literarias dentro de los documentos canónicos son igualmente autoritarias.

Por lo tanto, cuando alguien dice que la Escritura es "básicamente narrativa" o "básicamente poesía" o que su autoridad se limita a una o más de esas formas, está equivocado. Pero ese tipo de idea es a veces posible. Es cierto que toda la Escritura es narrativa, en cierto sentido, ya que toda la Escritura establece la historia de la redención. Para entender la historia de la redención, necesitamos todo el canon. Pero el mismo argumento se puede hacer con respecto a la sabiduría. La sabiduría de Dios se encuentra en toda la Escritura. Lo mismo puede decirse de la ley y de ver toda la Escritura como poesía: La Escritura nos proporciona imágenes, palabras memorables y ritmos que reverberan en el alma. En otras palabras, cada una de esas formas literarias puede ser vista de dos maneras: (i) como una característica de algunas partes de la Escritura y (ii) como una perspectiva de toda la Escritura.

---

[24] Ver: M. G. Kline, *Treaty of the Great King* (Grand Rapids: Wm. B. Eerdmans Pub. Co., 1963).

Las formas literarias, como las diferencias gramaticales señaladas en (1), determinan varias formas de autoridad bíblica. La narrativa de la Escritura es autoritaria; debemos creerla. Pero la poesía canónica también es autoritaria. ¿Qué es la "poesía autoritativa"? Para nosotros esa frase puede parecer singularmente inapropiada, pero no habría sido en absoluto inapropiada durante el período bíblico, una época en la que la poesía se utilizaba para el más serio de los documentos. En esos días, mucho material serio fue puesto en la poesía para que pudiera ser más fácilmente aprendido de memoria. La poesía autorizada es la poesía que se aprende, la que se escribe en el corazón, la que se canta con todo nuestro ser.

Y por lo tanto estas formas literarias nos proporcionan posibilidades de modelos teológicos. ¿Por qué la teología no debería tomar la forma de la poesía? La poesía es un medio eficaz de "aplicación", que se encuentra incluso en la propia Escritura.[25]

(3) Actos de habla

Los filósofos del "lenguaje ordinario" de nuestro siglo han estudiado mucho los "actos de habla". Un acto de habla es un acto humano que está conectado con el habla de una cierta manera. Primero, está el acto de hablar en sí mismo, la locución o acto locutorio. Luego están los actos que realizamos al hablar, que se conocen como actos ilocutorios. Por último, están aquellos actos que realizamos al hablar, que se denominan actos perlocutivos. Los ejemplos de ilocución incluyen afirmar, cuestionar, ordenar, elogiar, bromear, prometer, amenazar, acusar, confesar, expresar emoción y anunciar política. Ejemplos de perlocuciones incluyen persuadir, instruir, alentar, irritar, engañar, asustar, divertir, inspirar, impresionar, distraer, avergonzar, aburrir y emocionar. Obsérvese que un acto perlocutivo siempre tiene un efecto en alguien; un acto ilocutorio puede o no tener ese efecto. Bromear es ilocutoria, divertir es perlocutivo. Bromear tiene el propósito de divertir, pero uno puede contar un chiste sin divertir a nadie.[26]

---

[25] No creo que la teología se limite a las formas que se encuentran explícitamente en las Escrituras. Como he dicho antes, la teología tiene el mandato de colocar la verdad en una forma diferente a la de la propia Escritura para que pueda ser aplicada a las necesidades de las personas. Pero ciertamente la teología debe usar al menos la variedad de formas encontradas en la Escritura misma, siempre y cuando sirvan para comunicarse con las audiencias actuales.

[26] Para más de estas distinciones, ver: J. L. Austin, *How to Do Things With Words* (Cambridge, Mass.: Harvard University Press, 1962).

Ahora bien, las Escrituras contienen una amplia variedad de actos de habla, algunos de los cuales (afirmar, cuestionar, ordenar, y así sucesivamente) ya he discutido. El enumerarlos puede ser útil para recordarnos, una vez más, la amplia variedad de formas en que la Escritura nos enseña y las formas en que nosotros, como teólogos, podemos tratar de enseñar a otros la Palabra de Dios. Cada acto de habla es una forma de autoridad bíblica; la Escritura ejerce su autoridad sobre nosotros por los actos de habla que realiza. Nos llama a creer en las afirmaciones de Dios, a obedecer sus mandamientos, a simpatizar con su alegría y su dolor, a reírnos de sus bromas.

Esos actos de habla también pueden ser vistos en relación perspectiva unos con otros. Toda la Escritura afirma, pregunta, alaba, promete, expresa las actitudes de Dios, etc.[27] Así vemos la increíble riqueza de cada pasaje de la Escritura, el rico potencial de cada texto para los sermones y la teología. Como dije antes, ¡el significado de cada texto es tan rico que apenas puede ser descrito!

(4) Cuadros, ventanas y espejos

Richard Pratt, en un interesante y breve artículo, menciona otro tipo de variedad en nuestro uso de las Escrituras.[28] Sugiere que miremos la Escritura de tres maneras diferentes que corresponden a las metáforas de la Escritura como "cuadro", "ventana" y "espejo".

i) La Escritura puede ser vista como un canon, como un objeto de interés en sí misma debido a su carácter único como la Palabra de Dios. Como tal, es objeto de análisis literario. Analizamos su carácter de objeto literario, así como un crítico de arte analiza las características de una pintura - de ahí la metáfora Escritura - como "cuadro".

ii) La Escritura también puede ser vista como un medio de mostrarnos los poderosos actos de Dios en la historia para nuestra salvación. Como tal, es de interés no solo por su propio bien sino como un medio de mostrarnos algo más, a saber, la actividad divina descrita por el texto canónico. Como tal, Pratt representa la Escritura como una "ventana", algo por lo que miramos para ver algo más.

---

[27] Sí, las Escrituras también hacen bromas. El evangelio es una tontería para el mundo, y un día se manifestará como una gran broma cósmica de la que los malvados son los tontos. Ver Salmo 2:7.

[28] "Pictures, Windows and Mirrors in Old Testament Exegesis," *WTJ* 45 (1983): 156–67.

Correspondiendo al "análisis literario" de la Escritura como cuadro, la Escritura como ventana es el objeto del análisis histórico.

iii) Por último, podemos mirar a la Escritura como un medio para satisfacer nuestras propias necesidades, responder a nuestras propias preguntas, abordar nuestros intereses-temas de interés para nosotros. Hacer esto es comprometerse en un análisis temático o tópico, y la metáfora apropiada en este punto es la Escritura como espejo.

La tríada de Pratt se corresponde con mi propio grupo de tríadas con bastante facilidad. Su cuadro es mi perspectiva normativa, su ventana mi perspectiva situacional, y su espejo mi perspectiva existencial. Así podemos ver que las tres metáforas hermenéuticas de Pratt están relacionadas perspectivamente. El cuadro no nos interesa a menos que hable de las obras redentoras de Dios y así satisfaga las necesidades de nuestros corazones. La ventana da una visión clara solo si es también un "cuadro" divinamente pintado, una revelación normativa; y es de interés solo en la medida en que refleja nuestras propias vidas. El espejo nos ofrece ayuda solo en la medida en que refleja nuestra relación con Dios en la historia, ya que Él ha revelado normativamente esa relación con nosotros. Las tres formas de análisis, por lo tanto, son importantes.

(5) Esferas de aplicación

Y, como hemos dicho en otros contextos, también hay una gran variedad en las áreas de la vida humana a las que se puede aplicar la Escritura. La Escritura quiere que la apliquemos a los negocios, la política, la música, las artes, la economía y la ciencia, así como a la predicación, la adoración, la evangelización, etc.

Incluso en su aplicación a la teología, la Escritura juega muchos papeles diferentes. David Kelsey señala que, aunque la mayoría de los teólogos profesionalmente cristianos afirman hacer teología "de acuerdo con las Escrituras", difieren enormemente entre ellos en cuanto a lo que eso significa.[29] Apelan a diferentes aspectos de la Escritura (proposiciones, imágenes, descripción de agentes), y también difieren en cuanto al papel que el material bíblico desempeña en los argumentos teológicos. ¿Se trata de meros datos que deben ser analizados y evaluados según el criterio autónomo del teólogo? ¿O es que la Escritura, de una

---

[29] *The Uses of Scripture in Recent Theology* (Philadelphia: Fortress Press, 1975). Ver mi ensayo sobre este tema en: *WTJ* 39 (1977): 328-53.

forma u otra, también proporciona "garantías" y "respaldo", los criterios que rigen nuestro uso de la argumentación teológica?[30]

Para el cristiano ortodoxo, la sola escritura es la regla en todos estos asuntos. La Escritura tiene la última palabra, aunque la suficiencia de la Escritura no descarta, sino que demanda, el uso de datos extra escriturales en la teología y en otros campos del pensamiento.

Pero mi mayor preocupación aquí es de nuevo mostrarles la riqueza de la Palabra escrita de Dios y animarlos a reflejar esa riqueza en su propio trabajo teológico.

E. PROGRAMAS TEOLÓGICOS TRADICIONALES

Ahora debemos mirar algunas de las formas tradicionales de teología: exegéticas, bíblicas, sistemáticas, prácticas. A veces se han descrito como "divisiones" o "departamentos" de teología, pero creo que el lenguaje tiende a aislar (!) estas disciplinas entre sí demasiado. Ese lenguaje sugiere que se distinguen por tener diferentes temas. Por el contrario, tiendo a verlas como relacionadas perspectivamente, cada una de ellas abarcando toda la teología y por lo tanto abarcando las demás. Por lo tanto, prefiero describirlas como diferentes "programas", "métodos", "estrategias" o "agendas". Son, es decir, diferentes maneras de hacer la misma cosa, no ciencias con diferentes temas. Se diferencian entre sí por su enfoque y énfasis y por la forma en que organizan su material, pero cada una está permitida (y obligada) a utilizar los métodos característicos de las demás, como veremos a continuación.

(1) Teología Exegética

En la teología exegética, el enfoque está en pasajes particulares de la Escritura. Se espera que el teólogo exegético aplique la enseñanza de textos particulares.[31] Sin embargo, este enfoque no es restrictivo. Un teólogo exegético puede tratar textos de cualquier longitud: un versículo, un párrafo, un libro, un testamento, toda la

---

[30] Kelsey explica que las "órdenes" son los principios en los que se basan las conclusiones de las premisas. "Respaldo" es la evidencia por la cual se establecen las órdenes.

[31] Permítame recordarle que toda la teología es aplicación.

Biblia. La teología exegética se distingue porque el teólogo debe recorrer el texto palabra por palabra o frase por frase, buscando el significado de cada frase en su contexto.[32]

Remitiéndose de nuevo a las metáforas de Pratt (arriba, D, 4), en la teología exegética predomina la técnica del análisis literario ("La Escritura como cuadro"). Nos interesa centrarnos en la Escritura como canon, según sus características literarias, frase por frase, oración por oración, e interpretar sus palabras, conceptos, etc. según la intención del autor, la estructura literaria y la recepción del texto por el público original.

La teología exegética puede tratar con toda la Biblia, y por lo tanto trata con toda la verdad de Dios. La teología exegética no es solo una parte de la teología; es el conjunto visto desde una perspectiva particular; es una manera de hacer teología. Toda exégesis es teología, y toda teología (porque toda la teología comprueba el sentido de los textos de la Escritura) es exégesis. Por eso es engañoso utilizar el nombre de "teología exegética" exclusivamente para esta disciplina particular.

(2) Teología Bíblica

La teología bíblica estudia la historia del comportamiento de Dios con la creación. Como disciplina teológica, es la aplicación de esa historia a la necesidad humana. A veces se la llama "la historia de la redención" o, de manera más amplia (para incluir los períodos de pre-redención y consumación), "la historia del pacto".

La teología bíblica es una disciplina apasionante. Los estudiantes de seminario a menudo encuentran una fascinante sorpresa. Tal como fue desarrollada por eruditos bíblicos reformados como Geerhardus Vos, H. N. Ridderbos, Richard B. Gaffin y Meredith G. Kline, la teología bíblica abre las Escrituras a muchos estudiantes de una manera nueva y fresca. La sorpresa viene de esta manera: aunque la mayoría de los seminaristas han tenido alguna exposición a la teología exegética (mediante el uso de comentarios y escuchando sermones expositivos) y a la teología sistemática (mediante estudios catequísticos) antes de llegar al seminario, la mayoría no ha estado expuesta a la teología bíblica.[33]

---

[32] Existe una sinonimia aproximada entre los "estudios bíblicos" y la "teología exegética" y, en consecuencia, entre los "estudios del Antiguo Testamento" y los "estudios del Nuevo Testamento" y la "teología exegética".

[33] Los lectores interesados en explorar la teología bíblica deben tener en cuenta especialmente los siguientes títulos, que son obras representativas e importantes de la teología bíblica dentro de la tradición de la ortodoxia protestante. (Por supuesto, también hay muchas obras de teología bíblica escritas desde fuera de esa tradición). Entre las

La teología bíblica traza la elaboración del plan de Dios para la creación desde la perspectiva histórica del pueblo de Dios. Traza la historia del pacto, mostrándonos en cada punto de la historia lo que Dios ha hecho para la redención de su pueblo. En el esquema de Pratt, la teología bíblica se centra en las Escrituras como ventana y enfatiza el método de análisis histórico. Sin embargo, si la teología bíblica es verdaderamente teología (= aplicación), entonces no puede ser divorciada de las otras perspectivas y métodos de análisis. Estudia la historia de la redención como una revelación normativa de Dios y como una historia que se dirige a nuestras necesidades más profundas. En cada punto de la historia de la redención, estamos capacitados para ponernos en las historias, para imaginar lo que debe haber sido vivir como creyente en los tiempos de Abraham, o Moisés, o Pablo, por ejemplo. Aprendemos a pensar de la manera en que David, Isaías y Amós deben haber pensado en los tratos de Dios, pensando en sus términos, en su lenguaje. De este modo llegamos a reconocer la profundidad de la revelación de Dios para ellos y a apreciar las limitaciones de esa revelación en comparación con el canon completo.

En el mejor de los casos, la teología bíblica nos muestra de forma maravillosa cómo los diversos aspectos de la Escritura encajan en un todo único y coherente. Revela los diversos puntos de vista de los diferentes escritores de evangelios, las diferencias entre el Antiguo y el Nuevo Testamento, entre Reyes y Crónicas, y así sucesivamente. Pero en medio de toda la diversidad de las Escrituras, la teología bíblica traza el desarrollo histórico del plan de Dios, que con la necesidad de un drama bien elaborado culmina en Cristo, especialmente en su expiación, resurrección, ascensión y envío del Espíritu en Pentecostés. Así, el estudiante de

---

primeras y fundamentales obras en este campo se encuentran los escritos de Geerhardus Vos, especialmente *Biblical Theology* (Grand Rapids: Wm. B. Eerdmans Pub. Co., 1959); *The Pauline Eschatology* (Grand Rapids: Wm. B. Eerdmans Pub. Co., 1972; reeditado por Presbyterian and Reformed, 1986); *Redemptive History and Biblical Interpretation* (Phillipsburg, N.J.: Presbyterian and Reformed Pub. Co., 1980). Herman N. Ridderbos, *The Coming of the Kingdom* (Philadelphia: Presbyterian and Reformed Pub. Co., 1973) y *Paul: An Outline of His Theology* (Grand Rapids: Wm. B. Eerdmans Pub. Co., 1975) son prácticamente enciclopédicos. Una introducción simple, pero profunda, a la importancia de la teología bíblica para la predicación es Edmund P. Clowney, *Preaching and Biblical Theology*. Otra introducción simple y útil es S. G. Degraaf, *Promise and Deliverance* (St. Catherines, Ont.: Paideia Press, 1977), un estudio de cuatro volúmenes de las Escrituras diseñado para ayudar a sus lectores a enseñar la Biblia a los niños. Algunos valiosos estudios recientes incluyen Richard B. Gaffin, *Resurrection and Redemption*, formerly *The Centrality of the Resurrection* (Grand Rapids: Baker Book House, 1978; reeditado por Presbyterian and Reformed, 1987) y sus *Perspectives on Pentecost* (Phillipsburg, N.J.: Presbyterian and Reformed Pub. Co., 1979). Algunos de los trabajos más creativos en este campo los realiza Meredith G. Kline, como en su *Images of the Spirit* (Grand Rapids: Baker Book House, 1980).

teología bíblica experimenta algo de lo que debieron sentir los discípulos (en Lc. 24:13-35) cuando Jesús les expuso "en todas las Escrituras las cosas que le conciernen" (v. 27). Y a veces los corazones de los estudiantes de teología bíblica pueden incluso arder de excitación, ¡como lo hicieron los corazones de los discípulos de Jesús cuando les explicó las Escrituras en el camino a Emaús (Lc. 24:32)!

Sin embargo, la teología bíblica en su mejor momento no alegoriza cada Escritura en un arbitrario simbolismo de Cristo; es una disciplina seria y erudita, y eso hace que el descubrimiento de la centralidad de las Escrituras en Cristo sea aún más maravilloso. En ese tipo de teología bíblica, el lector tiene la seguridad de que las aplicaciones de la Escritura a Cristo no son ni una invención humana ni una imposición imaginaria sobre el texto, sino algo que es necesario por el texto de la Escritura.

Así, la teología bíblica nos lleva a ver el Antiguo Testamento no solo como ley y juicio, sino también como evangelio. Es la historia de cómo Dios eligió a un pueblo para redimirlo del pecado y de cómo la gracia de Dios perseveró con ellos a pesar de su rebelión y odio hacia Él. Así, cada acto divino, cada liberación, cada juicio, cada ley ceremonial, cada profeta, sacerdote y rey del Antiguo Testamento prefigura a Cristo, porque es en Él en quien culmina la actividad redentora de Dios.[34]

Junto con la emoción del crecimiento en el conocimiento de la Palabra de Dios, la teología bíblica a menudo engendra la emoción algo más mundana de aprender una nueva jerga. Los teólogos bíblicos hablan mucho de "pacto", "lo ya y lo todavía no", "lo semi-escatológico", "cultura y culto", etc., y los estudiantes (especialmente los más jóvenes) a menudo parecen disfrutar de poder utilizar esa terminología esotérica, que los no iniciados no pueden entender. En el mejor de los casos, como en la mayoría de las disciplinas, ese vocabulario técnico es una taquigrafía útil; en la mayoría de los casos es un juego inofensivo. El peligro, sin embargo, es que la jerga se convierta en una fuente de orgullo entre los "sabios", lo que los lleva a una actitud de desprecio hacia los que están fuera del grupo favorecido.

Ese peligro no es del todo imaginario. He visto a estudiantes de seminario desarrollar una actitud hacia la teología bíblica que apenas se distingue del fanatismo sectario, y por esa razón, debo discutir ahora algunas de las limitaciones de la teología bíblica. No deseo amortiguar la emoción de nadie. Incluso a mi edad,

---

[34] El resumen de Clowney de esto es excelente en *Predicación y Teología Bíblica,* citado anteriormente.

sigo entusiasmado con la teología bíblica.[35] solo deseo que el lector vea la teología bíblica en su justa perspectiva.

(i) La Escritura es una historia redentora, pero no solo eso. No pertenece exclusivamente al género histórico.

(A) Incluye un código de leyes, un libro de canciones, una colección de proverbios, un conjunto de cartas (y éstas no solo como fuentes históricas).

(B) El contenido de la Escritura tiene como objetivo no solo darnos información histórica, sino también gobernar nuestras vidas aquí y ahora (Ro. 15:4; 2 Ti. 3:16s.; etc.). Este no es el propósito usual de un texto histórico.

(C) Como se señala a menudo, los Evangelios no son biografías de Jesús; son Evangelios. Su propósito no es meramente informar, sino provocar la fe. La mayoría de las historias no tienen este propósito.

Por supuesto, sería posible definir la "historia" de manera tan amplia que incluyera todas esas funciones, hablando incluso de los Salmos y Proverbios como en cierto sentido "interpretaciones" de la historia de la redención. Pero tal definición estaría tan alejada del lenguaje normal que sería engañosa. La "Interpretación" en el sentido usual no es el propósito principal de los Salmos y Proverbios. Por lo tanto, estoy dispuesto a decir que la Escritura es una historia de redención, pero soy reacio a decir que esta es la única manera o la más importante de caracterizar la Escritura. Como mínimo, tendríamos que modificar la frase "historia de la redención" para decir que la Escritura, a diferencia de cualquier otra historia, es una historia normativa de la redención, una historia destinada no solo a informar sino también a gobernar al lector (2 Ti. 3:16s.). Pero decir que la Escritura es historia normativa es decir que la Escritura no solo es historia sino también ley y que la "historia" y la "ley" son, al menos, formas igualmente definitivas de caracterizar la Escritura.[36]

Y yo diría que hay otras formas importantes de caracterizar la Escritura. La Escritura no solo es historia y ley, sino también evangelio. Su propósito es suscitar la fe en Cristo. Y es promesa, sabiduría, consuelo, amonestación y mucho más.

¿Este enfoque "perspectivo" compromete la centralidad de Cristo en su muerte, resurrección y ascensión? No. Cristo no solo es central en la historia, sino que también lo es como el eterno legislador (Palabra), como la sabiduría de Dios, como profeta, sacerdote y rey. Se podría argumentar, por lo tanto, que un enfoque más flexible de la teologización hace más justicia a la centralidad de Cristo que un

---

[35] Recuerde mi énfasis en la primera parte sobre el señorío del pacto; eso fue teología bíblica. El método teológico bíblico es prominente en mi Doctrina de la Palabra de Dios y Doctrina de Dios, ambas aún no publicadas.

[36] Tal correlación entre "historia" y "ley" es de esperar si, como cree Kline, la Escritura es un "tratado de protectorado". Vea su *Treaty of the Great King*.

enfoque estrechamente redentor-histórico. Además, la muerte, resurrección y ascensión de Cristo y la efusión pentecostal del Espíritu Santo son importantes no solo como acontecimientos históricos (aunque, frente al escepticismo del pensamiento moderno, es de vital importancia afirmarlos como acontecimientos históricos) sino también por su impacto actual en nosotros, sobre todo en su función normativa (Ro. 12:1ss.; Ef. 4:1ss.).

ii) Puesto que la Escritura, entonces, no es solo o principalmente una "historia", me opondría a la opinión de algunos que sostienen que la teología debería estar "controlada" por la historia redentora.

(A) La teología debería estar controlada por todo lo que dice la Escritura. Eso incluye no solo sus declaraciones de hechos históricos y sus interpretaciones de la historia, sino también sus mandatos, poesía, etc.

(B) La teología, por lo tanto, debe tener en cuenta la historia de la redención, pero no solo la historia de la redención. También debe preocuparse por hacer justicia a la Escritura como ley, poesía, sabiduría, evangelio - todos los aspectos autoritarios de la Palabra de Dios. Por lo tanto, la teología no debe estar controlada exclusivamente por la historia de la redención, en oposición a otros aspectos o perspectivas.

iii) La gente a menudo se entusiasma con la teología bíblica (en contraposición, en particular, a la sistemática) porque le parece que está cerca del texto bíblico. Utiliza más del vocabulario bíblico real que la sistemática y recorre las Escrituras en un orden aproximadamente histórico, en lugar de tópico, como hace la sistemática. Disfruto de estas características de la teología bíblica, pero quisiera advertir al lector que no concluya sobre la base de las razones que acabo de mencionar que la teología bíblica es "más bíblica" que la teología sistemática. Como hemos indicado anteriormente, el trabajo de la teología no es imitar el vocabulario de las Escrituras o su orden y estructura, sino aplicar la Biblia. Y para hacer esto, la teología puede (de hecho, debe) apartarse un poco de la estructura de la propia Escritura, ya que de lo contrario solo podría repetir las palabras exactas de la Escritura, desde el Génesis hasta el Apocalipsis. Así pues, una disciplina teológica que se aleje mucho de la estructura de la Escritura no es necesariamente menos adecuada, menos bíblica, que una que se aleje en menor medida. Además, la semejanza entre la Escritura y las teologías bíblicas es a veces exagerada. ¡Hay una gran diferencia entre la teología bíblica de Vos y las epístolas paulinas, por ejemplo! Por esa razón, considero que el término "teología bíblica" es un término equivocado y preferiría llamar a esta disciplina la "historia del pacto". La fuerza del hábito, sin embargo, y el deseo de que la brevedad sea lo que es, dictará lo contrario.

iv) Los que se "especializan" en teología bíblica corren el riesgo de cometer injusticias en los aspectos de la Escritura que no sean los estrictamente históricos.

v) Los estudiantes que se vuelven "fanáticos" de la teología bíblica a veces pierden el sentido adecuado de los objetivos de la teología y la predicación. Una vez escuché a un estudiante decir que un sermón nunca debe tratar de aplicar la Escritura, sino que solo debe narrar la historia de la redención, dejando que la congregación saque sus propias aplicaciones. Pero esa idea es bastante errónea por estas razones.

(A) La teología bíblica en sí misma es aplicación. No hay diferencia entre encontrar un significado y encontrar aplicaciones (ver Parte Uno).

(B) El propósito de la predicación debe ser nada menos que el propósito de la propia Escritura, que no es meramente narrar hechos históricos sino más bien incitar a la gente a la fe y a las buenas obras (Jn. 20:31; Ro. 15:4; 2 Ti. 3:16s.).

vi) El apego desequilibrado a cualquier "perspectiva" teológica puede ser una fuente de orgullo impío que puede dar lugar al desprecio de los que no comparten este apego y a la división en la iglesia.

vii) La defensa desequilibrada de la teología bíblica se defiende a menudo con argumentos antiabstraccionistas como: "Nunca debemos abstraer la revelación de la historia de la redención". Sobre las ambigüedades y falacias de ese tipo de argumento, sin embargo, ver arriba en el punto A.

viii) Las sabias palabras de Edmund Clowney sobre la importancia de la teología bíblica para la predicación deben equilibrarse con observaciones similares que podrían hacerse sobre la teología exegética y sistemática.[37] Creo que cualquiera que escriba un sermón textual debe ser consciente del contexto histórico-redentor de su texto. Sin embargo, no tiene que hacer siempre que ese contexto sea prominente en el sermón mismo. Hay otros contextos, otras relaciones que también son importantes. La elección de lo que será prominente en un sermón particular dependerá de los dones del predicador y de sus preocupaciones y juicios sobre las necesidades de la congregación.

(3) Teología Sistemática

La teología sistemática busca aplicar la Escritura como un todo. Mientras que la teología exegética se centra en pasajes específicos y la teología bíblica se centra en las características históricas de la Escritura, la teología sistemática trata de reunir

---

[37] *Preaching and Biblical Theology.*

todos los aspectos de la Escritura, para sintetizarlos. Los sistemáticos se preguntan, ¿a qué se suma todo esto? Al investigar la fe, por ejemplo, el teólogo sistemático se fija en lo que dicen los comentaristas exegéticos sobre Romanos 4, Efesios 2:8 y otros pasajes de la Biblia en los que se presenta este tema. También escucha lo que los teólogos bíblicos dicen sobre la fe en la vida de Abraham, de Moisés, de David, de Pablo. Pero luego el teólogo sistemático se pregunta, ¿Qué enseña toda la Biblia sobre la fe? - o sobre cualquier otra cosa. Podría ser un tema mencionado en la propia Escritura, como la fe, o podría ser un tema tomado de nuestra propia experiencia: ¿Qué enseña toda la Biblia sobre el aborto, sobre el desarme nuclear, sobre el socialismo?

Dado que la teología es una aplicación, esa pregunta también puede plantearse de esta manera: ¿Qué nos dice la Biblia sobre la fe? Después de aprender lo que la fe significaba para Abraham, Moisés, David y Pablo, queremos saber qué debemos confesar. Por lo tanto, hay algo muy "existencial" en la teología sistemática, algo que rara vez se observa. En el esquema de Pratt, la teología sistemática se centra en el análisis temático o tópico y por lo tanto en la función de las Escrituras como "espejo". Es precisamente cuando hacemos teología sistemática que se plantea explícitamente la cuestión específica de la aplicación (aunque esa cuestión es planteada implícitamente por todas las disciplinas teológicas).

Por una parte (como se observa a menudo), la teología sistemática depende de la teología exegética y bíblica. Para desarrollar aplicaciones, el teólogo sistemático debe conocer lo que dice cada pasaje y los poderosos actos históricos de Dios que en él se describen. Es especialmente importante para los teólogos sistemáticos de hoy en día estar al tanto de los desarrollos de la teología bíblica, una disciplina en la que se hacen nuevos descubrimientos casi a diario. Con demasiada frecuencia, los teólogos sistemáticos (¡incluido éste!) van muy por detrás de los teólogos bíblicos en la sofisticación de su exégesis.

Por otra parte (y este punto se señala con menos frecuencia), lo contrario también es cierto: la teología exegética y la bíblica también dependen de la sistemática. Seguramente se puede examinar mejor las partes de la Escritura si se es sensible a la enseñanza global de la Escritura descubierta por la sistemática. Y uno puede entender mejor la historia de la redención si tiene una perspectiva sistemática. Así, las tres formas de teología —exegética, bíblica y sistemática— son mutuamente dependientes y correlativas; se implican mutuamente. Son "perspectivas" de la tarea de la teología, no disciplinas independientes.

¿Qué significa la palabra "sistemática" en la frase "teología sistemática"? A primera vista, podríamos suponer que se refiere a la consistencia lógica o a la estructura ordenada. Pero es evidente que no solo la sistemática, sino todas las formas de teología deben buscar esa consistencia y estructura. Otra posibilidad podría ser que la teología sistemática busque un objeto particular, el "sistema de verdad" de las Escrituras. ¿Pero qué es ese "sistema"? ¿Es la propia Escritura? Si es así, entonces referirse a ella aquí no es útil. ¿Es algo en la Escritura o detrás de la Escritura? Moverse en esa dirección es peligroso. Anteriormente, en la primera parte, critiqué la noción de que hay algo llamado "el significado" o "el sistema" que se interpone entre el teólogo y su Biblia. Siempre existe el peligro de que a este "sistema" se le dé (en la práctica, si no en la teoría) más autoridad que a la propia Escritura, aunque solo sea como una especie de pantalla o cuadrícula a través de la cual deben alimentarse los datos de la Escritura. Y ese, por supuesto, es el principal peligro en la teología sistemática. Por esas razones, no puedo hacer ningún uso positivo del término "sistema" en la frase "teología sistemática", y esto significa que los tres términos - "teología exegética", "teología bíblica" y "teología sistemática" —¡son todos nombres equivocados!

Sin embargo, no puedo parar sin expresar mi propio entusiasmo sobre el potencial de la teología sistemática en nuestros días. Si la teología sistemática fuera simplemente un intento de poner en orden sistemas pasados como los de Calvino, Hodge y Murray o un intento de desarrollar otro sistema según su modelo, podría ser vista como una disciplina aburrida. Y me temo que los estudiantes a menudo lo ven de esa manera hoy en día, prefiriendo sus nuevas emociones en la teología bíblica a lo que perciben como la monotonía de la sistemática. Por lo tanto, parece que hay pocos buenos teólogos sistemáticos en el mundo de hoy. Pero si los estudiantes solo vieran la sistemática como lo que es: el intento de responder a preguntas de toda la Biblia, aplicando la suma total de la verdad bíblica a la vida, entonces la sistemática podría verse de nuevo como algo emocionante, como algo digno de un compromiso de por vida.

La teología sistemática es realmente una disciplina abierta. Hay tantas tareas esperando ser realizadas, tantas preguntas que se hacen hoy en día que nunca han sido tratadas seriamente por los teólogos sistemáticos ortodoxos —la naturaleza de la historia, la naturaleza del lenguaje religioso, la crisis de significado en la vida moderna, la teología de la liberación económica, y así sucesivamente. Y la sistemática está muy abierta también en lo que respecta a su forma. Según mi definición, la teología sistemática no necesita tomar la forma de un tratado académico o imitar las convenciones de los sistemas filosóficos. Puede tomar la forma de poesía, drama, música, diálogo, exhortación, predicación, o cualquier otra forma apropiada. Pero hay poca gente haciendo este trabajo; necesitamos brazos más fuertes para tirar de los remos.

(4) Teología Práctica

A primera vista, podríamos pensar que el trabajo de las teologías exegéticas, bíblicas y sistemáticas era encontrar el significado de la Escritura y que la teología práctica estaba encargada de la tarea de encontrar su aplicación. Pero como he argumentado, el significado y la aplicación son dos formas de ver y hablar de lo mismo. Las teologías exegéticas, bíblicas y sistemáticas ya están ocupadas en la aplicación, y en ese sentido son prácticas.

Entonces, ¿qué le queda por hacer a la teología práctica? Yo definiría la teología práctica como la ciencia de la comunicación de la Palabra de Dios. Esta definición parece estar de acuerdo con las preocupaciones típicas de los teólogos prácticos: predicación, enseñanza, asesoramiento, misiones, evangelización, culto. Como tal, la teología práctica sería una división de la sistemática. Plantea un tipo particular de pregunta de "toda la Biblia": ¿Qué enseña toda la Biblia sobre la mejor manera de comunicar la Palabra de Dios?

Por lo tanto, "teología práctica", como teología "exegética", "bíblica" y "sistemática", es un término equivocado. Toda la teología es práctica, ¡al menos la buena teología lo es!

CAPÍTULO SIETE: LA PERSPECTIVA SITUACIONAL: EL LENGUAJE COMO HERRAMIENTA DE LA TEOLOGÍA

Como hemos visto, las tres perspectivas —normativa, situacional, existencial— se superponen, se interpenetran y se incluyen mutuamente. Por lo tanto, al discutir la perspectiva situacional, no estamos realmente dejando atrás lo normativo. Seguimos hablando de los usos de la Escritura porque la teología es, después de todo, el uso de la Escritura. Y la Escritura es tan importante para la perspectiva situacional como para la normativa. La Escritura es ese hecho central sobre la base del cual todos los demás hechos deben ser interpretados.

Sin embargo, la teología también hace uso de datos extrabíblicos de diversos tipos. Esto es inevitable si la teología no solo repite el lenguaje de las Escrituras, sino que aplica y relaciona ese lenguaje con el mundo de nuestra experiencia. La teología utiliza datos extrabíblicos para relacionar las Escrituras con nuestra situación. Bajo la "perspectiva situacional", consideraremos ese proceso.

Los datos extrabíblicos relevantes para la teología provienen de muchas fuentes: el lenguaje, la lógica, la historia, la ciencia, la filosofía, la cultura moderna. Las ciencias que analizan tales datos sirven como "herramientas de la teología". Ahora veremos algunas de estas herramientas.

Una de las principales herramientas de la teología es la comprensión del lenguaje por parte del teólogo. El lenguaje es importante, especialmente porque la Biblia misma es lenguaje. El conocimiento de los idiomas originales de la Escritura y de los principios lingüísticos, exegéticos y hermenéuticos, todos ellos son extremadamente valiosos para el teólogo. El lenguaje también es importante porque la teología misma es, en su mayor parte (sin olvidar la importancia de la "teología por el ejemplo"), un cuerpo de lenguaje. El teólogo comienza con el lenguaje de la Escritura y trata de comunicar ese contenido a los demás en su propio lenguaje.

A diferencia de David H. Kelsey, no hay una distinción clara entre la traducción de la Escritura y la teología.[1] Ambas son intentos de aplicar el texto de las Escrituras a personas distintas de la audiencia original. Ambas requieren habilidades en las ciencias lingüísticas, conocimiento de la cultura de destino, etc. Ambas se apartan un poco de la forma del texto original, aunque una traducción es generalmente más cercana en forma al texto de lo que sería una discusión teológica. La diferencia es solo una diferencia de grado. Lo que decimos aquí, entonces, tiene que ver con la traducción y la exégesis tanto como con la teología.

Ya hemos discutido varios temas que tienen que ver con el uso del lenguaje en la teología: la cuestión de si todo el lenguaje sobre Dios debe ser figurativo (capítulo 1, B, (1), b), la cuestión de la " singularidad " del lenguaje religioso (capítulo 5, A, (3)), la relación entre el sentido y la aplicación (capítulo 3, Apéndice C), la imprecisión de la retórica antiabstraccionista (capítulo 6, A), el contexto y la perspectiva en la exégesis (capítulo 6, A y B), y las variedades del lenguaje bíblico (capítulo 6, D, (1)). En esta sección quisiera abordar la cuestión general de la imprecisión del lenguaje teológico, con especial referencia a los términos técnicos, las distinciones teológicas y las analogías. En gran parte de lo que sigue, estoy en deuda con los escritos y declaraciones inéditos de Vern S. Poythress, Profesor de Nuevo Testamento en el Seminario Teológico de Westminster en Filadelfia, pero asumo toda la responsabilidad por las deficiencias en la discusión.

A. IMPRECISIÓN EN EL LENGUAJE

El lenguaje humano no es un instrumento de precisión absoluta. Solo Dios sabe, y puede afirmar con precisión, todos los hechos del universo. Esto no es una negación del poder del lenguaje humano para declarar la verdad. El lenguaje humano afirma la verdad. La Palabra de Dios en el lenguaje humano, por ejemplo, es una verdad absoluta e inerrante. Pero hay una diferencia entre la verdad y la precisión. Aunque los evangélicos siempre han insistido en que la Escritura es verdadera,

---

[1] *The Uses of Scripture in Recent Theology* (Philadelphia: Fortress Press, 1975); reviewed by me in *WTJ* 39 (1977): 328–53.

generalmente están de acuerdo en que la Escritura no es necesariamente, nunca completamente, precisa. El lenguaje humano puede ser usado para declarar la verdad, pero no habla con absoluta precisión. La vaguedad en el lenguaje y en nuestra comprensión de él tiene varias fuentes.

i) Cortando el pastel de diferentes maneras.

En primer lugar, hay muchas maneras posibles de referirse al mundo por medio del lenguaje, como lo demuestra el gran número de idiomas actuales en el mundo. Los idiomas se diferencian entre sí no solo en el uso de diferentes palabras para designar la misma cosa (window es ventana en inglés, fenetre en francés) sino también en las "cosas" que el idioma es capaz de distinguir. Los diferentes idiomas, por ejemplo, dividen el espectro de colores de manera diferente.

En un idioma puede haber ocho términos de color básicos, en otro, cinco. Por lo tanto, el rojo en el primer idioma puede no tener un equivalente preciso en el segundo. O una palabra como rojo en el segundo idioma podría incluir los colores designados por el rojo y el púrpura en el primero. Los hablantes de la primera lengua pueden pensar que los hablantes de la segunda confunden el rojo y el púrpura. Los hablantes de la segunda lengua pueden pensar que los hablantes de la primera están separando ilegítimamente (¿abstrayendo?) dos formas de rojo. ¿Quién está en lo cierto? Bueno, ninguna lengua es capaz de capturar todas las diferencias entre los tonos del espectro de colores, de los cuales hay un número indefinido.

Tampoco ningún lenguaje es capaz de observar todas las analogías entre los tonos (por ejemplo, entre el rojo y el púrpura). El primer idioma, podríamos decir, distingue más matices mediante nombres de colores distintos (aunque el segundo puede hacer las mismas distinciones por otros medios, por ejemplo, distinguiendo subtipos dentro de sus principales categorías). Al hacer de la púrpura, en efecto, un tono de rojo, la segunda lengua refleja en su tronco léxico una analogía o semejanza de la que carece la primera. (La primera lengua, por supuesto, también podría hacer esa analogía por otros medios). La realidad ha sido a menudo comparada con un pastel que es cortado en diferentes formas por diferentes idiomas. Muchos arreglos diferentes son posibles y útiles, y con frecuencia no podemos decir que uno está bien y otro mal. Si decimos: "Sí, pero ¿cómo es realmente el rojo, aparte de las diferentes concepciones de él en diferentes idiomas?" no recibiremos ninguna respuesta precisa.

(ii) Tipos naturales.

Podemos entender ese tipo de imprecisión en una palabra como rojo porque, después de todo, el enrojecimiento (parece) es algo "subjetivo", relativo al "ojo del espectador". Pero, ¿qué pasa con las palabras como pez? Pez designa una "clase natural". Seguramente, se podría suponer, cada idioma debe tener sustantivos separados para peces y mamíferos. Pero considere lo siguiente.

(A) Pez no es tan diferente del rojo. El rojo no es simplemente una descripción de un estado subjetivo; es una cualidad real de las cosas. Hay un factor subjetivo en nuestra decisión de cómo cortar el "pastel" del espectro de colores, pero hay decisiones similares a tomar incluso con respecto a los animales. ¿Deberían los peces incluir o excluir a la ballena? Eso depende de si queremos subrayar las analogías entre las ballenas y los peces o las analogías entre las ballenas y los mamíferos terrestres. Y esa pregunta (al igual que la pregunta ¿Debería el rojo incluir el púrpura?) se responderá en parte determinando qué es lo más útil o conveniente para nosotros, y eso podría llamarse un factor "subjetivo". O considerar la pregunta, ¿Es el tomate una fruta o una verdura? Los biólogos tienden a responder esta pregunta de una manera, los chefs de otra. ¿Quién tiene razón? La respuesta no es clara. Debemos elegir qué "contexto" subrayar: el contexto de las relaciones biológicas o el contexto de los alimentos que "van juntos".

(B) Somos falibles en la identificación de los tipos naturales. Los biólogos a veces han tenido que revisar sus juicios sobre qué animales constituyen especies distintas.

(C) A menudo se producen imprecisiones en la aplicación de los términos, incluso con respecto a los tipos naturales. El tigre y el león denotan tipos naturales. Pero cuando un tigre y un león se aparean, produciendo descendencia, ¿qué término debe aplicarse a las crías? ¿Son tigres? ¿Leones? ¿Una tercera categoría? Aquí está claro que incluso un término como tigre tiene "límites difusos". No siempre está perfectamente claro cuándo se aplica y cuándo no. La lluvia puede parecer un concepto perfectamente claro. Sabemos lo que es, pensamos, y sabemos cuándo llueve y cuándo no. ¿Pero qué hay de una niebla espesa? ¿Llamamos a eso lluvia o no? ¿O lo llamamos lluvia en algunas condiciones, pero no en otras? Claramente, no hay ninguna regla en nuestro lenguaje que responda automáticamente a tales preguntas. Podemos inventar una, por supuesto, pero no podemos afirmar que nuestra regla inventada establece "el significado" de la lluvia. Incluso una vez que hayamos definido un tipo natural, las palabras de la definición no serán perfectamente precisas, y ese hecho puede causar más problemas.

iii) Parecidos familiares.

A menudo (algunos dirían que siempre) es imposible especificar un conjunto de condiciones que siempre están presentes cuando un término se utiliza correctamente. Ludwig Wittgenstein señaló que el juego se utiliza de muchas maneras.[2] Algunos juegos son juegos de diversión, otros implican ganar y perder, algunos son juegos de habilidad y otros de suerte, pero ninguna de esas características se encuentra en cada actividad que llamamos juego. El juego, por lo tanto, no designa un grupo específico de cualidades que siempre está presente en cada juego. Más bien, se utiliza para un grupo de actividades que tienen "superposición y cruce" de semejanzas entre sí. Wittgenstein llamó a estos "parecidos familiares". En una reunión familiar de los Blodgett, uno tendrá la nariz Blodgett, otro el hoyuelo Blodgett, otro la frente Blodgett, y así sucesivamente. Es muy posible que ningún miembro tenga todos los "rasgos típicos de los Blodgett". Y lo mismo es cierto para el juego. Algunos juegos son juegos de diversión, otros implican ganar y perder, y algunos son juegos de habilidad, pero ningún juego puede tener todas esas características típicas del juego. Por esa razón, también, hay "límites borrosos" en la forma en que se usa el juego. ¿Cuántas características de juego debe tener una actividad para que se le llame juego? No hay forma de establecer una cifra para todos los tiempos y casos, por lo que es difícil definir el juego con precisión, declarar su "esencia", decir lo que "realmente es".

iv) Significado y uso.

Y hay otras palabras que parecen aún más misteriosas. Tómese su tiempo. Agustín dijo: "¿Qué es el tiempo? Si nadie me pregunta, lo sé; pero si alguien me pregunta, no lo sé".[3] Todos sabemos lo que es el "tiempo". Cuando alguien nos pregunta la hora o nos dice que no hay más tiempo para el examen o nos dice que estemos listos a tiempo, sabemos lo que significa. Pero si alguien nos pregunta "¿Qué es el tiempo?" - si alguien pregunta por su "esencia" o su definición - nos encogemos de hombros. Así estamos en la paradójica posición de pensar que entendemos una palabra, pero no somos capaces de decir lo que significa. La respuesta de Wittgenstein a este enigma es decir que entender una palabra es poder usarla, no poder definirla. Hay muchas palabras, cuando pensamos en ello, que entendemos bastante bien que no somos capaces de definir, y eso es especialmente cierto en el caso de los niños.

---

[2] *Philosophical Investigations* (New York: Blackwell, 1958), 31f.
[3] Ibid., 42.

Cuando los niños aprenden a hablar, las definiciones juegan un papel muy pequeño. "Definir términos" es un proceso que la mayoría de los niños no aprenden hasta que han estado en la escuela durante varios años. El aprendizaje del lenguaje más temprano procede de manera más informal, ya que tratamos de imitar el uso de nuestros padres y otros. Es un proceso de prueba y error. Nuestra "imitación" es a veces más, a veces menos exitosa. Nunca resulta en una precisión absoluta en el uso de los términos. A veces, para estar seguros, la "definición ostensiva" juega un papel: un niño puede aprender la palabra "silla" cuando su padre señala la silla y dice la palabra. Ese proceso parece conducir a una mayor precisión. ¿Pero lo hace? Hay, después de todo, mucho espacio para el error y el malentendido en el proceso de "definición ostensiva". Incluso suponiendo que el niño tenga una comprensión general del significado del gesto de señalar, ¿cómo sabe a través de ese gesto que el padre está definiendo la silla en términos del objeto en su conjunto, en lugar de en términos de su color o forma? ¿Cómo sabe que el padre está usando la silla como un término general para todos esos objetos, en lugar de como un nombre propio para el objeto particular que está señalando? El gesto de señalar en sí mismo es demasiado vago para hacer tales distinciones. El niño debe simplemente hacer lo mejor que pueda, por ensayo y error, eventualmente "colgándose" de su nuevo lenguaje. Aprende, en última instancia, no a través del gesto de señalar, sino a través de toda la gama de actividades que dan significado tanto a las palabras como a los gestos. El significado es el uso, la aplicación; y a medida que el niño aprende el uso, aprende el significado, pueda o no dar una definición.

Un "uso" es difícil de describir con palabras, e incluso cuando puede describirse así, las palabras utilizadas para hacerlo deben aprenderse por sí mismas a través del uso. Y esta es otra razón de la vaguedad del lenguaje: es difícil decir lo que significa cualquier término, ya que el significado es básicamente el resultado del uso, no de la definición.

Soy un defensor de la claridad en la teología, y a menudo la claridad requiere que definamos los términos. Pero ahora debo hacer un punto aparentemente opuesto: las demandas de definiciones no siempre son legítimas. A veces, alguien sugerirá que no puedo realmente entender o usar un término a menos que pueda definirlo. Esa idea es claramente errónea. Aprender a usar una palabra, en la mayoría de los casos, precede a nuestra capacidad de definirla. Todos sabemos cómo usar el tiempo, pero pocos de nosotros —posiblemente ninguno de nosotros— podríamos llegar a una definición adecuada de ese concepto. Y ese es a menudo el caso con el lenguaje teológico. Sustancia, persona, eternidad, paternidad eterna y pacto, por ejemplo, son difíciles de definir, tal vez imposible. Son, tal vez, "primitivos lógicos", términos indefinibles que usamos para definir otros términos.

v) Cambios de idioma.

Otra razón para la vaguedad es que el lenguaje cambia constantemente. Las definiciones suelen ser inadecuadas porque no reflejan el estado actual del idioma o el uso de los hablantes reales que se están considerando.

vi) Abstracción.

Los términos abstractos son vagos por otra razón. Por una parte, designan cosas o cualidades generales, dejando de lado, en cierta medida, la referencia a las particularidades. Por otra parte, como vimos en nuestra discusión sobre el antiabstraccionismo, todo el lenguaje es abstracto hasta cierto punto. Incluso si pudiera haber un lenguaje perfectamente concreto, un lenguaje desprovisto de abstracción, ese lenguaje no podría ser conocido por los seres humanos, por lo que en un sentido importante tal lenguaje sería impreciso.[4]

vii) La imprecisión intencional.

Además, gran parte del lenguaje es intencionalmente vago. Consideremos otra ilustración de Wittgenstein. Un fotógrafo le dice a una modelo: "Párese aproximadamente allí". Dice exactamente lo que quiere decir. Su orden no es una forma descuidada de decir, por ejemplo: "Párese exactamente a 2.8976 pies de la pared". El fotógrafo no pretende ser tan preciso como eso. Si me pregunta mi edad y lo doy pormenorizado, estoy (en la mayoría de los casos) siendo tonto y derrotando el propósito de nuestra comunicación. Así que en la mayoría de los casos evitaré intencionadamente ese nivel de precisión. Habitualmente usamos números redondos, metáforas y otras expresiones imprecisas como atajos lingüísticos.

B. IMPRECISIÓN EN LAS ESCRITURAS

Está claro que la Palabra de Dios en las Escrituras no es una excepción en lo que respecta a la imprecisión. Como todo lenguaje, la Escritura también es vaga en ciertos aspectos. La imprecisión no debe ser tomada como un término de reproche sino como lo contrario de preciso. Los evangélicos siempre se han apresurado a

---

[4] Como he argumentado antes, un lenguaje "perfectamente concreto" sería aquel que expresara exhaustivamente toda la verdad sobre su tema. Solo Dios puede hablar en ese tipo de lenguaje.

enfatizar que, aunque la Escritura es verdadera y aunque dice exactamente lo que Dios quiere decir a través de ella, no es "absolutamente precisa". Contiene números redondos, citas imprecisas, narración no cronológica, etc. Y la Escritura contiene todos los otros tipos de imprecisiones que hemos visto en el lenguaje en general. ¿Eso implica que hay errores en la Escritura? ¡No! Como los evangélicos sostienen, la Escritura hace exactamente lo que dice hacer: dice la verdad, aunque no necesariamente de acuerdo con los estándares de la ciencia moderna precisa o la historiografía. Pero, ¿por qué Dios permite la imprecisión en su inerrante Palabra? Porque la vaguedad es a menudo necesaria y deseable para la comunicación (véase más arriba, A, vi), y el propósito de Dios en la Escritura es comunicar, no declarar la verdad de la forma más precisa posible.

C. TÉRMINOS TÉCNICOS

Los teólogos han tratado tradicionalmente de reducir al mínimo la imprecisión mediante el uso de términos técnicos. Un término técnico puede ser un término que se ha inventado especialmente a efectos de análisis teórico o un término del lenguaje corriente al que se ha dado una definición diferente de su uso corriente (también con fines teóricos). Así, los teólogos han dado significados técnicos a la inspiración, la sustancia, la persona, el milagro, el pacto, el llamado, la regeneración, la fe y la justificación, por ejemplo. Hay que señalar varios puntos sobre estos términos técnicos.

i) Algunos de estos términos (por ejemplo, sustancia y persona) tienen orígenes extrabíblicos. Sin embargo, ese hecho no representa una violación de la sola escritura. La Biblia no dice explícitamente que Dios es una sustancia y tres personas, pero enseña claramente que Dios es uno en un sentido y tres en otro. Sustancia y persona son meramente términos tomados de nuestra herencia filosófica para facilitar la discusión de estos "sentidos". Como he dicho frecuentemente, debemos usar el conocimiento extra escritural para aplicar las Escrituras a las cuestiones humanas, y esta es una forma de hacerlo. La gente a veces se opone a usar términos técnicos en teología que han tenido un uso significativo en el pensamiento no cristiano. Sin embargo, en mi opinión, tales objeciones no están justificadas.

A) Esas objeciones no comprenden la importancia de usar términos que los no cristianos puedan entender.

B) Tales objeciones parecen presuponer que el contenido se comunica a nivel de la palabra, más que a nivel de la frase (véase el capítulo 6, C). Por el contrario, lo esencial no es lo que se utiliza en las palabras, sino lo que éstas dicen.

C) Las palabras tomadas de la filosofía no cristiana pueden redefinirse y utilizarse de manera que transmitan un contenido bíblico. No soy consciente de ninguna distorsión del mensaje bíblico que haya surgido por el uso de la sustancia y la persona en la discusión trinitaria, aunque esto se alegue a veces.

D) Si se nos prohíbe utilizar cualquier término con historias no cristianas significativas, apenas hay ningún término que podamos utilizar. Incluso los términos bíblicos han sido usados por herejes e incrédulos.

ii) La mayoría de los términos técnicos de la lista anterior son términos bíblicos a los que se ha dado una definición técnica especial. Cabe señalar que, en estos casos, la definición teológica técnica nunca es equivalente al uso bíblico, porque (como indiqué anteriormente) el uso bíblico no suele tener por objeto la precisión técnica. El lenguaje bíblico está "lleno de" connotaciones y matices, y éstos se sacrifican en aras de una mayor precisión cuando los términos bíblicos se definen técnicamente con fines teológicos. Y a veces los términos bíblicos tienen diferentes significados en diferentes libros y en diferentes contextos, diferencias que se pierden cuando los términos se definen técnicamente.

iii) Ahora bien, ese hecho no implica que las definiciones técnicas sean siempre erróneas. La definición técnica de regeneración como iniciación absoluta de la vida espiritual probablemente no coincide con todos los usos de la regeneración en el Nuevo Testamento, pero desde el punto de vista bíblico es importante decir que existe tal iniciación y que esa iniciación viene por gracia soberana. Se necesita algún término para referirse a esa iniciación, y sería difícil encontrar uno mejor que la regeneración.

iv) Pero debemos estar en guardia para no confundir las definiciones teológicas técnicas de los términos bíblicos con las formas en que esos términos son utilizados por los escritores bíblicos. Sería erróneo asumir que siempre que se encuentra un pacto en las Escrituras, se entiende el "pacto de gracia" de la Confesión de Westminster. Ciertamente sería erróneo asumir que una fe salvadora completa está a la vista siempre que la Escritura habla de alguien "creyente" (*cf.*, por ejemplo, Jn. 8:31 con v. 37-47) o que siempre que alguien es "llamado" en la Escritura se quiere decir ese llamado efectivo.

v) Es evidente, pues, que cuando adoptamos una definición técnica, no tenemos derecho a afirmar que hemos encontrado el "significado real" o el "significado más profundo" que solo se expresa oscuramente con los términos bíblicos. La teología técnica no representa nada más profundo o más autorizado que el propio canon bíblico. Por el contrario, la teología técnica siempre sacrifica algún significado bíblico para hacer que algunos puntos bíblicos sean más vívidos para el lector. Ese sacrificio no está mal. Debemos sacrificar algo en nuestra enseñanza, ya que no podemos decirlo todo de una vez. Pero nunca debemos asumir que un sistema teológico nos enseñará algo más que la propia Escritura. La teología es aplicación, no descubrimiento de alguna nueva enseñanza.

vi) Tampoco tenemos derecho a decir que solo hay un conjunto adecuado de términos técnicos y definiciones para usar en la teología. En la teología, así como en todas las demás áreas de la vida humana, hay muchas maneras de cortar el pastel. Un teólogo podría definir la fe como asentimiento y luego mostrar que el verdadero asentimiento implica un compromiso de toda la persona. Otra persona podría definir la fe como la confianza y luego señalar que el asentimiento intelectual es un aspecto necesario de la confianza. A continuación, se presentan dos definiciones diferentes de la fe, pero no se indica ninguna diferencia sustantiva entre las dos opiniones sobre la fe generadas por la definición. (Véase mi análisis en la primera parte de la definición de teología. No hay una definición "correcta", pero hay algunas cosas que deben decirse). Pero frecuentemente el hecho de que dos teólogos corten la torta de manera diferente llevará a malentendidos e incluso a la hostilidad entre ellos. En tales casos, se necesitan consejos amorosos y un análisis cuidadoso. Creo que ese tipo de malentendido se encuentra detrás de algunas de las controversias teológicas importantes en la historia de la iglesia: la disputa supralapsaria-infralapsaria, el debate de la gracia común, la controversia del creacionismo-traducianismo. Y esa confusión lingüística también ha obstaculizado la comunicación en otras controversias en las que ha habido más que un simple desacuerdo lingüístico: los debates sobre la incomprensibilidad de Dios, la relación de las obras con la justificación, la continuidad de las lenguas y la profecía, la doctrina de la guía del Espíritu y la teonomía.[5]

vii) A veces las definiciones técnicas pueden en realidad engañarnos, como cuando Hodge define un milagro como un "acto inmediato de Dios" o cuando Hume lo define como una "violación de la ley natural". Aunque ninguna de esas

---

[5] Sobre el supra e infralapsarianismo, ver B. B. Warfield, *The Plan of Salvation* (Grand Rapids: Wm. B. Eerdmans Pub. Co., 1942) y mi discusión en el capítulo 8 de este libro. Sobre la gracia común, ver C. Van Til, *Common Grace and the Gospel* (Nutley, N.J.: Presbyterian and Reformed Pub. Co., 1972). Sobre la continuidad de las lenguas y la profecía, Richard B. Gaffin, *Perspectives on Pentecost* (Phillipsburg, N.J.: Presbyterian and Reformed Pub. Co., 1979) es una fuente útil. En cuanto a los demás asuntos, véanse las obras estándar de teología sistemática como Charles Hodge, *Systematic Theology* (Grand Rapids: Wm. B. Eerdmans Pub. Co., 1952) y John Murray, *Collected Writings* (Edinburgh: Banner of Truth Trust, 1977), especialmente el volumen 1.

definiciones es requerida por las referencias bíblicas a los milagros, ese hecho no es en sí mismo motivo de objeción. Uno podría adoptar esas definiciones y luego decir con base en la Escritura que los milagros, así definidos, ¡no ocurren! (Pero entonces uno tendría que encontrar algún término(s) que no sea milagro para traducir los términos bíblicos como *dunamis, semeion, teras*). Pero cuando el milagro se define de esa manera y los textos bíblicos se asimilan a tales definiciones (o cuando alguien como Hume utiliza tal definición para rechazar la enseñanza bíblica), entonces el uso de tales definiciones técnicas debe ser rechazado.

viii) Una manifestación particularmente peligrosa de ese tipo de problema se da en la teología liberal moderna, en la que las enseñanzas bíblicas sobre el carácter y las acciones de Dios son frecuentemente arrancadas de sus contextos, despojadas de todas sus calificaciones bíblicas y convertidas en principios metafísicos.

(A) En la teología liberal, por ejemplo, la imagen bíblica del amor de Jesús se traduce técnicamente por la frase "el hombre para los demás" y luego se utiliza como una forma de reconstruir toda la doctrina bíblica de Dios: Dios no se alaba a sí mismo, no tiene naturaleza eterna, etc.

(B) En la teología de Barth, la noción de soberanía divina se convierte en el concepto técnico "libertad de Dios", lo que implica que Dios puede anular su Palabra, cambiar a su opuesto, y así sucesivamente.

(C) En la teología de la liberación, el concepto de salvación se reduce al término técnico "liberación", que a su vez se equipara con la liberación social y económica de todo tipo, aunque esté basada en la ideología marxista antibíblica.

(D) En la enseñanza de Tillich, se invoca el nombre divino Jehová para justificar el decir que Dios es "ser-sí mismo", en un sentido que para Tillich tiene connotaciones panteístas.

ix) Mencioné el peligro de confundir los significados técnicos de los términos con los significados de esos términos en los textos bíblicos. También existe el peligro de confundir esas definiciones técnicas con el "uso ordinario del lenguaje", ya sea dentro o fuera de las Escrituras, error que se encuentra frecuentemente en los círculos filosóficos dooyeweerdianos.[6] Poythress piensa que gran parte del poder de persuasión del pensamiento de Dooyeweerd descansa en una confusión sistemática entre los significados ordinarios de ciertos términos y las definiciones técnicas de Dooyeweerd de los mismos. También he notado que cuando los seguidores de Dooyeweerd critican a los que están fuera de su escuela, ¡a veces

---

[6] Ver también: Vern S. Poythress, *Philosophy, Science and the Sovereignty of God* (Nutley, N.J.: Presbyterian and Reformed Pub. Co., 1976).

asumen (totalmente en contra de toda razón) que sus oponentes están usando términos en los sentidos técnicos de Dooyeweerd![7]

x) Los términos técnicos, aunque se invoquen para aumentar la precisión, nunca están totalmente libres de imprecisión, como puede verse en las observaciones generales bajo la letra A, arriba. A veces, también, los términos técnicos pueden en realidad aumentar la vaguedad, como sucede a menudo, por ejemplo, cuando se hacen términos metafóricos para hacer el trabajo de los términos técnicos.[8]

xi) Si, como he insinuado antes, la propia Escritura contiene imprecisión intencional, entonces debemos tener cuidado de no tratar demasiado de eliminar la vaguedad de la teología. No queremos ser menos precisos de lo que es la Escritura, pero (y este punto debe ser mejor apreciado en los círculos ortodoxos) tampoco queremos ser más precisos que la Escritura. Me temo que los teólogos a veces buscan la máxima precisión en la teología, en contra de la intención de la propia Escritura. Así multiplican los términos técnicos mucho más allá de su utilidad, práctica que se ha producido en muchos escritos sobre el "orden de los decretos", la tricotomía, etc.

xii) De igual modo, no debemos tratar de imponer a los oficiales de la iglesia una forma de suscripción de credo destinada a ser lo más precisa posible. A menudo estamos tentados a pensar que la herejía en la iglesia podría evitarse si solo la forma de suscripción fuera lo suficientemente precisa. Por lo tanto, en algunos círculos existe el deseo de exigir a los oficiales (a veces incluso a los miembros) que se suscriban a cada propuesta de la confesión de la iglesia. Después de todo, podría preguntarse, ¿por qué tener una confesión si no va a ser obligatoria? Pero ese tipo de suscripción "estricta" tiene sus problemas también. Si el disentimiento contra cualquier propuesta en la confesión destruye la buena reputación del discrepante en la iglesia, entonces la confesión se convierte en irreformable, inamovible y, para todos los propósitos prácticos, canónica. Y cuando una confesión se convierte en canónica, la autoridad de la Biblia se ve amenazada, no protegida.

En las iglesias con fórmulas de suscripción menos estrictas que las descritas anteriormente, a menudo hay presión para definir las creencias de la iglesia con más precisión. Cuando los líderes se suscriben a la confesión "que contiene el sistema de doctrina enseñado en las Escrituras", a veces se exige que ese "sistema de

---

[7] Ver mi ensayo: "Rationality and Scripture," in *Rationality in the Calvinian Tradition*, ed. Hendrick Hart, Johan Vander Hoeven, y Nicholas Wolterstorff (Lanham, Md.: University Press of America, 1983), 315 n. 55.

[8] Ver: John Frame, *The Amsterdam Philosophy: A Preliminary Critique* (Phillipsburg, N.J.: Harmony Press, 1972), 12f., 16f., 23; también el inciso D mas abajo.

doctrina" se defina con precisión. ¿Qué pertenece al sistema de doctrina y qué no? Parece que debemos saber esto antes de poder usar la confesión como instrumento de disciplina. Pero una vez más, si la iglesia adopta una lista de doctrinas que constituyen el sistema, y si esa lista se convierte en una prueba de la ortodoxia, entonces la lista se vuelve irreformable, inamovible y canónica. Entonces no será posible cuestionar esa lista sobre la base de la Palabra de Dios. Así que aquellos que buscan una forma de suscripción mucho más fuerte están, en efecto, pidiendo irónicamente un debilitamiento de la autoridad de las Escrituras en la iglesia.

El hecho es que la Escritura, no alguna forma de teología "precisa", es nuestro estándar. Y la Escritura, por las buenas razones de Dios, es a menudo imprecisa. Por lo tanto, no hay manera de escapar a la vaguedad en la teología, credo o suscripción sin dejar de lado la Escritura como nuestro último criterio. La teología no se atreve a tratar de mejorar la precisión de la Escritura. Su único papel es aplicar lo que la Escritura enseña. Satisfagámonos con esa modesta tarea, porque es gloriosa.

D. METÁFORAS, ANALOGÍAS, MODELOS

Otra fuente de imprecisión en la Escritura y la teología es su frecuente uso del lenguaje figurativo. En la primera parte, sostuve que no todo nuestro lenguaje sobre Dios es figurativo. Sin embargo, no negaría que gran parte del lenguaje bíblico es figurativo o que dicho lenguaje es una forma útil de transmitir la verdad. Por lo tanto, es completamente apropiado que la teología también haga uso de tal lenguaje.

A veces, de hecho, las metáforas vienen a nuestro rescate en la teología y juegan papeles que son bastante centrales. Incluso las metáforas extrabíblicas a menudo adquieren una profunda importancia. Pensemos, por ejemplo, en la "cabeza federal" sobre la humanidad ejercida por Adán y por Cristo. En las Escrituras, las relaciones entre Adán y la raza humana (y, de manera similar, las relaciones entre Cristo y su pueblo) son difíciles de interpretar. Son, después de todo, únicas: la única relación paralela a la jefatura federal de Adán es la de Cristo, y hay diferencias entre ambas (Ro. 5:12s.).

Los teólogos, por lo tanto, han trabajado para encontrar alguna manera de explicarlo todo. ¿Es Adán una forma platónica de humanidad, de modo que se puede decir que la humanidad en general ha pecado en él? ¿Es Adán simplemente un símbolo de cada uno de nosotros en nuestra naturaleza pecadora? ¿Es suficiente decir que somos culpables del pecado de Adán porque estábamos, en un sentido biológico, "en sus entrañas"? Ninguna de esas formulaciones ha parecido plenamente satisfactoria para la tradición Reformada. Pero aquí una metáfora viene al rescate. Los teólogos reformados han sugerido que pensemos en Adán como nuestro "representante". Esa sugerencia tiene muchos peligros, especialmente hoy en día, considerando cómo usamos ahora el término "representativo". ¡Llamar a Adam nuestro representante hoy podría sugerir que fue elegido por voto secreto y que nuestra desaprobación de su comportamiento nos da derecho a destituirlo de su cargo! Además, como pensamos en la representación política de hoy, los electores de un congresista, por ejemplo, no son culpables de los pecados del congresista. Por lo tanto, el concepto de "representante" debe ser refinado, calificado, modificado para ajustarse a las enseñanzas bíblicas. Debemos dejar claro que Adán no es como nuestro congresista. Y una vez que terminemos de hacer todas las calificaciones, podría parecer que la ilustración es contraproducente. Pero el ejercicio ha sido útil. La metáfora nos proporciona una forma de estructurar la discusión, una forma de reunir todas las extrañas descripciones bíblicas de esta relación y vincularlas, tanto por comparación como por contraste, con algo familiar para el lector.

Ese tipo de metáfora - una metáfora "maestra" alrededor de la cual se organiza una doctrina teológica - podría llamarse "modelo teológico". Existen otros ejemplos de tales modelos, como el uso de la sustancia y la persona en la doctrina de la Trinidad (un modelo derivado de la filosofía) y el uso de la redención para describir la salvación (un modelo económico). (La salvación misma es descrita por muchos modelos en las Escrituras: revelación-enseñanza, rescate-entrega, nueva creación, nuevo nacimiento, renovación de la imagen divina, limpieza, reconstitución de la virginidad, desposorio, reconciliación, sacrificio, propiciación, victoria, resurrección, justificación, adopción, santificación, glorificación, incluso una participación en la naturaleza divina [2 Pedro 1:4—recuerde, ¡eso es solo una metáfora!]. En general, esos modelos están relacionados de manera perspicaz.

En eso y en muchas otras formas, entonces, las metáforas son útiles para la teología. No hay razón para tener una preferencia teológica general por el lenguaje literal sobre el figurativo o para asumir que cada metáfora debe ser explicada literalmente en términos académicos precisos. Las Escrituras no hacen eso. A menudo, de hecho, el lenguaje figurativo dice más, y lo dice más claramente, que el correspondiente lenguaje literal. Piense en el Salmo 23:1: "El Señor es mi pastor..." Podríamos parafrasear esto en términos teológicos más literales diciendo que el Señor es el autor de la providencia y la redención. ¿Pero es eso realmente más claro que el Salmo 23:1? ¿Mejora de alguna manera el Salmo 23:1? ¿Para alguien? Lo dudo. A veces, de hecho, necesitamos un lenguaje literal para aclarar los significados de las metáforas, pero a veces lo contrario también es cierto. Para mucha gente, "El Señor es mi pastor" ayuda a aclarar los conceptos más abstractos de la providencia y la redención.

Sin embargo, hay algunos peligros en el uso teológico de la metáfora. Considere lo siguiente.

1) El uso de una metáfora puede ser útil en un contexto y engañar en otro. Considere el argumento de J. M. Spier de que "la ley es el límite entre Dios y el cosmos".[9] "Límite" es una buena metáfora para expresar la autoridad de la ley de Dios. La ley de Dios es como un límite en el que no podemos "transgredirla" o "traspasar" un territorio prohibido. Sin embargo, no es una buena forma de describir la estructura metafísica del universo, en particular la relación entre el Creador y la criatura. En ese tipo de contexto, el término "límite" plantea la cuestión de si la ley es algún tipo de realidad intermedia entre el Creador y la criatura, ni plenamente divina ni creada. (Es este tipo de pensamiento el que se encuentra detrás de las antiguas herejías del gnosticismo y el arrianismo). Surgen entonces preguntas sobre si Dios es ex lex, fuera de toda ley, arbitrario en sus acciones y decisiones. Mi conclusión es que es mejor no usar esa metáfora en particular a menos que su propósito y referencia puedan ser claramente limitados y especificados en el contexto.

2) Por una parte, hemos dicho que las metáforas en teología son útiles y que no siempre es necesario "desempacarlas", es decir, explicarlas en un lenguaje más literal. Por otra parte, no se debe pedir a las metáforas que hagan un trabajo para el cual no son adecuadas. Los teólogos y filósofos de la religión a menudo utilizan metáforas en contextos en los que se necesita un lenguaje más literal. Spier, de nuevo, trata de definir la relación entre el pensamiento preteórico y el teórico diciendo: "En la ciencia mantenemos una cierta distancia entre nosotros y el objeto de nuestra investigación".[10] Dooyeweerd dice, sobre el mismo tema, que la ciencia trata de "agarrar" sus objetos, que a su vez "le ofrecen resistencia".[11]

El pensamiento teórico "separa las cosas",[12] mientras que la experiencia ingenua las ve en el "continuo vínculo de su coherencia".[13] En la experiencia ingenua, "nuestra función lógica permanece completamente inmersa en la continuidad de la coherencia temporal entre los diferentes aspectos".[14] No solo

---

[9] *An Introduction to Christian Philosophy* (Philadelphia: Presbyterian and Reformed Pub. Co., 1954), 32.

[10] Ibid., 2.

[11] H. Dooyeweerd, *In the Twilight of Western Thought* (Nutley, N.J.: Presbyterian and Reformed Pub. Co., 1968), 8, 126.

[12] Ibid., 11.

[13] Ibid., 12, cf. 16.

[14] Ibid., 13.

"sumergido" sino incluso "incrustado".[15] La experiencia ingenua "distingue" sujetos y objetos, pero el pensamiento teórico se "opone" a ellos, rompiendo en pedazos esa experiencia que la mente ingenua percibe en "coherencia inquebrantable".[16] Ahora bien, Dooyeweerd y Spier ofrecen descripciones algo más técnicas de las relaciones entre el pensamiento ingenuo y el teórico, pero las descripciones técnicas siempre se explican en términos de estas metáforas: distancia, agarre, resistencia, continuidad, coherencia, vínculo, inmersión, incrustación, oposición, irrompibilidad, que son metafóricas cuando se utilizan en este tipo de contexto epistemológico.

Mi problema no es que Dooyeweerd y Spier utilicen metáforas o incluso que no las interpreten. Más bien, mi dificultad es que utilizan estas metáforas para hacer un trabajo que solo se adapta a términos más literales, a saber, hacer una distinción técnica epistemológica entre dos formas de experiencia que, en su opinión, deben estar precisamente relacionadas y nunca confundidas entre sí. Esa distinción, en efecto, es fundamental para su epistemología. Pero el uso de metáforas no interpretadas hace confusa su doctrina. Sin embargo, utilizan esa distinción como si, en efecto, hubieran logrado definirla claramente, y reprenden a otros pensadores que, en su opinión, la han confundido. Pero, ¿cómo pueden Spier y Dooyeweerd exigir a los demás pensadores que mantengan una distinción tan aguda aquí, cuando no la han definido con ninguna precisión? La moraleja es que debemos usar metáforas pero que no debemos esperar que una metáfora no interpretada (o incluso un grupo de ellas) haga el trabajo de un término técnico definido con precisión.

(3) Las citas de Dooyeweerd y Spier sugieren una especie de parentesco entre el mal uso de la metáfora y la retórica antiabstraccionista. Mucho antiabstraccionismo, creo, obtiene su plausibilidad de la metáfora de la "unión". Los cristianos tienen la sensación de que ciertas cosas "van juntas": la revelación y Cristo, la fe y la historia, la ética y la redención, etc. De este sentido de unidad, vagamente formulado, nace el antiabstraccionismo. Decir que la fe y la historia "no deben ser abstraídas una de la otra" es decir que "pertenecen juntas".

Sin embargo, gran parte de la vaguedad del antiabstraccionismo se debe a la imprecisión de la metáfora de la unión. Podemos entender lo que significa, en general, para el hombre y la mujer, el amor y el matrimonio, o el pan y la mantequilla estar "juntos". No está tan claro lo que significa que la revelación y Cristo o la fe y la historia o la ética y la redención estén "juntas". Hay, como hemos visto, muchas relaciones entre la revelación y Cristo, por ejemplo. Por lo tanto,

---

[15] Ibid., 14.
[16] Ibid., 17.

decir que "pertenecen juntos" o "no deben ser abstraídos" es decir nada inteligible, a menos que una explicación mucho más amplia acompañe la observación.

(4) Las analogías y desanalogías entre Dios y la creación merecen una atención especial. He argumentado antes (Primera Parte) que no todo el lenguaje humano sobre Dios es figurativo; es posible que hablemos literalmente de Él. Sin embargo, la analogía entre las criaturas y Dios impregna nuestro lenguaje. Todo en la creación tiene alguna analogía con Dios. Todo el mundo ha sido hecho con el sello de Dios, revelándolo. La creación es su templo, el cielo su trono, la tierra su estrado. Así que las Escrituras encuentran analogías con Dios en cada área de la creación: objetos inanimados (Dios la "roca de Israel", Cristo la "puerta de las ovejas", el Espíritu como "viento", "aliento", "fuego"), la vida vegetal (la fuerza de Dios como los "cedros del Líbano", Cristo el "pan de vida"), los animales (Cristo el "León de Judá", el "Cordero de Dios"), los seres humanos (Dios como rey, terrateniente, amante; Cristo como profeta, sacerdote, rey, siervo, hijo, amigo), ideas abstractas (Dios como espíritu, amor, luz; Cristo como camino, palabra, verdad, vida, sabiduría, justicia, santificación, redención). Incluso la gente malvada revela su semejanza con Dios, con, por supuesto, mucha ironía - ver Lucas 18:1-8. Estas analogías presuponen la presencia del pacto de nuestro Señor en el mundo que ha hecho.

Pero para cada analogía también hay una desanalogía. Dios no es un objeto inanimado, no es una mera roca o puerta; no es una planta, un animal, un ser humano o una idea abstracta. Identificar a Dios con cualquiera de esas cosas es idolatría. La desanalogía representa la trascendencia de Dios, su control y autoridad sobre su creación.

Y hay diferentes grados y tipos de analogía. Dios es análogo a los hombres malvados, como hemos visto, pero no en la forma en que es análogo a las personas justas (o, mejor, la forma en que son análogos a Él). Eso corresponde a los grados y formas de la presencia de Dios en el pacto: Dios está presente en todas partes, dice el Antiguo Testamento, pero está presente de manera especial en Israel. Y dentro de Israel, Él está presente de una manera aún más especial en la ciudad santa, Jerusalén, y aún más en el templo, y aún más en el Lugar Santísimo, y aún más en el arca del pacto. Algunos lugares, cosas y personas se convierten en vehículos especiales de la presencia de Dios y por lo tanto son peculiarmente análogos a Él.

Por lo tanto, debemos tener cuidado de no presionar demasiado las analogías o de negar su legitimidad por completo. Algunos escritores toman la presencia de Dios en el creyente en un sentido casi panteísta (por ejemplo, el misticismo, algunas enseñanzas de la "vida superior", las afirmaciones de Barth sobre la imposibilidad ontológica del pecado ya que todos están en Cristo); otros no hacen ninguna distinción entre la presencia de Dios en la iglesia y en el mundo en general (por ejemplo, la teología de la liberación, la teología del proceso); otros niegan cualquier imagen de Dios a los perdidos (por ejemplo, algunos luteranos, algunos que niegan la gracia común). Creo que en el mejor de los casos todos ellos pasan por alto la complejidad de la imagen bíblica de la presencia de Dios y de las analogías y desanalogías entre Dios y el mundo. En el peor de los casos, caen en las garras de lo que en la primera parte llamé "conceptos no cristianos de trascendencia e inmanencia".

(5) Otro tipo de error es el cometido por personas que piensan que necesitamos términos técnicos especiales para referirnos a la trascendencia de Dios. Piensan que el lenguaje bíblico es insuficientemente "literal". En la primera parte, me referí a Jim Halsey, quien, al criticar un artículo mío, sugirió que solo un término como "diferencia cualitativa" es adecuado para definir la diferencia entre el conocimiento de Dios y el del hombre. Los teólogos a menudo han inventado términos especiales de ese tipo: omnisciencia, omnipresencia, omnipotencia no se encuentran en las Escrituras (aunque las ideas están ahí), pero se han creído necesarios para establecer una clara distinción, o desanalogía, entre los atributos de Dios y los del hombre. Es interesante, sin embargo, que la Escritura rara vez, si es que alguna vez, toma esa opción. Hay pocos, si es que hay alguno, términos bíblicos que se refieran a Dios que no se refieran también a veces a la creación. Señor, rey, salvador... todos se refieren a veces a los humanos. Incluso elohim, "Dios", se refiere a los jueces humanos en el Salmo 82:1, 6. Sin embargo, la Escritura se las arregla para describir la trascendencia de Dios, utilizando frases, oraciones, etc., sin recurrir a "términos de trascendencia" específicos.

(6) Por lo tanto, es erróneo criticar a un teólogo simplemente porque usa una cierta metáfora. A menudo leemos en teología que el profesor fulano se equivoca porque "compara x con y". El profesor fulano de tal puede haber comparado la visión reformada de la Cena del Señor con la visión católica romana o el amor de Dios con el amor de un pájaro por sus polluelos, o la predestinación al determinismo filosófico. El profesor fulano es reprendido diciéndole que x e y no son en absoluto comparables o que no tienen ninguna relación entre sí o que no tienen nada que ver entre sí. Ese tipo de argumento es lo opuesto al antiabstraccionismo: ¡es un antirelacionismo con venganza! Hay que hacer ciertos puntos sobre tales argumentos.

(A) En el mundo de Dios, todo es, después de todo, comparable a todo lo demás. Es cierto que tendemos a estremecernos un poco cuando algo que amamos o admiramos se compara con lo que consideramos un objeto indigno. Pero recuerden, las Escrituras incluso comparan a Dios con un juez injusto. Todo está relacionado con todo lo demás. No hay nada que "no tenga nada que ver" con nada más. La fuerza del antiabstraccionismo es que reconoce ese hecho.

(B) Criticar una metáfora como tal es hacer una crítica a nivel de la palabra, más que a nivel de la frase, lo cual es una práctica ilegítima, como hemos visto. Si alguien compara a Dios con una sandía, por ejemplo, ese hecho es de poco interés. Lo que es de interés es lo que esa metáfora se utiliza para decir sobre Dios. (Si alguien la usa para decir que los atributos de Dios, como las semillas de la sandía, pueden ser quitados de Él, está diciendo una mentira sobre Dios. Si la usa para describir la "dulzura" de nuestra comunión con Dios, está diciendo la verdad). Las metáforas no son importantes en sí mismas; las frases que contienen metáforas pueden ser importantes. Esas frases están, por supuesto, abiertas a la crítica; pero tal crítica se ocupará de la verdad de la frase, más que de la metáfora en sí.

(C) No obstante, los teólogos han utilizado a menudo algunas metáforas de manera engañosa, y es preciso señalarlas, como la analogía entre Dios y el "ser" (por ejemplo, en Tillich) y la que existe entre la gracia común y la gracia especial (por ejemplo, en la teología de la liberación).

E. LA NEGACIÓN EN LA TEOLOGÍA

Otra fuente de falta de claridad en la teología es el uso de expresiones negativas. La negación es, por supuesto, muy importante en la teología, como en todas las demás formas de conocimiento. Entendemos el significado de un término, en parte, por ser capaz de contrastar ese término con otros, mostrando lo que no significa. La Escritura, aunque su mensaje fundamental es positivo, también suele hablar negativamente, contrastando la verdad con el error y el pecado, pronunciando los juicios de Dios contra la incredulidad, advirtiendo a los creyentes contra las falsas enseñanzas.

La historia de la doctrina también ha progresado en gran medida por la negación. La mayoría de las formulaciones clásicas de la doctrina se han expuesto en contraste con algunas herejías: la creación *ex nihilo* contra el gnosticismo, la doctrina de la canonicidad bíblica contra Marción, la doctrina nicena de la Trinidad contra el sabelismo y el arrianismo, la cristología calcedonia contra las posiciones eutícas y nestorianas, las confesiones de la Reforma contra el romanismo y el sectarismo.

Incluso se puede argumentar que algunas doctrinas tienen muy poco significado excepto por su función negativa de excluir la herejía. Creo que este es el caso de la creación *ex nihilo*, la creación de la nada. "Nada" es, por supuesto, imposible de concebir, ya que cada pensamiento humano es un pensamiento de "algo". Y es difícil encontrar algo en la Biblia que enseñe específicamente que el mundo fue creado de la nada, sin importar cómo se interprete ese término.[17] Sin embargo, la doctrina excluye claramente dos herejías: la idea panteísta de que el mundo es parte de la naturaleza divina y la imagen platónica del mundo creado de una sustancia eterna preexistente. Diría que la negación de esas dos herejías constituye el significado de la doctrina de la creación de la nada. La doctrina no busca decirnos cómo Dios hizo el mundo, excepto decirnos que no lo hizo de ninguna de esas dos maneras. Construida negativamente, la doctrina puede ser probada a partir de las Escrituras. Porque la Escritura excluye el panteísmo, y también niega que exista algo no creado, excepto Dios mismo (por ejemplo, Col. 1:16).

Y lo mismo ocurre con el uso de la sustancia y la persona en la doctrina de la Trinidad. No me parece que estos términos tengan un significado preciso que los califique de manera única para describir la unicidad y la pluralidad de Dios. *Ousia* e *hipóstasis,* que en griego designan respectivamente la unidad y la pluralidad de Dios, podrían haberse invertido, en lo que respecta a su potencial de significado. La *hipóstasis* podría haber designado la unidad de Dios (como, de hecho, lo hizo el término latino similar *substantia*), y la *ousia* podría haber designado la pluralidad de personas. Así pues, el uso de esos términos no nos da mucha información positiva sobre la naturaleza divina. No buscan resolver el gran misterio aquí, sino solo excluir ciertos intentos ilegítimos de resolverlo.

Lo que esos términos hacen por nosotros es excluir las herejías del sabelianismo y el arrianismo. Por lo tanto, cuando buscamos probar la doctrina de la Trinidad, no debemos buscar en la Biblia alguna justificación específica para el uso de esos términos técnicos, sino que simplemente debemos preguntarnos si la Escritura enseña sabelianismo o arrianismo. Si la Escritura excluye esas enseñanzas, entonces ese hecho es prueba suficiente de la doctrina ortodoxa.

La negación, por lo tanto, es una herramienta útil de la teología. Pero hay problemas que surgen de su mal uso. Considere lo siguiente.

(1) John Woodbridge, al criticar el volumen de Rogers y McKim *The Authority and Interpretation of the Bible*, (La Autoridad e Interpretación de la Biblia), acusa a esos autores de un tipo de error que creo que es común en muchos escritos teológicos.

---

[17] Espero discutir este tema con más detalle en mi próxima Doctrina de Dios.

En su estudio Rogers y McKim trabajan con toda una serie de lo que podríamos denominar "disyunciones históricas". Asumen que ciertas afirmaciones correctas sobre el pensamiento de un individuo lógicamente no permiten que otras sean verdaderas. Su suposición es a veces exacta, si los pensamientos que se comparan se contradicen directamente entre sí. Sin embargo, en sus disyunciones históricas los autores crean disyunciones entre proposiciones que no son mutuamente excluyentes... Una lista parcial de las "disyunciones históricas" más importantes de los autores incluiría éstas: porque un pensador cree que el propósito central de la Escritura es revelar la historia de la salvación, se asume que no respalda la completa infalibilidad bíblica; porque un pensador habla de que Dios se acomoda a nosotros en las palabras de la Escritura, se asume que no cree en la completa infalibilidad bíblica...

Woodbridge enumera otras "disyuntivas históricas". Son una subdivisión de una categoría mayor que podría llamarse "falsas disyuntivas". Es muy común en teología que los escritores presenten dos cosas como contradictorias que en realidad no lo son. Tales argumentos se parecen a esos sólidos argumentos negativos que hemos afirmado que son importantes y valiosos en la historia de la doctrina. Es cierto, por ejemplo, que si uno afirma la creación a partir de una sustancia preexistente, debe lógicamente negar la creación ex nihilo. Pero en una falsa disyuntiva, tales argumentos se construyen sobre la base de relaciones entre declaraciones que no son realmente contradictorias.

2) Hemos visto antes que los teólogos a veces hacen un mal uso de la negación de manera paralela pero opuesta al antiabstraccionismo. Eso ocurre cuando exageran las distinciones, alegando que algo "no tiene nada que ver" o "no es cuestión de" otra cosa, negando toda analogía entre una cosa y otra, y así sucesivamente (*cf.* D, (6), *supra*).

Por supuesto, en el mundo de Dios todo está relacionado con todo lo demás. Todo es "una cuestión de" todo lo demás. Todo tiene "algo que ver con" todo lo demás. Para estar seguros, hay diferencias de grado aquí. Algunas relaciones son más importantes que otras. Pero los teólogos a menudo parecen convertir estas diferencias de grado en distinciones agudas. (Ese error está en el extremo opuesto del antiabstraccionismo, pero depende de tipos de confusión similares).

A menudo, creo que ese tipo de problema podría evitarse si los teólogos utilizaran la palabra "meramente". Tienden a usar la palabra "no" cuando deberían decir "no meramente" o "no solamente". Reflexionando sobre el amor de Dios, los antiguos teólogos liberales concluyeron que Dios no era un juez justo. La conclusión adecuada habría sido que Dios no es solo un juez, sino también un Dios de misericordia. Reflexionando sobre la inmanencia de Dios, los teólogos modernos del proceso concluyen que Dios no es supratemporal. La conclusión adecuada, más bien, es que Dios no es meramente supratemporal, sino que también está involucrado en el mundo temporal. Piense de nuevo en las "disyunciones" de Woodbridge. Sería cierto decir que la Escritura "no solo" es infalible e inerrante, ya que también se acomoda a nuestra condición humana y tiene el propósito de transmitir la historia de la salvación; pero el acomodo y el propósito histórico redentor no implican ninguna falta de infalibilidad.

El multiperspectivalismo en teología ayuda a menudo a restablecer el equilibrio adecuado, porque nos ayuda a ver que algunas doctrinas aparentemente opuestas son en realidad equivalentes, presentando la misma verdad desde varios puntos de vista. De este modo podemos evitar oposiciones inútiles entre teologías de esto y de aquello, entre partidarios de lo normativo y partidarios de la perspectiva existencial (como los he llamado), entre los que favorecen tal o cual atributo divino como "central" y los que favorecen otro.

3) Un error opuesto al último que se ha discutido es la tendencia de algunos teólogos a atacar los "dualismos" de manera general. Se trata de una forma de antiabstraccionismo (véase el capítulo 6, A). Quizás el ejemplo más extremo de un ataque indisciplinado al dualismo es el de John Vander Stelt, Filosofía y Escritura (*Philosophy and Scripture*).[18] En este libro, Vander Stelt parece cargar casi todas las dobles distinciones con el "dualismo", no solo las distinciones entre cuerpo y alma y entre intelecto y emoción, sino incluso la distinción entre Creador y criatura. Sin embargo (¡muy locamente!), está dispuesto a defender su propio conjunto de (Dooyeweerdiano) distinciones dobles (pensamiento ingenuo/teórico, corazón/funciones humanas). Aparentemente, entonces, no cree que cada doble distinción sea un dualismo. (¡Petrus Ramus puede descansar en paz!) Pero sus criterios para determinar qué distinciones caen bajo esta crítica son totalmente oscuros. Parece que le disgustan las distinciones dobles, un disgusto que expresa con una misteriosa selectividad, pero sin ningún tipo de contundencia.

Sin duda, los teólogos han dibujado a veces oposiciones demasiado agudas entre las cosas. Pero hay que decir mucho más para determinar cuándo una distinción, separación o "dicotomía" se vuelve impropia. Sin estas explicaciones, la crítica del "dualismo" se convierte a menudo, como otras formas de crítica, en una crítica a nivel de palabras, más que a nivel de frases. Cuando se critica a un autor, por ejemplo, por contrastar el cuerpo y el alma, sin más explicaciones sobre su supuesto error, la crítica equivale a una crítica de su vocabulario, no a una crítica de ninguna de sus posiciones reales. Repito: la crítica teológica no debe ser una

---

[18] Marlton, N.J.: Mack Pub. Co., 1978.

crítica al vocabulario de alguien, sino una crítica a lo que dice con ese vocabulario. No debemos criticar las palabras de un teólogo sino sus frases y párrafos.[19]

Debemos tener en cuenta que, así como todo es análogo a todo lo demás (arriba, D, (6), (A)), también todo es distinto de todo lo demás. (No hay dos cosas idénticas; si lo fueran, ¡no serían dos sino una!) Por lo tanto, cualesquiera dos cosas pueden ser "distinguidas" una de otra. Y si dos cosas cualesquiera pueden distinguirse, pueden estar "aisladas" (en el sentido de considerar por sí solas los rasgos de una cosa que la distinguen de la otra); pueden estar "opuestas" (subrayando los rasgos que una "tiene", en contraposición a los que la otra "no tiene"); pueden estar "separadas" en algunos sentidos. (La frase común "distinguir, pero no separar" no suele estar clara cuando "separar" se utiliza en sentido figurado, es decir, para algo distinto de la separación física. En ese contexto, "separado" suele significar lo mismo que "distinguir", "aislar", "oponerse", pero tal vez en mayor medida).

F. CONTRASTE, VARIACIÓN, DISTRIBUCIÓN

Algunos lingüistas cristianos, como Kenneth Pike y Vern S. Poythress, hacen hincapié en la distinción entre el contraste, la variación y la distribución como aspectos del significado en el lenguaje. El contraste identifica el significado de un término por sus diferencias con otros términos; la variación indica los cambios (plurales, finales de los verbos, diferentes pronunciaciones, diferentes usos) que puede sufrir una expresión sin dejar de ser esencialmente la misma expresión; la distribución identifica los contextos en los que la expresión funciona típicamente. Éstos se identifican a veces como perspectivas estáticas, dinámicas y relacionales, respectivamente, y están relacionados con los conceptos físicos de partícula, onda y campo. Poythress correlaciona la idea de contraste con nuestra perspectiva normativa, la variación con nuestra existencial, y la distribución con nuestra situacional.

Hemos visto que la imprecisión en cada una de esas tres áreas puede llevar a malentendidos en la teología. El contraste se ha subrayado en nuestra discusión sobre la negación (E), la distribución en nuestra discusión sobre el

---

[19] ¡Vander Stelt una vez criticó una conferencia mía basándose solo en los subtítulos! La conferencia era sobre la Escritura, y los subtítulos eran "La Escritura y Dios", "La Escritura y la Historia", "La Escritura y nosotros" o algo similar. Vander Stelt anunció que podía decir por estos subtítulos solamente que yo estaba infectado con tendencias dualistas. No consideré que su crítica fuera devastadora.

antiabstraccionismo (capítulo 6, A), y la variación en nuestra discusión general sobre la vaguedad y la ambigüedad (capítulo 7, A y B). Las relaciones perspectivas entre esas tres formas de entender el significado sugerirán a algunos lectores las formas en que esos problemas pueden estar interrelacionados. Sin embargo, no intentaré sistematizar tales interrelaciones aquí.

G.   AMBIGÜEDAD   SISTEMÁTICA   EN POSICIONES NO ORTODOXAS

Otra fuente de imprecisión puede verse en el diagrama rectangular que expliqué en la Primera Parte, que contrasta los puntos de vista cristianos y no cristianos sobre la trascendencia y la inmanencia y sobre el irracionalismo y el racionalismo. Si ese análisis es correcto, entonces las posiciones no cristianas son ambiguas, no solo por las razones señaladas anteriormente sino también por razones derivadas de la naturaleza del pensamiento no cristiano. Considere lo siguiente.

1) Se supone que la trascendencia no cristiana contrasta con la inmanencia no cristiana, pero en realidad las dos posiciones dependen una de la otra y son reducibles una a la otra. Así pues, existe esta falta de claridad: ¿hasta qué punto se opone el trascendencia-irracionalismo a la inmanencia-racionalismo? ¿Hasta qué punto y de qué manera son idénticos los dos? El significado mismo de las dos posiciones se desvanece bajo tal escrutinio.

2) La trascendencia no cristiana mantiene su plausibilidad por la confusión retórica entre ella y la trascendencia cristiana. Por lo tanto, hay en el pensamiento no cristiano una necesidad de ambigüedad.

3) Las posiciones teológicas liberales presentan una combinación aún más desconcertante de motivos cristianos y no cristianos, engañando, si fuera posible, incluso a los elegidos. De ahí la inclinación de la teología liberal hacia argumentos de tipo anti-abstraccionista.

H. ETIQUETAS

Se escuchan muchas objeciones al "etiquetado" en la teología, y es fácil entender por qué es molesto el etiquetado. Por un lado, cuando mi pensamiento es descartado por estar atascado en alguna categoría ("fundamentalista", "presuposicionalista" o lo que sea), rara vez siento que se haya hecho justicia, aunque la etiqueta sea apropiada. Todos preferimos, y todos tenemos derecho, a considerarnos de alguna manera únicos, no como meros ejemplos de una tendencia o escuela de pensamiento.

Por otra parte, las etiquetas son importantes para el aprendizaje. Se podría argumentar que la educación es el proceso de aprendizaje de las etiquetas de las cosas. Si no se nos permitiera usar etiquetas (es decir, sustantivos descriptivos), podríamos decir muy poco en realidad. Hay cosas como "tendencias" y "escuelas de pensamiento". Hay verdades generales sobre grupos de cosas y personas, y es importante poder hablar de ellas, así como de los distintivos individuales.

La oposición generalizada a las etiquetas (¿una posición antiabstraccionista, o es antirelacionista?), entonces, es insostenible. Por una parte, hay veces en que es justificable identificar a un pensador simplemente por su afiliación partidaria o por alguna otra etiqueta. No siempre tenemos tiempo para enumerar las cualidades únicas de cada pensador al que nos referimos; las etiquetas son un tipo importante de abreviatura teológica. Por otra parte, al usar etiquetas debemos reconocer sus insuficiencias. Ciertamente, hay algo bastante inútil en los libros y artículos que simplemente ponen a varios filósofos o teólogos en categorías sin decirnos nada importante acerca de sus ideas únicas.[20] Tales escritos son injustificadamente imprecisos.

I. PRINCIPIOS DE MORALIDAD SOBRE LA IMPRECISIÓN

La ambigüedad en la teología no puede evitarse del todo, y ni siquiera es deseable evitarla por completo, no sea que busquemos ser más precisos que la Escritura. Sin embargo, en muchos casos, en aras de una mejor comunicación, es deseable reducir al mínimo la ambigüedad o al menos dejar claro a nuestro público dónde reside la ambigüedad.

Los teólogos a menudo usan expresiones vagas sin reconocer cuán vagas son sus expresiones. Así, pueden tratar su terminología como si estuviera perfectamente clara, como si tuviera un significado claro. Algunos términos que se utilizan a menudo de esa manera son "autor del mal", "libre albedrío", "diferencia cualitativa" (véase el análisis de esto en la primera parte). En tales casos, el lector puede tener una cierta sensibilidad respecto de un término. Algunos términos simplemente no le parecen bien, como "autor del mal" aplicado a Dios o "libre albedrío" en un

---

[20] Un ejemplo de un libro que es débil en este sentido es: Francis N. Lee, *A Christian Introduction to the History of Philosophy* (Nutley, N.J.: Craig Press, 1969).

contexto calvinista. Por lo tanto, podemos pensar que tenemos una idea clara del significado del término, cuando lo único que tenemos es un sentimiento. En tales casos, los malentendidos surgen porque hacemos juicios basados en el "sonido" o "sentimiento" de las palabras de alguien, en lugar de basarnos en lo que realmente dice.

Por lo tanto, a veces es útil, incluso necesario, analizar en detalle los significados de los términos, frases y oraciones teológicas. A menudo es importante mostrar a nuestros lectores cuán ambiguas son ciertas expresiones. He aquí algunas formas de hacerlo.

1) Hacer listas. Simplemente escriba todas las cosas posibles que podrían significar una expresión. Determine cómo cada una de esas interpretaciones podría afectar el punto teológico que se está planteando. Intente decidir cuál es el significado más probable del autor que está buscando interpretar. Trate de determinar qué interpretación de su lenguaje haría que su argumento fuera más fuerte, más débil. Utilicé esta técnica en la primera parte. Recuerde las listas de posibles interpretaciones de la incomprensión divina y del conocimiento de Dios del incrédulo.

2) Señale los casos intermedios, los límites difusos, las áreas donde no está claro exactamente cómo se aplica una palabra. Demuestre a su público que el lenguaje no es un sistema rígido y cortado en el que cada palabra tiene siempre un significado perfectamente claro y cada frase es obviamente verdadera o falsa. Dude en emitir un juicio sobre cuestiones teológicas hasta que haya buscado diligentemente ambigüedades en las formulaciones.

J. EL LENGUAJE Y LA REALIDAD

Prácticamente todas las escuelas de filosofía de nuestro tiempo se preocupan por el estudio del lenguaje. Esto es cierto para los fenomenólogos, los existencialistas, las diversas escuelas de análisis del lenguaje, los filósofos de la hermenéutica y los desarrollos de la lingüística estructuralista hacia una filosofía integral. (Los marxistas pueden ser algo así como una excepción a esta tendencia, pero muchos marxistas también están influenciados por las otras corrientes filosóficas enumeradas).

¿Por qué el "giro lingüístico" en la filosofía reciente? Es en parte el resultado del cansancio de los problemas perennes de la filosofía. Los filósofos de hoy en día discuten esencialmente los mismos problemas que fueron discutidos entre los antiguos griegos. Parece que la filosofía es una disciplina en la que poco o ningún progreso tiene lugar. Así, los filósofos modernos se preguntan si parte o la mayor parte de la falta de progreso se debe a la incomprensión, la falta de comunicación o la falta de claridad - de ahí el giro hacia el examen del lenguaje.

Otra razón para el giro lingüístico ha sido que muchos filósofos han llegado a creer que el estudio del lenguaje proporciona una especie de clave de la naturaleza de la realidad. Los filósofos del pasado han buscado esa clave. Algunos han tratado de investigar la metafísica per se. Otros han investigado el conocimiento y la razón humana como una puerta de entrada a la metafísica, asumiendo que "lo real es lo racional y lo racional es lo real" (Hegel). Debemos presuponer que el mundo es racional, dijeron, si queremos intentar conocerlo en absoluto, y por lo tanto su estructura básica debe reflejar los procesos del pensamiento humano. Otros han buscado esa clave en los valores éticos o estéticos. Estos enfoques no han llevado a ningún consenso y, de hecho, su fracaso ha provocado un escepticismo general sobre la metafísica.

Sin embargo, en nuestro siglo ha surgido una alternativa. Para describirla, podríamos modificar el eslogan de Hegel para que diga "Lo real es lo que se dice, y lo que se dice es lo real". La idea es que el estudio del lenguaje puede revelar lo que se puede hablar; así, el estudio del lenguaje revela la naturaleza básica del mundo.

Este tipo de búsqueda filosófica ha llevado a algunos errores, como la teoría de los tempranos Wittgenstein y de Bertrand Russell de que un lenguaje perfecto sería una especie de "imagen" del mundo.[21] Sin embargo, me parece que podemos decir al menos esto: aprender un idioma implica aprender el mundo. El lenguaje es un conjunto de herramientas con las que realizamos tareas en el mundo. Por un lado, no puedes "entender" el lenguaje o conocer su "significado" a menos que sepas algunas cosas sobre el mundo. Por otro lado, sin el lenguaje es imposible tener un conocimiento del mundo que sea digno de nuestra condición humana. Por lo tanto, el aprendizaje del idioma y el aprendizaje del mundo son procesos simultáneos y correlativos, tal vez relacionados perspectivamente. El aprendizaje de lo que es un árbol y el aprendizaje del significado de la palabra árbol son esencialmente el mismo proceso. El lenguaje, entonces, es una especie de puerta a la realidad, a la metafísica. Pero otras puertas de entrada son igualmente importantes: la epistemología, la teoría de los valores y la metafísica propiamente dicha.

---

[21] Para una exposición y crítica de esta idea, véase J. O. Urmson, *Philosophical Analysis* (Londres: Oxford University Press, 1956). Véase también mi Apéndice D (después de la primera parte) sobre la teoría referencial del significado, que se asoció con este enfoque.

K. EL LENGUAJE Y LA HUMANIDAD

El lenguaje es, sostengo, un elemento indispensable de la imagen de Dios en la que somos creados. (1) Nos asemeja a Dios, que hace todas las cosas por su poderosa Palabra y que es idéntico a su palabra (Jn. 1:1ss.). (2) Nos distingue de los animales, dándonos una poderosa herramienta de dominio. (3) Es fundamental para la vida humana. La primera experiencia del hombre registrada en las Escrituras fue la experiencia de escuchar la palabra de Dios (Gn. 1:28ss.), y su primera tarea fue la de "nombrar" a los animales (Gn. 2:19ss.). Santiago, basándose en los Proverbios, nos enseña que, si un hombre puede controlar su lengua, puede controlar todo su cuerpo (3:1-12). Los pecados de la lengua toman prominencia en las listas bíblicas de pecados, como en Romanos 3:10-18. La redención se presenta a menudo como una limpieza de los labios (Isaías 6:5-7) o de la lengua (Salmo 12; Sofonías 3:9-13).

Los puntos que he estado haciendo, entonces, sobre el uso responsable del lenguaje teológico, no son meramente de interés académico. Hablar con sinceridad, para edificación (en lugar de decir mentiras, blasfemias y tonterías), es una parte crucial de nuestra responsabilidad ante Dios (1 Co. 14:3, 12, 17, 26; Ef. 4:29).

CAPÍTULO OCHO: LA PERSPECTIVA SITUACIONAL - LA LÓGICA COMO HERRAMIENTA DE LA TEOLOGÍA

La segunda "herramienta de la teología" que discutiremos es la lógica. La teología reformada fue una vez famosa por su carácter rigurosamente lógico. Incluso los críticos del calvinismo a menudo admiraban a regañadientes el uso reformado de la lógica. Al mismo tiempo, sin embargo, estos críticos expresaron sus sospechas de que los calvinistas estaban más interesados en ser lógicos que en ser escriturales. Se consideraba que los teólogos reformados construían un sistema elaborando implicaciones lógicas a partir de unas pocas ideas (como la soberanía de Dios), en lugar de dejar que las Escrituras controlaran su razonamiento de manera exhaustiva. En mi opinión, estas críticas, aunque contienen una pequeña cantidad de verdad, nunca fueron realmente justificadas.

Hoy en día, sin embargo, es difícil imaginar que los calvinistas sean acusados de exceso de confianza en la lógica. Excepto en los escritos de Gordon H. Clark, John H. Gerstner, y algunos de sus discípulos, es difícil ahora, de hecho, encontrar alguna palabra positiva acerca de la lógica en la teología Reformada y fácil de encontrar advertencias contra su mal uso. Berkouwer frecuentemente nos advierte contra el desarrollo de doctrinas, haciendo inferencias deductivas. Van Til, aunque no niega la legitimidad de la inferencia lógica, está más preocupado por los peligros de la excesiva confianza en la lógica que por los peligros de descuidarla. Los seguidores de Dooyeweerd, también, están más preocupados por el peligro de "absolutizar el aspecto lógico" que por el peligro de ser ilógico.

No estoy seguro de dónde viene esta sospecha de lógica. En el pensamiento de Calvino no hay vergüenza en ser lógico, pero hay una polémica contra el intelectualismo. Calvino enfatizó que los argumentos intelectuales no podían salvar en ausencia de la obra del Espíritu. Señaló la insuficiencia de conocimientos que simplemente "revolotean en el cerebro", en lugar de arraigarse en el corazón. Tal vez esta polémica contra el intelectualismo evolucionó de alguna manera en el antilogicismo de escritores posteriores, aunque esta actitud posterior es ciertamente diferente a la de Calvino.

Sea como fuere, el resultado de este desarrollo es que muchos reformados están confundidos e inseguros acerca del papel que la lógica debe desempeñar en su teología. Espero en esta sección ofrecer algunas aclaraciones sobre ese tema. La lógica tiene sus limitaciones, pero la lógica es una herramienta de gran valor para la teología, que debemos usar sin vergüenza. Ciertamente no es más peligrosa, como herramienta, que el lenguaje o la historia, y no es menos indispensable para la teología que éstas.

Algunas personas, como las del grupo de Clark, estarán encantadas de escuchar este estímulo hacia el uso de la lógica. Estos pensadores pro-lógicos, sin embargo, pueden estar decepcionados de que le dé a la lógica un papel tan subordinado en el esquema de este libro. La lógica, podrían notar, se coloca generalmente entre las "leyes del pensamiento", más que entre los "hechos de la experiencia". Así, podrían argumentar, la consideración de la lógica propiamente dicha debería estar bajo la "justificación del conocimiento" (Segunda Parte, arriba), en lugar de como un mero "método". Y si la lógica es un método, podrían decir, entonces seguramente pertenece a la perspectiva normativa, ¡más que a la meramente situacional!

Bueno, hay cierta validez en la opinión de que la lógica es una "ley de pensamiento". Pero (el lector recordará) nuestras tres perspectivas son mutuamente inclusivas, de modo que todas las normas son hechos y todos los hechos son normas (es decir, gobiernan el pensamiento). Por lo tanto, todo lo que consideramos bajo la perspectiva situacional puede ser considerado como una especie de norma. Lo que se considere bajo qué perspectiva es hasta cierto punto una cuestión de elección, una elección hecha por razones pedagógicas.

Mi propósito pedagógico presente es desmitificar la lógica, en la medida de lo posible, para desalentar tanto el miedo irracional como la adulación inapropiada de la misma. La lógica es una ley de pensamiento, si se quiere, pero como tal está subordinada a la Escritura, que es nuestra última ley de pensamiento. Es la Escritura la que garantiza nuestro uso de la lógica, no al revés. Como tal, la lógica está en una posición similar a la lingüística y la historia, una disciplina que nos da información que es útil en la aplicación de la Escritura, información que debería, en efecto, gobernar nuestro pensamiento sobre la Escritura, pero información que en sí misma está sujeta a criterios bíblicos.[1] El experto en lógica no es menos falible que el lingüista y el historiador; no tiene autoridad sacerdotal sobre el creyente. Explicaré esta posición a continuación.

A. ¿QUÉ ES LA LÓGICA?

(1) LA CIENCIA DEL RAZONAMIENTO

Básicamente, la lógica analiza y evalúa la actividad humana conocida como argumento. El argumento, en el lenguaje ordinario, a veces sugiere una confrontación hostil de algún tipo, pero no se sugiere tal cosa por el significado técnico del término. En su sentido técnico, de hecho, un argumento ni siquiera tiene que ser entre dos o más personas. En el sentido técnico, un argumento es simplemente una conclusión, apoyada por motivos o razones expresados en frases denominadas "premisas". En el ejemplo tradicional: "Todos los hombres son mortales; Sócrates es un hombre; por lo tanto, Sócrates es mortal", hay dos premisas y una conclusión. Cuando un argumento se expone en términos formales (como es el argumento sobre Sócrates), se llama "silogismo".

El argumento es algo que la gente hace todo el tiempo, algo que ha estado haciendo desde el principio de nuestro registro histórico. La gente argumentaba antes de que se inventara la ciencia de la lógica, y argumenta hoy en día, tanto si han estudiado la lógica como si no. Todos tratamos, en otras palabras, de establecer las razones de las cosas que creemos y hacemos. Los padres lo hacen con sus hijos y los maestros con sus alumnos (¡y viceversa!). Los pastores hacen esto en muchas situaciones. Cada sermón es un argumento o un grupo de argumentos; es un intento de persuadir a la gente para que cambie sus creencias o su comportamiento de alguna manera, y ofrece razones para hacer esos cambios. Cada mensaje en el salón de un presbiterio, sínodo o convención, de la misma manera, sin mencionar los diversos artículos y documentos sobre diversos temas que los ministros a menudo son llamados a escribir, contiene argumentos. La lógica, entonces, es una ciencia práctica. Nos ayuda en nuestra vida cotidiana.

---

[1] La circularidad aquí, por supuesto, es inevitable, como con todas las otras herramientas de la teología.

Los especialistas en lógica, entonces, no inventaron el argumento más que los críticos de arte inventaron el arte o los escritores de deportes inventaron el béisbol. Lo que los lógicos hacen es estudiar el argumento, analizarlo críticamente, mostrarnos qué hace que los argumentos tengan éxito y qué los hace fracasar.

En la evaluación de los argumentos, los especialistas en lógica se preocupan particularmente por dos conceptos que son centrales para su investigación. El primero se llama implicación, vinculación o inferencia. En un argumento válido, se dice que las premisas implican o conllevan la conclusión. O, mirándolo desde otra dirección, se dice que la conclusión se deduce de las premisas. Esto significa que, si las premisas son verdaderas, la conclusión no puede dejar de serlo. Ese "si" puede ser un gran "si". Toma el argumento "Todos los estudiantes del Seminario de Westminster son comunistas; Ronald Reagan es un estudiante del Seminario de Westminster; por lo tanto, Ronald Reagan es un comunista". Ese argumento es tan falso como puede ser: dos premisas falsas y una conclusión falsa. Es "poco sólido", como dicen algunos expertos en lógica. Pero las premisas implican la conclusión. Eso significa que, si las premisas fueran verdaderas, la conclusión también sería verdadera. De hecho, las premisas no son verdaderas; pero si lo fueran, la conclusión también lo sería.

El término "válido" es un término técnico para un argumento en el que las premisas implican la conclusión, sean o no las premisas y/o la conclusión verdadera. Por lo tanto, el argumento anterior, concluir que Reagan es un comunista, es un argumento válido, por extraño que suene llamarlo así. No es, sin embargo, "sólido". La solidez no solo implica la validez lógica sino también la verdad de las premisas y la conclusión.

La implicación es algo que impregna nuestra experiencia. En todo tipo de situaciones notamos premisas que conllevan o implican conclusiones. A menudo la gente se da cuenta de las implicaciones y actúa sobre ellas sin formular conscientemente ningún argumento. En un partido de fútbol, un mariscal de campo nota un movimiento revelador en el campo contrario. Llega a la conclusión de que sus oponentes están ejecutando una estrategia defensiva particular, y ajusta su ataque en consecuencia. Sin duda, el mariscal de campo en esta situación no expone esta implicación como un argumento formal; si lo hiciera, sería demasiado tarde, y sería aplastado por los jugadores defensivos que se acercan. Más bien reacciona casi inconscientemente, instintivamente, instantáneamente. Pero ha encontrado una implicación, sin embargo.

Una mujer cuyo marido se ha ido a la guerra no ha sabido de él en varios meses. Ella ve un coche militar detenerse frente a la casa. Dos oficiales salen del coche, con expresiones sombrías. Caminan hacia su puerta. En ese momento, ella sabe que hay malas noticias. Sin duda, no ha formulado ningún argumento explícito; sin embargo, ha reconocido algunos hechos junto con sus implicaciones y ha reaccionado en consecuencia.

Tales implicaciones nos ocurren cada día, virtualmente cada momento. Cuando suena la alarma, "deducimos" que es hora de levantarse. Olemos el café, "deducimos" que alguien está preparando el desayuno. Y así sucesivamente.

La lógica mapea algunos de esos tipos de implicación, mostrando lo que los hace funcionar, traduciéndolos en un simbolismo formal, evaluando las supuestas implicaciones de esos tipos. Nos da algunas formas cuasi matemáticas útiles para evaluar las supuestas implicaciones. Estas técnicas se centran en el uso de ciertos términos clave en el argumento, como "todos", "algunos", "si... entonces". Estos términos han sido examinados minuciosamente en cuanto a su "fuerza lógica", para que los argumentos (como los anteriores sobre Sócrates y Reagan) que giran en torno al uso de estos términos puedan ser evaluados adecuadamente.

Sin embargo, hay muchos tipos de implicación que no han sido tan formalizados por la ciencia de la lógica (entre ellos, creo, los casos del mariscal de campo y la esposa del militar arriba mencionados). A menudo extraemos implicaciones sin formular argumentos verbales en absoluto o sin, al menos, formular argumentos basados en el uso de todos, algunos y así sucesivamente. Muchas veces, de hecho, solo tenemos la "sensación" o la "sensación" de que una cosa implica a la otra (una sensación que, por cierto, a veces nos engaña). La ciencia de la lógica agudiza ese sentido, al igual que la física agudiza nuestra capacidad de percibir las relaciones entre los objetos físicos. Pero la ciencia no ha hecho (ni en la lógica ni en la física) que el sentido sea superfluo. De hecho, incluso nuestra aceptación de los principios lógicos depende de nuestra capacidad de "sentir" que son verdaderos (véase mi doctrina del "descanso cognitivo").

El segundo concepto central de la lógica como ciencia del argumento es el concepto de coherencia. Dos proposiciones son coherentes si y solo si ambas pueden ser verdaderas al mismo tiempo, un concepto que utilizamos en la vida cotidiana. Un parlamentario dice que cree en la ley y el orden, pero vota en contra de todos los presupuestos para la aplicación de la ley. Ciertamente, aparecerá alguna nota editorial y lo acusará de inconsistencia. Por supuesto, la inconsistencia, la contradicción, puede ser solo aparente. Hay formas de refutar las acusaciones de inconsistencia, y a veces nos equivocamos al hacerlas. Sin embargo, hacemos juicios de ese tipo todo el tiempo, ya sea que hayamos estudiado la lógica o no. Como con la implicación, tenemos una especie de "sentido" que nos advierte de la inconsistencia.

La lógica, entonces, busca formalizar y refinar esa sensibilidad. Nos ayuda a traducir las declaraciones en términos que hacen más evidente su consistencia o inconsistencia. Nos da técnicas cuasi matemáticas para determinar qué declaraciones son consistentes y cuáles no.[2] Así, la "ley de la no contradicción", que a menudo se considera el principio más fundamental de la lógica, establece: Nada puede ser A y no A al mismo tiempo y en el mismo sentido. Por ejemplo: "Bill es un carnicero" y "Bill no es un carnicero" no pueden ser ambas cosas a la vez y en el mismo sentido. (Otra formulación, más adecuada a la lógica moderna de las proposiciones, es "Ninguna proposición puede ser verdadera y falsa a la vez y en el mismo punto"). Debemos, por supuesto, tomar nota de las clasificaciones. Las dos afirmaciones sobre Bill podrían ser ciertas en diferentes momentos; Bill podría ser un no-carnicero en 1975 pero convertirse en carnicero en 1982. Y las dos afirmaciones podrían ser ciertas en diferentes aspectos, por ejemplo, si carnicero se utiliza figurativamente en una de las frases. Pero si no hay una diferencia relevante de tiempo o de sentido, sabemos que las dos frases no pueden ser ambas verdaderas.

(2) UNA HERRAMIENTA HERMENÉUTICA

Debido a que la lógica es la ciencia del argumento, también es una herramienta valiosa en la interpretación del lenguaje. En teología nos ayuda a entender la Biblia.

En el argumento silogístico sobre Sócrates, la conclusión descubre el significado implícito en las premisas. En cierto sentido, la conclusión no añade nada nuevo a las premisas. Si sabes que todos los hombres son mortales, y que Sócrates es un hombre, sabes que Sócrates es mortal. Eso no parece un nuevo conocimiento. La implicación no añade nada nuevo; solo reordena la información contenida en las premisas. Toma lo que está implícito en las premisas y lo declara explícitamente. Así, cuando aprendemos las implicaciones lógicas de las frases, estamos aprendiendo más y más de lo que esas frases significan. La conclusión representa parte del significado de las premisas.

Así que, en teología, las deducciones lógicas establecen el significado de la Escritura. "Robar está mal; malversar es robar; por lo tanto, malversar está mal." Es una especie de "silogismo moral", común al razonamiento ético. Derivar esta conclusión es una especie de "aplicación", y hemos argumentado que las aplicaciones de la Escritura son su significado. Si alguien dice que cree que robar está mal, pero cree que la malversación está permitida, entonces no ha entendido el

---

[2] Los especialistas en lógica han discutido si las matemáticas y la lógica son una ciencia o dos.

significado del octavo mandamiento. Otro ejemplo: "El que cree en Cristo tiene vida eterna (Jn. 3:16); Bill cree en Cristo; por lo tanto, Bill tiene vida eterna". Ese argumento, también, establece parte del significado del texto bíblico. Por lo tanto, la deducción lógica es importante incluso en el área vital de la seguridad de la salvación.

Cuando se usa correctamente, la deducción lógica no añade nada a la Escritura. Simplemente expone lo que hay. Por lo tanto, no debemos temer ninguna violación de la *sola scriptura* mientras usemos la lógica responsablemente. La lógica establece el significado de la Escritura.

(3) UNA CIENCIA DEL COMPROMISO

Hay una "necesidad" peculiar sobre la inferencia lógica. Creemos que cuando se aceptan las premisas de un argumento, se "debe" aceptar la conclusión. ¿Cuál es la fuerza de ese "debe"? ¿En qué sentido "debemos" aceptar las inferencias lógicas?

La necesidad no es obviamente física. Nadie está tirando de los hilos de nuestras cuerdas vocales, obligándonos físicamente a afirmar la conclusión de un argumento válido. La compulsión puede ser resistida y a menudo lo es; mucha gente rechaza el asentimiento a los argumentos sólidos a pesar del "debe", la necesidad, de la inferencia lógica. La necesidad tampoco es pragmática, de ninguna manera obvia. Es decir, no aceptamos conclusiones lógicas simplemente porque hacer eso nos haga la vida más agradable o sirva a nuestro propio interés de alguna manera obvia. A menudo, aceptar una conclusión lógica hace la vida más difícil; así, muchos huyen de la realidad que representa la conclusión de un argumento sólido.

En mi opinión, la necesidad es de dos tipos. Primero, es una necesidad analítica. Es decir, si alguien cree en una premisa, entonces en cierto sentido ya cree en las implicaciones de esa premisa. Puede que no admita que las cree, pero en algún nivel de su conciencia, las cree. Y eso es como la enseñanza de Romanos 1 sobre el incrédulo: puede resistirse a Dios, pero en algún nivel cree en Él. Por lo tanto, decir que alguien "debe" aceptar la conclusión de un argumento significa, en parte, que ya lo cree. También puede tener otras creencias, contradictorias con la conclusión en cuestión. Hemos visto que la gente tiene creencias contradictorias a veces. Pero el hecho de que alguien crea "no-p" no es prueba de que no crea también "p". La ley de no contradicción dice que no debe creer en proposiciones contradictorias, pero eso no le impide hacerlo.

Pero hay un segundo tipo de necesidad. El "debe" lógico indica una necesidad moral. Decir que alguien "debe" aceptar una conclusión es decir que debe aceptarla, que tiene la obligación de aceptarla. La obligación es creer en el sentido más completo: aceptarla como autoridad, para que todo el resto de la vida esté en conformidad con esa creencia. ¿Por qué debemos instar a tal obligación moral de creer a las personas que en cierto sentido ya creen? Porque, como enseña Romanos 1 con respecto al conocimiento de Dios, las personas a menudo "suprimen" su conocimiento de una conclusión lógica; o lo creen, pero se niegan a admitirlo; o lo creen, pero se niegan a actuar en consecuencia; o lo creen, pero también creen otras cosas inconsistentes con él que compiten por su lealtad.

Así podemos ver que la implicación lógica no es algo religiosamente neutral. Depende de los valores éticos, que en última instancia son valores religiosos. La necesidad lógica puede ser entendida como una forma de necesidad ética, que en última instancia es una necesidad religiosa. La lógica, por lo tanto, puede ser vista como una forma de ética. Pero los únicos valores éticos verdaderos son los que nos revela Dios. Por lo tanto, la lógica necesariamente presupone el cristianismo.

B. LA CERTEZA DE LA LÓGICA

En comparación con los principios de otras ciencias como la física y la historia, las leyes de la lógica parecen tener una certeza peculiar sobre ellas; y en este sentido, son similares a las leyes de las matemáticas.[3] Podemos dudar de la afirmación de un historiador de que el Tratado de Versalles provocó la Segunda Guerra Mundial. Pero no podemos dudar, al parecer, que $2 + 2 = 4$. Si alguien añadiera dos trozos de tiza a otros dos y el total saliera cinco, asumiríamos que alguien ha jugado una mala pasada. No cuestionaríamos (¿o sí?) bajo ninguna circunstancia la verdad de que $2 + 2 = 4$. Tampoco podemos dudar que, si todos los hombres son mortales, y Sócrates es un hombre, que Sócrates es mortal. Ese silogismo parece llevar consigo una certeza que trasciende toda experiencia de sentido, que tiene prioridad sobre todas las afirmaciones no lógicas y no matemáticas.

¿Qué hace que la lógica sea tan segura? Se han propuesto varias teorías, entre ellas las siguientes.

(i) *Ideas innatas.*

---

[3] De nuevo, según algunos puntos de vista, la lógica y las matemáticas son una sola ciencia.

Algunos han dicho que la lógica es cierta debido a su origen: no la aprendemos a través de la experiencia de los sentidos sino a través de ideas innatas de algún tipo. Sin embargo, es muy difícil probar que una idea en particular es una idea "innata". La mayoría de los filósofos, a mi entender, postulan las ideas innatas por el proceso de eliminación; les parece la única manera de resolver el tipo de problema que estamos discutiendo. Pero a menos que haya alguna evidencia independiente de tales ideas innatas, la solución propuesta no es muy creíble. Además, no está claro por qué lo innato de una idea la hace cierta. ¿No podríamos tener algunas ideas innatas que son falsas? De hecho, se podría argumentar que al menos algunos de los datos de la experiencia sensorial son tan ciertos como las leyes de la lógica. Ahora estoy mirando mi mano, y creo que estoy tan seguro de la existencia de mi mano como de cualquier ley de la lógica.

(ii) *Convención.*

Otros han argumentado que la lógica es cierta porque es "verdadera por convención". La certeza de la lógica, según este punto de vista, es como la certeza de la frase "Todos los solteros son solteros". ¡¿No es asombroso que sepamos infaliblemente que todos los solteros son solteros?! ¡Podríamos hacer una encuesta de Gallup a todos los solteros de California, y no encontraríamos a ninguno que esté casado! ¡Incluso podríamos hacer una encuesta a todos los solteros del universo y obtener el mismo resultado! Sabemos eso infaliblemente. ¿Por qué? ¿De dónde viene este maravilloso conocimiento? Bueno, algunos dirían que no hay ningún misterio al respecto. Sabemos que todos los solteros son solteros simplemente porque hemos acordado definir el soltero de esa manera. Del mismo modo, algunos han dicho que la lógica y las matemáticas consisten en definiciones y las implicaciones de esas definiciones. Algunos irían más allá de este punto de vista y dirían que por esta razón la lógica y las matemáticas no nos dicen nada sobre el mundo, solo sobre las definiciones de nuestro lenguaje. Otra forma de decirlo es decir que las leyes de la lógica y las matemáticas son "analíticas", más que "sintéticas". El predicado se incluye en la definición del sujeto.

Sin embargo, la distinción entre "analítico" y "sintético" ha sido objeto de mucho debate en los últimos años. A muchos escritores ya no les parece posible distinguir claramente entre éstas o entre "verdades por definición" y otros tipos de verdad.[4] Porque no se puede distinguir claramente el lenguaje de la realidad, ni la verdad de las definiciones de la verdad de otras afirmaciones. El lenguaje es parte de la realidad; es una herramienta con la que encontramos nuestro camino en el mundo. No definimos los términos de manera arbitraria, sino que tratamos de definirlos en un sistema que nos ayuda a llevar a cabo nuestras tareas en la creación.

Como vimos anteriormente en nuestra discusión sobre el lenguaje (capítulo 7, 1), el significado de cada término tiene límites difusos; no hay definiciones absolutamente precisas. ¿Qué diríamos de un soltero que vive con una mujer sin una ceremonia de boda formal, relación que en algunos estados (pero no en otros) se describiría como un matrimonio de derecho común? ¿Sería un soltero casado? Bueno, la definición del término no resuelve la cuestión; la realidad podría hacer que estiráramos un poco nuestras definiciones, y así es como se desarrolla el lenguaje.

Las verdades de la lógica y las matemáticas pueden consistir en cierta medida en definiciones, pero las verdades que expresan no fueron inventadas por nosotros. Si estas definiciones particulares no reflejaran la naturaleza del mundo, no las utilizaríamos. La perspectiva existencial, aquí como siempre, presupone lo normativo y lo situacional. La ecuación "$2 + 2 = 4$" es un hecho sobre el mundo. Realmente es el caso que dos objetos sumados a otros dos dan cuatro. Ese sería el caso, aunque eligiéramos arbitrariamente un sistema de definiciones que hiciera falsa esa ecuación (o una ecuación equivalente, utilizando términos diferentes).

iii) *Triperspectivalismo.*

El enfoque que considero más adecuado es (¡¿qué más?!) triple.

A) La perspectiva situacional. La lógica y las matemáticas describen verdades muy "obvias" sobre el mundo, además de las implicaciones (a menudo no tan obvias) de esas verdades. Son ciertas debido a esa obviedad. En este nivel, hay poca diferencia entre "$2 + 2 = 4$" y "Mi mano está ahora frente a mi cara".

B) La perspectiva normativa. Como la Escritura nos enseña a vivir sabiamente, de acuerdo con la verdad, en efecto nos ordena observar estos hechos obvios. Así estos hechos, como todos los hechos, se convierten en normativos. Estamos obligados a honrarlos. Y como son más obvios, menos controvertidos, que muchos otros hechos, tienen prioridad sobre la mayoría de las otras pretensiones de

---

[4] Una obra fundamental en esta discusión es W. V. Quine, "Two Dogmas of Empiricism", en Quine, *From a Logical Point of View* (New York: Harper and Row, 1961), 20-46. Otros ensayos de ese volumen también son relevantes.

conocimiento. (Este no es siempre el caso. A veces la observancia de los hechos nos llevará a modificar nuestro sistema de lógica de alguna manera). Así (de una manera un tanto restringida) las leyes de la lógica pueden ser descritas como "leyes del pensamiento".

C) La perspectiva existencial. Debemos, en efecto, elegir si reconocemos o no estos hechos legales. Si lo hacemos, entonces buscamos reflejarlos en nuestras definiciones y en nuestro pensamiento en general. Esta es, como vimos anteriormente, una decisión ético-religiosa. Aceptar la lógica presupone (incluso para el incrédulo) la estructura de hecho de la ley del universo que fue creado como tal por Dios. Para la mayoría de las personas, es cierto que no pueden "vivir sin" la lógica. Para la mayoría de nosotros, asumir que $2 + 2 = 5$ arrojaría nuestras vidas al caos. Por lo tanto, la lógica tiene una necesidad subjetiva y práctica, así como necesidades situacionales y normativas.

C. JUSTIFICACIÓN BÍBLICA PARA EL USO DE LA LÓGICA EN LA TEOLOGÍA

Uno puede hacer teología sin lógica en un sentido, pero no en otro. Se puede teologizar sin haber estudiado la lógica y sin hacer un uso explícito de las reglas lógicas o del simbolismo. Sin embargo, en otro sentido, no se puede hacer teología o cualquier otra cosa en la vida humana sin tener en cuenta las verdades que constituyen la base de la ciencia de la lógica. No podemos hacer teología si vamos a sentirnos libres de contradecirnos a nosotros mismos o de rechazar las implicaciones de lo que decimos. Cualquier cosa que digamos debe observar la ley de la no contradicción en el sentido de que debe decir lo que dice y no lo contrario. Así, muchos han dicho que la lógica es necesaria para todo pensamiento y acción humanos. En general, esto es cierto. Tendremos que anotar algunas observaciones sobre este principio en la siguiente sección, pero por ahora mi propósito es indicar la importancia positiva de la lógica para la teología.

Cuando vemos lo que es la lógica, podemos ver que está involucrada en muchas enseñanzas y mandatos bíblicos.

(i) Está involucrada en toda comunicación de la Palabra de Dios. Comunicar la Palabra es comunicar la Palabra en oposición a lo que la contradice (1 Ti. 1:3ss.; 2 Ti. 4:2s.). Por lo tanto, los conceptos bíblicos de sabiduría, enseñanza, predicación y discernimiento presuponen la ley de la no contradicción.

(ii) Está involucrada en cualquier respuesta apropiada a la Palabra. En la medida en que no conocemos las implicaciones de la Escritura, no entendemos el significado de la misma. En la medida en que desobedecemos las aplicaciones de la Escritura, desobedecemos la Escritura misma. Dios le dijo a Adán que no comiera el fruto prohibido. Imagina a Adán respondiendo: "¡Señor, me dijiste que no la comiera, pero no me dijiste que no masticara y tragara!" Dios ciertamente habría respondido que Adán tenía la habilidad lógica para deducir "No masticarás y tragarás" de "No comerás". De esta manera, los conceptos bíblicos de entender, obedecer y amar presuponen la necesidad de la lógica.

(iii) La lógica está involucrada en el importante asunto de la seguridad de la salvación. Las Escrituras enseñan que podemos saber que tenemos vida eterna (1 Juan 5:13). El testimonio del Espíritu (Ro. 8:16ss.) juega un papel importante en esta seguridad; pero ese testimonio no viene como una nueva revelación, complementando el canon, por así decirlo.[5] Entonces, ¿de dónde viene la información de que soy un hijo de Dios, información de la que el Espíritu da testimonio? Viene de la única fuente autorizada posible, las Escrituras canónicas. ¿Pero cómo puede ser, si mi nombre no se encuentra en el texto bíblico? Viene por aplicación de la Escritura, un proceso que implica lógica. Dios dice que todo aquel que crea en Cristo será salvado (Jn. 3:16). Yo creo en Cristo. Por lo tanto, estoy salvado. ¿Salvado por un silogismo? Bueno, en cierto sentido, sí. Si ese silogismo no fuera sólido, no tendríamos esperanza. (Por supuesto, ¡el silogismo es solo el medio que tiene Dios para darnos las buenas noticias!) Sin lógica, entonces, no hay seguridad de salvación.

iv) Las Escrituras justifican muchos tipos específicos de argumentos lógicos. Las epístolas paulinas, por ejemplo, están llenas de "por lo tanto". Por lo tanto, indica una conclusión lógica. En Romanos 12:1 Pablo nos suplica: "Por lo tanto, por la misericordia de Dios". Las misericordias de Dios son las misericordias salvadoras que Pablo ha descrito en Romanos 1-11. Esas misericordias nos dan motivos, razones, premisas para el tipo de comportamiento descrito en los capítulos 12-16.

Noten que Pablo no solo nos dice en Romanos 12 que nos comportemos de cierta manera. Nos está diciendo que nos comportemos de esa manera por razones particulares. Si afirmamos obedecer, pero rechazamos esas razones particulares para obedecer, estamos en esa medida siendo desobedientes. Por lo tanto, Pablo requiere que aceptemos no solo un patrón de comportamiento sino también un

---

[5] Ver mi artículo, "The Spirit and the Scriptures," en D. A. Carson y John Woodbridge, eds., *Hermeneutics, Authority, and Canon* (Grand Rapids: Zondervan Publishing House, 1986). Véase también John Murray, "The Attestation of Scripture", en N. Stonehouse y P. Woolley, eds., *The Infallible Word* (Grand Rapids: Wm. B. Eerdmans Pub. Co., 1946; reissued by Presbyterian and Reformed), 1-52.

argumento lógico particular. Lo mismo ocurre cuando un escritor bíblico presenta motivos para lo que dice. No solo su conclusión sino también su lógica es normativa para nosotros. Si, entonces, rechazamos el uso del razonamiento lógico en la teología, estamos desobedeciendo la propia Escritura.

Una tarea interesante podría ser ver si un sistema completo de lógica puede ser desarrollado a partir de los argumentos normativos que se encuentran en la Escritura. Me han dicho que algunas personas están ocupadas haciendo eso, aunque no he visto su trabajo por escrito. Si esa tarea tuviera éxito, los resultados nos serían útiles para mostrar más claramente las bases bíblicas de la lógica. Pero la lógica puede ser defendida desde la Escritura incluso sin esos datos. Y tal "sistema bíblico", si se encontrara, no agotaría las formas de argumentación permitidas al cristiano, como tampoco las herramientas de comunicación del evangelio que se encuentran en la Escritura agotan los medios permisibles de comunicación del evangelio hoy en día.

v) La Escritura enseña que Dios mismo es lógico. En primer lugar, su Palabra es la verdad (Jn. 17:17), y la verdad no significa nada si no se opone a la falsedad. Por lo tanto, Su Palabra no es contradictoria. Además, Dios no rompe sus promesas (2 Co. 1:20); no se niega a sí mismo (2 Ti. 2:13); no miente (He. 6:18; Tit. 1:2). Como mínimo, estas expresiones significan que Dios no hace, dice o cree lo contradictorio de lo que nos dice. La misma conclusión se desprende de la enseñanza bíblica sobre la santidad de Dios. La santidad significa que no hay nada en Dios que contradiga Su perfección (incluyendo Su verdad). ¿Dios, entonces, observa la ley de la no contradicción? No en el sentido de que esta ley es de alguna manera superior a Dios mismo. Más bien, Dios es en sí mismo no contradictorio y por lo tanto es él mismo el criterio de consistencia lógica e implicación. La lógica es un atributo de Dios, al igual que la justicia, la misericordia, la sabiduría, el conocimiento. Como tal, Dios es un modelo para nosotros. Nosotros, como su imagen, debemos imitar su verdad, su promesa. Por lo tanto, nosotros también debemos ser no-contradictorios.

Por lo tanto, la Confesión de Fe de Westminster es correcta cuando dice (I, vi) que todo el consejo de Dios se encuentra no solo en lo que la Escritura enseña explícitamente sino también entre aquellas cosas que "por buena y necesaria consecuencia pueden ser deducidas de la Escritura". Esta declaración ha sido atacada incluso por los discípulos profesos de Calvino, pero es bastante inevitable.[6] Si negamos las implicaciones de las Escrituras, estamos negando las Escrituras.

Por supuesto, nuestras deducciones lógicas no son infalibles, como subrayaré en la siguiente sección. Pero debemos ver ese hecho en perspectiva. Somos falibles en el uso de todas las herramientas de la teología, incluyendo el lenguaje, la arqueología y la historia, así como la lógica. Sin embargo, todas ellas, incluyendo la lógica, son medios para que descubramos la verdad infalible de Dios.

Por lo tanto, recomendaría que los estudiantes de teología estudien la lógica, al igual que estudian otras herramientas de la exégesis. Hay una gran necesidad de pensamiento lógico entre los ministros y teólogos de hoy. Argumentos inválidos y poco sólidos abundan en los sermones y en la literatura teológica. A menudo me parece que los estándares de la lógica son mucho más bajos hoy en día en la teología que en cualquier otra disciplina. Y la lógica no es un tema difícil. Cualquiera con un diploma de secundaria y algún conocimiento elemental de matemáticas puede comprar o pedir prestado un texto como I. M. Copi, *Introducción a la lógica* y revisarlo por su cuenta.[7] Si, por alguna razón, no puedes manejar las complicaciones de la lógica formal, puedes hacer lo siguiente: ser más autocrítico; anticiparte a las objeciones. Mientras piensas y escribes, sigue preguntando cómo alguien puede encontrar fallos en lo que dices. Este simple proceso - en realidad, solo una muestra de humildad cristiana —te ayudará a evitar argumentos inválidos e inconsistencias.

La mayoría de la gente en las bancas no ha estudiado la lógica, y no podrán someter los sermones de sus pastores a un escrutinio lógico formal. Sin embargo, todas las personas racionales, creo, tienen lo que antes llamábamos un "sentido" de implicación y consistencia. Es posible que no reconozcan en todos los casos cuando se les da un argumento inválido o una posición inconsistente. Pero cuando las falacias lógicas son prominentes en un sermón, muchos en la congregación se sentirán incómodos al respecto. No lo encontrarán adecuadamente persuasivo. Incluso si no pueden precisar cuál es el problema, sentirán que existe un problema. Por lo tanto, por su bien y por el bien de la verdad misma —la verdad no contradictoria de Dios— debemos hacer esfuerzos mucho mayores de los que ahora son comunes entre los teólogos para ser lógicos.

---

[6] Por ejemplo, recientemente por: Charles Partee, "Calvin, Calvinism and Rationality," en *Rationality in the Calvinian Tradition*, ed. Hendrick Hart, Johan Vander Hoeven, and Nicholas Wolterstorff (Lanham, Md.: University Press of America, 1983), 15 n. 13.

[7] *Introduction to Logic,* New York: Macmillan, 1961.

D. LAS LIMITACIONES DE LA LÓGICA

Confío en que la discusión anterior asegure al lector que no soy ni irracionalista ni contrario a la lógica en ningún sentido significativo. Sin embargo, un cuadro equilibrado tendrá que revelar no solo los valores de la lógica sino también sus limitaciones. La lógica es importante, pero hay algunas cosas que no puede hacer. Debemos estar prevenidos contra las demandas injustificables de nuestras herramientas lógicas. Las limitaciones de la lógica son tales, además, que nos hacen dudar en sacar algunas conclusiones lógicas aparentemente justificadas.

Algunos escritores parecen pensar que, si la lógica es necesaria para la propia inteligibilidad del pensamiento humano, no nos atrevemos a decir nada negativo al respecto. Pretender limitar la lógica, parecen decir, sería atacar la inteligibilidad del pensamiento mismo. Las limitaciones que tengo en mente, sin embargo, son limitaciones con las que podemos vivir. No cuestionan la estructura del pensamiento humano como tal, solo algunas operaciones particulares de éste. Podemos vivir con insuficiencias en nuestra comprensión del lenguaje y la historia; y de manera similar, podemos vivir con insuficiencias en nuestra lógica humana. Específicamente, tengo en mente los siguientes tipos de insuficiencias.

(i) *Falibilidad.*

La lógica humana es falible, aunque la lógica de Dios es infalible. Así es con todo el pensamiento humano, excepto cuando Dios interviene, como en la inspiración de las Escrituras. Ahora bien, creo que algunos principios lógicos se enseñan en la propia Escritura (C, arriba), incluyendo la ley de la no contradicción. Por lo tanto, podría decirse que conocemos estos principios infaliblemente, de la misma manera que tenemos un conocimiento infalible de la justificación por la fe, por ejemplo. (He dicho antes que podemos cometer errores incluso sobre las doctrinas bíblicas, pero algunas de estas doctrinas están tan presentes en la Escritura y son tan evidentes para el lector que funcionan como presuposiciones, y por lo tanto como certezas, para nuestro pensamiento. La ley de la no contradicción sería ciertamente (!) una de ellas. Véase el capítulo 5, A, (8).) Pero conocer infaliblemente, en ese sentido, la ley de no contradicción no implica el conocimiento infalible de ningún sistema de lógica particular.

La lógica, al fin y al cabo, no puede hacer su negocio solo con la ley de no contradicción. De la propia ley de no contradicción no se puede deducir nada. Incluso si se añaden algunas premisas empíricas a la ley de no contradicción, no se puede deducir nada. Todo el trabajo de la lógica requiere no solo esa ley básica sino también muchos otros principios, formas de argumentación, simbolismos y reglas de cálculo.

Ha habido muchos sistemas de lógica a lo largo de la historia. Aristóteles prácticamente inventó la ciencia de la lógica (aunque, por supuesto, la gente pensaba lógicamente antes de que él la inventara) -un logro notable- y su sistema ha sido el más influyente a lo largo de los años. Pero otros se han sumado a ella: los lógicos medievales, Leibniz, Mill y otros. A principios de este siglo, Bertrand Russell sostuvo que el sistema de Aristóteles llevaría a algunas contradicciones, a menos que fuera enmendado por Russell. Otros han defendido a Aristóteles en ese punto.

Sin embargo, debe quedar claro para todos que la lógica como ciencia humana no es diferente de la física, la química, la sociología o la psicología; cambia a lo largo de los años. Lo que se acepta en un siglo puede no ser aceptado en otro, y viceversa. Estos son sistemas falibles, sistemas humanos. No pueden ser equiparados con la mente de Dios. La lógica de Dios es divina; la lógica humana no lo es.[8]

ii) *Incompletitud.*

Los sistemas actuales de lógica formal están incompletos en aspectos importantes. He dicho antes que la lógica trata de trazar los casos de implicación y coherencia que reconocemos en todos los ámbitos de la vida, pero hasta ahora solo ha trazado los argumentos (y posiblemente solo algunos de ellos) que encienden ciertas constantes lógicas como "todo", "algunos", "si... entonces". Por lo tanto, hay mucho más trabajo por hacer. Y podemos esperar muchos cambios en los sistemas lógicos en el futuro para acomodar los nuevos desarrollos.[9]

iii) *Las pruebas no son suficientes.*

---

[8] Para un estudio de algunas áreas controversiales de las matemáticas, ver Vern Poythress, "A Biblical View of Mathematics", en *Foundations of Christian Scholarship*, ed. Gary North (Vallecito, California: Ross House, 1976), 159-88. Este artículo deja claro que las ciencias de las matemáticas y la lógica no consisten enteramente en verdades, por muy "obvias" que sean sus proposiciones fundamentales.

[9] Sobre este punto, véase Gilbert Ryle, "Formal and Informal Logic", en Ryle, *Dilemmas* (Londres: Cambridge University Press, 1954), 111-29; véase también Stephen Toulmin, *The Uses of Argument* (Londres: Cambridge University Press, 1958).

George Mavrodes argumenta que no podemos aprender todo lo que sabemos de las pruebas lógicas. Él comenta:

> La argumentación, como método de prueba, no es un sustituto del conocimiento, así como un martillo no es un sustituto de la madera o una aguja no es un sustituto de la tela. Al igual que estas otras herramientas, las técnicas de argumentación válida son útiles solo si ya estamos en posesión de otra cosa además de estas herramientas. Si también tenemos madera, un martillo puede ser útil para construir una casa, pero sin madera es inútil. Del mismo modo, si ya tenemos algún conocimiento, un argumento puede ayudarnos a saber algo más, pero si no sabemos nada para empezar, entonces el argumento no puede ayudarnos.[10]

Mavrodes admite que "todo se puede aprender de las pruebas", si se permiten ciertos tipos de argumentos circulares. (Ese hecho, creo, es más significativo de lo que reconoce en el contexto.) Pero su punto básico es convincente: la lógica no te ayudará si no tienes premisas, y las premisas no están dadas por la lógica sola. Así, en un sentido, las conclusiones de la lógica dependen de nuestra experiencia de sentido, la revelación divina, las sensibilidades subjetivas y todas las demás formas de conocimiento. Ninguna conclusión de un argumento lógico puede reclamar más certeza que esas. Por lo tanto, en el sentido más importante, a nivel de aplicación, la lógica no tiene más autoridad que la sensación.

También hay otras razones por las que "no podemos aprender todo lo que sabemos de las pruebas". A) Los famosos teoremas de Kurt Godel indican, por ejemplo, que la consistencia de los sistemas formales que son lo suficientemente elaborados como para incluir la teoría de los números no puede demostrarse dentro de esos sistemas y que dichos sistemas contienen proposiciones cuya verdad es indecidible dentro de esos sistemas. Los sistemas formales, por lo tanto, dependen de los conocimientos que obtenemos por otros medios. B) Los filósofos llevan mucho tiempo desesperados por poder dar una justificación teórica plenamente satisfactoria de la inducción (el principio de que el futuro se parecerá al pasado), y sin embargo muchos argumentos se basan en la inducción para su fuerza lógica. C) Como vimos anteriormente, la lógica presupone valores éticos y religiosos. Si no tenemos tales valores, no podemos hacer nada con la lógica. La lógica presupone un Dios racional, un mundo racional, una mente humana racional. Aquellos que dudan de cualquiera de estos no tienen derecho a insistir en la certeza de la lógica. Pero el conocimiento de esas cosas no viene solo de la lógica. D) El uso de la lógica

---

[10] George Mavrodes, *Belief in God* (New York: Random House, 1970), 42.

también presupone que tenemos algún criterio de verdad y falsedad. Pero tal criterio es esencialmente presupositivo y religioso, como hemos visto, y no puede derivarse solo de la lógica.

iv) *Aparentes contradicciones.*

Si bien es cierto que la realidad no es contradictoria y, por lo tanto, que la presencia de una contradicción real en una proposición es adecuada para refutarla, las contradicciones aparentes son otra cosa. Cuando estudiamos la posición de alguien y encontramos una contradicción aparente en ella, no lo podemos ni debemos rechazar esa posición por esa razón. Sabemos que muchas cosas que nos parecen contradictorias resultan, al examinarlas más de cerca, no ser contradictorias en absoluto. Por lo tanto, cuando nos encontramos con contradicciones aparentes, no debemos rechazar automáticamente el punto de vista en cuestión.

Más bien, debemos tomar la aparente contradicción como un problema a resolver. Tal vez en una investigación más profunda encontremos una opinión coherente. O tal vez la encontremos inconsistente y la rechacemos por ese motivo. O tal vez (y esta es una opción importante) no podamos resolver la aparente contradicción, pero aun así tendremos razones tan fuertes para aceptar la opinión que dejaremos el problema lógico en suspenso, esperando una resolución en algún momento del futuro.

Eso es, por supuesto, lo que hacemos cuando la gente encuentra aparentes contradicciones en las Escrituras. Creemos que la Escritura es lógicamente consistente, pero nos damos cuenta de que por muchas razones (nuestra finitud, nuestro pecado, las insuficiencias de nuestros sistemas lógicos, lo inadecuado de nuestras premisas, nuestra comprensión de los términos del argumento, etc.) la Escritura puede parecer contradictoria. Pero no abandonamos nuestra fe por una aparente contradicción. Como Abraham, perseveramos en la fe a pesar de los problemas, incluso cuando esos problemas son problemas de lógica. Por lo tanto, nuestra lógica humana nunca es una prueba final de la verdad.[11]

Obsérvese, pues, que cuando se trata de refutar la posición de alguien, nunca es suficiente con exponer simplemente argumentos para un punto de vista alternativo (e incompatible). Muchos teólogos modernos, por ejemplo, argumentan en contra del punto de vista ortodoxo de la Escritura presentando argumentos

---

[11] Ver mi artículo: "The Problem of Theological Paradox," in *Foundations of Christian Scholarship*, 295–330, also published as a pamphlet, *Van Til the Theologian* (Phillipsburg, N.J.: Pilgrim Publishing, 1976).

relativos a varias construcciones liberales, sin considerar siquiera la evidencia bíblica que motivó el punto de vista ortodoxo en primer lugar.

Muchos pro-abortistas hablan una y otra vez de los derechos de la mujer, la tragedia de la violación, etc., sin prestar ninguna atención seria a la naturaleza del feto, el dato más crucial en el caso antiaborto. Un pro-vida puede ser incapaz de refutar los argumentos pro-aborto, pero no abandonará por ello su posición. Puede sospechar con razón que algo puede estar mal en el caso del abortista, ya que está muy seguro de los argumentos que produjeron su propio punto de vista. En tales situaciones es mejor, entonces, no solo argumentar un punto de vista alternativo sino también refutar los argumentos que produjeron el punto de vista que se pretende derrocar.[12] Incluso entonces, por supuesto, un oponente convencido de la legitimidad de su causa puede refugiarse en la posibilidad de que usted esté equivocado. Pero cuanto más ponga en duda las razones que más pesan en su adversario, más adecuado será su argumento.

v) *Limitaciones del principio de no contradicción.*

También hay que tener en cuenta las salvedades sobre el derecho de no contradicción señaladas anteriormente. "Nada puede ser A y no A al mismo tiempo y en el mismo sentido". Esas limitaciones indican que la lógica solo puede examinar la coherencia y la implicación en situaciones relativamente inmutables, es decir, cuando los significados y referentes pertinentes de los términos siguen siendo los mismos en el curso del análisis. Pero como sabemos, el mundo real está cambiando todo el tiempo. Por lo tanto, el análisis lógico a menudo solo puede aproximarse; puede tratar adecuadamente solo aquellos aspectos de la realidad que no cambian - un subconjunto bastante pequeño de nuestra experiencia.

vi) *Terminología técnica.*

La lógica, en su forma actual, requiere que traduzcamos las proposiciones y argumentos que deseamos evaluar en una terminología técnica. Es un poco como usar una computadora. Para que la computadora procese la información, hay que traducir esa información a un lenguaje que la computadora entienda. Sin embargo, a menudo el significado de un argumento cambia un poco cuando se traduce a un lenguaje técnico. Es decir, el lenguaje técnico no es equivalente al lenguaje del argumento original. El caso más evidente es el de "si... entonces", una expresión

---

[12] Esto puede ser parte de "responder al necio según su necedad" (Prov. 26:5).

muy fundamental en la lógica. Muchos argumentos giran en torno al uso de esta expresión. Su significado técnico, sin embargo, es muy diferente de su significado en el lenguaje ordinario. "Si p, entonces q" es equivalente en el lenguaje técnico de la lógica a "no p o q". "Si presionas el botón, la campana sonará", entonces, puede ser parafraseado, "o no presionas el botón, o la campana sonará". No se afirma ninguna relación causal real, como suele ser el caso en el lenguaje corriente.

vii) *Ley del medio excluido.*

Al igual que la ley de no contradicción, la "ley del medio excluido" es otro principio básico de la lógica. Dice que "Todo es A o no A", o "Toda proposición es verdadera o falsa". Este principio simplifica la lógica haciendo posible un cálculo de dos valores. Pero ha sido cuestionado por razones técnicas. Se han propuesto lógicas de tres valores y de valores n. Desde un punto de vista no técnico, debemos tener en cuenta que el principio a veces distrae nuestra atención de los "límites difusos" del lenguaje. Pensando en términos de la ley del medio excluido, nos inclinamos a decir "o llueve o no llueve". Parece que no hay una tercera posibilidad, no hay un "medio". ¿Qué decimos entonces de una niebla espesa?[13] ¿Es lluvia o no es lluvia? Debería ser una u otra, parece, pero ninguna de las dos alternativas es cómoda. O bien, parece que debemos ampliar nuestro concepto normal de lluvia, o debemos ampliar nuestro concepto normal de no lluvia. Un sistema de tres valores en este caso parece ajustarse mejor a nuestros instintos. La niebla puede ser tratada como "lluvia" o como "no-lluvia" igualmente bien y con la misma incomodidad. Se puede hacer; podemos tratar la niebla en términos de dos valores de la lluvia. Pero hacerlo de esa manera distorsiona de alguna manera los patrones del lenguaje ordinario (como en el inciso vi), arriba) y presenta una imagen algo engañosa de lo que es la niebla.

Así pues, en todos estos aspectos, la lógica es limitada: es falible, depende de otras disciplinas e instrumentos, es incompleta, a veces distorsiona los conceptos que emplea y no siempre dice la palabra decisiva. Por lo tanto, no es irrazonable, a veces, sospechar de un razonamiento lógico aparentemente sólido. Cuando alguien dice que la bondad de Dios es lógicamente incompatible con la existencia del mal o que la unidad de Dios es incompatible con su trinidad, tal vez no podamos refutar su argumento, pero ahora sabemos (confío) que a veces las cosas se tuercen en la lógica, que un argumento aparentemente sólido no siempre es sólido después de todo. Por lo tanto, aunque no debemos ignorar ese tipo de argumento, tampoco

---

[13] Le debo esta ilustración a Vern S. Poythress.

debemos dejarnos intimidar por él. Aunque no podamos responder, sabemos que nuestro Dios tiene una respuesta y que, a su tiempo, reprenderá las objeciones tontas (por muy formidables que sean) de los hombres.

E. ORDEN LÓGICO

En teología se oye hablar mucho de la necesidad de poner las cosas en orden lógico o de observar "prioridades lógicas". Podemos recordar el comentario de Charles Hodge (ver Parte Uno) acerca de cómo la teología pone la enseñanza de las escrituras en su "orden adecuado". Se han librado batallas en la teología sobre cuestiones tales como si el decreto de Dios de crear "precede" a su decreto de elegir, o viceversa, si el amor de Dios o su justicia tiene prioridad sobre el otro, si la regeneración "precede" a la fe, si nuestro intelecto tiene "primacía" sobre nuestras otras facultades humanas, si la doctrina de la predestinación debe ser discutida bajo la doctrina de Dios o bajo la aplicación de la redención, si la doctrina es anterior a la vitalidad, o viceversa.

Palabras como prioridad y orden se utilizan normalmente en las relaciones temporales. Cuando se habla de que algo viene "antes" que otra cosa, normalmente, en el sentido más literal, nos referimos a la precedencia temporal. Sin embargo, lo más frecuente es que cuando los teólogos hablan de prioridades, nieguen que tengan una prioridad temporal en mente. El orden de los decretos divinos, por ejemplo, claramente no es un orden temporal, ya que los decretos son todos eternos. Y un teólogo que dice que la regeneración es anterior a la fe no necesariamente sostiene que uno puede ser regenerado antes de creer.

Pero si la prioridad no es temporal, ¿qué es? Claramente, al menos (y deberíamos recordarnos este hecho de vez en cuando), el orden y la prioridad se usan metafóricamente y por lo tanto están sujetos a todas las limitaciones de las metáforas que he discutido en el capítulo 7, D, más arriba.

Pero, ¿en qué sentido metafórico se utilizan esos términos? Aquí, las cosas se vuelven confusas. Los teólogos tienden a describirse a sí mismos como hablando "no de un orden temporal sino lógico". Pero el "orden lógico" no es un concepto claro. (Wittgenstein comentó: "Donde nuestro lenguaje sugiere un cuerpo y no hay ninguno: allí, nos gustaría decir, es un espíritu".[14] Aquí estoy tentado de parafrasearlo: cuando nuestro lenguaje sugiere un orden temporal, y no lo hay: allí,

---

[14] Ludwig Wittgenstein, *Philosophical Investigations* (New York: Macmillan, 1958), 18, no. 36.

nos gustaría decir, es un orden lógico.) Muchas relaciones pueden ser descritas por orden lógico. He aquí algunos ejemplos.

i) *Diferentes tipos de orden.*

En la ciencia de la lógica misma, hay muchos tipos de orden. Hay, en primer lugar, la prioridad de la premisa a la conclusión en la escritura de un silogismo. La premisa se presenta generalmente antes de la conclusión, aunque no hay una necesidad absoluta de hacerlo así.

ii) *Premisa como fundamento de la conclusión.*

La premisa también "precede" a la conclusión en el sentido más metafórico de ser la razón o el fundamento sobre el que se argumenta la conclusión. No obstante, recuerde que este tipo de prioridad a veces puede invertirse. Considere los dos silogismos siguientes.

> (A) Si el cabello de Bill es más corto hoy que ayer, fue cortado hoy. Su cabello es más corto hoy que ayer. Por lo tanto, fue cortado hoy.
> (B) Si el cabello de Bill fue cortado hoy, es más corto que ayer. Fue cortado hoy. Por lo tanto, su cabello es más corto hoy que ayer.

Noten que en el primer silogismo "Su cabello es más corto..." es una premisa y "Fue cortado hoy" es la conclusión. En el segundo silogismo, esto se invierte. A menudo, tal es el caso en la lógica. Una frase que es "anterior a" otra (en el sentido que se discute) en un argumento puede ser "posterior a" la misma frase en otro argumento. Así pues, no podemos hablar de una frase como "anterior a" la otra frase, excepto en el contexto de un argumento concreto. No tiene sentido preguntar en relación con los silogismos anteriores si la frase sobre la poca longitud del cabello de Bill es "anterior a" la frase sobre el corte de su cabello.

iii) *Condicionalidad necesaria.*

Otro tipo de "prioridad" en la lógica es la condicionalidad necesaria. "P es una condición necesaria de q" significa que, si q es verdadera, p también lo es, siendo "p" y "q" variables que representan proposiciones. A veces se describe con las frases "Si q entonces p" o "q solo si p". Esto significa que la verdad de p es necesaria para la verdad de q. En silogismos válidos como los citados en el inciso ii), la conclusión es una condición necesaria para la conjunción de las premisas; es decir, solo si la conclusión es verdadera pueden serlo todas las premisas.

iv) *Condicionalidad suficiente.*

También existe la condicionalidad suficiente, que es en cierto sentido lo contrario de lo anterior. "P es una condición suficiente de q" significa que, si p es verdadera, q también lo es. Esto se simboliza: "Si p entonces q" o "p solo si q". Aquí, la verdad de p es suficiente a la verdad de q. En los silogismos válidos, la verdad de las premisas (todas ellas) es una condición suficiente de la verdad de la conclusión. Nótese que, si p es "anterior a" q en el sentido de ser la condición necesaria de q, entonces q es "anterior a" p en el sentido de ser la condición suficiente de p.

v) *Ambos tipos de condicionalidad.*

A veces una condición puede ser a la vez necesaria y suficiente. En estos casos, decimos "p si y solo si q". Aquí, p es anterior a q y q es anterior a p, y cada prioridad existe tanto en el sentido (iii) como en el sentido (iv).

Hay otros tipos de prioridad señalados en los textos lógicos, pero los anteriores son los que más probablemente serán notados por los teólogos. Pero nótese que ninguno de ellos nos da motivos para decir que una doctrina, atributo divino o decreto divino es en cierto sentido general "anterior" a otra. Las proposiciones que son "anteriores" como condiciones necesarias son "posteriores" como condiciones suficientes. Las proposiciones que son "anteriores" en un argumento pueden ser "posteriores" en otro. Por lo tanto, no tiene sentido preguntar en general si una proposición particular es anterior o posterior a otra.

Sin embargo, debemos considerar algunas otras formas de "prioridad" que no surgen de la ciencia de la lógica en sí misma pero que a veces se describen como prioridades "lógicas".

vi) *Prioridad causal.*

En primer lugar, existe una prioridad causal. A es anterior a B si A es la causa de B.

vii) *La relación parcial-entera.*

Algunos filósofos encuentran "prioridad" en la relación parcial-entera. Para algunos, las partes de algo, por ser más "básicas", es decir, las cosas de las que está hecho el todo, son "anteriores" al todo. Otros, sin embargo, perciben esa relación de manera inversa. El todo es más importante que cualquier parte y por lo tanto es "anterior". (De ahí las diferencias, por ejemplo, entre atomistas e idealistas).

viii) *Prioridades teleológicas.*

También hay prioridades teleológicas. A es anterior a B si A es el propósito para el que existe B. Obsérvese que esta forma de prioridad a menudo conduce a resultados opuestos a los del inciso vi). Cuando A es causalmente anterior a B, B suele ser teleológicamente anterior a A, ya que la causa suele darse por el efecto.

ix) *Causalidad anticipada.*

También hay prioridades de causalidad anticipada, teleología, temporalidad. Un plan divino, por ejemplo, puede entenderse como organizado de acuerdo con las anticipaciones de Dios sobre sus resultados en la historia. El decreto A puede ser anterior al decreto B porque el acontecimiento decretado por A tiene una precedencia causal, teleológica o temporal sobre el decretado por B. No es que el decreto A cause realmente (etc.) el decreto B, sino que los acontecimientos históricos ordenados por ellos tienen tales relaciones.

x) *Causalidad moral o jurídica.*

Existe también una prioridad de causalidad moral o jurídica. Aquí, A es anterior a B porque A proporciona la justificación moral o legal de B. Estas prioridades son, por supuesto, importantes en la soteriología bíblica.

xi) *Prioridad presuposicional.*

También se puede hablar de una prioridad presuposicional, es decir, la prioridad de una presuposición respecto de lo que la presupone. Se puede hablar así de autoridades, criterios, leyes, normas.

xii) *Prioridad instrumental.*

También existe una prioridad instrumental, la prioridad de un instrumento respecto de su finalidad. Esto no es lo mismo que la causalidad, ni tampoco es lo contrario de la teleología, pero las distinciones teológicas aquí son bastante imprecisas. "Instrumento" se utiliza metafóricamente, ya que la teología no utiliza martillos literales, sierras, etc. Pero su carácter metafórico tiende a oscurecer su significado.

xiii) *Prioridad pedagógica.*

Por último, creo que a menudo cuando los teólogos hablan de "prioridad lógica", de lo que realmente hablan es de prioridad pedagógica. Un buen maestro comienza con lo que sus estudiantes saben y procede a lo que no saben. Los conocimientos y las capacidades pasadas de los alumnos (además de otros factores, como las capacidades e intereses del profesor) dictan un cierto orden de presentación. Un orden pedagógico nunca puede ser grabado en piedra; puede cambiar con cada audiencia. Pero a menudo se puede especificar a grandes rasgos dónde es mejor empezar en la enseñanza de una determinada doctrina.[15]

Ahora bien, al estudiar las diversas controversias teológicas sobre el "orden lógico", uno debe quedar impresionado por el hecho de que los teólogos no están en absoluto claros sobre qué tipo de orden lógico están hablando. Consideremos la clásica controversia sobre el "orden de los decretos divinos". Supralapsarios e infralapsarios produjeron dos conceptos diferentes de cómo se ordenaban los decretos eternos de Dios. Como los decretos eran eternos, estos teólogos enfatizaron que no hablaban de órdenes temporales, sino de órdenes lógicos. Aquí están las dos listas de decretos.

---

[15] Una lista completa de "prioridades lógicas" tendría que incluir muchas más, como las "relaciones propositivas" discutidas por los lingüistas modernos. Véase, por ejemplo, Robert A. Traina, *Methodical Bible Study* (Wilmore, Ky.: Asbury Theological Seminary, 1952).

Supralapsarianismo	*Infralapsarianismo*
1. Decreto para bendecir a los elegidos.	1. Decreto de creación.
2. Decreto de creación.	2. Decreto para permitir la Caída.
3. Decreto para permitir la Caída.	3. Decreto para elegir.
4. Decreto para enviar a Cristo.	4. Decreto para enviar a Cristo.
5. Decreto para enviar el Espíritu.	5. Decreto para enviar el Espíritu.
6. Decreto para glorificar a los elegidos.	6. Decreto para glorificar a los elegidos.

Obsérvese que los decretos 4-6 son los mismos en ambas listas, con la única diferencia de que el decreto 1 de la lista anterior se convierte, en efecto, en el 3 de la lista inferior. Ahora en ninguna de las dos listas hay un principio consistente de "orden".[16] La lista anterior comienza con un decreto que es anterior a los otros en un sentido teleológico. Designa el propósito general que los otros decretos ponen en vigor. Claramente, sin embargo, 2 y 3 de la lista anterior no están relacionados teleológicamente ni tampoco los otros dos decretos de ninguna de las dos listas. La relación entre 2 y 3 de la lista anterior puede entenderse como temporal anticipada o como prioridad presupuesta.

El resto puede ser visto de la misma manera, aunque quizás sea mejor ver 4 como la base moral y jurídica de 5 y 6. La lista inferior sigue principalmente un patrón de temporalidad anticipada, aunque el lugar de 3 representa una desviación de ese patrón, y, de nuevo, la relación de 4 con los demás se interpreta mejor como causalidad moral-jurídica.

Todo el proyecto, entonces, parece bastante confuso, y a nuestros ojos modernos, altamente especulativo. (¿Cómo podemos atrevernos a leer la mente divina de esta manera?) ¿Qué intentaban hacer estos teólogos, de todos modos? Lo más probable, en mi opinión, es que estuviesen envueltos en una especie de antiabstraccionismo primitivo. Los supras decían, en efecto: "Vean todo en el

---

[16] Uno podría, tal vez, interpretar ambas listas como organizadas según las condiciones necesarias, siendo 1 la condición necesaria de 2, etc. Si las interpretamos así, sin embargo, toda la disputa parece inútil. El decreto para elegir y el decreto para crear podrían ser condiciones necesarias el uno para el otro. No habría entonces necesidad de oponer los dos sistemas.

contexto del amor electivo de Dios". Los infras decían: "Vean todo en el contexto del despliegue de Dios, un drama históricamente ordenado".

Cuando lo miramos de esa manera, podemos ver algo de la validez de la discusión que generalmente elude nuestra percepción moderna, y también podemos ver más claramente la naturaleza de su confusión. Es la falta de claridad del mismo tipo que asola a los modernos antiabstraccionistas. El anti-abstraccionista piensa que hay una "relación" especial entre dos cosas que de alguna manera deben mantenerse siempre a la vista. Pero rara vez establece claramente cuál es esa relación o la distingue de otras relaciones posibles. En efecto, lo que los supras e infras tenían eran dos órdenes pedagógicos que se enfrentaban entre sí sin reconocer su compatibilidad real. Pensaban que tenían algo más que un orden pedagógico, pero fueron engañados. (Ese es un problema común en la teología. Cuando desarrollamos un sistema o estrategia que es útil para comunicar la verdad, a menudo nos enorgullecemos y pensamos que ese sistema es realmente el reflejo de alguna verdad profunda, hasta ahora no descubierta, sobre algo oculto en la naturaleza divina. Sigo teniendo que recordarme a mí mismo ese problema cuando medito en mi triperspectivalismo, que, a veces, me parece que refleja algo muy profundo en la naturaleza trinitaria de Dios).

Cosas similares se pueden decir sobre el *ordo salutis*, el orden de los eventos que traen la salvación individual: el llamado, la regeneración, la fe, la justificación, la adopción, la santificación, la perseverancia, la glorificación. Aquí se encuentran prioridades causales directas, por ejemplo, entre el llamado y la regeneración y entre la regeneración y la fe. Pero la relación entre fe y justificación no es causal sino "instrumental" en la teología protestante, aunque el significado de instrumental aquí nunca ha sido aclarado a mi satisfacción. La justificación, además, no es ni la causa eficiente ni la causa instrumental de la adopción o la santificación. Aquí, algo como la "causalidad legal" está a la vista. Pero la santificación no es la base legal de la perseverancia y la glorificación. Más bien, aquí, el orden parece seguir un patrón de temporalidad anticipada.

Por lo tanto, las preguntas sobre el orden de los decretos y el *ordo salutis* a menudo no son preguntas claras. Del mismo modo, las preguntas sobre las prioridades entre los atributos divinos, las facultades del hombre, la teología y la forma de vida, etc., a menudo no son claras. A menudo estas confusiones podrían haberse evitado si los teólogos hubieran estado más abiertos a la posibilidad de relaciones recíprocas o perspectivas entre estas realidades. La Iglesia ha superado en gran medida el subordinacionismo dentro de la Trinidad y entre los atributos divinos al verlos, en efecto, en perspectiva: cada persona de la Trinidad involucrando a las otras dos, cada atributo involucrando a todos los demás. (Tal ha sido, al menos, la comprensión ortodoxa de estas doctrinas. El subordinacionismo, junto con las dificultades sobre la "prioridad", ha aparecido de nuevo en el período moderno). Ahora bien, tal enfoque podría ser de evidente ayuda en las discusiones sobre el orden de los decretos. Cuando Dios decreta la creación, por supuesto que su decreto tiene en cuenta su plan de elegir y redimir. Pero lo contrario también es cierto. Cada uno de los decretos de Dios tiene en cuenta todos los demás. Cada uno de ellos promueve los propósitos de todos los demás.

Con el *ordo salutis,* sin embargo, es probablemente mejor no usar un modelo perspectival.[17] Hay problemas para hacer que la justificación sea equivalente a la santificación, por ejemplo, al menos en el sentido técnico teológico de estos términos. (El lenguaje bíblico, sin embargo, sugiere posibilidades más amplias. La santidad y la justicia de Dios, después de todo, son tan inseparables en la Tierra como lo son en la propia naturaleza de Dios). Y parece que hay algunas prioridades irreversibles en este ordo. Sería difícil encontrar algún sentido en el que, desde el punto de vista de los reformados, la fe sea anterior a la regeneración o la santificación a la regeneración, por ejemplo. Pero si el *ordo salutis* no es un orden sencillo basado en un único principio de orden y si no es un grupo de perspectivas, entonces tal vez ya no sea útil como foco central del debate teológico.

Las relaciones individuales entre las diferentes doctrinas (por ejemplo, la prioridad causal de la regeneración a la fe, Jn. 3:3) siguen siendo importantes, pero cuestiono el valor de poner todas estas doctrinas en una sola cadena "lógica". Puede que el *ordo salutis* haya sido un instrumento pedagógico útil en un momento dado, pero creo que, como tal, probablemente haya sobrevivido a su utilidad. Pero de nuevo, estamos tentados de confundir las herramientas pedagógicas, santificadas por la tradición, con las necesidades doctrinales. Tengamos el coraje de cambiar nuestra pedagogía cuando surja la necesidad de hacer todo lo posible para que todos los hombres ganen algo.

Tengo una reacción similar a los intentos más recientes de hacer un cierto orden de temas normativos para la teología. Recordamos (ver la discusión en la primera parte) la afirmación de Hodge de que la teología pone las doctrinas bíblicas en su "orden apropiado". Incluso en nuestro propio siglo, algunos teólogos han argumentado, por ejemplo, que es erróneo discutir la predestinación en términos de la doctrina de Dios. Más bien es necesario, argumentan, discutirlo bajo la aplicación

---

[17] Por supuesto, nuestro conocimiento de estas doctrinas es claramente en perspectivas. No podemos entender la santificación completamente hasta que hayamos entendido la justificación y viceversa. Entendemos todas las doctrinas simultáneamente, por así decirlo.

de la redención.[18] Hay algunas ventajas en ciertos órdenes pedagógicos, pero estas ventajas son sutiles y varían mucho según el público. Aunque es valioso discutir la predestinación, por ejemplo, como fuente de seguridad de la salvación, no hay nada malo en presentarla como un acto eterno de Dios que, por supuesto, lo es. No hay ningún orden que sea normativo para todos los públicos y situaciones, a menos que ese orden sea el orden de la propia Escritura, orden del que toda teología, en la naturaleza del caso, se aparta en cierta medida. Pretender que exista algún orden normativo para la teología es o bien malinterpretar la naturaleza de la teología (como una imitación de la Escritura en lugar de una aplicación de esta) o bien encontrar un fallo en la propia forma de la Escritura.

Tales afirmaciones son, además, de carácter antiabstraccionista, exigiendo que "veamos x en el contexto de y en lugar de en el contexto de z". Como tal, son presa de todas las confusiones teológicas y lingüísticas características del antiabstraccionismo.

De nuevo, reconozcamos un orden pedagógico por lo que es, no buscando convertirlo en una necesidad metafísica o epistemológica. Es una herramienta para usar con una audiencia particular para hacer un punto específico de las Escrituras. No intentemos darle una dignidad extra llamándolo un orden "lógico". Aquellos que pueden ser de mayor ayuda para nosotros aquí no son lógicos sino pedagógico.

F. IMPLICACIONES MUTUAS ENTRE LAS DOCTRINAS

A medida que los teólogos reflexionan sobre las verdades de la Escritura, llegan a ver más y más relaciones entre ellas, a verlas más y más sistemáticamente. La Palabra de Dios es un organismo maravilloso, y al leerla con fe, llegamos a ver nuevas formas en las que las partes se interrelacionan, dando testimonio de su autoría divina.

Así, cada doctrina revela conexiones íntimas con todas las demás. Esto sucede hasta tal punto que cada doctrina se convierte en una perspectiva de todo el mensaje bíblico. La plena comprensión de la doctrina de Dios, por ejemplo, requiere la comprensión de las doctrinas de la Escritura, el hombre, el pecado, Cristo, la

---

[18] Véase Brian Armstrong, *Calvinism and the Amyraut Heresy* (Milwaukee, Wisc.: University of Wisconsin Press, 1969), reseñado por mí en WTJ 34 (1972): 186-92. Véase también mi Apéndice A, *"Sobre la enciclopedia teológica"*, que sigue a la primera parte anterior.

salvación y la escatología. Así pues, en cierto sentido, la doctrina de Dios incluye o implica todas las demás, y éstas también incluyen e implican la doctrina de Dios.

Así pues, a menudo resulta emocionante descubrir que las doctrinas que a primera vista parecen opuestas son en realidad complementarias, si no dependientes unas de otras. Para los calvinistas, por ejemplo, la soberanía divina y la libertad humana son ejemplos de ese tipo de dependencia y complementariedad. Aunque a primera vista esas doctrinas parecen oponerse entre sí, una mirada más atenta muestra que sin la soberanía divina no habría ningún sentido en la vida humana y, por lo tanto, ninguna forma significativa de libertad. Y si nuestra preocupación por la libertad es esencialmente una preocupación por mantener la responsabilidad ética humana, debemos observar que la soberanía divina es la fuente de la responsabilidad humana.

Debido a que el Señor soberano es la causa y la autoridad de la responsabilidad humana, podemos decir que la soberanía de Dios, su señorío absoluto, establece la responsabilidad humana. Por lo tanto, las Escrituras a menudo colocan las dos doctrinas una al lado de la otra, sin ninguna vergüenza o sentido de impropiedad en absoluto (*cf.* Hch. 2:23; 4:27s.; Fil. 2:12s.). La responsabilidad humana existe no "a pesar de" sino "a causa de" la soberanía de Dios. No solo son compatibles, sino que se requieren mutuamente.[19]

Por las razones que acabamos de discutir —la conectividad y complementariedad de las doctrinas— las doctrinas teológicas tienen tendencia a volverse analíticas en vez de sintéticas. Recordemos esta distinción de nuestros debates anteriores: una declaración "analítica" es una declaración que es verdadera en virtud de los significados de sus términos, como "Los solteros son solteros". Todas las demás declaraciones son sintéticas. Ya he mencionado antes que esta distinción no es muy clara ya que los significados son a menudo borrosos y cambiantes. Si, por ejemplo, incluimos "moteado" en nuestra definición de un dálmata, "el dálmata es moteado" será analítico; de lo contrario la misma frase sería sintética.

Ahora "Dios es bueno" suena como una frase sintética. Uno puede imaginar algunos "dioses" que no son buenos. Pero cuanto más estudiamos la teología cristiana, más aprendemos que los atributos de Dios son inseparables de Él, hasta el punto de que no sería Dios en absoluto si no fuera, por ejemplo, bueno. Así, el bien se convierte en parte de la definición de Dios, parte de su significado. "Dios es bueno", entonces, se convierte en analítico. Incluso una declaración histórica

---

[19] Para más información sobre estos asuntos, véase mi "El problema de la paradoja teológica" (The Problem of Theological Paradox), citado anteriormente.

como "Jesús nació de una virgen" puede ser tomada analíticamente. Los evangélicos a menudo hablan de esta manera: "El único Jesús que conocemos es el Jesús que nació de una virgen; cualquier otro Jesús no es el Jesús de la Biblia, no es nuestro Jesús en absoluto." De este modo, el nacimiento de una virgen se convierte en parte de la definición de Jesús, un atributo que lo define, inseparable de él. Y así es que todo en la Escritura se convierte en nuestra mente inseparable del "mensaje central" de la Escritura.

En la primera parte, sostuve que hay una relación muy estrecha en la Escritura entre entender la verdad de Dios y creerla. Por supuesto, es posible que los incrédulos conozcan a Dios de alguna manera, que tengan algún entendimiento de la verdad. Pero, como hemos visto, esa comprensión es seriamente defectuosa, incluso desde una perspectiva "intelectual". Porque la Escritura enseña que es estúpido conocer la revelación de Dios y negarse a obedecerla. Aquellos que entienden la verdad en el sentido más profundo inevitablemente creerán y obedecerán.

Nuestra discusión aquí sobre la analiticidad confirma esa conclusión. Dado que las enseñanzas de la Escritura están incluidas analíticamente en sus conceptos, uno no puede comprender adecuadamente los conceptos sin entender las enseñanzas. Y este proceso normalmente presupone no solo la comprensión, sino también la creencia. Alguien, por ejemplo, que esté seguro de que un nacimiento virginal es imposible tendrá que concluir que el concepto bíblico, la definición bíblica de Cristo, es incoherente. Por lo tanto, debido a la incredulidad, no podrá entender el significado mismo de Cristo.

El carácter analítico de las afirmaciones teológicas es correlativo e ilustrativo de la peculiar certeza que (como hemos visto) se atribuye a las proposiciones que articulan nuestros presupuestos fundamentales. Declaraciones analíticas como "los solteros son solteros" y "los dálmatas son manchados" son generalmente consideradas como declaraciones del más alto grado de certeza (aunque véanse las calificaciones sobre este punto en la sección B). De manera similar, la naturaleza analítica de "Dios es bueno" nos ayuda a percibir el tipo de certeza que este tipo de declaración tiene para el cristiano. No quisiera decir que tales afirmaciones son ciertas porque son analíticas; las razones de nuestra certeza son más profundas que eso. Pero la naturaleza analítica de esas afirmaciones es un índice de la calidad de la certeza que tenemos. El estudio de las interrelaciones entre las doctrinas, entonces, es una herramienta apologética, un medio para desafiar la incredulidad y fortalecer nuestra fe.

Explorar esas relaciones de significado y la interdependencia lógica entre las doctrinas es especialmente la labor de la teología sistemática. Tales exploraciones dan al creyente un sentido de la unidad de las Escrituras y de la sabiduría de Dios. Estas deben ser equilibradas, por supuesto, con una apreciación de la trascendencia de la sabiduría de Dios. A menudo, debido a nuestra finitud o pecado o ambos, no somos capaces de ver esas interconexiones. A menudo, de hecho, las doctrinas parecen contradecirse entre sí.[20] Pero debemos seguir tratando de ver lo que podemos ver, lo que Dios nos ha revelado. Y a menudo las interdependencias son maravillosas al contemplarlas.

G. EL PESO DE LA PRUEBA

A menudo, en un argumento teológico, es importante establecer dónde recae la carga de la prueba. He aquí algunos ejemplos.

(1) BAUTISMO

Un ejemplo obvio es la cuestión del bautismo de los niños. Debido a que el Nuevo Testamento es relativamente silencioso en esta cuestión, nos enfrentamos a dos enfoques alternativos. Podemos asumir la continuidad con el principio del Antiguo Testamento de administrar la señal del pacto a los niños, a menos que la evidencia del Nuevo Testamento nos indique lo contrario, y este es el enfoque paidobautista. O podemos asumir que solo los creyentes adultos deben ser bautizados, a menos que haya evidencia del Nuevo Testamento que indique lo contrario, y este es el enfoque antipaidobautista (= "bautista").

En el primer enfoque, la carga de la prueba está en el bautista para mostrar la evidencia del Nuevo Testamento en contra del bautismo infantil. En el segundo enfoque, la carga de la prueba está en el paidobautista para mostrar la evidencia del Nuevo Testamento para ello. En este caso, la determinación de la carga de la prueba decide en gran medida la cuestión, ya que hay pocas pruebas explícitas del Nuevo Testamento en cada una de las partes y dado que las dos partes están bastante de acuerdo en los datos del Antiguo Testamento.

En mi opinión, el primer enfoque es correcto: la iglesia del Nuevo Testamento es esencialmente la misma que la del Antiguo. Cuando los judíos del siglo primero escucharon a Pedro decir "La promesa es para ti y para tus hijos" (Hch. 2:39) y cuando la gente se bautizaba por hogares, seguramente, me parece, habrían tomado estas palabras como indicaciones de continuidad con el pensamiento del pacto del

---

[20] Este tema, también, se ha discutido anteriormente.

Antiguo Testamento. Un hombre al convertirse trae a su familia con él, y la señal del pacto se administra a todos. Es posible que este sistema haya cambiado con la transición al Nuevo Pacto, pero si tal cambio ha tenido lugar, los bautistas deben demostrarlo.

(2) ABORTO

Otro ejemplo se refiere al aborto. ¿Debemos asumir que el niño no nacido es una persona a falta de pruebas en contra, o debemos exigir pruebas de su personalidad antes de concederle los derechos de un ser humano? Aquí no nos enfrentamos a un argumento de silencio total. La Escritura sí habla del niño no nacido en términos personales (por ejemplo, el Salmo 139), y hay una legislación del Antiguo Testamento que, en la mejor interpretación, protege los intereses del no nacido (Ex. 21:22-25). Sin embargo, el caso de la personalidad del niño es, en mi opinión, irrefutable. ¿Deberíamos, entonces, "quedarnos tranquilos" en el tema hasta que oigamos un argumento decisivo, o deberíamos tratar al niño como una persona hasta que su personalidad sea refutada? Creo que el último curso es el correcto. Como mínimo, podemos argumentar que es muy probable que el niño sea un ser humano, protegido por el sexto mandamiento. Las Escrituras nos advierten contra la muerte accidental de un ser humano (Dt. 19:4-7; *cf.* Mt. 5:21-26). Por lo tanto, incluso los casos "probables" de asesinato deben ser evitados. Debemos dar el beneficio de la duda en cuestiones de vida o muerte.

La carga de la prueba, entonces, no debe ser asignada arbitrariamente. Para determinar quién tiene la carga de la prueba, se requiere un argumento teológico basado en las Escrituras. A menudo, sin embargo, este importante asunto no se discute, y las partes contendientes simplemente hacen sus propias suposiciones en esta área, frecuentemente sin declararlas. De este modo, la comunicación se oscurece. Pero la cuestión de la carga de la prueba es a menudo un asunto muy importante que debe decidirse antes de que pueda determinarse la pertinencia de las demás pruebas.

H. ALGUNOS TIPOS DE ARGUMENTOS

Obviamente, no será posible incluir un curso completo de lógica en este libro. El estudiante de teología, sin embargo, debe ser consciente de algunos tipos de razonamiento lógico, tanto buenos como malos, que son relevantes para su disciplina, y ese es el propósito de esta sección y la siguiente. En esta sección examinaré varios tipos generales de argumentos de interés para nosotros, y en la siguiente sección discutiré las falacias. Los tipos de argumentos son los siguientes.

(1) DEDUCCIÓN

Los entendidos en lógica han dividido tradicionalmente los argumentos en las categorías de deducción e inducción. Un argumento deductivo afirma que sus premisas implican la conclusión. Es decir, si las premisas son verdaderas, la conclusión no puede dejar de serlo. En un argumento deductivo "válido", ese es el caso; las premisas requieren la verdad de la conclusión. En un argumento deductivo "sólido", no solo la lógica es válida, sino que las premisas son verdaderas, dando por lo tanto una conclusión verdadera.

Hay muchos argumentos deductivos en la teología, como "La Palabra de Dios es verdadera; la Biblia es la Palabra de Dios; por lo tanto, la Biblia es verdadera". He defendido anteriormente la pertinencia de tales argumentos, habiendo señalado también anteriormente (C y D) algunas de las limitaciones de la deducción lógica.

(2) INDUCCIÓN

Un argumento inductivo es un argumento que no hace las afirmaciones de un argumento deductivo. Un argumento inductivo no pretende que las premisas hagan segura la conclusión, sino solo que las premisas hagan probable la conclusión. Por lo general, un argumento inductivo comenzará con hechos y razones particulares hasta llegar a la probabilidad de una conclusión general. Los métodos experimentales en la ciencia producen argumentos inductivos.

Un experimento repetido unos cientos de veces es la prueba de una conclusión general, una conclusión de que todo el universo se comporta de acuerdo con una cierta ley. Obviamente, si buscamos pruebas deductivas, unos pocos cientos de experimentos no prueban nada sobre el universo entero. Pero en algunos casos pueden constituir una muestra estadística suficiente para hacer generalizaciones, lo que justifica una conclusión inductivamente legítima.

Hay argumentos inductivos en la teología. Por ejemplo: "Las Escrituras en x número de casos se refieren a los niños no nacidos usando términos personales (pronombres personales, etc.) y nunca se refieren a ellos de ninguna manera que sugiera que carecen de personalidad. Por lo tanto, considera a los niños no nacidos como personas". Ese argumento, creo, tiene una fuerza considerable, dada la carga de la prueba que se ha argumentado anteriormente (G) sobre este asunto. Pero tiene menos fuerza, creo, que una declaración explícita en la Escritura de la conclusión o que un argumento deductivo podría tener.

Otro ejemplo: "Las enseñanzas de las Escrituras han demostrado ser verdaderas una y otra vez contra los asaltos de la ciencia incrédula; por lo tanto, la Escritura es la Palabra de Dios". Cierto, creo, pero no agota todos los datos relevantes. No todos los conflictos entre las Escrituras y la ciencia han sido resueltos decisivamente a favor de la Biblia; los "problemas" permanecen. Este argumento no es, por lo tanto, tan fuerte como el argumento deductivo: "La Palabra de Dios es verdadera; la Escritura es la Palabra de Dios; por lo tanto, la Escritura es verdadera".[21]

Aun así, hay un lugar para los argumentos inductivos en la teología para confirmar los argumentos deductivos y nuestras formulaciones exegéticas. Sobre las cuestiones de probabilidad y certeza, véase el capítulo 5, A, (8) y B de este capítulo.

(3) *REDUCTIO AD ABSURDUM*

Las categorías "deducción" e "inducción" agotan, creo, todos los argumentos lógicos, pero hay otras formas de "dividir el pastel". Hay ciertos tipos de argumentos deductivos e inductivos que merecen una reflexión. Un tipo de argumento deductivo que juega un gran papel en la teología es el *reductio ad absurdum*, la reducción de una posición opuesta al absurdo. En lógica, esta frase no se refiere a un mero ridículo sino a un proceso lógico. Se supone que la posición opuesta es verdadera "por el bien del argumento". De esa posición, como premisa, se deduce un absurdo. El hecho de que se deduzca un absurdo de la premisa prueba (o eso es lo que se dice) que la premisa es falsa. Un *reductio* es como una prueba indirecta en geometría.

Así, los teólogos a menudo tratan de refutarse unos a otros mostrando lo que consideran las "consecuencias lógicas" de la visión del otro. Los arminianos argumentan que la visión calvinista de la soberanía divina reduce a los hombres al estatus de robots. Van Til afirma que la apologética tradicional implícitamente niega la distinción entre el Creador y la criatura. Los teólogos del proceso

---

[21] Stephen Toulmin, en *The Uses of Argument* (citado anteriormente), objeta la clasificación de todos los argumentos como "deductivos" e "inductivos", creyendo que esta doble división oscurece otras distinciones importantes. Su argumento tiene cierta fuerza, pero creo que sus distinciones alternativas harían que esta discusión fuera mucho más técnica, sin aportar más ayuda en el contexto teológico.

argumentan que si Dios es supratemporal, no puede responder a la oración. Los teólogos (que sostienen que las penas por los crímenes enumerados en la ley mosaica siguen vigentes) afirman que quienes no están de acuerdo con ellos son al menos "incipientemente" o "latentemente" antinomianos (es decir, que niegan nuestra obligación de obedecer cualquier mandato divino). En la apologética de Van Til, el *reductio* juega un papel central. El apologista presupone la posición del incrédulo "por el bien del argumento" y sobre la base de las propias premisas del incrédulo busca mostrar que la posición del incrédulo se reduce a un caos absoluto, a la incoherencia. (Más sobre eso en el capítulo 11.) A veces, tales argumentos son convincentes, a veces no. Se necesita un análisis cuidadoso.

Una reducción puede ser invalidada por la ambigüedad, falacia lógica o errores en las premisas. Además, el concepto de "absurdo" puede llevarnos por mal camino. Lo que es absurdo para una persona puede no serlo para otra. Aquí se trata de juicios subjetivos, y el teólogo siempre debe someter su juicio a la Palabra de Dios y debe escuchar atentamente a otros que no compartan su aversión a una conclusión "absurda" particular. Lo que es absurdo a menudo depende de la estructura general de un sistema teológico particular.

Thomas Kuhn indica que en las disputas científicas lo que es evidente para una escuela de pensamiento puede parecer absurdo para otra. Para los astrónomos geocéntricos, por ejemplo, el pensamiento de la tierra "en movimiento" era absurdo, porque para ellos la tierra era el punto de referencia a partir del cual se calculaban todos los demás movimientos. Pero en una visión heliocéntrica, una tierra en movimiento no es solo un concepto significativo, sino que se toma como una verdad obvia y nada difícil de probar. Para los científicos einsteinianos, la noción de "espacio curvo" parece razonable, pero ese concepto puede parecer absurdo para el público común.

Ahora bien, en teología, algo similar sucede a menudo. Antes de la Reforma, habría sonado absurdo, para muchos, hablar de "justificación aparte de las obras". ¿No es esta noción una flagrante contradicción con Santiago 2:24? ¿Y no contradice la enseñanza bíblica general de que las personas justificadas harán buenas obras? Pero durante la Reforma, se hicieron nuevas distinciones, en particular una distinción técnica entre la justificación y la santificación, y una distinción entre la base de la justificación y los acompañamientos de la misma. Concedidas esas distinciones, el hablar de "justificación aparte de las obras" (cuidadosamente guardado contra los malentendidos) podía ser visto como una verdad bíblica evidente.

Es preciso distinguir un *reductio* verdadero y válido de sus falaces imitadores, uno de los cuales es el argumento de la "pendiente resbaladiza". El argumento de la "pendiente resbaladiza" es así. "Si tomas la posición A, corres el riesgo de tomar la posición B; la posición B es errónea, por lo tanto, A también es errónea." Así, se dice a veces que una vez que uno abandona la creencia en un rapto pretribulacional, corre el riesgo de negar por completo el retorno corporal de Cristo, abriéndose así a un liberalismo profundo. O a veces se dice que, si uno acepta la crítica textual de Westcott y Hort, corre el riesgo de negar totalmente la autoridad bíblica. Así, el argumento de la pendiente resbaladiza apela al miedo: a nuestro miedo a correr riesgos indebidos y a nuestro miedo a vincularnos con personas (como los liberales), desaprobadas en nuestros círculos, para no incurrir en culpa por asociación.

A menudo, los argumentos de la pendiente resbaladiza son respaldados por ejemplos históricos. Tal o cual teólogo comenzó negando, por ejemplo, la abstinencia total de bebidas alcohólicas, y cinco años después abandonó la fe cristiana. O tal denominación rechazó el uso exclusivo de los salmos como himnos en el culto, y veinticinco años después capituló ante el liberalismo. Sobre el uso de tales referencias históricas en los argumentos teológicos, véase el capítulo 9. En general, no prueban nada. Por lo general, no se basan en una muestra estadística suficiente para establecer incluso conclusiones probables. Y no tienen en cuenta las complejidades de la causalidad histórica.

Una denominación se vuelve liberal por muchas razones, nunca solo por una. Por un lado, puede ser que el rechazo de la salmodia exclusiva sea en algunos casos al menos un síntoma del avance del liberalismo. (Digo esto como un opositor de la Salmodia exclusiva, que sin embargo reconoce que la gente a veces rechaza la Salmodia exclusiva por muy malas razones). Por otro lado, la denominación puede estar rechazando la Salmodia exclusiva por buenas razones. Este desarrollo puede ser bastante independiente de cualquier tendencia al liberalismo, o puede tener una relación paradójica con esa tendencia. Por ejemplo, la tendencia liberal puede, durante un tiempo, ayudar a la iglesia a liberarse de las tradiciones no bíblicas, ya que Dios está sacando un buen resultado de un acontecimiento maligno en general. (Podría argumentarse que el desarrollo hacia el liberalismo en la Iglesia Presbiteriana de los Estados Unidos, por ejemplo, permitió a esa denominación adoptar una postura firme contra el dispensacionalismo, postura que para muchos no liberales fue algo bueno). Por lo tanto, no se puede deducir mucho de los ejemplos históricos. Deberían hacernos pensar dos veces sobre lo que estamos haciendo. Sugieren posibilidades, pero nunca son normativas en sí mismas.

El hecho, entonces, de que los seminarios y denominaciones que niegan la inerrancia bíblica total a menudo llegan a rechazar otras doctrinas cristianas no prueba, en sí mismo, que la inerrancia sea verdadera. En este caso, sin embargo, creo que la generalización histórica —la correlación entre la negación de la inerrancia y la negación de otras doctrinas bíblicas— es una generalización sólida y cautelosa que puede apoyarse en muchos ejemplos históricos y que tiene sentido intuitivo. Cuando la gente niega la autoridad fundamental de la doctrina cristiana, se puede esperar que tarde o temprano rechace algunas de esas doctrinas por sí misma. Pero no hay una necesidad lógica de que eso suceda. James Orr, por ejemplo, negó la inerrancia en el sentido de que Warfield la afirmaba, pero Orr siguió siendo ortodoxo toda su vida en otras áreas de la doctrina. ¡Gracias a Dios por la inconsistencia humana!

(4) DILEMA

Un dilema es una especie de doble *reductio* que busca mostrar que un punto de vista opuesto lleva a cualquiera de las dos consecuencias indeseables. Paul Tillich, por ejemplo, a menudo trató de mostrar que aquellos que se oponían a sus puntos de vista se veían obligados a elegir entre dos malas alternativas. Decía que, a menos que uno adoptara su punto de vista de la "teonomía" (¡muy diferente del tipo de teonomía mencionado en la última sección!), se vería obligado a elegir entre la "autonomía" (el hombre como su propia ley) o la "heteronomía" (la servidumbre a alguna autoridad menos que última). "La teonomía", explicó, era "la razón autónoma unida a su misma profundidad" que escapa a las insuficiencias de los otros dos enfoques.[22]

Van Til también hace uso frecuente del dilema. Trata de demostrar que el pensamiento no cristiano debe elegir entre el racionalismo y el irracionalismo o alguna combinación (necesariamente inestable) de los dos (*cf.* discusiones anteriores en este libro). También sostiene que los tipos de teología no reformada deifican la creación o reducen a Dios al nivel de la creación, invalidando así la distinción Creador-criatura.

Los dilemas pueden ser sólidos argumentos lógicos, pero los ejemplos poco sólidos abundan en la teología. Los de Tillich son a menudo buenos ejemplos de esto último. Con frecuencia, presenta su punto de vista como si fuera la única alternativa a las posiciones indeseables que menciona, cuando en realidad hay otras posibilidades. Además, sugiere que cualquiera que niegue su punto de vista debe mantener uno de los puntos de vista indeseables, una sugerencia que a menudo es simplemente falsa. Los calvinistas ortodoxos, en mi opinión, no son ni

---

[22] Tillich, *Systematic Theology* (Chicago: University of Chicago Press, 1951), I, 83–86.

"autonomistas" ni "heterónomos" en el sentido de Tillich. (Tillich probablemente los acusaría de heteronomía; pero su sumisión a la Palabra de Dios no es sumisión a algo finito; es sumisión a Dios mismo).

Tillich, en otras palabras, "apila la baraja" a su favor listando solo ciertas posiciones posibles de entre muchas, los dos puntos de vista obviamente indeseables y el suyo propio. Así hace que su propio punto de vista parezca inevitable, verdadero por el proceso de eliminación. Todo esto es bastante comprensible, y Tillich no está siendo conscientemente deshonesto. Para él, su propio punto de vista es inevitable y la única alternativa viable, ya que ha presupuesto una estructura en la que ese es el caso. Pero el resto de nosotros no puede ni debe aceptar la estructura de Tillich sin crítica.

(5) *A FORTIORI*

Un argumento a *fortiori* es uno "de menor a mayor". Ocurre en las Escrituras. El autor de los Hebreos sostiene, por ejemplo, que si la ley del Antiguo Testamento era obligatoria y se castigaban las transgresiones contra ella, entonces ciertamente (un implícito "tanto más") la rebelión contra el Nuevo Pacto será castigada (He. 2:3s.; *cf.* Ro. 5:15: "Porque si los muchos murieron por la transgresión de uno solo, ¡cuánto más se desbordó para los muchos la gracia de Dios y el don que vino por la gracia de uno solo, Jesucristo! *cf.* v. 17). Se encuentra este tipo de argumentos también en la teología. Por ejemplo: "Si los niños recibieron la señal del pacto en el Antiguo Testamento, ¿no es más probable que la reciban en el Nuevo Testamento como resultado de la mayor gracia del Nuevo Pacto?"

Obviamente, sin embargo, no todos los argumentos a *fortiori* son sólidos. Considere este. "Ya que los pobres tienen derecho a atención médica gratuita, ciertamente los ricos deberían recibir lo mismo." O considera este. "Si Dios hizo milagros antes del cierre del canon, ciertamente debería hacerlo aún más después para testificar la finalización de su trabajo revelador." Y aquí hay otro: "Si bautizarse una vez es un medio de gracia, bautizarse muchas veces es un medio de gracia aún mayor". Puedes ver que este tipo de argumento no siempre es convincente.

Para evitar las trampas de los argumentos a *fortiori,* debemos recordar lo siguiente. A) "Grandeza" puede significar diferentes cosas que presuponen diferentes tipos de juicios de valor. B) Para que un argumento a *fortiori* funcione, la grandeza debe ser de un tipo que sea relevante para el argumento en cuestión. C) Ni siquiera las formas pertinentes de grandeza justifican los aumentos correspondientes de todas las demás variables. "Bautizarse muchas veces" es numéricamente mayor que "bautizarse una vez", pero la primera no va acompañada de un aumento de la gracia paralelo a su superioridad numérica.

(6) ARGUMENTOS DESECHABLES

Lo que yo llamo "argumentos desechables" son aquellos que tienen poco peso, pero que -al menos para los que ya aceptan la conclusión- tienen algún valor de confirmación. Por ejemplo, los escritores ortodoxos sobre la autoridad de las Escrituras a veces señalan que la frase "Así dice el Señor" se encuentra cientos de veces en las páginas de las Escrituras, indicando su afirmación de ser la Palabra de Dios. Este argumento tiene poco peso para los liberales, ya que pueden explicar fácilmente la frase como las declaraciones de los profetas, no sobre el canon escrito sino sobre sus propias profecías. Además, incluso si esta frase se refiere al canon de la Escritura, un liberal se sentiría libre en términos de su sistema para declarar esa declaración como un error. Así pues, el argumento en cuestión presupone la conclusión que trata de establecer y, por lo tanto, es algo "estrechamente circular" (esa frase que recuerda nuestro anterior debate en el capítulo 5, A, 6)) y, por lo tanto, es relativamente poco convincente para quienes rechazan esa conclusión.

Al mismo tiempo, el argumento no es totalmente inútil. "Así dice el Señor" se aplica claramente a las partes de la Escritura que tienen un origen profético. Y hay razones para decir que toda la Escritura es profecía en ese sentido. Así pues, si se conceden al menos algunos supuestos ortodoxos (y, por supuesto, no existe un argumento apologético sin supuestos), el argumento tiene cierta fuerza para los que ya están convencidos. Por lo tanto, este tipo de argumento no debería ser el "centro de atención", el más importante, de una presentación a los no convencidos.

(7) OTROS...

Para los argumentos antiabstraccionistas, véase el capítulo 6, A y siguientes (passim). Para los argumentos basados en la analogía, la metáfora y los modelos (lo que Arthur Holmes llama "aducción"), véase el capítulo 7, D. Para el uso argumentativo de parábolas y otros elementos teológicos inusuales para motivar el "ver como", véase el capítulo 5, C, (5). Para los argumentos que utilizan información histórica, científica y filosófica, véase más abajo.

I. FALACIAS

En esta sección señalaré algunas formas en las que los argumentos teológicos pueden (y lo suelen hacer) fallar. Aunque no es posible enumerarlos todos ni siquiera acercarse a la integridad de un texto completo en lógica, el estudiante debe ser consciente de al menos algunas de las razones más comunes por las que los argumentos fracasan: los argumentos en general y los argumentos teológicos en particular.

También debemos tener en cuenta -algo que no solemos hacer- que incluso los argumentos erróneos suelen tener algún valor. Muchos argumentos falaces prueban algo o al menos dan alguna confirmación, presunción o probabilidad. El principal problema de los argumentos erróneos es que su utilidad es malinterpretada por sus autores, su público o ambos. Intentaré señalar los valores positivos y las limitaciones de estos argumentos.

Ya se han discutido algunas formas de razonamiento falaz. En cuanto a la circularidad, véase el capítulo 5, A, (6), en el que se señalan de nuevo tanto las limitaciones como el valor (de hecho, la necesidad) del argumento circular y los diferentes tipos de circularidad. En cuanto al antiabstraccionismo, véase el capítulo 6, A; en cuanto a los problemas de ambigüedad, véase el capítulo 7, especialmente las referencias a los términos técnicos, los argumentos de nivel de palabra frente a nivel de frase, los usos indebidos de metáforas y la negación. Véase también "las limitaciones de la lógica" en el capítulo 8, D y "el orden lógico" en la sección E de ese mismo capítulo (sección que expone las ambigüedades del concepto de "prioridad lógica").

En cuanto a los errores en la evaluación de la fuerza de la prueba, véase la sección G de este capítulo. En cuanto a los argumentos de "pendiente resbaladiza", véase la sección inmediatamente anterior (sección H) bajo el epígrafe (3) *reductio*. Obsérvense también los demás debates de la sección H que muestran cómo, de otro modo, las formas de argumentación legítimas pueden conducir a conclusiones falsas. A continuación, se examinan las siguientes falacias.[23]

---

[23] Muchas de las ilustraciones y mucha de la estructura general de lo que sigue vienen de Irving M. Copi, *Introduction to Logic*. Las ilustraciones y observaciones teológicas son mías.

(1) CONCLUSIÓN IRRELEVANTE

La conclusión irrelevante (también conocida como *ignoratio elenchi*) se refiere al uso de un argumento para una conclusión, de forma irrelevante, para probar una conclusión diferente. Por ejemplo, en un debate sobre la distinción de Dooyeweerd entre la experiencia ingenua y el pensamiento teórico, un orador defendió a Dooyeweerd diciendo que los pensadores teóricos no deben mirar por encima del hombro a la gente común. Argumentó bien contra el esnobismo intelectual pero no dijo nada relevante a la distinción específica de Dooyeweerd.

Nótese también la tendencia de los políticos a hablar en generalidades sobre nuestra necesidad de "tener compasión por los pobres" o nuestra necesidad de "una fuerte defensa" —generalidades que son normalmente aceptadas por todos los partidos, ideologías y candidatos pero que tienen poca relevancia clara para los problemas específicos en cuestión. Otro ejemplo teológico es este. En una discusión sobre el bautismo de niños, un Bautista podría argumentar que está mal dar a los niños una falsa seguridad de salvación. Un paidobautista responderá que el bautismo de infantes no lo hace, ya que el hecho del bautismo no garantiza la salvación del individuo. Para el paidobautista, el argumento del Bautista es irrelevante.

Relacionada con esta falacia está la tendencia de los teólogos a contrarrestar una afirmación teológica con otra que no es claramente contradictoria con ella. Véase la discusión anterior sobre "falsas disyunciones" en el capítulo 7, E.

Debemos tratar de que nuestros argumentos sean pertinentes para nuestras conclusiones, y también debemos recordar que la relevancia es una cuestión relativa. Como indiqué en la discusión sobre el antiabstraccionismo, todo está, después de todo, relacionado con todo lo demás. Alguien podría ser acusado de irrelevante por incluir una exposición de Isaías 26:19 en una conferencia sobre "La Doctrina de la Resurrección de Pablo". Después de todo, Isaías no es Pablo. Pero el conferencista podría responder que la referencia es relevante porque tanto Isaías como Pablo son escritores inspirados, y cualquiera que sea el punto de vista de Pablo, no estará en desacuerdo con Isaías. ¡Por lo tanto, una exposición de Isaías 26 nos dice al menos algo con lo que Pablo no estaría en desacuerdo! Bueno, sí, hay algo de relevancia en ese argumento, aunque tal vez no lo suficiente.

Del mismo modo, los oradores de nuestros ejemplos anteriores podrían alegar alguna relevancia en sus argumentos. La distinción que hace el Dooyeweerdiano entre la experiencia ingenua y el pensamiento teórico indica un temor real (tal vez una motivación seria detrás del pensamiento del propio Dooyeweerd en este momento) de que sin alguna de esas distinciones nuestro pensamiento cotidiano no sería más que una versión defectuosa del pensamiento teórico. En efecto, el Dooyeweerdiano está desafiando al no-Dooyeweerdiano a proporcionar un medio alternativo para evitar este peligro. Para alguien que acepta la premisa no declarada de que solo la filosofía de Dooyeweerd escapa a este problema, el argumento en cuestión es convincente.

El político que aboga por la "compasión por los pobres" está generalmente convencido (por otros motivos, actualmente no declarados) de que solo un cierto programa político es realmente capaz de ayudar a los pobres. Así pues, cree que cualquiera que se oponga a ese programa carece de compasión o está obstaculizando involuntariamente la aplicación de la compasión. Suponiendo que un público esté de acuerdo con esas suposiciones, el argumento no es totalmente irrelevante, aunque incluso con un público así suele ser mejor ser más específico.

El bautista realmente cree que la gente que crece en iglesias paidobautista tienen una falsa seguridad, sin importar lo que diga la teología oficial de la iglesia. Eso es un asunto de profunda preocupación para él, tanto que puede ser un factor importante para motivarlo a adoptar su punto de vista particular (aunque no es propiamente una razón para tal punto de vista). Para algunos, la capacidad percibida de la teología bautista (y la incapacidad de la teología paidobautista) para tratar esta cuestión es la consideración de mayor peso en el argumento.

Así pues, hay grados y tipos de relevancia. Y un argumento "irrelevante", como revelan nuestros ejemplos, es a menudo un argumento que tiene premisas no expresadas que un público particular preferiría haber expresado. Esto también es una cuestión relativa. Ningún argumento expresa todas sus premisas. Expresar todas las premisas de un argumento requeriría expresar todas sus presuposiciones: metafísicas, epistemológicas y éticas. También requeriría que construyera argumentos para cada una de las premisas del argumento en cuestión y que declarara cada una de esas premisas explícitamente. Ningún argumento hace eso. Por lo tanto, uno debe tratar de usar el buen juicio para decidir cuántas premisas de un argumento particular declarará explícitamente. Y ese juicio dependerá, al menos en parte, de la audiencia a la que se dirija. Si uno hace un juicio erróneo para una audiencia en particular, el argumento puede ser percibido como irrelevante.

La cuestión de la pertinencia también tiene ramificaciones teológicas. Lo que es relevante depende a menudo de las presuposiciones teológicas de uno. Para algunos eruditos bíblicos, se sospecha que los dichos de Jesús registrados en los Evangelios que concuerdan significativamente con el pensamiento de la iglesia de la post-resurrección como se expresa en los Hechos y las Epístolas no son auténticos. Para los evangélicos, ese argumento es bastante irrelevante. El acuerdo de Jesús con la iglesia apostólica no es motivo de sospecha, sino que es lo esperado. Por lo tanto, la relevancia no es solo una cuestión pre-teológica o meta-teológica; sino que a menudo es una cuestión teológica como tal.

(2) AMENAZA DE VIOLENCIA

La amenaza de fuerza (también conocida como *ad baculum*) es una forma específica de la falacia de irrelevancia descrita anteriormente y del argumento *ad hominem*, que discutiremos a continuación. Tiene un empuje específico que merece ser discutido por separado. Este tipo de argumento dice: "Acepta esta conclusión, o de lo contrario te pasará algo malo". En política a menudo toma la forma de: "Vote por esta legislación, o mi grupo no le apoyará para la reelección". En la teología ortodoxa, la amenaza equivalente es la de la disciplina de la iglesia.

Podría parecer que este tipo de argumento es raro en los círculos liberales, pero no es así. En los círculos teológicos liberales la amenaza de marginación académica es muy fuerte. Aquellos que se desvían del liberalismo de moda a menudo se encuentran con que se les niega la posición de profesor, la titularidad en el trabajo, y las oportunidades de publicar. Cuando Bultmann declaró que el hombre moderno "no puede" creer en lo milagroso, estaba expresando su versión de las reglas del juego teológico liberal. Aquellos que rompen esas reglas no encuentran la aprobación de sus pares. Es importante reconocer eso. A menudo se afirma que la gente se vuelve liberal por "honestidad intelectual", por el deseo de formular sus convicciones honestas aparte de las fuertes presiones de la tradición y la disciplina. Pero esa afirmación debe ser fuertemente cuestionada. Las tradiciones del orden académico liberal son tan estrechas y coercitivas como la disciplina eclesiástica dentro de la ortodoxia.

Un "argumento" basado en la amenaza de la fuerza no es sólido. El hecho de que uno sea castigado por creer en la "p" no hace que la "p" sea falsa. Al mismo tiempo, la amenaza de fuerza no es totalmente irrelevante para la conclusión que se discute. Como señala Thomas Kuhn, las teorías y otras creencias importantes se basan en "paradigmas" —presuposiciones de una clase- que son aceptadas por toda una comunidad, no solo por los individuos. Ese es ciertamente el caso de la teología. Y toda comunidad tiene el derecho de determinar su afiliación. Cada comunidad teológica debe decidir cuánta desviación de las presuposiciones del grupo es consistente con la "membresía en buen estado" de la comunidad.

En la iglesia cristiana, la disciplina ha sido ordenada por Dios. Si mantengo un punto de vista discutido y alguien señala que este punto de vista ha sido considerado herético por mi iglesia, debo tomarlo en serio. He tomado votos solemnes para aceptar la disciplina de mis "padres y hermanos" en Cristo. Respeto a los maestros de mi iglesia, de lo contrario no sería parte de ella. No es que la iglesia sea infalible. Pero su juicio es generalmente mejor que el de cualquier individuo, incluido yo mismo. Esto es especialmente el caso de doctrinas como la Trinidad, que han sido definidas oficialmente durante cientos de años. Aunque es teóricamente posible que la iglesia se equivoque tanto tiempo, es muy poco probable.

Por lo tanto, el argumento *ad baculum* me recuerda que debo respetar la autoridad legítima. Además, la amenaza en sí misma no es irrelevante para mí. Obviamente, no quiero ser disciplinado. Eso no es necesariamente un deseo egoísta. No quiero que me separen de mis hermanos en Cristo, por mi bien, pero también por el de ellos, y por la unidad del cuerpo, que es preciosa para Dios. Si en conciencia debo separarme, entonces debo hacerlo. En última instancia, debemos obedecer a Dios antes que a los hombres (Hch. 5:29), pero debo tratar de evitar tal ruptura, incluso a un alto costo.

El argumento *ad baculum* también es útil para revelar la estructura de un sistema. A menudo cuando se hace tal amenaza (¡aunque frecuentemente esto no es cierto en teología!), se hace sobre algo muy central del sistema-una presuposición básica. A veces podemos aprender lo que es más importante para un pensador cuando aprendemos esas proposiciones por las que está dispuesto a luchar.

(3) ARGUMENTO COMPARATIVO *AD HOMINEM*

Ad hominem significa "al hombre". Así pues, un argumento *ad hominem* es un argumento dirigido contra una persona, más que contra una conclusión. Como tal, es una forma de "argumento de conclusión irrelevante". Esta forma de argumento *ad hominem*, que yo llamo "comparativo", a veces se llama "abusivo". En este argumento, se ataca una conclusión atacando a las personas que la sostienen. Este tipo de argumento es común en la teología. Por ejemplo, alguien podría argumentar que "Van Til no debería creer en un universal concreto, porque Hegel sostenía ese punto de vista, y Hegel enseñó muchos errores". El argumento también puede utilizarse a la inversa para recomendar una conclusión alabando a las personas que creen en esa conclusión. Por ejemplo: "Deberías creer en la predestinación porque Calvino lo hizo, y Calvino fue un gran hombre".

Ahora no es muy difícil demostrar que ese tipo de argumentos son inválidos. A menudo, los "chicos malos" de la teología tienen razón, y a menudo los "chicos buenos" están equivocados. La invalidez de este tipo de argumento es especialmente clara en el siguiente ejemplo. "No debemos creer en un solo Dios, porque Arminio creía en un solo Dios, y enseñó muchos errores." Además, la ambigüedad a menudo juega un papel importante. En el ejemplo anterior, el concepto de Van Til de lo "universal concreto" es muy diferente del de Hegel.

El argumento comparativo *ad hominem* es aún más obviamente erróneo cuando se basa en términos, más que en frases.[24] A menudo una visión teológica será condenada simplemente asociándola con una etiqueta o término despreciado, como en "Esta es una visión dogmática". O como en "El profesor X tiene una visión estática, más que dinámica, de la revelación". O "La ortodoxia piensa en forma abstracta sobre las Escrituras" (ver capítulo 6, A). En la mayoría de los casos, también, el término en cuestión es indefinido y se utiliza como un nombre desagradable, más que como una descripción seria.

Otra dirección que toma este tipo de argumento entre los teólogos es la de condenar una posición simplemente porque se originó durante un período de la historia de la iglesia que no tienen en alta estima. (Este tipo de argumento también puede ser visto como una especie de falacia genética. Véase más adelante, (11).) Quienes se oponen a la inerrancia bíblica a menudo sostienen que ésta comenzó en el fundamentalismo del siglo XX, en la ortodoxia del siglo XVII, en la escolástica medieval, en el legalismo post-apostólico o en el judaísmo intertestamental. Estos teólogos proponen puntos de vista alternativos que se remontan a períodos más favorecidos: la edad moderna ("lo más nuevo es lo más verdadero"), la Reforma, Agustín, Pablo (¡quizás!), Jesús.

Este tipo de razonamiento no solo se encuentra en las discusiones de la inspiración, sino que es común en los debates teológicos sobre todos los temas. Así, las discusiones teológicas (especialmente, pero no solo, en la teología liberal) son a menudo terriblemente predecibles. Sustituya la "x" por casi cualquier doctrina en el siguiente esquema; ¡le sonará familiar a los que se conocen bien la teología contemporánea!

> Debemos creer en la doctrina x. Aunque x fue enseñada por Jesús y Pablo, los escritores posteriores del Nuevo Testamento, influenciados por el legalismo, la desestimaron, al igual que los Padres Apostólicos. Se encuentran destellos de esta verdad en Ignacio, Ireneo y Tertuliano, pero no en Clemente u Orígenes. Agustín la redescubrió, pero la enseñó de manera inconsistente, por lo que fue descuidada durante la edad oscura. Lutero y Calvino lo convirtieron en el centro (!) de su pensamiento, pero fue ignorado por sus sucesores del siglo XVII (excepto por los destellos en la

---

[24] Véase la crítica de los argumentos a nivel de palabra versus a nivel de frase en el capítulo 6, C, (1).

Confesión de Westminster y en los escritos de algunos de los puritanos). Allí languideció hasta que fue redescubierto por el profesor A en 19xx.

Sobre la cuestión general de resolver cuestiones teológicas apelando a la historia de la iglesia, ver capítulo 9. Aquí me gustaría señalar que tales argumentos no son sólidos por las siguientes razones.

En primer lugar, no hay ninguna razón por la que una buena doctrina no pueda originarse en un período "malo", o viceversa.

En segundo lugar, estos críticos difieren radicalmente entre sí en cuanto a qué período "malo" marcó el comienzo, por ejemplo, de la visión ortodoxa de la inspiración. Sus diferencias en esta materia (y en muchas otras) son tan grandes que sus puntos de vista se anulan prácticamente entre sí. Es difícil evitar la sospecha de que argumentos como esos son generalmente brebajes arbitrarios para presentar la doctrina en cuestión bajo la luz más favorable (un poco como usar el testimonio de celebridades para publicitar el jabón), en lugar de los resultados de un estudio histórico serio.

En tercer lugar, la idea de un "mal" período de la historia de la Iglesia es terriblemente poco clara y generalmente difícil de probar. Y los pensadores en cuestión casi nunca asumen la carga de la prueba.[25]

Sin embargo, incluso el argumento comparativo *ad hominem* tiene algún valor. Como indiqué anteriormente en el párrafo 2), los teólogos son miembros de comunidades, y la naturaleza misma de las comunidades es que tienen héroes y villanos comunitarios —lealtades comunitarias y enemistades comunitarias. Estas lealtades y enemistades no son necesariamente erróneas. A menudo uno se une a una comunidad precisamente porque admira a los mismos teólogos, la misma tradición confesional que esa comunidad admira, y también está de acuerdo con los disgustos de la comunidad. La asociación de una doctrina con un héroe de la comunidad no prueba la verdad de esa doctrina, pero sí nos da, con razón, una predisposición favorable a ella. Calvino, por ejemplo, no tenía razón en todo; pero estuvo en el blanco tantas veces, y su don divino de percepción teológica es tan evidente, que discrepamos con él a un riesgo considerable.

Del mismo modo, si me dicen que mi doctrina fue sostenida por, digamos, los gnósticos o los pelagianos, con razón debería preocuparme un poco, y tal vez repensarla o incluso replantearla. Los errores de los herejes están a menudo interrelacionados, y por lo tanto mi orgulloso descubrimiento doctrinal puede ser, en el mejor de los casos, una "puerta trasera" a la herejía. Si usamos una idea de

---

[25] Ver mi examen del libro: Brian Armstrong, *Calvinism and the Amyraut Heresy*

Arrio o de Pelagio, debemos tener especial cuidado en separar la idea de sus errores. Si alguien está notoriamente confundido, debemos al menos ser cautelosos de estar de acuerdo con él.

(4) ARGUMENTO CIRCUNSTANCIAL POSITIVO *AD HOMINEM*

El argumento circunstancial positivo *ad hominem* insta al oyente a creer una proposición debido a sus circunstancias especiales. Por ejemplo: "Usted es un demócrata; por lo tanto, debería votar por programas de bienestar más grandes". O "Porque eres rico, deberías apoyar la revocación del impuesto graduado". O "Porque eres una mujer, deberías haber votado por Geraldine Ferraro". O "Como eres presbiteriano, nunca debes apoyar a las juntas de misiones independientes". O "Como eres un hombre moderno, no debes creer en ángeles y demonios" (Bultmann). O "Cree en la teología del proceso, ya que nos permite apoyar objetivos modernos tan de moda como la liberación de las mujeres, los negros y el tercer mundo" (un tipo de argumento que se encuentra a menudo en todo: John Cobb y D. R. Griffin, Process Theology [Filadelfia: Westminster Press, 1976]).

Por un lado, como las otras falacias, el positivo circunstancial *ad hominem* no prueba su conclusión. El hecho de que uno sea mujer, por ejemplo, no prueba que tenga obligación de votar por Geraldine Ferraro. En cierto modo, este tipo de argumento es degradante porque considera al público como miembros de un grupo que votan o creen ciegamente, según lo que el grupo crea. Es "pensamiento de grupo" en su peor sentido. E incluso como un alegato para considerar el interés propio del grupo, a menudo es muy superficial. Hay grandes diferencias entre las mujeres, entre los ricos, entre los negros, entre los presbiterianos y entre los "hombres modernos".

Por otro lado, este tipo de argumento *ad hominem*, al igual que los otros argumentos considerados aquí, tiene algún valor. Como hemos indicado anteriormente, somos miembros de comunidades, tenemos lealtades de grupo y tenemos intereses comunes. A veces es importante que se nos recuerde esto. "¡Eres un presbiteriano ortodoxo! Me sorprende tanto oírte argumentar a favor del bautismo del creyente", alguien podría decir. Tal argumento es, en efecto, una acusación de inconsistencia que puede obligarte a replantearte tus posiciones. Por supuesto, aunque esté de acuerdo en que he sido inconsistente, eso no resuelve la cuestión. Debo decidir cuál de las dos posiciones inconsistentes, si alguna, debo mantener. ¿Renuncio al bautismo del creyente, o renuncio a mi lealtad a las normas presbiterianas ortodoxas? Aun así, el replanteamiento generado por el argumento *ad hominem* puede ser beneficioso.

La apologética de Van Til utiliza mucho los argumentos circunstanciales *ad hominem*. Busca mostrar al incrédulo que, en sus premisas, debe creer en un universo de caos, un universo sin sentido e ininteligible. El incrédulo puede no querer ser coherente de esa manera, pero al menos se enfrenta a su inconsistencia. Eso es totalmente apropiado. La apologética es por su propia naturaleza *ad hominem*. Su objetivo no es producir argumentos, ni siquiera sólidos, sino persuadir a la gente. (Lo mismo es cierto, por supuesto, de la predicación y la enseñanza.)

La apologética dirige sus argumentos hacia una persona o audiencia en particular, instándoles a repensar sus propios compromisos personales al nivel más básico. Y el argumento *ad hominem* es apropiado, considerando la imposibilidad de debatir sobre presuposiciones comunes, presuposiciones gozosamente honradas por ambas partes. Puesto que no podemos razonar desde ese "terreno común", debemos examinar tanto las presuposiciones cristianas como las no cristianas "por el bien del argumento" (véase el capítulo 11) e investigar la coherencia de cada uno desde nuestros respectivos marcos de presuposiciones.

Las Escrituras contienen muchos argumentos *ad hominem*. La enseñanza de Jesús es casi exageradamente *ad hominem*. Con frecuencia se niega a responder directamente a las preguntas de sus antagonistas, sino que les da una respuesta que pone en tela de juicio su relación personal con Dios (véase Mt. 21:23-27; 22:15-33; Jn. 3:1-14; 8:19-29).

(5) ARGUMENTO CIRCUNSTANCIAL NEGATIVO *AD HOMINEM*

El argumento circunstancial negativo *ad hominem* dice que la opinión de alguien es falsa (o al menos que no tiene derecho a sostenerla) debido a sus circunstancias especiales. Algunos de los contemporáneos de Jesús argumentaban que su enseñanza era falsa porque venía de Nazaret, ¡y todo el mundo sabía que nada bueno venía de Nazaret (Juan 1:46)! O alguien podría argumentar que, porque soy un presbiteriano ortodoxo, no tengo derecho a criticar las prácticas evangelísticas de otras denominaciones, ya que mi denominación no ha sido notoriamente evangelística. El argumento de *"tu quoque"* ("tú también") encaja bajo este título: "No puedes criticarme, porque eres tan malo como yo."

El *ad hominem* circunstancial negativo, también, es falaz. Ataca a la persona, más que a sus puntos de vista. Pero hay algún valor en ello, sin embargo. Las

Escrituras nos dicen que "saquemos la tabla de nuestro propio ojo" antes de criticar a alguien más (Mt. 7:5). Por lo tanto, cuando consideramos un argumento teológico, tenemos la obligación de mirar no solo la validez y la solidez del argumento, sino también a nosotros mismos (véase 1 Ti. 4:16; véase también el capítulo 10). Hay momentos en los que debemos dejar de hacer juicios, sabiendo que nosotros mismos seremos juzgados por la misma norma (Mt. 7:1-6).

Los incrédulos también deben ser desafiados a mirarse a sí mismos y no solo a los argumentos del cristianismo. Si no ven la relación del argumento con ellos, nunca serán persuadidos. Francis Schaeffer ha utilizado muy eficazmente los argumentos *ad hominem* que desafían el derecho del incrédulo a hablar (y especialmente a vivir) como lo hace. Nos habla, por ejemplo, del compositor John Cage, que cree que el universo es pura casualidad y que busca expresarlo en su música. Pero Cage también es un cultivador de hongos que una vez dijo: "Me di cuenta de que, si me acercaba a los hongos con el espíritu de mis operaciones de azar, moriría pronto". Así que decidí que no me acercaría a ellos de esta manera".[26]

Schaeffer comenta: "En otras palabras, aquí hay un hombre que está tratando de enseñar al mundo lo que el universo intrínsecamente es y lo que la verdadera filosofía de la vida es, y sin embargo no puede ni siquiera aplicarlo a la recolección de hongos". La filosofía del azar de Cage no se refuta solo porque Cage no pueda aplicarla de forma consistente. Aun así, este argumento tiene mucha fuerza. Primero, muestra algo malo en la vida de Cage, algo que necesita ser cambiado de una manera u otra. Segundo, disminuye el atractivo de la postura de Cage. La mayoría de nosotros queremos una filosofía con la que podamos vivir, pero si ni siquiera Cage puede vivir con su filosofía, hay pocas razones para creer que los demás puedan hacerlo. Tercero, sugiere problemas en el pensamiento de Cage de una clase más profunda, la dialéctica racionalista-irracionalista como la descrita por Van Til.

(6) ARGUMENTO DE SILENCIO O IGNORANCIA

Un argumento de silencio o ignorancia (también conocido como *ad ignorantiam*) alega que algo es verdadero porque no se ha probado que sea falso, o viceversa.

Si esta forma de argumento es una falacia depende de si se ha establecido una carga de prueba (véase G, arriba). En el argumento sobre el bautismo de niños, por ejemplo, se podría determinar que se debe seguir la pauta del pacto del Antiguo

---

[26] Francis Schaeffer, *The God Who Is There* (Chicago: Inter-Varsity Press, 1968), 73f.

Testamento a menos que haya una dirección explícita del Nuevo Testamento para cambiar esa pauta. Ese principio establece la carga de la prueba. Cualquiera que quiera probar un cambio en el patrón debe probarlo desde el Nuevo Testamento. Como el Nuevo Testamento es (relativamente) silencioso en esta área, la práctica del Antiguo Testamento permanece intacta. Por lo tanto, el silencio del Nuevo Testamento puede ser usado para probar algo, una vez que la carga de la prueba está establecida. Y, de hecho, si se invirtiera la carga, se podría derivar del silencio del Nuevo Testamento la conclusión opuesta.

El argumento del silencio nunca es sólido, en mi opinión, cuando opera en el nivel de la palabra, en lugar del nivel de la frase. El hecho de que la Escritura no utilice una palabra en particular o que no utilice una palabra en contraste con otra nunca es motivo suficiente para rechazar tal uso de la palabra. La reserva léxica de la Escritura no es normativa para la teología; si lo fuera, tendríamos que escribir la teología en hebreo y en griego.

(7) APELACIÓN A LA LÁSTIMA

El llamamiento a la lástima también se conoce como *ad misericordiam*. Entre otras cosas, Clarence Darrow es famoso por sus emotivos llamamientos a los jurados para que se apiaden de un acusado que tenía pocas esperanzas excepto la misericordia. A menudo, en los tribunales de la iglesia, ocurre lo mismo. La misericordia cristiana se invoca como motivo de indulgencia en la disciplina eclesiástica. A menudo aquellos que buscan a través de la disciplina purificar el cuerpo son acusados de ser poco amorosos. Esta es la falacia opuesta al argumento *ad baculum*.

Ahora, como con las otras falacias, podemos ver más claramente lo que está mal con la apelación a la piedad cuando vemos su fuerza. Por un lado, la Escritura nos exhorta a ser amorosos y caritativos, a ser comprensivos con los demás, a no guardar una lista de errores. De hecho, hay algunas cuestiones por las que las Escrituras nos prohíben disputar (1 Ti. 1:3ss.) —"controversias tontas". La gente que se encuentra entrando en cada batalla en la iglesia debería preguntarse si están honrando este principio.

Por otro lado, la Escritura también nos insta a luchar enérgicamente contra la falsa enseñanza, la herejía que niega el Evangelio. La Escritura garantiza la excomunión de aquellos que no escuchen la reprimenda de la iglesia (Mt. 18:15 ss.; 1 Co. 5:1-5). Tal disciplina no surge del odio sino, de hecho, del amor (1 Co. 5:5) y para el bien del hermano pecador. Por lo tanto, no se debe ignorar el llamamiento al amor y a la piedad. Cuando un cuerpo está considerando una disciplina que excede la gravedad de la ofensa, esa apelación debe ser escuchada y actuada. Pero en otros casos, la apelación no es apropiada.

En cualquier caso, la apelación a la piedad nunca es suficiente para demostrar la verdad de una proposición. Nunca se puede establecer la verdad de una doctrina instando a la piedad hacia aquellos que la sostienen.

(8) APELAR A LA EMOCIÓN

La apelación a la emoción (también conocida como *ad populum*) es una falacia que es algo más amplia que la anterior y que la incluye. Aquí el llamamiento no es solo a la lástima, sino también a una amplia variedad de otras emociones. Es *ad populum* ("al pueblo"), porque los oradores que se enfrentan a grandes multitudes a menudo tratan de influir en ellos con llamamientos emocionales.

Así, si uno tiene una nueva idea, utiliza palabras emocionalmente positivas para describirla, palabras como "progreso", "creatividad" y "frescura", llamando a sus oponentes "reaccionarios" o "estáticos". Si tiene una antigua idea, puede hablar de "la sabiduría del pasado", de los "probados y verdaderos", de los "valores americanos", etc., y atacar las ideas "radicales" o "revolucionarias".

Mucho del lenguaje teológico tiene un contenido más emotivo que cognitivo. Una buena teología (cualquiera que sea su punto de vista) es una que es "dinámica", "relevante", "concreta". Es "centrada en Cristo", "una teología de la gracia"; "toma en serio la historia" y promueve la "libertad" y la "unidad". Hace "distinciones", mientras que los puntos de vista rivales hacen "dicotomías" o "dualismos". (Generalmente, el dualismo se utiliza para referirse a una distinción que a una persona no le gusta particularmente). Si alguien me acusa de tener una teología "estática", mi primera respuesta es mostrar cuán "dinámica" es la mía y mostrar cómo la suya es en realidad mucho más "estática" que la mía. (Por supuesto, esto siempre es mucho más fácil si ninguna de las partes define estática o dinámica).

Creo que gran parte de la teología que he criticado por ser "anti-abstraccionista" y por usar argumentos "a nivel de palabras" deriva su fuerza y persuasión de un lenguaje de connotación muy emocional. De hecho, la teología moderna utiliza mucha terminología ortodoxa, rechazando su significado tradicional, pero aprovechando el valor emotivo que tiene ese lenguaje para los que están influenciados por el cristianismo. Tillich, por ejemplo, habla de "la cruz de Cristo", refiriéndose no a la crucifixión histórica de Jesús sino a un proceso cósmico de autonegación dialéctica. Sin embargo, muchos lectores se sienten tranquilos con el compromiso cristiano de Tillich cuando leen palabras similares a éstas en sus escritos. Las connotaciones, por lo menos, parecen estar presentes, flotando sobre las palabras, por así decirlo, aunque las indicaciones ortodoxas estén ausentes.

A veces, para hacer un llamamiento emocional, basta con usar un cierto tono de voz o una expresión facial. Recuerdo a un teólogo que por alguna razón no aprobaba los títulos de los sermones. No recuerdo su argumento, pero sí recuerdo que soltó un enorme suspiro y dijo lentamente, con un tono de trágica tristeza, las palabras "títulos de sermones". Era como si esperara que su audiencia, junto con él, registrara la misma tristeza, el mismo asco. Confieso que no lo compartí. Esperaba un argumento convincente, que nunca llegó.

Los ejemplos de la falacia del llamamiento a la emoción (*ad populum*) son muchos y muy entretenidos, pero el punto está claro. Claramente, no se puede probar una conclusión simplemente registrando una respuesta emocional particular hacia esa conclusión. Sin embargo, la emoción no es totalmente irrelevante para la discusión teológica (ver capítulo 10). La emoción sí transmite contenido, a menudo contenido importante. Puede transmitir lo importante que es una proposición en el pensamiento de alguien. Puede comunicar una idea tan vívidamente que sería imposible transmitir la misma idea a través de una prosa "académica independiente". Puede comunicar las presunciones de un pensador, su sesgo en relación con un asunto (y por supuesto nadie está libre de tal sesgo).

Somos, después de todo, seres humanos. La teología es una de las disciplinas más humanas. Buscamos comunicar las convicciones más profundas de nuestros corazones. Tratar de hacerlo sin emoción es como tratar de estar parado en una pierna; es inútil y resta importancia a la tarea. Tratar de expresar estas convicciones sin emoción es, en la mayoría de los casos, imposible. Y si fuera posible, en realidad distorsionaría el contenido de la convicción en cuestión.

(9) APELACIÓN A LA AUTORIDAD

La apelación a la autoridad también se conoce como *ad verecundiam*. En general, la apelación a la autoridad es una falacia en el sentido de que no requiere que se argumente la conclusión. De hecho, sin embargo, en nuestro razonamiento cotidiano, los llamamientos a la autoridad son indispensables. Creemos muchas proposiciones importantes para nuestro pensamiento que no hemos verificado personalmente. La mayor parte de nuestro conocimiento de la historia, la ciencia y, de hecho, de la teología, lo hemos aprendido de otros más conocedores que nosotros, y lo hemos aceptado por su autoridad.

Hay numerosas apelaciones a la autoridad en la teología. Hay apelaciones a la Escritura, por supuesto, pero también a los credos y confesiones, a los filósofos (las citas de Aquino de Aristóteles, la actitud de Bultmann hacia Heidegger), y a otros teólogos y tradiciones teológicas. A veces, incluso atletas famosos toman el papel de autoridades religiosas, buscando ganar a la gente para Cristo como si estuvieran vendiendo cereales o cerveza.

La autoridad de las Escrituras por sí sola es decisiva. Apelar a la autoridad de la Escritura no es una falacia, sino el argumento más fundamental de la teología ortodoxa, un argumento que subyace a todos los demás. En otros tipos de creencias, se piensa que otras presunciones tienen un estatus de autoridad similar. Así que el argumento *ad verecundiam* es inevitable a un nivel muy básico. Al igual que la circularidad, la apelación a la autoridad es inevitable en el nivel de los supuestos, e indirectamente influye en todos los argumentos, ya que proporciona el criterio más fundamental de la verdad en cualquier sistema. Pero no siempre tiene que ser explícito. Y, por supuesto, las apelaciones a las autoridades menos importantes son siempre falibles y a menudo se pueden evitar.

(10) CAUSA FALSA

El siguiente grupo de falacias involucra el concepto de causalidad. La primera de ellas, que no es más que un error en la evaluación de la causa de algo, *non causa pro causa*, a menudo resulta de una confusión entre las relaciones temporales y las relaciones causales. Sin duda, habrán oído la historia del gallo que pensaba que su canto hacía salir el sol, ya que todos los días salía el sol después de que él cantaba. Tal confusión se llama técnicamente *post hoc ergo propter hoc* ("después de esto, por lo tanto, por esto"). O consideremos este ejemplo. Cuando el sol entra en eclipse, se dice que los miembros de cierta tribu tocan sus tambores furiosamente. Creen que ese golpe de tambor trae de vuelta al sol, ya que en el pasado el sol siempre ha regresado siguiendo sus rítmicas súplicas. La medicina moderna también se enfrenta a este tipo de preguntas. A menudo, un paciente se sentirá mejor, o incluso se curará, después de tomar una droga, incluso cuando esa droga no tiene ningún efecto fisiológico sobre su enfermedad. Tal curación psicológica se llama "efecto placebo". Pero este efecto placebo hace más difícil evaluar cuándo un medicamento es realmente efectivo y cuándo no. Se debe hacer un muestreo cuidadoso, en el que se compare el efecto de la droga propuesta con el efecto psicológico de un placebo, para que los científicos puedan aprender qué drogas causan realmente la curación y cuáles simplemente, en ocasiones, la preceden.

En la política encontramos muchos ejemplos de este tipo de falacia. Por ejemplo: "Reagan fue elegido, y la nación entró en recesión". ¿Eso fue *propter hoc* o solo *post hoc*? Reagan responde: "La recesión fue el resultado de las políticas de la administración Carter". ¿Es una respuesta adecuada o simplemente otro ejemplo de la misma falacia? ¿No es posible que ninguna de las dos administraciones tenga la culpa, sino que la Junta de la Reserva Federal, el Congreso, o incluso el pueblo americano? ¿Es posible que haya habido múltiples causas, que muchas personas e instituciones hayan sido culpables?

En teología, también, hay muchos ejemplos. Los teólogos culpan de muchos de los males del mundo a opiniones teológicas con las que no están de acuerdo. Los arminianos dicen que el letargo entre los reformados en cuanto a las misiones se debe a la creencia de los calvinistas en la predestinación. El argumento de la "pendiente resbaladiza" discutido anteriormente (H, (3), arriba) asume, por ejemplo, que cuando una denominación entra en decadencia, esa decadencia se debe, en gran medida, a una decisión doctrinal crucial. A veces, argumentos como ese son convincentes, pero debemos recordar que el mundo de Dios —y su plan para la historia— son generalmente más complicados de lo que imaginamos. No debemos ser tan rápidos como a menudo lo somos en evaluar la causalidad, es decir, en asignar la culpa.

(11) FALACIA GENÉTICA

La falacia genética es otro problema con la causalidad. Asume una estrecha similitud entre el estado actual de algo y su estado anterior (u original). Un tipo de ejemplo sería el estudio de palabras de la Biblia en el que se asume que el significado etimológico de un término es el mismo que su uso bíblico.

Los filósofos han argumentado a veces que el estado se originó como un instrumento de coacción de clase y por lo tanto debe tener la misma función hoy en día. O los biólogos sostienen que, ya que la humanidad evolucionó a partir de algunas especies de simios superiores, seguimos siendo "esencialmente" simios. Los cristianos deben cuestionar las premisas de ambos argumentos, pero también deben reconocer la lógica errónea con la que se establecen las conclusiones.[27]

Existe también una forma inversa de la falacia genética que supone que, como algo es ahora tal y tal, por lo tanto, debe haber sido ya tal y tal en una etapa anterior.

---

[27] Mi editor me recuerda otro ejemplo común: "Como los árboles de Navidad fueron usados originalmente por los paganos, tienen un significado pagano, por lo que no debemos usarlos".

Esta es la falacia del uniformismo científico, que insiste en que todas las leyes actualmente vigentes deben haber estado vigentes durante la duración de la existencia del universo.

(12) AMBIGÜEDADES DE LA CAUSALIDAD

La causalidad también ha significado una serie de cosas diferentes. Aristóteles identificó cuatro tipos de causas. La causa eficiente es la que hace que algo suceda, y este es el concepto más usual de causa. La causa final es el propósito por el cual algo sucede. La causa formal es la cualidad más esencial de algo que lo hace ser lo que es, y la causa material es aquella de la que algo está hecho.

Otros han distinguido también la causalidad instrumental (un instrumento o medio auxiliar mediante el cual se logra algo, por ejemplo, la fe como "instrumento" de justificación), la causalidad judicial o moral (la base jurídica o moral sobre la que se realiza algo, por ejemplo, la justicia de Cristo como fundamento de la justificación), la condicionalidad necesaria y suficiente (véase E, arriba), la implicación material (el lógico "si... entonces"—véase D, arriba), y así sucesivamente.

Al igual que el concepto de "prioridad" (véase E, arriba), el concepto de "causa" o de "causalidad" puede ser ambiguo. Y, de hecho, los dos conceptos son a menudo intercambiables.

El concepto de causalidad es importante en teología, porque la teología se ocupa de la creación (la causa del mundo), los decretos divinos (las causas de los acontecimientos en el mundo), las causas de la salvación (por ejemplo, la elección, el consejo intra-trinitario, la Encarnación, la obediencia activa de Cristo, la Expiación, la Resurrección, la aplicación de la redención por el Espíritu). A menudo, las disputas teológicas se centran en el concepto de causalidad. Los católicos romanos y los protestantes no están de acuerdo en el tipo de eficacia causal que se atribuye a las buenas obras, a los sacramentos, a la fe y a la justicia de Cristo en lo que respecta a la salvación, por ejemplo.

La palabra "necesario" funciona como un adjetivo para calificar muchos de los tipos de causalidad que acabamos de examinar. Hace varios años, un piadoso profesor de un importante seminario propuso que las buenas obras eran "necesarias" para la justificación. Quienes se oponían a este punto de vista argumentaban que el profesor estaba poniendo de esta forma las obras en el lugar reservado a la fe o incluso reemplazando con obras la justicia de Cristo como base de la salvación. Él negaba cualquier intención de este tipo, argumentaba que pensaba en las obras solo como un acompañamiento necesario para la justificación (como en Stg. 2:14-26) y como una prueba necesaria para la justificación. En mi opinión, esta discusión se vio empañada por una falta de voluntad mutua (por parte de personas que deberían haberlo sabido) para analizar las ambigüedades del término "necesario". Ese malentendido llevó a la expulsión del profesor de la facultad del seminario y a una gran cantidad de horrible polarización y división entre los hermanos.

¡Quizás esté empezando a ver lo que es o al menos debería ser una lógica de ciencia práctica! El amor por nuestros hermanos requiere un pensamiento cuidadoso. Desafortunadamente, a menudo saltamos imprudentemente a las conclusiones precisamente en aquellos asuntos que son más importantes, asuntos que requieren el más cuidadoso análisis. Saltamos a conclusiones sobre esos asuntos porque nos apasionan. La pasión puede ser apropiada, pero debe ser canalizada en una dirección más saludable. Nuestra pasión debería darnos un mayor celo por la verdad y por los medios para alcanzarla.

(13) CONFUSIONES ENTRE CAUSA MÚLTIPLE Y CAUSA ÚNICA

A menudo un evento tiene muchas causas, y es difícil señalar una de ellas como preeminente sobre las otras. ¿Qué hizo de los Estados Unidos una nación poderosa? ¿Los recursos naturales? ¿La libertad económica? ¿Inmigración relativamente libre? ¿La libertad religiosa? ¿Raíces cristianas (aunque actualmente estén eclipsadas)? Hace unos años, un anuncio de una cadena de restaurantes planteó esta pregunta: "¿Quién es el empleado más importante del restaurante?" ¿El gerente? ¿El chef? Concluyeron que el equipo de limpieza era lo más importante, ya que ese equipo creaba la atmósfera fresca y limpia que hacía que cenar en el restaurante fuera un placer. Bueno, el equipo era importante, incluso necesario. Y su importancia fue correctamente enfatizada en un comercial que enfatizaba la limpieza del lugar. Pero esta importancia y necesidad no hacía a los empleados más necesarios que el chef, los camareros o el gerente, que también eran importantes y necesarios.

A veces en teología una causa, tal vez una condición necesaria, por ejemplo, es señalada entre todas las demás como la causa de algo. Como, por ejemplo, como la liberación de los pobres es un elemento necesario del evangelio bíblico, algunos teólogos han tratado de hacer de ella la esencia del cristianismo. Pero hay otros elementos que son asimismo necesarios, igualmente importantes. Otros argumentarán que los procedimientos presbiterianos ("Todas las cosas decentemente y en orden") son necesarios para el trabajo de la iglesia y, por lo tanto, desperdiciarán incontables horas de sesión y tiempo de presbiterio en la perfección de las actas, los debates de procedimiento, etc. Estas personas no se dan cuenta de que, aunque tengan razón, aunque tales procedimientos sean "necesarios" de alguna manera, no son por ello de primera importancia. Otras cosas pueden ser (y son, en mi opinión) igual o más importantes.

La antigua controversia sobre la "relación de la doctrina con la vida" también surge apropiadamente en este punto. Algunos dirán: "La doctrina es importante y necesaria para la vida misma de la iglesia", y querrán pasar todo el tiempo en la iglesia, la sesión y el presbiterio tratando de lograr un acuerdo perfecto en todos los detalles de la teología. Y como la teología de la iglesia nunca es perfecta, tales personas reniegan de cualquier tiempo dedicado a cualquier otro tema. Otros dirán: "El evangelismo es importante y necesario para la vida de la iglesia", y querrán pasar todo el tiempo de la iglesia formulando estrategias para la misión. Otros se preocupan de manera similar por la oración, la justicia social, la política cristiana o la economía. Estas "diferencias de prioridad" a menudo causan división en la iglesia y dificultan las uniones entre denominaciones. La Iglesia Presbiteriana Ortodoxa y la Iglesia Presbiteriana de América tienen las mismas normas doctrinales y ambas están comprometidas con la autoridad bíblica, pero muchas se resisten a la unión de las dos denominaciones debido a las diferencias de prioridad percibidas.

En interés de la unidad, es importante destacar un punto lógico. Todos los asuntos mencionados anteriormente son importantes y necesarios para la vida de la iglesia. Pero ninguno de ellos es por lo tanto más importante que los demás. Por lo tanto, no nos atrevemos a pasar todo nuestro tiempo, por ejemplo, en una vana búsqueda de la actual perfección doctrinal, porque si lo hacemos descuidaremos otros asuntos de igual importancia. En efecto, si perseguimos la pureza doctrinal hasta el abandono de las misiones, nuestra doctrina misma se volverá impura, ¡porque la Gran Comisión es también una doctrina! Obsérvese cómo todos estos asuntos necesarios están relacionados de forma perspectiva. Pensar en ellos de esa manera puede ser una ayuda para lograr el equilibrio. Hay, por supuesto, algunos asuntos en la Escritura que son más importantes que otros. Jesús habla de los "asuntos más importantes de la ley" (Mt. 23:23).

También es cierto que cuando aplicamos las Escrituras a situaciones prácticas, a menudo debemos juzgar que un principio en vez de otro merece nuestra atención en un momento determinado. Véase la discusión anterior sobre "Jerarquías de normas" en el capítulo 5, A, (9). Tales juicios, sin embargo, deben basarse en una cuidadosa reflexión, no en la mera tradición o en nuestros sentimientos "viscerales". En este punto, simplemente quiero hacer la observación lógica de que decir que una doctrina de la Escritura es "importante" o "necesaria" no significa que sea siempre más importante que alguna otra doctrina o que siempre merezca un mayor énfasis.

(14) CUESTIONES COMPLEJAS

Dejamos ahora el concepto de causalidad y nos fijamos en las falacias asociadas a las preguntas. La falacia de la "pregunta compleja" trata dos preguntas que deben ser respondidas por separado como una sola pregunta. El ejemplo más famoso es la pregunta: "¿Has dejado de golpear a tu esposa?", o, más ampliamente: "¿Has abandonado tus costumbres perversas?" Ya sea que respondas Sí o No, te incriminas a ti mismo. El problema es que "¿Ha dejado de golpear a su esposa?" es en un sentido realmente dos preguntas: A) "¿Ha estado golpeando a su esposa?" y B) "Si lo ha hecho, ¿ha dejado de hacerlo?" Por supuesto, si la respuesta a (A) es No, entonces (B) ni siquiera es aplicable. Pero "¿Ha dejado de golpear a su esposa?" presupone una respuesta afirmativa a (A). Para escapar de la pregunta, debemos mostrar lo que presupone y negar esa presuposición diciendo algo como esto: "Mi buen hombre, está suponiendo que he estado golpeando a mi esposa. Como no es así, su pregunta es inapropiada".

Aquí hay algunos otros ejemplos. "¿Serás bueno y te irás a la cama?" "¿Es él uno de esos fundamentalistas poco pensantes?" Obsérvese que hay muchas preguntas que no pueden responderse con un Sí o un No. Estos son ejemplos adicionales en los que la ley del medio excluido puede inducirnos a error (véase D, más arriba). Por esta y otras razones, en los parlamentos y presbiterios los miembros suelen pedir que se "divida" una pregunta, que se vote por separado en cada parte constituyente.

En teología, a menudo se plantean preguntas complejas porque los teólogos simplemente no tienen claro cuál de las muchas preguntas posibles están haciendo. Un buen ejemplo es el siguiente de G. C. Berkouwer (en cuyos escritos se pueden encontrar muchos ejemplos de esta falacia).

> Los milagros no son pruebas dirigidas al intelecto para convencer al hombre. No hacen superflua la fe. Al contrario, nos llaman a creer. El carácter testimonial de los milagros pone ante el hombre la decisión que debe tomar en cuanto a Cristo... Los milagros son actos inescrutables de Dios, que solo pueden ser aceptados como actos de Dios a través de la fe.[28]

---

[28] G. C. Berkouwer, *The Providence of God* (Grand Rapids: Wm. B. Eerdmans Pub. Co., 1952), 215. En otros aspectos, la discusión de Berkouwer sobre los milagros es muy útil.

¿A qué pregunta se refiere Berkouwer en ese párrafo? Puedo aislar algunas de ellas. (A) ¿Los milagros son pruebas? (B) ¿Los milagros se dirigen al intelecto, a diferencia de otras facultades humanas? (C) ¿Los milagros se dan con el propósito de convencernos? (D) ¿Los milagros hacen superflua la fe? E) ¿Los milagros proponen simplemente una decisión, en lugar de exigir una decisión concreta? F) ¿Son los milagros inescrutables? Supongo que Berkouwer cree que estas preguntas están todas interrelacionadas, de modo que la respuesta correcta a una determina las respuestas correctas a todas las demás. No todas las personas, sin embargo, aceptarán esa presuposición. Yo, por ejemplo, respondería Sí a (C) y (F) y No a las otras. Berkouwer, supongo, respondería Sí a (E) y (F) y No a los otros. Pero la discusión es confusa. Habría sido mucho más útil si Berkouwer hubiera distinguido esas preguntas y discutido cada una por separado.

Para otros ejemplos, véanse las "falsas distinciones" señaladas anteriormente en el capítulo 7, E. Como señalé allí, Woodbridge trata de distinguir ciertas cuestiones que, en su opinión, son confundidas por Rogers y McKim, por ejemplo, la cuestión de si la Escritura se acomoda al entendimiento humano y la cuestión de si la Escritura es infalible. Aquí también, como en la pregunta "¿Ha dejado de golpear a su esposa?" la vinculación de las preguntas se basa en ciertas presunciones, en este caso la presunción de que cualquiera que crea que la Escritura es inerrante no puede creer que la Escritura se acomoda al entendimiento humano. Aquí, como en otras partes de la teología, es importante exponer las presunciones detrás de lo que se dice y evaluar críticamente esas presunciones a la luz de la Escritura.

Por supuesto, muchas cuestiones teológicas están "atadas", como hemos visto, pero están "atadas" de una amplia variedad de maneras que requieren un análisis cuidadoso. Casi es necesario discutir cada una por separado para mostrar cómo está "atada" al resto.

(15) EQUIVOCACIÓN

Ahora mencionaré tres falacias que implican ambigüedad (*cf.* capítulo 7 y D, (5) arriba). El lector recordará que, en una consecuencia válida, los términos pertinentes deben utilizarse en el mismo sentido en todo el argumento. Cuando no lo son, hay una falacia de equivocación. Considere estos ejemplos. (A) "Algunos perros tienen orejas peludas; mi perro tiene orejas peludas; por lo tanto, mi perro es un perro". (B) "Los teólogos modernos niegan la inerrancia de la Escritura; Cornelius Van Til es un teólogo moderno; por lo tanto, Cornelius Van Til niega la inerrancia de la Escritura." (C) "Si la Escritura es infalible, entonces la Palabra de Dios puede ser contenida; la Palabra de Dios no puede ser contenida; por lo tanto, la Escritura no es infalible". (D) "Los cristianos no pecan (1 Jn. 3:6); Bill comete pecado (1 Jn. 1:8-10); por lo tanto, Bill no es un cristiano". (E) "El incrédulo no puede saber nada verdaderamente; 'el libro está sobre la mesa' es una declaración verdadera; por lo tanto, el incrédulo no puede saber que el libro está sobre la mesa". (F) "O somos justificados sin las obras (Ro. 3:28) o la luna está hecha de queso verde; no somos justificados sin las obras (Stg. 2:24); por lo tanto, la luna está hecha de queso verde".

(16) AMBIVALENCIAS

Este es un tipo de ambigüedad que surge de la gramática. A menudo, los lógicos expertos en ambivalencias producen bromas como: "Ahorra jabón y desperdicia papel". O "Antropología: la ciencia del hombre abrazando a la mujer". En el primer ejemplo: "desperdicio", entendido como un adjetivo, puede ser malinterpretado como un verbo.[29] En el segundo ejemplo: "abrazar", destinado a modificar "ciencia", puede ser malinterpretado como una modificación de "hombre".

Me ha resultado difícil localizar ejemplos teológicos de este tipo de falacia. Uno, sin embargo, puede ser familiar: "Solo podemos conocer a Dios en su revelación". La afirmación es cierta, creo, si "solo en su revelación" modifica "conocer". Eso significaría que nuestro conocimiento de Dios se limita a lo que Él ha revelado. Sin embargo, si "solo en su revelación" modifica a "Dios", entonces creo que es falso porque conocemos algunos hechos acerca de Dios tal como existía por sí mismo, antes de que creara algo o revelara algo a alguien. (Hay, quizás, alguna ambigüedad residual en esta ilustración.)

(17) ACENTO

Esta es una ambigüedad del estrés que depende del tono de voz con el que hablamos. El significado de la frase "La mujer sin su hombre estaría perdida" está bastante

---

[29] Este ejemplo tiene más sentido en el original en inglés, pues es un juego de palabras. La oración dice: "Save soap and waste paper." Lo cual puede significar: "Ahorra jabon y papel usado", o "ahorra jabón y usa papel". La palabra "usar" le da un significado a la oración dependiendo si es usado como verbo o como adjetivo. En el caso del inglés la forma de la palabra para el verbo y el adjetivo es la misma, y es ahí donde se produce la ambigüedad. Este no es el caso en el español, al menos no en este ejemplo en particular.

claro en la letra. Pero esa frase tendría un significado diferente si estuviera puntuada de esta manera: "La mujer, sin ella, su hombre estaría perdido". En la comunicación oral, puede surgir cierta falta de claridad si la puntuación no está claramente indicada por la inflexión vocal.

"No debemos hablar mal de nuestros amigos" tiene un significado distintivo si se enfatiza la palabra amigos. De ese énfasis, se podría deducir que podemos hablar mal de nuestros enemigos; de lo contrario, no podríamos sacar esa implicación. (Esta es una de esas partes de la lógica "informal" que no se reduce al simbolismo formal - ver D, arriba. Los lógicos aún no han aprendido a manejar los argumentos que activan un cambio en el tono de voz de uno).

Note esta cita de E. J. Young: "La Biblia no se escribe por el gusto del estilo, sino para transmitir información al lector".[30] Por un lado, uno podría interpretar la declaración de Young como sugiriendo que todo el propósito de la Escritura es proposicional: transmitir información. Interpretado de esa manera, Young estaría negando (o al menos ignorando) la variedad de otros tipos de lenguaje en las Escrituras. Por otra parte, aunque Young probablemente no era sofisticado en la distinción de las funciones de los actos de habla en el lenguaje, probablemente no se habría opuesto a un punto de vista más amplio que el suyo.

El contraste en la cita no es entre la información y, digamos, las preguntas, los mandamientos, las promesas, etc., sino entre la información y el estilo. La intención de Young no es contrastar los actos de habla informales con otros, sino contrastar el estilo con la sustancia. En el contexto de las discusiones actuales, contenido habría sido un término más claro que información. Debemos recordar que no debemos leer esta cita con un tono de voz que ponga énfasis en la información que el mismo Young probablemente no hubiera usado.

Mucho se dice hoy en día sobre la necesidad de reproducir en nuestra teología el "énfasis" de las Escrituras. Creo que en la mayoría de los casos esta demanda es confusa e ilegítima (ver capítulo 6, A).

(18) COMPOSICIÓN

En esta falacia, lo que es cierto para una parte se afirma para el todo, o lo que es cierto para un individuo se predica para una colección de individuos. Aquí, uno podría argumentar que, porque cada parte de un avión a reacción es liviana, el avión

---

[30] E. J. Young, *Thy Word Is Truth* (Grand Rapids: Wm. B. Eerdmans Pub. Co., 1957), 115.

mismo debe ser liviano; o porque cada miembro de un equipo de fútbol es grande, el equipo también debe ser un gran equipo.

Algunos predicados se refieren a cada miembro de una clase, pero otros se refieren solo a la clase en sí. "Los hombres son mortales" atribuye la mortalidad a los seres humanos como individuos. "Los hombres son numerosos", sin embargo, aplica la "numerosidad" a toda la raza, no a todos los hombres.

Los ejemplos teológicos de esta falacia incluyen lo siguiente. (A) "Joe es adúltero, por lo tanto, su congregación es adúltera". ¡La gente a veces razona de esa manera! (B) "El pastor A tiene una visión herética; es miembro de la denominación X; por lo tanto, la denominación X tiene una visión herética."

(19) DIVISIÓN

Esto es lo contrario de la última falacia. Aquí se argumenta que lo que es cierto para el conjunto (o la colección) también lo es para las partes (o miembros). Por lo tanto, se podría argumentar que como un auto es pesado, debe tener un encendedor pesado. O porque una arboleda es espesa, cada árbol de esa arboleda debe ser espeso. Uno podría confundir los predicados de una clase con los predicados de los individuos, como en este argumento engañoso: "Los indios americanos están desapareciendo; Joe es un indio americano; por lo tanto, Joe está desapareciendo."

Entre los ejemplos teológicos se incluyen los siguientes:

(A) "Cristo ordena a su iglesia que evangelice a todo el mundo; yo soy miembro de la iglesia; por lo tanto, Cristo me ordena que evangelice a todo el mundo". Mucho dolor es causado por los pastores que toman órdenes en la Biblia que están destinadas a la iglesia como un todo en su conjunto y las imponen a los individuos, como si cada individuo tuviera que hacer todo el trabajo por sí mismo. Así los individuos son llevados a pensar que deben orar todo el día, evangelizar sus vecindarios, convertirse en expertos en las Escrituras, cristianizar las instituciones de la sociedad, alimentar a todos los pobres del mundo, y así sucesivamente. ¡No! Esos mandatos son para la iglesia en su conjunto, y los individuos contribuyen a estos propósitos de acuerdo con sus dones particulares (Ro. 12; 1 Co. 12-14).

(B) "El Antiguo Testamento testifica de Cristo; 1 Crónicas 26:18 está en el Antiguo Testamento; por lo tanto, 1 Crónicas 26:18 testifica de Cristo". En un sentido esto es cierto, pero no en el sentido de que se podría predicar a Cristo solo desde ese versículo, ignorando todos los demás. Este tipo de error lleva a los predicadores a leer en un texto todo tipo de significados tipológicos inválidos.

(C) La Teología del Proceso (como en Whitehead, Hartshorne, Cobb) está, se podría decir, basada en la falacia de la división. Su argumento central parece ser que, puesto que la naturaleza y la vida humana están "en proceso", en constante cambio, por lo tanto, los componentes más pequeños del mundo (las "ocasiones reales") también deben estar en constante cambio - una especie de cambio, además, que refleja las características de esos cambios que experimentamos en la vida ordinaria. No veo ninguna necesidad en absoluto en este razonamiento.

A menudo, las partes tienen cualidades que también son compartidas por el todo. Argumentos como los de (19) y (18) nos ayudan a ver eso. Pero no siempre es así. Por lo tanto, no se puede depender de este tipo de argumento para producir una conclusión válida y sólida.

(20) NEGANDO EL ANTECEDENTE

Por último, debemos echar un vistazo a un par de falacias que suelen tratarse bajo la rúbrica de la lógica formal. Hasta ahora, hemos tratado con falacias informales, falacias que surgen del mal uso del lenguaje ordinario. Solo unos pocos tipos de falacias se han reducido en realidad al simbolismo lógico, dos de las cuales son "negar el antecedente" y "afirmar el consecuente". La falacia de "negar el antecedente" tiene la siguiente forma: "Si p, entonces q. No p; por lo tanto, no q." "P" y "q" son "variables propositivas". Por lo tanto, cualquier proposición puede ser sustituida por "p", cualquier otra proposición por "q". Por ejemplo: "Si Bill es un presbiteriano, cree en la elección; Bill no es presbiteriano, por lo tanto, no cree en la elección". Deberías ser capaz de ver intuitivamente que este argumento falla. Incluso si las premisas son verdaderas, la conclusión puede ser falsa.

(21) AFIRMANDO EL CONSECUENTE

Este argumento tiene la siguiente forma: "Si p, entonces q; q; por lo tanto p." Por ejemplo: "Si llueve, el picnic se cancela; el picnic se cancela; por lo tanto, está lloviendo". Podemos ver que este argumento es inválido. La cancelación del picnic puede haber ocurrido por razones distintas a la lluvia. A veces esta falacia y (20) puede ser muy creíble. Tomemos, por ejemplo, este ejemplo: "Si Rut cree, entonces es regenerada; ella es regenerada; por lo tanto, ella cree". Ese ejemplo parece más persuasivo que nuestro ejemplo de la lluvia y el picnic, pero es la misma falacia. La razón por la que el segundo ejemplo parece más creíble es que la regeneración y la fe se implican mutuamente. Si tienes una, tienes la otra (no aquí teniendo en cuenta las complicaciones de la regeneración en los niños). Por lo tanto, también es cierto que, si Rut es regenerada, Rut cree. Y de esa premisa se desprende la conclusión en cuestión. El argumento citado, por lo tanto, parece plausible porque se asemeja mucho a otro que es válido.

Para resumir, aquí están algunos de mis pensamientos sobre las falacias lógicas. A) En general, por supuesto, deben ser evitadas. Dios nos llama a pensar de acuerdo a la verdad, y eso implica que no debemos presentar un argumento como convincente cuando en realidad no lo es, ya que hacerlo es una forma de engaño. (B) Sin embargo, las falacias no son del todo inútiles. (1) A veces tienen un propósito válido, como vimos antes en *ad hominem,* por ejemplo. (2) A veces constituyen argumentos incompletos, argumentos que serían sólidos si se añadieran premisas adicionales. Por lo tanto, debemos tratar de "leer entre líneas" los argumentos teológicos para ver si los argumentos aparentemente inválidos pueden ser mejorados de manera que produzcan verdad. 3) Y los argumentos inválidos, como el argumento *ad baculum,* por ejemplo, nos enseñan algo sobre los sistemas de pensamiento -y los adherentes a esos sistemas- que producen los argumentos. Nos ayudan a ver lo que se presupone.

CAPÍTULO NUEVE: LA PERSPECTIVA SITUACIONAL: LA HISTORIA, LA CIENCIA Y LA FILOSOFÍA COMO HERRAMIENTAS DE LA TEOLOGÍA

A. HISTORIA

El cristianismo es una religión de carácter histórico. Es, entre otras cosas, un mensaje sobre eventos que tuvieron lugar en el tiempo y el espacio; y en este sentido, el cristianismo es único entre las religiones del mundo. Otras religiones solo buscan comunicar verdades eternas, doctrinas y principios éticos que son verdaderos, aparte de la ocurrencia o no de cualquier acontecimiento histórico. El cristianismo también enseña algunas verdades eternas (la existencia de Dios, sus atributos, su naturaleza trinitaria, etc.), pero se centra en los acontecimientos históricos de la encarnación, muerte, resurrección y ascensión de Jesús y la venida del Espíritu en Pentecostés. Inevitablemente, por lo tanto, el cristianismo está involucrado con la historia. Hace afirmaciones históricas, busca la verificación histórica e intenta repeler las críticas de los historiadores anticristianos. Las historias de milagros son una vergüenza para los budistas sofisticados, pero los milagros son la sangre vital del cristianismo. De hecho, su mensaje central es sobre un milagro, la vida, muerte y resurrección milagrosa de Jesucristo.

La iglesia también es histórica, un organismo vivo que existe a lo largo de los siglos. Su "crecimiento" no es solo el crecimiento de los individuos que la componen; se desarrolla también por un principio de crecimiento corporativo, por encima y más allá de sus miembros individuales (ver capítulo 5, C, (6)). Dios ha impulsado ese crecimiento a través de acontecimientos históricos: períodos de persecución, períodos de prosperidad, enriquecimiento y declive doctrinal, y el auge y la caída del culto, la evangelización y la conciencia social. Él ha dado maestros a la iglesia a los que debe prestar atención, aunque muchos ya no viven. Por esas razones, es importante para la iglesia refrescar su memoria corporativa, escuchar a sus maestros, construir sobre sus éxitos, sacar provecho de sus errores. Hacer eso implica un estudio histórico.

Así, tres tipos de historia son especialmente importantes para los cristianos: la historia registrada en las propias Escrituras, la historia del mundo antiguo en el que tuvieron lugar los eventos de la redención, y la historia de la iglesia. La primera de ellas fue discutida anteriormente (ver capítulo 6, E, (2)). Las otras dos ocuparán nuestra atención aquí.

(1) HISTORIA-ARQUEOLOGÍA ANTIGUA

No soy especialista en ninguna de estas áreas, y hay muchos artículos y libros sobre estos temas por personas que sí lo son. Por lo tanto, seré breve. La historia antigua y la arqueología son disciplinas importantes que nos ayudan a entender el significado de la Biblia y a verificar su fiabilidad. En la segunda función de esas disciplinas, los datos históricos se convierten en parte de un "amplio círculo" que confirma las presunciones de la fe cristiana. Esos supuestos cristianos, a su vez, sirven como el último criterio de verdad del historiador. Justifican sus juicios históricos sobre la selección y evaluación de las pruebas. El historiador cristiano nunca puede tomar una posición religiosamente neutral, no importa cuántos filósofos de la historia le digan que la neutralidad es imprescindible para los hombres modernos.

En su tarea como herramienta hermenéutica, la historia antigua estudia el uso de términos bíblicos, de frases y oraciones dentro y fuera de las Escrituras, y los paralelismos con estas expresiones en otros idiomas. Estudia las costumbres antiguas, los acontecimientos históricos extrabíblicos y los escritos extracanónicos como "contexto" en el que comprender el material bíblico (véanse los anteriores debates sobre el contexto en el capítulo 6, A y C). También esta disciplina está obligada a operar sobre los presupuestos cristianos, y si lo hace, no tenemos motivos para temerle.

A veces nos preocupamos con razón de que un erudito no utiliza la Escritura sino su comprensión de las culturas antiguas como su norma. A veces nos preocupa también que tal erudito pueda estar haciendo demasiado de los patrones extrabíblicos en su exégesis, forzando a la Biblia a decir lo que dicen los documentos babilónicos o egipcios o ugaríticos o hititas. Esto es un peligro real, por supuesto, y a veces sucede. Pero la respuesta a este peligro no es prohibir el uso de tal material en la erudición bíblica, porque no podemos, después de todo, prescindir de él. Ignorar el contexto histórico extrabíblico de la Escritura es negar el carácter histórico de los eventos redentores en sí mismos. La respuesta es más bien exigir la responsabilidad teológica de los eruditos bíblicos, no solo la ortodoxia en términos de adhesión a los credos de la iglesia, sino una continua sujeción a la Escritura en áreas no cubiertas por esos credos: epistemología histórica, presuposiciones y método.

(2) HISTORIA DE LA IGLESIA-TEOLOGÍA HISTÓRICA

El segundo tipo de historia con la que trataré es la historia de la iglesia postcanónica. En este sentido, debemos investigar los papeles de la tradición y los credos en la teología.

a. Tradición

La tradición, por supuesto, no es la norma definitiva para los protestantes, pero es importante. Incluye toda la enseñanza y la actividad de la iglesia hasta el día de hoy. Por un lado, como indiqué anteriormente, el cristiano tiene la obligación de escuchar a los maestros que Dios le ha dado a la iglesia durante los cientos de años de su existencia. Deben ser escuchados críticamente; queremos sacar provecho de sus errores, así como de sus logros. Por otra parte, sería tonto que tratáramos de construir nuestra teología desde la primera línea, por así decirlo, tratando de ignorar toda la tradición. Descartes lo intentó en la filosofía, pero sus sucesores han reconocido que nunca podemos empezar a pensar sin algunos preconceptos.

Aunque esos preconceptos pueden ser críticamente purificados, no podemos prescindir de ellos por completo. Por lo tanto, cuando tratamos de escapar de los lazos de la tradición, nos limitamos a sustituir un conjunto de preconceptos por otro. De hecho, lo que hacemos entonces es sustituir nuestros propios prejuicios mal concebidos por el pensamiento maduro de los maestros piadosos. Intentar empezar de nuevo ("solo yo y mi Biblia"), como muchas sectas han intentado hacer, es un acto de desobediencia y orgullo. El trabajo de la teología no es el trabajo de un individuo que busca obtener un conocimiento completo de Dios por sí mismo, sino el trabajo corporativo de la iglesia en el que los cristianos buscan juntos una mente común sobre las cosas de Dios (*cf.* capítulo 5, C, (6)).

b. Credos

Si tenemos la Biblia, ¿por qué necesitamos un credo? ¡Es una buena pregunta! ¿Por qué no podemos ser simplemente cristianos, en lugar de presbiterianos, bautistas, metodistas y episcopales? Bueno, ojalá pudiéramos serlo. Cuando la gente me pregunta qué soy, me gustaría decir, simplemente, "cristiano". De hecho, lo hago a menudo. Y cuando me preguntan qué es lo que creo, me gustaría decir con igual sencillez "la Biblia". Sin embargo, lamentablemente, eso no es suficiente para satisfacer la necesidad actual. El problema es que muchas personas que se llaman a sí mismas cristianas no merecen el nombre, y muchos de ellos afirman creer en la Biblia.

Así que cuando la gente pregunta qué enseña, por ejemplo, el Seminario de Westminster, no basta con decir la "Escritura". Aunque esa respuesta es cierta, no distingue al Seminario de Westminster de las escuelas de los Testigos de Jehová, los mormones u otros cultos, por no hablar de las otras ramas del cristianismo: bautistas, metodistas, etc. Debemos decirle a la gente lo que creemos. Una vez que lo hacemos, tenemos un credo.

De hecho, un credo es absolutamente ineludible, aunque algunas personas hablan como si pudieran tener "solo la Biblia" o "ningún credo excepto el de Cristo". Como hemos visto, "creer en la Biblia" implica aplicarla. Si no puedes poner la Biblia en tus propias palabras (y acciones), tu conocimiento de ella no es mejor que el de un loro. Pero una vez que la pones en tus propias palabras (y es irrelevante si esas palabras son escritas o habladas), tienes un credo.

Por supuesto, siempre existe el peligro de confundir tu credo con la Escritura, pero ese es el mismo peligro que enfrentamos en cualquier intento de hacer teología, distinguir nuestro trabajo del de Dios. Ese es un peligro que debe ser enfrentado, y que no es evitado por un iluso eslogan de "no hay credo sino Cristo". No enfrentarlo es no aceptar nuestra responsabilidad como embajadores de Cristo.

c. Ortodoxia y Herejía

Si es necesario tener un credo, podemos razonar, entonces encontremos uno que sea perfecto; encontremos uno que exprese perfectamente la ortodoxia bíblica. Desafortunadamente, esa búsqueda será en vano. No hay un credo perfecto, y nunca lo habrá. Un credo perfecto tendría necesariamente la misma autoridad que las Escrituras, y eso nunca puede ser. De hecho, la propia Escritura es el único credo perfecto. Así que, si pedimos un credo con palabras que son diferentes a las de la Escritura y si exigimos la perfección en ese credo, entonces estamos, en efecto, buscando mejorar la Escritura. Del mismo modo, no se puede establecer de una vez por todas un criterio definitivo para la ortodoxia. Si tales criterios fueran definitivos, entonces estarían a la par de la Escritura. Más bien, los criterios de este tipo son siempre aplicaciones de la Escritura a diversas situaciones; y las situaciones cambian.

Así también cambian los criterios de la ortodoxia. En tiempos de Justino Mártir (siglo II), se permitieron algunas formulaciones trinitarias que habrían sido consideradas heréticas después del Concilio de Constantinopla en el año 381 d.C. Por supuesto, en los tiempos de Justino, pocas personas tenían un concepto realmente claro de la Trinidad. Dios enseñó a su iglesia poco a poco, como nosotros enseñamos a nuestros hijos, y como Dios enseña a los individuos. Pero en el año 381 d.C., ya se había estudiado bastante, de hecho, ya se había luchado bastante, para que la iglesia tuviera una idea clara de lo que la Biblia enseñaba sobre la doctrina de la Trinidad. Aun así, quedaba mucho por aprender en otras áreas. Hubo pocas declaraciones claras de justificación por la fe, si es que hubo alguna, por ejemplo, hasta 1517 d.C. Esto significa que los criterios de la ortodoxia en el año 381 d.C. eran adecuadamente más detallados que los del año 80 o 150 d.C. y que los del año 1648 eran aún más detallados. Suena extraño hablar de que los criterios de la ortodoxia cambien, pero lo hacen, y deberían hacerlo. Tales cambios son índices de la madurez de la iglesia, de lo que Dios ha enseñado a su pueblo.

Este proceso de enseñanza generalmente procede por un patrón de desafío y respuesta, para hacer eco del historiador Arnold Toynbee. Los grandes credos son respuestas a la herejía. Hablando correctamente, un hereje no es un cristiano que comete un error doctrinal o práctico —la gente que comete tales errores es tratada muy gentilmente por Jesús (Jn. 4) y Pablo (Ro. 14; 1 Co. 8-10)— sino una persona que desafía el evangelio en su esencia (Gá. 1:6-9; 1 Jn 4:2s.), buscando ganar al resto de la iglesia a su posición. La iglesia debe responder y ha respondido a tales desafíos. Respondió al arrianismo con el Credo Niceno y Constantinopolitano, a los

Eutiquianos y Nestorianos con la Declaración de Calcedonia, a los Arminianos, sectarios y Católicos Romanos con las confesiones de la Reforma.

Hay una necesidad de nuevos credos hoy en día, para que los cristianos confiesen su fe de nuevo contra las herejías modernas. Hay nuevas herejías en la teología (que, por supuesto, solo son viejas con nueva terminología, con nuevas inclinaciones) y también en aquellas ramas de la teología (!) conocidas como política, economía, filosofía y ciencia. Y las iglesias reformadas han aprendido mucha teología desde las confesiones de la Reforma. Han aprendido mucho sobre pactos, inerrancia bíblica, historia de la redención, epistemología cristiana, apologética, ética personal y asuntos sociales.

Sin embargo, tal vez sea imposible escribir ningún credo serio hoy en día. El mayor obstáculo, en mi opinión, es la desunión de la iglesia. Un credo adecuado representa un amplio consenso de los cristianos, y tal consenso no parece ser alcanzable ahora. Esa es otra razón por la que la unión de la iglesia es una prioridad tan urgente (*cf.* capítulo 5, C, (6)). Y si la unión de la iglesia debe preceder a la escritura de credos significativos, quizás sería mejor abstenerse de la escritura de credos por el momento. Porque en el contexto actual, los credos nuevos constituyen un obstáculo para la unión y, por lo tanto, irónicamente, un obstáculo para un trabajo de creación de credos realmente significativo.

d. Progreso en la teología

Mencioné anteriormente que las iglesias reformadas han continuado aprendiendo nuevas cosas de la Palabra de Dios desde la Reforma. Por lo tanto, existe tal cosa como "progreso teológico" o "progreso de la doctrina". El concepto de progreso teológico puede ser malinterpretado tanto por los liberales como por los conservadores. Los liberales, por un lado, típicamente entienden el progreso como una creciente vaguedad en el compromiso, junto con la rápida aceptación del pensamiento de moda en la filosofía y la ciencia. Los conservadores, por otra parte, suelen entender el progreso teológico (si es que aceptan la idea en absoluto) como una marcha hacia declaraciones cada vez más precisas de la doctrina o como un progreso hacia una verdad objetiva libre de influencias subjetivas. Una posición bíblica, según pienso, repudia ambos conceptos de progreso teológico.

El concepto liberal representa una negación de la enseñanza bíblica, el conservador (en el mejor de los casos) un malentendido de la misma. La Escritura no nos exige una precisión absoluta, una precisión imposible para las criaturas (ver capítulo 7). De hecho, la Escritura reconoce que, en aras de la comunicación, la vaguedad es a menudo preferible a la precisión. Además, el tipo de conservadurismo que se discute a menudo trata de ser más preciso que la propia Escritura, añadiendo así a la Palabra de Dios y creando una forma moderna de fariseísmo. La teología tampoco es un intento de establecer la verdad sin ninguna influencia subjetiva en la formulación. Tal "objetividad", como la "precisión absoluta", es imposible y no sería deseable si se pudiera lograr (*cf.* capítulo 3).

Nuestra concepción de la teología como aplicación nos ayudará a formarnos una mejor visión del progreso teológico. La teología progresa a medida que aprende a aplicar la Palabra de Dios a cada situación que encuentra, y hemos visto pruebas de ello a lo largo de la historia de la iglesia. Los grandes avances en la comprensión teológica se producen cuando la iglesia responde creativa y fielmente a situaciones difíciles sobre la base de las Escrituras.

La fe reformada está especialmente bien equipada para hacer progresos teológicos. En la fe Reformada, el concepto de aplicación no es una amenaza a la sola scriptura, porque los calvinistas creen en una amplia revelación de Dios en las Escrituras, el mundo y el yo. Todo lo revela, porque todo está bajo su control, autoridad, y presencia. Tampoco los calvinistas deben ser agobiados con ninguna demanda de absoluta precisión u objetividad. La fe Reformada tiene una visión clara de la distinción entre el Creador y la criatura; solo Dios tiene un conocimiento perfectamente preciso y perfectamente objetivo (aunque incluso para Él, tal conocimiento no está desprovisto de subjetividad).

Por lo tanto, de todas las formas de protestantismo, la teología reformada ha sido una de las que más éxito ha tenido en "contextualizar". La teología reformada tiene raíces profundas en muchos lugares: Suiza, Alemania, Francia (antes de que fuera brutalmente perseguida allí), Italia (muchos de los sucesores de Calvino eran de origen italiano), los Países Bajos, los países de habla inglesa, Hungría y Corea. La contextualización aplica la Escritura a la experiencia de una cultura particular para que su mensaje sea mejor comprendido allí. Al igual que la apologética, la contextualización se enfrenta al peligro de distorsionar la fe para hacerla más aceptable para aquellos a los que trata de llegar, pero no tiene por qué ser así, especialmente dadas las presunciones reformadas. Más bien, el progreso que hace la teología constituye en sí mismo es un progreso en la contextualización de su mensaje.

La teología reformada también ha hecho un progreso excepcional en el sentido más común de aprender nuevas cosas de las Escrituras. Sin embargo, estos descubrimientos también son aplicaciones o contextualizaciones, respuestas a preguntas actuales. La teología luterana no ha cambiado mucho desde el siglo XVII, ni tampoco la Arminiana. Pero el calvinismo ha desarrollado nuevas comprensiones de los pactos, de la historia de la redención, de la inerrancia bíblica, de la apologética, de la enciclopedia teológica, y de las relaciones del cristianismo con la política, la economía, la educación, las artes, la literatura, la historia, la ciencia y la ley. Ese progreso se ha producido porque la creencia en la soberanía de Dios libera al calvinista para explorar la plenitud de la revelación de Dios en las Escrituras y la creación.

e. Suscripción

Ese concepto de progreso teológico plantea de nuevo la cuestión de cuán estrechamente debemos estar ligados a nuestro pasado. Es cierto que los credos y las confesiones son necesarios, pero ¿qué clase de lealtad les debemos, dado nuestro deseo de ir más allá de ellos hacia nuevas aplicaciones?

Claramente, un credo extra escritural no es infalible, excepto en la medida en que aplique las Escrituras con precisión. Pero no tenemos forma de determinar infaliblemente cuándo lo hace. Sin embargo, un credo debe tener alguna autoridad, porque de otra manera no puede hacer su trabajo de representar las convicciones de un cuerpo de creyentes. Por lo tanto, nuestra actitud hacia nuestros credos no debe ser de indiferencia. Tampoco debe ser una actitud de suscripción a cada pizca de un credo, una actitud que nos obliga a apoyar cada proposición enseñada en una confesión. ¿Por qué? Porque si se nos exige esa actitud hacia los credos y confesiones, nunca podrían ser enmendados; cualquiera que abogara por un cambio sería automáticamente un quebrantador de juramentos y sujeto a la disciplina. Para evitar que usurpen el papel y la autoridad de las Escrituras como la norma última de la iglesia, los credos y las confesiones deben ser enmendables.

Las iglesias presbiterianas han abordado este tema usando votos ministeriales que no hablan de ninguna suscripción de "jotas y tildes" (es decir a las mismas palabras) sino de la suscripción al "sistema de doctrina" enseñado en la Confesión de Fe de Westminster y sus catecismos. "Sistema de doctrina" es una expresión imprecisa que ha dado lugar a muchos debates sobre lo que pertenece propiamente al sistema.[1] La falta de claridad en este concepto ha llevado a algunos a instar a la iglesia a definir (¡precisamente!) de una vez por todas lo que pertenece al sistema y lo que no. Con razón, la Iglesia se ha negado sistemáticamente a hacerlo. Porque si alguna vez definiera el "sistema" de manera precisa, de una vez por todas, estaría exponiendo ese sistema como una autoridad absoluta e inamovible. Y para hacerlo,

---

[1] Véase el capítulo 6, E, (3) para más información sobre el concepto de "sistema".

en efecto, se requeriría una "suscripción a las jotas y tildes" si bien a un credo algo abreviado. Así parece que aquí, como en otras partes de la teología, debemos estar satisfechos con la imprecisión.

El "sistema de doctrina" no es, sin embargo, un concepto totalmente inútil. Exigir la suscripción al "sistema" significa que el que toma el voto debe aceptar la confesión como su propia confesión, en general, con algunas reservas menores, si es necesario. Si sus reservas son menores o mayores (es decir, si transgreden el "sistema") es algo que en última instancia deben decidir los tribunales de la iglesia. El "sistema", entonces, se redefine para cada caso específico. El "sistema" significa lo que una sesión, presbiterio o asamblea general particular dice que significa. Mientras esos tribunales estén bajo la autoridad de la Palabra de Dios y por lo tanto bajo la guía de su Espíritu, probablemente no cometerán demasiados errores. No hay garantías de un juicio perfecto aquí, pero esa es la naturaleza de la vida en un mundo finito y pecaminoso.[2]

f. Confesión y teología

Algunos han tratado de establecer una aguda distinción entre la confesión y la teología, especialmente aquellos que están bajo la influencia de la distinción de Dooyeweerd entre el pensamiento preteórico y el teórico.[3] Como con esta última distinción, la distinción entre confesión y teología no está clara para mí. Aparentemente, la "confesión" es considerada como un conocimiento preteórico de algún tipo y la "teología" como una especie de teoría. La distinción se suele invocar en favor de una reivindicación de la libertad académica, como en "estamos obligados en cuestiones 'confesionales' pero libres en cuestiones 'teológicas'". Sin embargo, hay que hacer varios puntos.

A) Hay, por supuesto, una distinción legítima entre los asuntos sobre los que una confesión toma o no una posición. La disciplina formal de la iglesia, a mi juicio, está debidamente limitada a la primera categoría, y eso solo en términos de la "imprecisión" descrita en e, arriba.

---

[2] Incluso con la suscripción de "jotas y tildes" (a las mismas palabras), los tribunales de la iglesia tendrían que hacer juicios (falibles) sobre si alguien estaba interpretando correctamente las "jotas y tildes" a los que se ha suscrito. No está claro, por tanto, que la suscripción "estricta" nos dé una mayor objetividad de juicio que la suscripción al "sistema de doctrina".

[3] Ver mi: *The Amsterdam Philosophy* (Phillipsburg, N.J.: Harmony Press, 1972).

(B) Todas las confesiones y credos, sin embargo, son ejemplos de teología, y toda la teología representa la confesión personal del teólogo. La distinción "preteórica versus teórica" no es tajante.[4]

(C) La teología está vinculada (con las calificaciones señaladas en e) a sus normas confesionales; su carácter "teórico", sea cual fuere, no la exime de esa responsabilidad.

g. Historia de la Iglesia y teología histórica

El historiador de la iglesia busca no solo contar "lo que pasó" en el pasado de la iglesia, sino también interpretar, analizar y evaluar esos eventos, esos hechos. El análisis consciente, la evaluación y la interpretación son necesarios porque no hay "hechos puros", hechos que de alguna manera "hablan por sí mismos". Todos los hechos de los que hablamos se interpretan, por definición, en mayor o menor medida.

El historiador de la iglesia se ocupa tanto de los acontecimientos de la historia de la iglesia como de la historia de la doctrina (es decir, la "teología histórica"), las ideas de los teólogos (y herejes), las formulaciones de los credos y confesiones, y el desarrollo del consenso teológico sobre diversos asuntos, tanto si se expresan confesionalmente como si no. Aquí, como en la historia de la redención, las palabras y los acontecimientos van juntos. Dios ha levantado maestros para la iglesia durante muchos años, pero sus enseñanzas no pueden ser comprendidas completamente "solo de palabra".

Los significados de las palabras se encuentran en sus aplicaciones, en lo que la gente hace con ellas. Por lo tanto, es importante saber no solo lo que dicen nuestros maestros, sino también lo que hacen con sus convicciones. La historia de la Iglesia ilumina la teología al contar las palabras de los maestros en sus contextos de vida. Nos muestra cómo los maestros de la iglesia se comportaron bajo presión, cómo sus vidas eran o no coherentes con su enseñanza. Muestra cómo la enseñanza del Evangelio se arraigó (o no se arraigó) en la vida de los gobernantes, los agricultores, los comerciantes, los soldados, los pobres y los desamparados.

Como tal, la teología histórica es propiamente una forma de teología. Es una aplicación de la Palabra de Dios, ya que esa Palabra es el criterio de evaluación del historiador. Aplica la Palabra al pasado de la iglesia para la edificación del presente, y por lo tanto también aplica la Escritura a la iglesia del presente. Y al aplicar así la

---

[4] Ibid.

Palabra, revela su significado de maneras nuevas y emocionantes, al ver cómo nuestros antepasados aplicaron la Escritura a una amplia variedad de situaciones.

h. Dogmática

La dogmática es un sinónimo de teología sistemática. En muchos contextos, los dos términos son intercambiables. Los teólogos de origen europeo (especialmente continental) tienden a utilizar la palabra dogmática; la teología sistemática es más común entre los escritores norteamericanos. (Sin embargo, hay excepciones en este caso: Wilhelm Herrmann y Paul Tillich escribieron "teologías sistemáticas", pero W. G. T. Shedd escribió una teología dogmática).

Aunque los dos términos son bastante sinónimos, hay a veces, al menos, una diferencia de matiz entre ellos, una diferencia que revelará la razón por la que discuto el asunto en este punto. La dogmática a veces transmite la idea de que la teología es una conversación entre el teólogo y la tradición de la iglesia — especialmente entre el teólogo y los credos de la iglesia (dogmas). La teología sistemática tiende a veces a connotar un diálogo entre el teólogo y la propia Escritura, sin que ninguno de los dos aspectos excluya al otro. La dogmática se basa (o debería basarse) en la Escritura como su autoridad última; la teología sistemática es (o debería ser) responsable ante las confesiones de la iglesia. Los dos matices, sin embargo, representan diferentes énfasis, o quizás diferentes imágenes, diferentes modelos de trabajo de la teología. En última instancia, si se hace correctamente, los dos conceptos coincidirán como puntos de vista "perspectivos" sobre una sola disciplina; pero habrá diferencias en el método, en la presentación, en el lenguaje y en los procesos de pensamiento por los que se practica esa única disciplina.

El modelo de "dogmática" -teología en diálogo con su tradición- es valioso en varios sentidos. Principalmente, presenta una advertencia contra el individualismo y el orgullo, contra la noción de que podemos construir la teología desde la primera piedra, solo el teólogo y su Biblia. Sin embargo, al tratar de preservar los valores de este modelo, tiendo a preferir el otro (a pesar de que "teología sistemática" es un término equivocado (véase el capítulo 6, E, (3)). El modelo "dogmático" tiene una serie de debilidades que, a mi juicio, superan en número y en importancia a sus ventajas.

i) Quienes consideran la teología como un diálogo con la tradición corren el peligro de caer en la irrelevancia, primero, al preocuparse por temas que antes eran de gran interés pero que ya no lo son (por ejemplo supralapsarianismo, la relación de la esencia con la existencia en los ángeles, etc.), y en segundo lugar, al pasar por alto temas de gran interés en la actualidad que no se trataban explícitamente en la tradición confesional (por ejemplo, la crisis de trascendencia, la naturaleza de la historia, la naturaleza de un "acto de Dios", el lenguaje religioso, las funciones del lenguaje bíblico, las presuposiciones, la justicia racial, la liberación económica). Hay valor, por supuesto, en echar un vistazo, al menos, a los "temas obsoletos". Los temas obsoletos tienen una forma de volver en nuevas formas. (Solía enumerar la tricotomía como un "tema obsoleto", pero ahora escucho de un número de maestros cristianos que le dan un papel muy central en su teología a la tricotomía). Y no quisiera decir que la teología debe ser determinada enteramente por las preguntas que la gente moderna se hace. Sin embargo, si la teología es aplicada, debe responder a esas preguntas, entre otras. Por lo tanto, una teología del siglo XX debe ser muy diferente de una teología del siglo XIX. No debería ser lo mismo, con otros cien años de tradición añadidos.

ii) El modelo "dogmático" puede conducir a una sofocación de la creatividad en la teología, a una imitación servil de los métodos más antiguos de presentación de las ideas teológicas. "La teología como aplicación" abre mucho espacio para nuevos enfoques en la forma, el estilo, los modelos y las preguntas, así como en el contenido. Permite utilizar todas las formas de enseñanza que se encuentran en la Escritura (poesía, narración, letra, parábola, canción, lección objeto, dramatización, así como "tratado teológico"), y, de hecho, otras adicionales, cualquier forma que no contradiga ni oscurezca el mensaje de la Escritura.

iii) La teología orientada a la tradición también corre el riesgo de fomentar una actitud acrítica hacia la tradición de la Iglesia, una tradición que a veces merece ser criticada y que, incluso en el mejor de los casos, debe mostrarse claramente subordinada a la Escritura.

iv) Esa teología también corre el peligro particular de caer en algunas de las falacias lógicas antes mencionadas. Véase especialmente el argumento comparativo ad hominem (capítulo 8, I, (3)) y las falacias causales (capítulo 8, I, (10)-(13)). También existe la falacia de confundir la descripción histórica con la enseñanza autorizada. A menudo un escritor planteará un problema teológico y luego tratará de resolverlo, no por medio de la exégesis de la Escritura sino describiendo varias respuestas históricas al mismo. A veces se tiene la impresión en algunos círculos de que debemos resolver los problemas teológicos contando cabezas entre los puritanos. G. C. Berkouwer, también, a menudo deja al lector en duda si está discutiendo su propio punto de vista o simplemente describiendo la historia de una controversia. Expresiones como "se dijo" o "se discutió la cuestión" abundan en sus escritos, y a veces hay que leer entre líneas para ver lo que Berkouwer está realmente defendiendo. Y una vez que uno lo descubre, a menudo es difícil ver por qué elige una posición histórica en lugar de otra. Parece estar haciendo teología sistemática bajo la apariencia de teología histórica.

Esa falacia está relacionada con lo que en ética se llama la "falacia naturalista", la falacia de deducir los deberes éticos de los hechos del mundo, de deducir lo que "debería de ser". Para un cristiano, esta práctica no siempre es una falacia. Las normas y los hechos se relacionan de manera perspicaz; no se puede conocer un hecho sin conocer al mismo tiempo algún "deber" ético (*cf.* la primera parte anterior, también la segunda parte, passim). Pero una ética no cristiana, que considera los hechos del mundo como éticamente neutros, corre efectivamente el peligro de cometer esta falacia. Trata de derivar valores de hechos sin valor, y eso no puede hacerse. Ahora bien, aunque el problema de Berkouwer está relacionado con la falacia naturalista, no es lo mismo. Berkouwer es cristiano, y cree que los hechos de la historia están cargados de valores. El problema en Berkouwer y en otros escritores no es que deriven normas de las descripciones, sino que no muestran cómo la norma surge de la descripción. En estos contextos, es necesario que las escrituras se incluyan de manera más explícita como criterio de evaluación histórica. Si se hace esto, el método de la teología histórica puede ser de gran valor para la sistemática o la dogmática.

v) Por último, el modelo "dogmático" puede inducir a error a los teólogos y a sus lectores sobre la naturaleza de la teología. Puede sugerir que la teología es un cuerpo de información que ha aumentado de manera más o menos constante desde el primer siglo hasta ahora y que debe transmitirse intacto a la siguiente generación, es decir, la teología como acumulación.

Thomas Kuhn en *La Estructura de las Revoluciones Científicas* (The Structure of Scientific Revolutions)[5] ha atacado ese cuadro con respecto a la ciencia en general. Él argumenta que la ciencia no progresa por acumulación uniforme. En cambio, Kuhn sostiene que un "paradigma", o modelo maestro, adquiere ascendencia sobre otros, acumula verificación detallada y finalmente es derrocado por un paradigma competidor que reordena todos los datos del paradigma derrocado. Asimismo, la teología progresa por revolución (o cataclismo), así como por acumulación. El paradigma de Orígenes fue reemplazado por el de Agustín, que fue sustituido por el cristianismo aristotélico de Aquino, que fue derrocado por el paradigma de la Reforma, que ha sido en gran medida suplantado (¡confío en que no de forma irreversible!) por diferentes formas de modernismo.

---

[5] Chicago: University of Chicago Press, 1970.

Pero incluso aparte de los argumentos de Kuhn, el modelo de acumulación debe ser desafiado. La teología no progresa por acumulación sino por aplicación. En un sentido, ni siquiera necesita acumular verdades, porque las verdades se dan de una vez por todas en la Escritura. La tarea de la teología, por lo tanto, no es decir nada nuevo sino aplicar lo que dice la Escritura a situaciones nuevas. Así pues, las "acumulaciones" de la teología son, a lo sumo, acumulaciones de aplicaciones.

Si estoy en lo cierto, esto implica que no toda la teología pasada debe ser transmitida a las generaciones futuras. Nuestro trabajo como teólogos es aplicar las Escrituras a las situaciones actuales. Ese debe ser el foco de nuestro esfuerzo. Si algunos logros teológicos pasados son relevantes para este propósito, entonces deben ser mencionados. Si no, podemos legítimamente dejarlos de lado. No se trata de que uno deba aprender la teología de Agustín antes de poder entender la de Calvino (por muy útil que sea) o que uno deba aprender la de Calvino antes de poder entender lo que Dios está diciendo hoy en día. Por lo tanto, el teólogo debe tomar decisiones críticas sobre lo que es importante que su audiencia aprenda. (Por supuesto, también debe distinguir entre lo que necesitan saber y lo que quieren saber, entre lo que es importante para ellos y lo que piensan que es importante). No puede descargar sobre los estudiantes del siglo XX todo el peso de la teología del pasado de forma simple y sin crítica.

B. CIENCIA

Ya hemos considerado una serie de instrumentos teológicos que pueden llamarse ciencias, ciencias del lenguaje, lógica e historia (véase también algunas consideraciones generales sobre la relación del cristianismo con la ciencia en el capítulo 3, B).

Aquí deseo hacer la observación general de que, como la lingüística, la lógica y la historia, todas las ciencias nos ayudan a aplicar y por tanto a interpretar la Escritura. Es cierto que muchas ciencias, quizás todas, hoy en día están dominadas por presuposiciones incrédulas, y por lo tanto debemos dedicar mucho esfuerzo a separar el trigo de la paja. Pero una vez que estamos operando claramente en el terreno bíblico, podemos aprender mucho de las ciencias.

(1) Las ciencias nos llevarán a veces a reconsiderar la verdad, no de la Escritura, sino de nuestras interpretaciones de la Escritura. Galileo y otros llevaron a la iglesia a reconsiderar su punto de vista de que la Escritura enseñaba el geocentrismo. En mi opinión, eso fue algo bueno, algo que la iglesia debería haber hecho antes, en lugar de disciplinar a los heliocentristas. Los geólogos que creen en

una "tierra vieja" han llevado a los teólogos a reconsiderar su exégesis de Génesis 1-2, convenciendo a algunos estudiosos evangélicos y reformados a interpretar las indicaciones temporales de estos capítulos de forma figurativa. En este momento, no sé dónde está la verdad en ese asunto. Pero la discusión es apropiada. Los geólogos pueden resultar estar equivocados (como argumenta la Sociedad de Investigación de la Creación), pero hasta que eso se demuestre a satisfacción de la mayoría de los cristianos, debemos considerar al menos la posibilidad de una revisión de la exégesis.

Considere un ejemplo de la psicología. El interés psicológico por fomentar una "buena imagen de sí mismo" ha influido, creo, en una tendencia a alejarse de la teología del "miserable-pecador". Cada vez es más evidente que el Nuevo Testamento no llama a los creyentes "pecadores", aunque reconoce que sí pecan (1 Jn. 1:8-10). Incluso en el peor de los casos, los cristianos son santos de Dios: lavados, santificados y justificados. El pecado no tiene dominio sobre ellos. Así, los antiguos himnos en los que los salvos siguen confesando que son gusanos y miserables ya no parecen tan apropiados como antes. Este desarrollo no se ha producido como una "concesión a la psicología secular" sino debido a una relectura de la Escritura a la luz de las preguntas planteadas por la psicología. El proceso de relectura, por supuesto, siempre está en peligro de llevar a un acomodo, pero en muchos casos el proceso de mayor estudio de las Escrituras es edificante y útil. No necesitamos en absoluto aceptar todo lo que los psicólogos dicen sobre la imagen de sí mismo (yo ciertamente no lo hago) para repensar nuestra interpretación de la Escritura de esta manera.

(2) La ciencia también ayuda a la aplicación describiendo la situación a la que se aplica la Escritura. La ciencia médica nos da datos importantes sobre el niño no nacido que bien pueden influir en nuestro pensamiento sobre el aborto. Debemos saber qué es el niño no nacido para saber cómo se relacionan las Escrituras con él. (Por supuesto, las Escrituras también tienen algunas cosas que decir sobre lo que es el niño.) Del mismo modo, debemos saber lo que hace un DIU (Dispositivo Intrauterino) antes de saber si su uso es bíblicamente correcto o incorrecto. Para saberlo, debemos consultar a algunos especialistas médicos.

(3) Las ciencias también ayudan en la comunicación de la teología, no solo en el suministro de tecnología para la publicación y distribución de materiales teológicos, sino también en ayudarnos a escribir y hablar con más ayuda. Los estudios sociológicos de varias culturas pueden ayudarnos a contextualizar el evangelio para esas culturas. Esos estudios nos ayudan a ver qué lenguaje se entiende, qué no, qué transmite el contenido emocional apropiado, qué es ofensivo. De hecho, queremos ofender con la ofensa de la cruz; pero no queremos ofender de

manera innecesaria. Más bien, queremos "hacernos todas las cosas para todos los hombres, para que [podamos] salvar a algunos por todos los medios" (1 Co. 9:22). Tales estudios nos proporcionan leyendas, tradiciones, imágenes y memorias históricas conocidas por la gente con las que podemos establecer un contacto fructífero, utilizándolas para ilustrar, subrayar o contrastar el evangelio.

(4) ¿Es la teología en sí misma una ciencia? A lo largo de los años se ha derramado mucha tinta sobre esta cuestión, una cantidad a mi juicio desproporcionada para su importancia. Muchos teólogos han estado ansiosos por demostrar que la teología es una disciplina académicamente respetable. Realmente no me importa mucho si lo es o no. Si no lo es, ¡mucho peor para la academia!

La teología utiliza métodos científicos, como hemos visto anteriormente. No estoy seguro de que haya métodos científicos que sean distintivos de la teología o si los aspectos científicos de la teología se toman prestados de otras disciplinas. Tal vez se trate de una cuestión de enciclopedia, otra área en la que tengo poco interés (*cf.* Apéndice B, después de la primera parte).

En cualquier caso, también hay que decir que la teología no es solo una ciencia. Utiliza no solo los métodos de la ciencia, sino también los del arte, la literatura, la filosofía, el derecho y la educación. En efecto, como la teología debe ser vivida y hablada, utiliza todos los métodos con los que los seres humanos realizan las cosas en el mundo de Dios (véase mi crítica del paralelo teología/ciencia de Hodge en el capítulo 3, A, (2)).

(5) ¿Es la teología la reina de las ciencias? No en el sentido de que los teólogos son siempre más acertados que otros científicos. Los teólogos son tan falibles como otras personas. Y a menudo, como hemos visto, los astrónomos y geólogos y psicólogos pueden alertar a la teología de posibles errores en su lectura de las Escrituras. Pero hay otro sentido en el que la teología gobierna otras disciplinas. La teología expresa y aplica las presuposiciones finales del cristiano, que deben tener prioridad sobre todas nuestras otras ideas. En ese sentido, mi teología debe tener primacía sobre mi geología o mi psicología.

Un descubrimiento científico, como hemos visto, puede llevarme a cambiar mi interpretación de la Escritura en algún momento, aunque no puede en sí mismo dictar tal cambio. Pero si, después de reflexionar, determino que mi interpretación original de la Escritura era correcta y que todavía está en conflicto con los resultados aparentes de la ciencia, entonces debo seguir la Escritura. Esa, de hecho, era la situación de Abraham, según Romanos 4. Vio que humanamente hablando la promesa divina no podía cumplirse. Era demasiado viejo para tener un hijo, y su esposa era demasiado vieja para tener uno. Por lo tanto, tenía todas las razones "científicas" para decir que la promesa era imposible. Sin embargo, confió en la

Palabra de Dios, abandonando la obvia conclusión científica. En ese sentido, la teología de Abraham gobernaba su ciencia; la teología era "reina".

(6) Por un lado, la mayoría de los teólogos son reacios a reclamar tal estatus por su disciplina. De hecho, muchos tienen tan poco respeto por ella que regularmente capitulan ante cualquier moda científica que capture su imaginación. Es ciertamente apropiado culpar a la teología liberal con una venta al por mayor de la teología a la ciencia inconversa.

Por otro lado, la mayoría de los teólogos no están desprovistos de conciencia en este asunto, y la mayoría, incluso los más liberales, buscarían defenderse de la acusación de venta al por mayor. Bultmann, por ejemplo, negó que se estuviera vendiendo a la "visión moderna del mundo". A veces, incluso expresó su indiferencia sobre la cuestión de si esa visión del mundo es verdadera. Más bien, dijo, utilizó la visión del mundo moderno como una herramienta de comunicación para llegar al hombre moderno con el evangelio. En su opinión, no negaba el evangelio en absoluto, ya que el evangelio, tal y como él lo entendía, es neutral en la cuestión de la visión del mundo. Así podemos presentar el evangelio en fidelidad a las Escrituras sin afirmar la existencia de ángeles o la posibilidad de un milagro.

Ahora bien, a mi juicio, el punto de Bultmann es absurdo. Claramente, uno no puede ser fiel al evangelio y dejar abierta la posibilidad de que Jesús no resucitó de la muerte. Aun así, es interesante notar cómo Bultmann pensaba como lo hacía. Creía que no solo tenía una garantía científica para creer como lo hacía, sino también una garantía bíblica, una garantía teológica. Y para él, como teólogo cristiano, la orden teológica era mucho más importante. Si (Bultmann trató de convencer a sus lectores) las Escrituras no permitían su construcción, entonces no lo mantendría solo para estar de acuerdo con los científicos.

Ese tipo de postura es bastante común entre los teólogos liberales. La teología liberal, después de todo, solo tiene éxito en la medida en que puede convencer a la gente de su lealtad fundamental a la revelación cristiana. Una vez que pierde su credibilidad en ese sentido, se convierte en otra forma de pensamiento libre, como el Unitarismo o las asociaciones humanistas. La teología liberal solo tiene éxito cuando tiene alguna medida (aunque sea ficticia) de credibilidad cristiana. (En otras palabras, solo tiene éxito en la medida en que puede ser confundida con la ortodoxia evangélica).

Ese hecho, creo, es importante cuando tratamos con la teología liberal. A menudo estamos tentados (y normalmente tenemos razón) a descartar todo el proyecto como una capitulación a la ciencia secular. Pero no refutamos adecuadamente a los liberales haciendo solo ese punto. También es necesario abordar el razonamiento teológico del teólogo, para mostrar que su pretensión de garantía escritural es ilegítima. No solo debemos mostrar que su punto de vista es erróneo, sino que también debemos quitarle el manto de la credibilidad cristiana.

Los teólogos con poca formación científica están a menudo, creo, más calificados para argumentar a ese nivel que para debatir las cuestiones científicas de frente. (A menudo, pienso que los teólogos quedan como tontos al tratar de discutir temas científicos de frente, incluso cuando están básicamente en lo correcto en lo que dicen). Espero escribir algún día un libro sobre la inerrancia de las Escrituras, tratando de mostrar no que la ciencia prueba que la Biblia es verdadera en cada punto controvertido, sino que el razonamiento teológico de los liberales y otros para abandonar la inerrancia es inadecuado. En ese libro, trataré de mostrar que la racionalidad teológica de los liberales es fundamentalmente anti-abstraccionista en su naturaleza y por lo tanto es presa de todas las confusiones características del antiabstraccionismo (ver capítulo 6, A).

C. FILOSOFÍA

Una vez más, el lector debe dirigirse al capítulo 3, C para obtener una definición y algunos comentarios generales. Los puntos más importantes sobre la filosofía son muy similares a los de la ciencia en la última sección.

En cualquier caso, la filosofía necesita aún más reformas que las ciencias. Sin embargo, no estoy convencido de que todo lo que dicen los filósofos no cristianos sea falso. Hay puntos en los que un teólogo perspicaz, operando con presuposiciones bíblicas, puede beneficiarse de las ideas de los filósofos no cristianos. El lector habrá notado en este libro referencias favorables a Ludwig Wittgenstein, Thomas Kuhn, Irving Copi, y otros. No veo ninguna razón por la que no debamos "saquear a los egipcios" haciendo uso de estas mentes capaces.

De la filosofía (tanto cristiana como no cristiana) podemos aprender un número de cosas útiles.

(1) La historia de la filosofía muestra la inutilidad de tratar de encontrar una base sólida para el conocimiento aparte del Dios de la Escritura, ya sea a través del racionalismo, el empirismo, el subjetivismo, el idealismo, o algún otro método.

(2) Los filósofos han argumentado correctamente, sin embargo, que necesitamos normas, hechos y subjetividad si queremos saber algo.

(3) Y han presentado buenos casos para la interconexión del conocimiento, en particular para la interdependencia de la metafísica (teoría del ser), la epistemología (teoría del conocimiento) y la teoría del valor (ética, estética).

(4) Han demostrado (ya sea admitiéndolo o tratando de escapar a la conclusión) que el pensamiento humano depende de presuposiciones y, por lo tanto, de la argumentación circular.

(5) Han desarrollado sistemas útiles de lógica y matemáticas.

(6) Han desarrollado una serie de distinciones que son útiles en el análisis del lenguaje, la causalidad, la prioridad, la experiencia, los valores éticos y otras cuestiones de importancia para la teología.

De una filosofía cristiana, teóricamente, podríamos aprender muchísimo más. Sin embargo, no creo que exista ahora una filosofía cristiana que sea razonablemente adecuada para las necesidades del teólogo protestante moderno.

CAPÍTULO DIEZ: LA PERSPECTIVA EXISTENCIAL - LAS CUALIFICACIONES DEL TEÓLOGO

En nuestra discusión sobre el método, nos hemos centrado en las Escrituras y en las herramientas de la teología. Ahora debemos prestar atención al teólogo como persona.

A. LA PERSONALIZACIÓN DE LA TEOLOGÍA

Quienes establecen una estrecha analogía entre la teología y la ciencia, o quienes conciben la teología como una disciplina académica tradicional, a menudo no hacen justicia a la naturaleza intensamente personal de la teología. Ese personalismo es evidente a partir de una serie de consideraciones.

1) La teología es la expresión y aplicación de las convicciones más profundas de una persona, sus presuposiciones. Por lo tanto, es inevitable que en su trabajo el teólogo se muestre a sus lectores en un nivel de cierta intimidad.

(2) La teología (*didaché*) es un ministerio de la iglesia, practicado por todos los cristianos hasta cierto punto, pero también un llamado a tiempo completo dado a los oficiales ordenados. Los requisitos para el oficio de maestro incluyen un conocimiento del evangelio, así como habilidades de comunicación y, sobre todo, cualidades de carácter cristiano (véase más adelante, sección C). Por supuesto, los impíos pueden hacer teología; debe ser así, ya que todas las acciones humanas

constituyen respuestas y aplicaciones de la Palabra de Dios.[1] Estas aplicaciones pueden ser correctas o incorrectas, es decir, una buena o mala teología, pero no dejan de ser teología. Pero la buena teología, la teología como debe hacerse, solo puede ser hecha por los creyentes. Y es mejor que la hagan los creyentes maduros. Por lo tanto, la vida personal del teólogo es muy importante para la credibilidad de su trabajo teológico.

(3) Las presuposiciones que gobiernan nuestro pensamiento surgen de muchas fuentes: la razón, la sensación, la emoción, etc. Los presupuestos más importantes son de naturaleza religiosa. Si toda la vida contribuye a los presupuestos que subyacen a la teología, entonces toda la vida contribuye a la teología como tal.

(4) Estas presuposiciones influyen en nuestra lectura de la Escritura, por la cual, a su vez, buscamos validar nuestras presuposiciones. Esto se llama el "círculo hermenéutico". La circularidad de ese tipo, como vimos antes, es inevitable. Bajo la dirección del Espíritu, sin embargo, no es un círculo vicioso. El contacto con la Palabra de Dios purifica nuestras presuposiciones. Entonces, a su vez, cuando usamos nuestras presuposiciones purificadas para interpretar la Escritura, llegamos a una comprensión más clara de la Escritura. Sin el trabajo del Espíritu, sin embargo, el círculo puede ser inverso: las malas presuposiciones distorsionan el significado de la Escritura, ese significado distorsionado lleva a presuposiciones aún peores, y así sucesivamente. Por lo tanto, no debemos sorprendernos cuando vemos a "buscadores de la verdad" aparentemente sinceros e intelectualmente sofisticados -a menudo entre las sectas (¡y a menudo entre las filas de los eruditos teológicos profesionales!)- cuyas conclusiones parecen increíblemente alejadas de la verdad. Esta es una de las formas en que la obediencia y el conocimiento están estrechamente vinculados (*cf.* Primera Parte).

(5) El tipo de conocimiento que obtenemos a través de la teología es de carácter intensamente personal: el conocimiento de Dios mismo. Como Dios no puede ser visto, oído o tocado, este conocimiento no es alcanzado por los métodos experimentales de las ciencias naturales. Ian Ramsey utiliza la ilustración de una escena de tribunal en la que todo procede de manera bastante impersonal, refiriéndose a las personas por títulos ("la corona", "el acusado", "la acusación", "su señoría"). Para su asombro, el magistrado levanta la vista y ve al "acusado" como su esposa perdida hace mucho tiempo. De repente, toda la situación toma un tono diferente. El nuevo tono no se debe a nada que se pueda ver u oír, sino a toda

---

[1] Recuerde que la Palabra de Dios no solo se conoce a través de las Escrituras, sino también a través de la naturaleza (Ro. 1:18-32) como se discute en la Primera Parte.

una serie de recuerdos, historias pasadas, afectos, decepciones.[2] La ilustración de Ramsey sería engañosa si se tomara (como tal vez lo es por Ramsey) para ilustrar toda la naturaleza de la verdad cristiana. El cristianismo no es solo un aura de relaciones personales que rodea los acontecimientos puramente naturales. La Resurrección, por ejemplo, no fue simplemente el recuerdo de los discípulos de la relación de Jesús con ellos antes de su muerte; fue un milagro en el espacio y el tiempo. El Jesús resucitado podía ser visto, oído y tocado. Pero la ilustración de Ramsey indica algo que está presente en toda la teología, incluso cuando la teología habla de la Resurrección y otros grandes eventos históricos. Porque toda la teología confiesa una relación personal con Dios, una relación de pacto. El Jesús que resucitó de entre los muertos es "mi Señor y mi Dios" (Jn. 20:28). Él es con quien nosotros también hemos resucitado (Col. 2:12s.; 3:1).

Por eso, tendemos a sentirnos incómodos con ciertos intentos de charla teológica. No parece del todo correcto, por ejemplo, hablar de la resurrección del cuerpo de Jesús como la "reanimación de un cadáver". Algunos teólogos liberales señalan que en defensa de la opinión de que Jesús solo resucitó "espiritualmente" mientras su cadáver permanecía muerto. "Por supuesto, —dicen— la resurrección de Jesús no tiene nada que ver con [note el uso falaz de la negación] la resucitación de un cadáver!" Pero la duda del cristiano sobre la frase "resucitación de un cadáver" no se debe a ninguna duda en su corazón sobre la verdad literal de la Resurrección o su carácter físico. La razón, creo, es más bien que la frase "resucitación de un cadáver" no es un lenguaje de pacto. No es el lenguaje de la relación personal, el lenguaje del amor. No connota toda la riqueza teológica de la enseñanza bíblica. "Abstrae" (!) la Resurrección de su contexto natural.

El lenguaje proposicional es importante para la teología. La teología transmite información sobre Dios. El argumento de Brunner y otros de que el conocimiento proposicional debilita el carácter personal de las relaciones es absurdo. Obtener información sobre alguien a menudo profundiza nuestra relación con él. El buen lenguaje teológico, sin embargo, nunca es meramente proposicional; es simultáneamente una expresión de amor y alabanza. Tanto los predicadores como los teólogos deben tenerlo en cuenta y evitar un lenguaje que anime a su pueblo a hablar de Dios en una especie de jerga clínica. No es que tal jerga sea siempre errónea o pecaminosa. ¡Las abstracciones son necesarias, podemos recordar! Pero la falta de equilibrio aquí puede llevar a la gente (y a los predicadores) a malos hábitos de pensamiento y de vida. El personalismo en la teología es un medio de

---

[2] Ian Ramsey, *Religious Language* (New York: Macmillan, 1957), 20ff.

edificación. Cuando lo descuidamos, simplemente no estamos comunicando todo el consejo de Dios.

He conocido profesores de teología que son tan celosos de defender el carácter científico de la teología y su respetabilidad académica que en realidad prohíben el uso de referencias personales en los escritos teológicos. Prohíben que el autor se refiera a sí mismo o a otra persona (excepto, por supuesto, a las ideas de otro); piensan que la teología consiste exclusivamente en ideas desprovistas de personalidad. Hay, por supuesto, peligros que tales profesores tratan de evitar con razón. Existe el peligro, por ejemplo, de tomar como concluyentes los argumentos ad hominem. Existe también el peligro de escribir por venganza personal, en lugar de concentrarse en las cuestiones teológicas. Pero como hemos visto, hay un lugar legítimo en la teologia incluso para los argumentos *ad hominem*, y las "cuestiones" no se pueden separar claramente de las "personalidades". Las ideas de la gente están estrechamente relacionadas con su reputación y su carácter (ya que la Palabra de Dios es una con el propio Dios). Las referencias personales apenas pueden evitarse en la teología. Incluso la teología más académica es una expresión de la relación del corazón de una persona con Dios. Si una teología evitara las referencias personales, sería una teología sin alma.

(6) El personalismo también es evidente en la naturaleza de la teología y la apologética como persuasión. Como vimos en la segunda parte, el propósito de estas disciplinas no es simplemente construir argumentos válidos y sólidos, sino persuadir a la gente, para edificar. Y el objetivo no es simplemente llevarlos a un asentimiento intelectual, sino ayudarlos a abrazar la verdad de corazón en el amor y la alegría, para motivarlos a vivir sus implicaciones en todas las áreas de la vida. Por lo tanto, la teología debe ser "personalista", no solo en la expresión de la personalidad del teólogo, sino también en el tratamiento de la plena personalidad de su oyente.

B. EL CORAZÓN

El conocimiento de Dios es un conocimiento del corazón (ver Ex. 35:5; 1 S. 2:1; 2 S. 7:3; Sal. 4:4; 7:10; 15:2; Is. 6:10; Mt. 5:8; 12:34; 22:37; Ef. 1:18; etc.). El corazón es el "centro" de la personalidad, la persona misma en su carácter más básico. Las Escrituras lo representan como la fuente del pensamiento, de la voluntad, de la actitud, del habla. También es la sede del conocimiento moral. En el Antiguo Testamento, el corazón se usa en contextos donde la conciencia sería una traducción aceptable (ver 1 S. 24:5).

El hecho de que el corazón sea depravado, entonces, significa que aparte de la gracia estamos en la ignorancia radical de las cosas de Dios (Primera Parte). Solo la gracia de Dios, que nos restaura desde el corazón hacia afuera, puede devolvernos el conocimiento de Dios que pertenece a los siervos del pacto de Dios —el conocimiento que es correlativo a la obediencia.

Una implicación de este hecho es que el conocimiento de Dios del creyente es inseparable del carácter piadoso. El mismo Espíritu que da el primero en la regeneración también da el segundo. Y las calificaciones para el ministerio de la enseñanza (teología) en la Escritura son predominantemente calificaciones morales (1 Ti. 3:1ss.; 1 P. 5:1ss.). Así pues, la calidad de la labor teológica depende no solo del conocimiento proposicional o de las habilidades en la lógica, la historia, la lingüística, etc. (que, por supuesto, comparten en gran medida creyentes e incrédulos); también depende del carácter del teólogo. (Vimos en la primera parte cómo el conocimiento y la obediencia están vinculados en la Escritura).

Una segunda implicación es que el conocimiento de Dios se obtiene no solo a través de una "facultad" u otra, como el intelecto o las emociones, sino a través del corazón, toda la persona. El teólogo sabe por medio de todo lo que es y todas las habilidades y capacidades que le han sido dadas por Dios. El intelecto, las emociones, la voluntad, la imaginación, las sensaciones, los dones naturales y espirituales de las habilidades, todo contribuye al conocimiento de Dios. Todo el conocimiento de Dios alista todas nuestras facultades, porque compromete todo lo que somos.

Por lo tanto, en las secciones que siguen, discutiré estas dos implicaciones a su vez y con más detalle: el carácter del teólogo y las capacidades (o facultades) del teólogo.

C. EL CARÁCTER DEL TEÓLOGO - LA ÉTICA DE LA TEOLOGÍA

Vimos en la Primera Parte cómo el conocimiento de Dios está estrechamente vinculado con la fe (Jn. 11:40), el amor (1 Co. 8:1ss.; 1 Jn. 4:8) y la obediencia (Jer. 22:16). ¿Pero estas cualidades de la vida redimida tienen algo que ver específicamente con los métodos de la teología? Es decir, ¿influyen realmente estas cualidades en nuestro conocimiento de Dios, o solo hablamos de esa manera para sonar piadosos? Creo que sí. Las Escrituras no vinculan el conocimiento con la obediencia sin ninguna razón. La relación entre el conocimiento y la obediencia es significativa, y como es significativa, tiene aplicaciones en el trabajo concreto de la teología.

Edward John Carnell, en su notable apologética *El Reino del Amor y el Orgullo de la Vida* (The Kingdom of Love and the Pride of Life) observa,[3] siguiendo a Kierkegaard, que la actitud de desapego, tan a menudo apreciada en las ciencias y la filosofía, no puede rendir adecuadamente los secretos interiores únicos de una persona. Para aprender algo acerca de la subjetividad de una persona, debe haber una relación personal establecida de manera que la comunicación-revelación de persona a persona-pueda tener lugar. Eso es, por supuesto, cierto en lo que respecta a nuestro conocimiento de Dios. Dios revela sus mejores secretos a aquellos que más lo aman. Lo mismo sucede con nuestros intentos de comprender, evaluar y aplicar los escritos de otros teólogos (lo que, en efecto, constituye una gran parte de la labor de la teología).

Por lo tanto, las calificaciones para los maestros en las Escrituras son en gran parte cualidades de carácter (1 Ti. 3:2-7; 2 Ti. 2; 3:10-17; Stg. 3; 1 P. 5:1-4). Los maestros deben ser dignos de imitación, como lo fue Pablo (y en última instancia, Jesús mismo; 1 Co. 4:6; 11:1; Fil. 3:17; 1 Ts. 1:6ss.; 2:6; 2 Ts. 3:7-9; 1 Ti. 4:12; Tit. 2:7; He. 13:7; 1 P. 5:3). Fíjese también en el énfasis sorprendentemente fuerte en las visitas personales de Pablo a las iglesias (Ro. 1:8-17; 15:14-33; 1 Co. 4:14-21; 5:1-5; 2 Co. 7:5-16; 12:14-13:10; Gá. 4:12-20; Ef. 6:21s.; Col. 4:7ss.; 1 Ti. 3:14ss.; 2 Ti. 4:6-18; Tit. 3:12-14; He. 13:7ss., 22ss.; 2 Jn. 12; 3 Jn 13ss.). Hay algo importante que las iglesias aprendieron de esas visitas personales que no se pudo haber enseñado solo por carta.

El significado de la Escritura es su uso, y por lo tanto la enseñanza de la misma se hace mejor con la palabra y la vida (es decir, el ejemplo) juntas. El ejemplo apostólico muestra al pueblo de Dios cómo usar la Palabra, cómo aplicarla. Es, pues, un aspecto importante de la enseñanza, de la teología. Por supuesto, no todo lo que hace un maestro será digno de imitación (ni siquiera toda acción apostólica fue normativa—Gá. 2:11-14). Pero la vida de un maestro debe encarnar un nivel de piedad adecuado para demostrar el significado de su enseñanza, una forma de vida dramáticamente diferente a la del mundo pecaminoso.

Así, el carácter del teólogo le da, por gracia, esa vida ejemplar que es requisito para la labor de la enseñanza cristiana. Pero incluso si tratamos de ignorar este aspecto y nos centramos exclusivamente en la teología verbal, nos encontraremos con que también está muy influenciado por el carácter del teólogo. Negativamente,

---

[3] (Grand Rapids: Wm. B. Eerdmans Pub. Co., 1960), 44ff. Desafortunadamente, el libro ya está descatalogado.

creo que muchas de las ambigüedades, falacias y superficialidades que abundan en la teología son fallos de carácter tanto como (o más que) el intelecto. Muchas de ellas podrían evitarse si los teólogos mostraran un poco más de amor hacia sus oponentes y sus lectores, un poco más de humildad sobre su propio nivel de conocimiento, un poco más de indulgencia en la búsqueda de la verdad, un poco más de simple equidad y honestidad. Considere algunas de las peores prácticas teológicas desde esta perspectiva.

(1) Primero, la práctica de tomar el punto de vista de un oponente en el peor sentido posible, sin buscar primero una manera de interpretarlo para que su punto de vista sea más plausible o incluso correcto. Generalmente, esta práctica surge de la pura hostilidad, cegando al teólogo a posibilidades más amorosas (y al mismo tiempo, más convincentes intelectualmente). Esto conduce a menudo a un argumento de "hombre de paja" (es decir, un argumento contra una opinión que el oponente no sostiene realmente, que, tal vez, nadie sostiene en realidad). Siempre debilita, en lugar de fortalecer, el argumento del teólogo contra su oponente. Es cierto que a veces el "peor sentido posible" es la forma correcta de interpretar a un teólogo. Pero debemos adoptar tales interpretaciones solo como último recurso, solo cuando todas las demás posibilidades fallan. El amor no se "enoja fácilmente" (1 Co. 13:5). No debemos criticar a los demás sin intentar cuidadosamente averiguar la verdad (Nm. 35:30; Dt. 17:6ss.; 2 Co. 13:1; 1 Ti. 5:19; 1 Ts. 5:21).

(2) Otro mal teológico es el de tratar de parecer más ortodoxo de lo que es, ocultando, para ciertos lectores, los rasgos más controvertidos de su posición. Los seguidores de las sectas suelen hacerse pasar por cristianos evangélicos cuando hablan con los que preguntan por primera vez; solo más tarde el investigador descubre que la secta es politeísta o niega la deidad de Cristo o adora a un líder de la secta o aprueba el adulterio. En la etapa inicial, uno aprende solo los mejores aspectos de la secta. Solo más tarde, después de algún adoctrinamiento, aprende los distintivos. Bueno, eso es lo que esperamos de las sectas. Sin embargo, el mismo tipo de cosas suceden en la línea principal de la teología. Los teólogos a menudo se esfuerzan por mostrar cómo sus puntos de vista son más bíblicos que los de sus oponentes, guardando para más tarde (o pasando muy rápidamente) la desconcertante noticia de que rechazan la doctrina ortodoxa de la autoridad bíblica. A veces las nociones controvertidas se mezclan tan sutilmente con la verdad tradicional del evangelio que el lector se despreocupa por completo.

Gran parte de los escritos de Barth, por ejemplo, no se diferencian del Evangelicalismo, ni siquiera de la teología Reformada. Sin embargo, una vez que uno va más allá de sus obras populares y entra en su *Dogmática de la Iglesia,* uno aprende que para Barth la distinción Creador-criatura se desvanece "en Cristo", a menos que Dios mantenga una especie de "libertad" nominalista por la que pueda renunciar a su misma deidad. Un teólogo, por supuesto, no tiene la obligación de incluir todas sus nociones más controvertidas en sus libros populares; algunas de esas nociones son demasiado técnicas y difíciles. Pero a veces casi parece haber una conspiración (del teólogo en cuestión y sus partidarios) para hacer aparecer una teología (a los tribunales eclesiásticos, a los estudiantes principiantes, a los partidarios de las instituciones educativas) más ortodoxa de lo que realmente es. A veces, en efecto, se da la paradoja de que con un público un teólogo hará que su obra parezca lo más conservadora posible, pero con otro tratará de mostrar lo radical, nuevo y diferente que es. A menudo es difícil evitar encontrar en tal comportamiento una especie de "hombre complaciente" del tipo que las Escrituras condenan.

(3) Lo contrario también es cierto. Al exponer los puntos de vista de su oponente, el teólogo puede presentar solo los rasgos más controvertidos o censurables de la posición de su oponente. A menudo en la literatura ética, un autor atacará una posición tradicional presentando un caso extremo (a menudo hipotético) en el que es difícil aplicar o incluso defender el punto de vista tradicional. Lo que pasa desapercibido es que todas las posiciones éticas tienen dificultades. Cualquier principio que elija (o cualquier posición sin principios que adopte) será difícil de aplicar en algunos casos. El especialista en ética no tradicional también tendrá dificultades para aplicar su enfoque en algunas áreas.

A menudo, también, un teólogo atacará el punto de vista de otro presentando objeciones a las que el otro ya ha respondido, descuidando deliberadamente el tratamiento de esas respuestas. A los lectores poco informados les da una falsa impresión, sugiriendo que su oponente no tiene respuestas a sus objeciones, cuando en realidad las tiene. William Hordern acusa a aquellos que tienen puntos de vista ortodoxos de las Escrituras de rechazar la posibilidad de que Dios guíe a la gente hoy en día.[4] No hace mención de la obvia respuesta ortodoxa, que se ha hecho una y otra vez, de que Dios continúa hablándonos hoy en día a través de las infalibles Escrituras, confirmándolas y aplicándolas a nuestras necesidades por obra del Espíritu Santo. Así Hordern da a sus lectores la falsa impresión de que los ortodoxos no tienen respuesta a su punto. Esta omisión solo hace que su propia discusión sea más superficial, ya que en este punto no se ocupa de la posición de su oponente en su forma más fuerte.

---

[4] "The Nature of Revelation," en *The Living God*, ed. M. Erickson (Grand Rapids: Baker Book House, 1973), 178.

Al igual que (1), que trataba de la interpretación de un teólogo sobre otro, este procedimiento viola la exhortación bíblica "con humildad [a] considerar a los demás como superiores a vosotros mismos" (Fil. 2:3). En estos ejemplos, uno presenta la posición de otro de la peor manera posible. Eso no es un ejemplo del amor de Cristo. Debemos recordar que seremos juzgados por las normas con las que juzgamos a los demás (Mt. 7:1-5). Por lo tanto, no debemos exigir a otros teólogos una clase de rigor que nuestro propio pensamiento no puede igualar.

4) Una forma común de falta de claridad se produce cuando el teólogo expone el punto de vista tradicional u ortodoxo en un lenguaje poco tradicional, de modo que su propio punto de vista, por radical o nuevo que sea, puede parecer que está dentro de los límites de la ortodoxia. Paul Tillich, por ejemplo, señala que la tradición ortodoxa reconoce cierta insuficiencia en los símbolos con los que describe a Dios. Decir que Dios es una "persona" es hablar simbólicamente; Dios es más de lo que se connota con el término persona. De este hecho, Tillich deduce que el lenguaje impersonal sobre Dios es tan apropiado como el lenguaje personal, si no más. Pero se olvida de señalar que los representantes de la ortodoxia, como Agustín, Lutero, Calvino y los credos de la iglesia (por no decir nada de la propia Escritura), prefieren uniformemente el lenguaje personal y critican como herejías algunas de las doctrinas (como el panteísmo) asociadas con el lenguaje impersonal favorecido por Tillich. A menudo, también, la doctrina ortodoxa de la Escritura se presenta en términos tan vagos (por ejemplo: "la Escritura es de Dios") que puede coexistir con casi cualquier forma de crítica bíblica moderna.[5]

5) Algunos teólogos dejan la impresión de que su punto de vista es la única alternativa a otra (o a un grupo de otras) que es obviamente reprobable (véase el capítulo 8, H, 4)). A menudo tales afirmaciones son tan obviamente falsas que es difícil creer que el propio teólogo no sea consciente de su falsedad.

6) A veces, un teólogo atacará el punto de vista de otro simplemente ofreciendo argumentos para su propio punto de vista, sin considerar siquiera los argumentos subyacentes a la posición de su oponente. Este enfoque es, por supuesto, injusto para el oponente y pone su posición en una situación peor de la que merece (como en los puntos 1 y 3 anteriores). Para persuadir a alguien de su punto de vista, no solo debe argumentar su punto de vista, sino que también debe refutar los argumentos por los que su oponente llegó a su punto de vista. Sin tal consideración,

---

[5] Cf., e.g., G. C. Berkouwer, *Holy Scripture* (Grand Rapids: Wm. B. Eerdmans Pub., Co., 1975), 142ff. "La Escritura es de Dios" dice muy poco sobre la Biblia. Todos los libros son "de Dios" de una manera u otra.

su propio argumento no será adecuadamente persuasivo. Obsérvese de nuevo cómo la coherencia y el amor van juntos.

(7) A menudo un teólogo identificará correctamente una debilidad en el punto de vista de otro, pero se aprovechará de esa debilidad por mucho más de lo que realmente vale. Así, las diferencias menores se elevan a diferencias mayores, y las disputas teológicas se convierten en divisiones de la iglesia. ¡Qué contrario a la enseñanza de las Escrituras (ver Jn. 17:11, 22ss.; 1 Co. 1:11ss.; 3; 12; Ef. 4:3-6)! Tenemos la responsabilidad ante Dios de no exagerar la importancia de nuestras diferencias. Algunas diferencias doctrinales (por ejemplo, sobre el vegetarianismo, la observancia de los días, la comida para ídolos—ver Ro. 14; 1 Co. 8-10) son tratadas con mucha suavidad en el Nuevo Testamento, instando a ambas partes a vivir juntas en el amor, sin ninguna referencia a la disciplina formal. Otras cuestiones (por ejemplo, judaizar como Pablo lo ataca en Gálatas) son mucho más serias, porque comprometen el corazón del evangelio. Es teológica y espiritualmente importante poder reconocer esa diferencia y comportarse adecuadamente.

Positivamente, debemos aprender a teologizar en el amor (Ef. 4:15), un amor que edifica y que promueve la unidad, no la división. La teología debe buscar y promover la reconciliación entre los hermanos, incluso entre las denominaciones y tradiciones teológicas, en la medida de lo posible.

Nuestro enfoque "multiperspectivo" ofrece algunas opciones prometedoras a este respecto. Una sugerencia (que debo a Vern S. Poythress): construir sobre las fuerzas de su oponente. Incluso la peor teología generalmente tiene alguna área de fuerza, alguna preocupación que es genuinamente bíblica. Por ejemplo, los arminianos (¡soy calvinista!) son fuertes en su preocupación por la importancia de la decisión humana, el hecho de que nuestras elecciones tienen un significado eterno. Un calvinista puede construir sobre esa fuerza, buscando mostrar al arminiano que completa justicia puede ser hecha a su preocupación solo dentro de un marco calvinista. Sí, las decisiones humanas son eternamente significativas, puede decir. ¿Pero por qué son así? El hombre es, después de todo, una criatura tan pequeña en el universo. ¿Por qué sus decisiones deberían tener efectos importantes, incluso en su propia vida? La razón es que Dios ha establecido que esas decisiones sean significativas. (Hasta este punto, el arminiano estaría de acuerdo.) Pero la declaración de Dios es poderosa. La respalda con hechos. Él hace que nuestras decisiones sean significativas. Él se encarga de que todo el que crea se salve. De lo contrario, la decisión de creer es insignificante, un mero momento en la vida humana que puede o no tener ningún significado a largo plazo. Así que solo una visión calvinista de la soberanía de Dios nos permite tomar decisiones humanas con total seriedad.

¿Qué es lo que está sucediendo aquí? Hemos visto que todas las doctrinas teológicas son interdependientes (capítulo 8, F). Cada una de ellas puede ser vista como una "perspectiva" de la totalidad de la teología. Así podemos comenzar nuestra teologización con la doctrina de la responsabilidad humana, y una vez que entendamos esa doctrina, habremos entendido todo el resto. Por lo tanto, comenzamos allí y utilizamos la responsabilidad humana como una "perspectiva" de toda la fe reformada.

Y, por supuesto, podemos hacer sugerencias más obvias en nuestra búsqueda de una teología reconciliadora. Podemos analizar las ambigüedades, ya que a menudo dos posiciones que parecen opuestas son realmente compatibles entre sí, y podemos ver esa compatibilidad una vez que expresamos las posiciones más claramente. También podemos ser más autocríticos. La autocrítica es una forma de humildad bíblica que es necesaria cuando buscamos reprender a los demás (Gá. 6:1; Mt. 7:1-5).

D. LAS CAPACIDADES DEL TEÓLOGO - LAS HABILIDADES DE LA TEOLOGÍA

Saqué dos conclusiones de la premisa de que el conocimiento de Dios es un conocimiento del corazón. En primer lugar, el carácter del teólogo juega un papel importante (y muy práctico) en el trabajo de la teología. Segundo, el conocimiento de Dios es un conocimiento obtenido por toda la persona como una unidad integral —desde su "centro". He discutido la primera implicación en la sección anterior; ahora debo pasar a la segunda.

Decir que el conocimiento teológico es un conocimiento obtenido por la "persona completa" plantea cuestiones sobre las relaciones de la unidad con la diversidad en la personalidad humana. Tradicionalmente, los teólogos y filósofos han distinguido varias "facultades" dentro de la mente humana: razón, voluntad, emoción, imaginación, percepción, intuición y otras. Estas distinciones han dado lugar a preguntas sobre qué facultad es "primaria". Algunos han defendido "la primacía del intelecto", razonando que la emoción, la imaginación, etc. nos llevarán por mal camino si no se disciplinan, corrigen y evalúan mediante procesos intelectuales. Otros han dicho que la voluntad es primaria, ya que incluso la creencia intelectual es algo que se elige. Otros han postulado la primacía del sentimiento, ya que todo lo que creemos o elegimos hacer lo elegimos o hacemos porque en algún sentido nos apetece elegir o hacerlo. Y los argumentos a favor de la primacía de otras facultades son similares.

Bueno, el lector alerta puede sin duda predecir lo que viene ahora. Creo que hay verdad en todos esos argumentos y que se pueden reconciliar entre sí, hasta cierto punto, si vemos las diversas facultades del hombre como perspectivamente unidas. Hablar de "facultades" humanas es hablar de diversas perspectivas en términos de las cuales podemos mirar los diversos actos y experiencias de la mente humana. Ninguna de las facultades, así entendida, existe o actúa aparte de las otras, cada una de ellas depende de las otras, y cada una incluye a las otras. Veámoslas una por una, notando algunas de estas relaciones cercanas entre ellas.

(1) RAZÓN

El término razón tiene una larga historia en la filosofía occidental y se ha utilizado de muchas maneras. Puede referirse a la lógica, a esas leyes particulares de la lógica llamadas "leyes del pensamiento", en particular la "ley de la no contradicción". Algunos filósofos han usado la razón para denotar un método particular de pensamiento (definido, por supuesto, por sus esquemas filosóficos) o incluso para referirse a su filosofía en general. (Uno está tentado de pensar que para Hegel la razón era sinónimo de Hegelianismo).

En este contexto (y en la mayoría de los demás) creo que es menos engañoso definir la razón de dos maneras. Primero, creo que la razón debe ser definida como la habilidad o capacidad humana para formar juicios e inferencias. Entendido así, el razonamiento es algo que hacemos todo el tiempo (véase el capítulo 8, A, 1)), no solo cuando estamos siguiendo disciplinas académicas o teóricas. Así es como se utiliza la razón en un sentido descriptivo. En segundo lugar, también utilizaré el término en un sentido normativo para denotar juicios e inferencias correctos. En el primer sentido (descriptivo), una inferencia incorrecta sería racional, ya que es un ejercicio de la razón como capacidad humana. En el segundo sentido, no sería racional, porque no estaría a la altura de los criterios de un razonamiento sólido.[6]
Habiendo definido la razón de esta manera, podemos ver que la teología debe ser racional. La teología es la formación de juicios e inferencias basados en la Palabra de Dios (siendo las aplicaciones tanto juicios como inferencias), y por lo tanto es una forma de razonamiento (descriptivo), en la naturaleza del caso. Además, en la discusión de la lógica, ya he establecido que la Escritura justifica la formación de

---

[6] Véase, sin embargo, el Apéndice I para algunas preguntas adicionales relacionadas con la definición de la razón.

juicios e inferencias (capítulo 8, C). La teología que hace juicios sólidos y saca conclusiones sólidas de la Escritura sería racional en el sentido normativo.

Decir que la teología debe ser racional no es realmente diferente de decir que debe ser escritural o que debe ser verdadera. Como vimos en nuestra discusión sobre la lógica, cuando se hace correctamente, la lógica no añade nada a sus premisas, sino que funciona como una herramienta que nos ayuda a ver lo que está implícito en esas premisas, lo que realmente dicen. Eso, en efecto, es lo que la lógica pretende hacer. Cuando un proceso deductivo cambia el significado de un conjunto de premisas, es por lo tanto defectuoso. Un sistema de lógica que conduce a tal cambio es, en esa medida, un sistema inadecuado. El objetivo de la lógica es simplemente establecer las premisas como realmente son. Del mismo modo, el objetivo del razonamiento teológico es simplemente establecer la Escritura tal como es realmente (incluyendo, por supuesto, sus aplicaciones, que constituyen su significado). Así pues, la racionalidad en la teología no es ni más ni menos que la escrituralidad. No se trata de un conjunto separado de normas a las que la teología debe ajustarse además de su conformidad con la Escritura.[7] Así pues, los teólogos no deben sentirse amenazados por la exigencia de racionalidad. Por supuesto, si la racionalidad se define no como escrituralidad sino como conformidad con algunas teorías de la ciencia moderna, la historia, la filosofía, etc., entonces el conflicto es inevitable.

Por lo tanto, cuando alguien me dice que la razón debe ser el juez de las ideas teológicas, puedo estar de acuerdo con él en cierto sentido. Mi capacidad racional es la capacidad de hacer juicios, y por lo tanto decir que los juicios teológicos deben ser racionales (en el sentido descriptivo) es una tautología. En el sentido normativo, también, la teología debe ser juzgada por la razón, porque eso solo significa que las inferencias y los juicios basados en la Escritura deben ser inferencias y juicios sólidos, que realmente se ajusten a la Escritura. Sin embargo, hablar de la razón como un "juez" es bastante extraño. Eso puede sugerir a algunos (aunque no necesariamente y no a todos) que la razón opera con algunos criterios independientes de la Escritura. O tal lenguaje puede confundir mi norma (la Escritura) con una de mis capacidades psicológicas.

¿Debe la teología, entonces, ajustarse a la razón? Sí. Pero eso solo significa que la teología debe ajustarse con una lógica rigurosa a su propio criterio, las Escrituras inspiradas.

---

[7] Y aunque así fuera, para el cristiano esas normas estarían subordinadas a la norma última, la propia Escritura. Así, cualquier demostración de la racionalidad de la Escritura seguiría siendo circular.

¿Tiene la razón algún tipo de "primacía" sobre nuestras otras facultades? Bueno, todas nuestras inclinaciones emocionales, ideas imaginativas, intuiciones, experiencias, etc. deben ajustarse a la razón, o no nos dicen la verdad. ¿Pero qué significa "conformidad con la razón" en este contexto? Como hemos visto, no significa nada más que "conformidad con la Escritura" o "conformidad con la verdad". Por lo tanto, decir que estos deben ajustarse a la razón para decir la verdad es realmente una tautología. Es como decir que debes ser soltero para ser soltero. Pero no queremos decir que "ser soltero" es un criterio o prueba de ser soltero. (Lo contrario sería igualmente posible e igualmente inverosímil). Por lo tanto, hay una circularidad aquí.

Así, la primacía de la razón en el sentido anterior dice muy poco. Ni siquiera descarta una primacía similar para otras facultades, incluso las emociones. Imaginemos a alguien que afirma que ha llegado a conocer algo a través de sus emociones. Si su afirmación es correcta, entonces sus emociones le han llevado a la "conformidad con la verdad". Dada la definición anterior, eso es lo mismo que "conformidad con la razón". La emoción, en otras palabras, como una forma de alcanzar el conocimiento, es una forma de razón. Si su afirmación no es correcta, todavía se puede llamar a sus emociones una forma de razón, ya que son una de las capacidades por las que hace juicios e inferencias, aunque no sean fiables en este caso. En este caso, entonces, podemos decir que sus emociones son la razón en un sentido descriptivo, no normativo.

En efecto, es posible que la razón sea solo un nombre que damos a las capacidades de inferencia y de juicio de las demás facultades. O, tal vez, es una perspectiva de esas otras facultades, mirándolas desde la perspectiva de su papel en el descubrimiento de la verdad. (Veremos que cuando las miramos desde esa perspectiva, debemos mirar también sus otros roles; así la razón sería una perspectiva de todo lo que hacen estas facultades).

En lo que sigue, intentaré aclarar la discusión anterior mirando estas relaciones desde el otro lado, desde el lado de las emociones, la imaginación, etc. Intentaré mostrar el papel de estas otras facultades en la formación de los juicios, así como mencionar sus otros roles y la inseparabilidad de los distintos roles entre sí. Si estoy en lo cierto en mi modelo perspectivo, estas discusiones posteriores también serán en efecto discusiones de la razón, ampliando lo que he dicho en esta sección.

(2) PERCEPCIÓN Y EXPERIENCIA

La percepción se asocia con los órganos de los sentidos, pero no es simplemente un sinónimo de sensación. Sensación se refiere a las operaciones de los órganos de los sentidos, ya sea que estas operaciones produzcan o no conocimiento. La percepción, por otra parte, es una forma de conocimiento, el conocimiento obtenido a través del proceso de la sensación. Decimos "percibo x" cuando vemos, oímos, olemos, saboreamos o sentimos x, cuando en nuestra opinión las operaciones de los órganos de los sentidos producen conocimiento de x.[8]

La experiencia es una categoría más amplia que la percepción. Es posible tener una experiencia de algo (por ejemplo, la experiencia de un profeta con la Palabra divina) sin percibirlo a través de los órganos de los sentidos; al menos esa posibilidad es discutible. Sin embargo, siguiendo a George Mavrodes, podemos entender la experiencia de manera paralela a nuestro relato de la percepción.[9] Mavrodes toma la x en "Yo experimenté la x" para referirse no solo a un estado psicológico sino a un objeto que existe independientemente de quien lo experimenta. Por lo tanto, decir "experimenté x" es afirmar que a través de mi experiencia he adquirido algún conocimiento de x.

Mavrodes también sostiene que experimentar x implica hacer algún juicio sobre x.[10] Lo mismo ocurre con el lenguaje perceptivo (percibir x, ver x, oír x, etc.) Añade,

> Pero... no sé cómo hacer más preciso lo apropiado que debe ser el juicio. Está bastante claro que un hombre puede ver un lobo en el bosque, aunque lo tome como un perro. Parece, por lo tanto, que el juicio no tiene por qué ser del todo correcto. Por otro lado, también parece claro que un hombre puede estar en presencia de un lobo, en el sentido de que la luz reflejada por el lobo estimula su ojo, etc., y sin embargo no hacer ningún juicio, tal vez porque está ensimismado. En ese caso, probablemente diríamos que no vio al animal en absoluto.[11]

Percibir y experimentar, entonces, no son actividades muy diferentes del razonamiento. Son procesos mediante los cuales llegamos a juicios, aunque esos

---

[8] Podría decir, entonces, que la sensación es física y la percepción es mental, pero no quiero entrar en la cuestión mente-cuerpo en este libro. Eso y la relación cuerpo-alma-espíritu tendrá que esperar a otro momento, o, más probablemente, a otro escritor.

[9] *Belief in God* (New York: Random House, 1970), 50ff.

[10] Ibid., 52.

[11] Ibid.

juicios no siempre sean perfectamente correctos. ¿Son, como la razón, medios de inferencia? Por supuesto, experimentar o percibir algo no suele implicar, si acaso, pasar por un silogismo en la cabeza. Pero si el "razonamiento" o la "lógica informal" es algo que ocurre en toda la vida, incluso cuando no se produce un silogismo consciente (véase el punto (1) anterior y el capítulo 8, A, 1)), entonces nada nos impide ver la experiencia o la percepción como una especie de inferencia. Los datos se presentan a los sentidos. A partir de esos datos, inferimos la presencia de objetos o la existencia de estados de cosas.

Por supuesto, como he indicado frecuentemente en las secciones anteriores de este libro, no tenemos acceso a datos no interpretados. "Veo el árbol" presupone la experiencia de los sentidos y una vida de aprendizaje conceptual por el que aprendo a colocar ciertos tipos de sensaciones en esta categoría particular. "Mi padre estuvo aquí anoche" puede haber sido verificado en parte por la experiencia de los sentidos, pero no se puede decir por la sensación solamente que un cierto hombre es el padre de uno. Ese juicio presupone algún conocimiento histórico más allá de cualquier posible verificación por la experiencia directa del individuo. Los informes de Thomas Kuhn sobre experimentos de cartas anómalas, de nuevo, sugieren que lo que vemos está muy influenciado por lo que esperamos ver, que la expectativa está influenciada por una amplia variedad de factores.[12]

El razonamiento, entonces, la capacidad de hacer juicios e inferencias, está presente en toda experiencia y percepción tal como las hemos definido. Y como indiqué en mi análisis de la lógica, ésta depende también de la percepción y la experiencia, ya que un silogismo lógico debe tener premisas, y las premisas no suelen ser suministradas, si acaso, por la lógica sola (véase el capítulo 8, D). En cualquier caso, el uso de la lógica es inconcebible sin ninguna experiencia en absoluto, ya que debemos al menos experimentar la existencia de principios lógicos si queremos realizar cualquier operación lógica.

Por una parte, el razonamiento implica la experiencia, y la experiencia implica el razonamiento. Los intentos epistemológicos de construir el tejido del conocimiento humano a partir de la "experiencia pura" (que corresponde a los "hechos brutos"), no contaminada por ningún uso de la razón (empirismo), o a partir de la razón sola aparte de la experiencia (racionalismo) no pueden tener éxito. Los intentos de explicar el conocimiento de cualquiera de estas maneras son generalmente intentos de encontrar algún "fundamento" de la verdad, un "punto de partida último" (ya sea la experiencia o la razón) aparte de la Palabra de Dios. Pero

---

[12] Ver: Thomas Kuhn, *The Structure of Scientific Revolutions* (Chicago: University of Chicago Press, 1970).

Dios no lo permitirá. Su creación es de perspectivas; todas las criaturas son igualmente últimas.[13] No hay cimientos excepto la Palabra divina.

Por lo tanto, cuando la Escritura habla de "oír", "ver" y "tocar" la Palabra de Vida (1 Jn. 1:1), no está hablando de mera sensación, del mero funcionamiento de los órganos de los sentidos aparte de cualquier pensamiento racional. Tal concepto de "sensación", una abstracción filosófica, no se encuentra en las Escrituras. Ver, oír o tocar a Cristo resucitado implica hacer un juicio sobre Él, una inferencia; implica razonamiento.

Por otra parte, según la Escritura, el conocimiento de Dios tampoco proviene de un mero razonamiento aparte de la sensación. El versículo citado anteriormente, y muchos otros, hacen evidente ese hecho.[14] La percepción, entendida correctamente, es un medio legítimo de conocimiento. Dios nos ha dado nuestros órganos sensoriales (Ex. 4:11; Sal. 94:9; Pr. 20:12), y nos asegura en su Palabra que, aunque la percepción es falible (al igual que la razón, por supuesto), es un medio de conocimiento (Mt. 5:16; 6:26s.; 9:36; 15:10; Lc. 1:2; 24:36-43; Jn. 20:27; Ro. 1:20; 10:14-17; 2 P. 1:16-18; 1 Jn. 4:14).

Viviendo entre la era apostólica y la parusía, ya no estamos en condiciones de ver al Cristo resucitado con el ojo físico. Pero la percepción todavía juega un papel importante en la teología. Percibimos el texto bíblico a través de los sentidos, así como otros textos que sirven como herramientas de la teología. Y por los sentidos percibimos los antiguos manuscritos y artefactos de la cultura antigua que nos ayudan a reconstruir el significado del texto. Y por supuesto la experiencia también revela la situación actual a la que nuestra teología aplicará el texto.

Y también está esa experiencia por la que crecemos en la madurez cristiana - la experiencia de vivir la vida cristiana, enfrentando desafíos, teniendo éxito, fracasando, orando, encontrando respuestas a la oración, perseverando cuando no se dan respuestas, luchando contra el pecado, y soportando dificultades por el bien de Cristo. En muchas situaciones vivimos esas experiencias descritas en las

---

[13] La realidad teológica última es la naturaleza perspectival de Dios mismo como Trinidad (ver capítulo 6, B). Todo en la creación está relacionado con todo lo demás (ver capítulo 6, A), y por lo tanto todo en la creación es una especie de punto de vista en relación con el cual podemos observar el resto del universo. Uno u otro de estos puntos de vista puede ser más valioso para nosotros que otros en algunas ocasiones. Pero en principio cualquiera de ellas cumplirá esta función, ya que todas ellas son igualmente creadas, igualmente colocadas por Dios en relación con las otras criaturas del mundo. La igualdad ontológica de las cosas creadas asegura que cualquiera de ellas puede, en algunas ocasiones, ser usada adecuadamente como perspectiva.

[14] Sobre este punto ver: Robert Reymond en *The Justification of Knowledge* (Nutley, N.J.: Presbyterian and Reformed Pub. Co., 1976).

Escrituras; experimentamos lo que el Señor Jesús y sus grandes santos experimentaron. La experiencia en este sentido es importante para mostrarnos el significado de la Escritura. Los santos menos experimentados siempre pueden buscar cosas en los comentarios, pero hay un tipo especial de perspicacia que viene a aquellos que han tenido una larga experiencia de primera mano de la guerra cristiana. (Un joven soldado puede aprender las reglas, la historia y las técnicas de la guerra en la academia militar, pero hay mucho que solo puede aprender en el campo de batalla real). Hay mucho, por ejemplo, en los Salmos que uno no puede entender muy bien hasta que haya pasado por algunas de las mismas experiencias que los salmistas y haya entendido las analogías entre su experiencia y la de ellos.[15]

Los maestros cristianos con ese tipo de experiencia tienen también mayor credibilidad que los que se limitan a teorizar sobre el evangelio. Un profesor mío se quejó una vez de un programa de escuela dominical en su iglesia, donde su hijo de cinco años cantaba con otros niños un coro feliz sobre ser "más que vencedores" en Cristo. El profesor pensó que eso era algo tonto; ¡los niños no habían conquistado nada! Yo no estaba de acuerdo. Pensaba, y todavía lo hago, que, si los niños estaban "en Cristo", ya habían conquistado todo a través de Cristo, en un sentido significativo. Pero mi profesor no estaba tan equivocado. Sintió con razón que cuando los niños cantaban esas palabras carecían del tipo de credibilidad que tendrían en los labios del propio apóstol Pablo. Pablo soportó el encarcelamiento, el apedreamiento, el abandono, la traición, la soledad, y la "espina en la carne" por causa de Cristo. Cuando un hombre así es capaz de decir "Somos más que vencedores", sus palabras tienen una fuerza especial. Para él, la victoria de Cristo ha sido elaborada en su vida de muchas maneras concretas. Y ese tipo de vida merece y evoca un profundo respeto, dando a sus palabras un mayor impacto.

(3) EMOCIÓN

a. Emociones y redención

Las Escrituras no hablan de "las emociones" de manera sistemática, como tampoco hablan de "el intelecto". Sin embargo, la Escritura tiene mucho que decir sobre nuestras emociones, sobre nuestras alegrías, penas, ansiedades, temores y alegrías. (El amor, también, tiene un gran componente emocional, aunque es mejor no

---

[15] Recuerdo este punto de una conferencia del pastor Albert N. Martin de Essex Falls, N.J.

definirlo como una emoción). La tentación de Satanás en el Jardín apeló a las emociones de Eva (Gen. 3:6), pero también, importantemente, a sus pretensiones intelectuales, su deseo de determinar la verdad de forma autónoma, (3:1, 4, 5). La desobediencia a Dios, sin embargo, no condujo a sentimientos felices sino a la vergüenza (3:7). El hombre caído tiene un distintivo complejo de emociones caídas: odio a Dios, a su Palabra, a su creación, a su pueblo y amor al mundo, a la carne, al Diablo. Pero la redención trae la restauración de los principios: el amor a Dios, el odio al mal.

La redención no nos hace más emocionales (como algunos carismáticos podrían suponer) o menos (como muchos reformados preferirían), ni tampoco nos hace más o menos intelectuales. Lo que la redención hace al intelecto es consagrar ese intelecto a Dios, ya sea que el coeficiente intelectual sea alto o bajo. De igual manera, lo importante no es si uno es altamente emocional o no; lo importante es que cualquier capacidad emocional que uno tenga debe ser puesta en manos de Dios para ser usada de acuerdo a sus propósitos.

Así pues, el intelecto y la emoción son simplemente dos aspectos de la naturaleza humana que juntos se caen y juntos se regeneran y santifican. Nada en las Escrituras sugiere que uno sea superior al otro. Ninguno es más caído que el otro, ninguno es necesariamente más santificado que el otro.

La filosofía griega tradicionalmente presentaba un cuadro diferente: el problema humano es una especie de desorden de las facultades. Mientras que la razón debería estar en control, desafortunadamente las emociones a menudo dominan. La salvación llega (¡de acuerdo a ellos a través de la filosofía griega, por supuesto!) cuando aprendemos a subordinar las emociones a la razón. Esa idea es, por supuesto, muy plausible. Todos conocemos a gente que se "deja llevar" por sus sentimientos y hace cosas muy estúpidas. Tales personas a menudo son correctamente advertidas por los consejeros cristianos de no "seguir sus sentimientos".

Pero la Caída no fue esencialmente un desorden de las facultades del hombre. Fue una rebelión de toda la persona, tanto del intelecto como de las emociones, la percepción y la voluntad, contra Dios. Mi problema no es algo dentro de mí; soy yo. Debo tomar la responsabilidad, a menos que Jesucristo tome esa responsabilidad en mi lugar.

b. Emociones y decisiones

Es cierto, por supuesto, que la gente a veces "sigue sus sentimientos", en lugar de pensar responsablemente. Pero también es cierto que a veces la gente sigue esquemas racionalistas que van en contra de lo que saben en sus "tripas" (sentimientos) que es verdad. Dios nos da múltiples facultades para servir como una especie de sistema interno de controles y equilibrios. A veces la razón nos salva de la locura emocional, pero las emociones también pueden comprobar las exageradas pretensiones de la razón.

Imagine a alguien de origen reformado asistiendo a una reunión carismática. Le han dicho que no hay nada bueno en el movimiento carismático, y lo ha pensado bien intelectualmente. Piensa que tiene algunos argumentos bastante buenos. Sin embargo, mientras está en la reunión, se encuentra aplaudiendo, gritando "Amén" y regocijándose en la confraternidad. Después llega el momento de rendir cuentas. ¿Qué debe hacer? ¿Debería arrepentirse de haber permitido que sus emociones anulen su teoría cuidadosamente elaborada?

Bueno, ¡debería pensar un poco más, obviamente! Algo anda mal en alguna parte, pero no es obvio lo que anda mal. Posiblemente, sus emociones lo llevaron a un camino falso. O, posiblemente, sus emociones le estaban llevando, apropiadamente, a reconsiderar los juicios demasiado duros de su análisis teórico. Debe razonar bajo la autoridad de las Escrituras. Pero esa razón tendrá que tener en cuenta sus nuevos sentimientos. Y no logrará un completo "descanso cognitivo" hasta que su intelecto y sus emociones se reconcilien de alguna manera.

Aquí hay otra ilustración. Escribir reseñas de libros es una de las tareas más "intelectuales" que realizo. Pero es interesante ver el papel que juegan las emociones incluso en esa actividad. Después de leer el primer capítulo de un libro, a menudo tengo "un cierto sentimiento" sobre el libro: Me gusta o no me gusta o tengo una reacción que está en algún punto intermedio. Entonces trato de pensarlo bien. ¿Por qué tengo esta sensación? Mi reflexión racional puede conducir a un cambio de sentimiento, o puede permitirme defender y articular el sentimiento. Aun así, el sentimiento juega un papel crucial. No puedo imaginarme hacer un trabajo académico sin tener algunos sentimientos de ese tipo. Si no tuviera sentimientos sobre el libro que estoy revisando, simplemente lo dejaría de lado. El sentimiento guía mi reflexión; mi reflexión refina mis sentimientos. Esos sentimientos refinados provocan una reflexión adicional, y así sucesivamente. El objetivo es un análisis satisfactorio, un análisis con el que me sienta bien, uno con el que tenga descanso cognitivo, una relación pacífica entre el intelecto y la emoción. Esa relación me parece que está involucrada en todo el conocimiento.

La propia Escritura a veces coloca la emoción en el papel que a menudo se le da al intelecto o a la voluntad. El Salmo 37:4 dice: "Deléitate en el Señor, y él te dará el deseo de tu corazón". Y 2 Corintios 7:10 dice: "La tristeza divina trae el arrepentimiento que lleva a la salvación y no deja pesar..." No siempre es malo "seguir tus sentimientos".

c. Emociones y conocimiento

La discusión anterior sugiere que las emociones contribuyen al conocimiento. Cuando experimento alegría, esa alegría es en sí misma un dato que debe tenerse en cuenta dentro del tejido de mi conocimiento. La alegría no solo ocurre; tiene una causa. Es una respuesta de mi mente y mi cuerpo a algo o a otro. Puede que no sea una respuesta adecuada (como tampoco lo son mis razonamientos y sensaciones que no me llevan siempre a la verdad), pero es un medio por el cual la verdad llega a mí. Es un medio de conocimiento.

En la segunda parte, capítulo 5, C, vimos la importancia del "descanso cognitivo" en el conocimiento humano. Ese descanso cognitivo es algo misterioso y difícil de describir. Pero no sería erróneo, creo, describirlo como un sentimiento, no como un sentimiento como el del calor o el frío que se puede cuantificar físicamente, que es de hecho una forma de sensación, sino un sentimiento como el de la alegría o la tristeza, la felicidad al completar una tarea, la aceptación del status quo intelectual, la confianza con la que entretenemos nuestra idea. En otras palabras, el descanso cognitivo es algo muy parecido a una emoción.

Por lo tanto (aunque mi buen amigo y colega Jay Adams se resiste a la sugerencia), no es del todo erróneo sustituir "siento" por "creo". Por supuesto, cuando la gente dice "creo que x es el caso", a menudo tratan de evitar la responsabilidad de discernir la verdad objetiva. Ese es el punto de Adams y uno que es bastante cierto. Pero uno puede usar el lenguaje de los sentimientos sin intentar huir de la responsabilidad. Ese lenguaje, además, dice algo verdadero sobre la naturaleza del conocimiento. Tener una creencia es, de hecho, tener un cierto tipo de sentimiento sobre una proposición. Y cuando ese sentimiento nos lleva correctamente, esa creencia, ese sentimiento, constituye el conocimiento.

d. La emoción como perspectiva

Nuestras discusiones anteriores indican que la emoción es un factor importante en el conocimiento, uno que interactúa con la razón de manera importante. Hay una dependencia mutua entre la razón y la emoción. Pero las consideraciones del apartado c) anterior sugieren que la emoción es más que un mero "factor" en el conocimiento; es una perspectiva del conocimiento en su conjunto. "Sentir que p es verdadero" es "creer que p es verdadero", cuando esa creencia es vista desde una cierta perspectiva. Y un sentimiento correcto (es decir, justificado y verdadero) es una creencia correcta, es decir, el conocimiento.

El razonamiento y el sentimiento, entonces, están unidos. Razonar es experimentar ciertos sentimientos relativos a las proposiciones; emocionar es extraer de los datos de la experiencia ciertas aplicaciones lógicas a nuestra subjetividad (que la subjetividad es en sí misma una perspectiva de la totalidad de la realidad).

Razonar, percibir y sentir pueden considerarse respectivamente como perspectivas normativas, situacionales y existenciales de la mente humana. Hablamos de razonamiento cuando queremos centrarnos en el uso que hace la mente de diversos principios y leyes. Hablamos de percibir cuando queremos centrarnos en su acceso al mundo objetivo. Y hablamos de sentir cuando queremos enfocarnos en la integridad de nuestra subjetividad en el proceso cognitivo.

e. Emoción y teología

Por lo tanto, la emoción está inevitablemente presente en todo el trabajo teológico. Es importante que no ahoguemos nuestras capacidades emocionales por un modelo de teología demasiado rígido. Debemos ser libres en nuestro trabajo teológico para dar la respuesta emocional adecuada a la Palabra de Dios y a sus aplicaciones. De lo contrario, nuestro conocimiento teológico en sí mismo estará en peligro.

Por supuesto, el contenido de las Escrituras no es meramente emotivo. (El intento de los positivistas lógicos de clasificar todo el lenguaje religioso como "emotivo" parece bastante tonto hoy en día, incluso para aquellos que simpatizan bastante con el movimiento positivista). Pero cada parte de este es emotivo en el sentido de que cada parte tiene la intención de Dios de generar una respuesta emocional particular. Él quiere que odiemos el mal, que nos regocijemos en el bien, que temamos las amenazas, que abracemos las promesas.[16] Ese contenido emotivo, así como el contenido conceptual, debe ser aplicado al pueblo de Dios. Eso también es obra de la teología. Si leo Romanos 11:33-36 ("¡Oh, profundidad de las riquezas tanto de la sabiduría como de la ciencia de Dios! ...") en un tono monótono, evitando todo rastro de emoción, es evidente que no he comunicado bien el contenido de los versículos, aunque he leído cada palabra perfectamente. Del mismo modo, si expongo esos versos en un comentario o sermón, sin tener en cuenta de alguna manera la profundidad del sentimiento que hay en ellos, obviamente me he perdido algo enormemente importante.

La teología sistemática tampoco debe ignorar el contenido emotivo de la Escritura. Esto no quiere decir que la teología deba ser siempre pronunciada, por así decirlo, en un tono emotivo, pero el teólogo debe tener en cuenta el tono emotivo de la Biblia, como lo haría con cualquier otro dato bíblico. Romanos 11:33-36, por ejemplo, deja claro que la incomprensión de Dios es una doctrina apasionante. Es una pregunta teológica significativa preguntarse qué genera esta exaltación y qué se puede hacer para recuperarla en nuestro tiempo.

f. Cultivar las emociones piadosas

Un teólogo, por lo tanto, debe tener emociones piadosas. Debe ser el tipo de persona que se regocija en lo que es bueno y que odia lo que es malo. Y debe ser capaz de expresar y comunicar esa alegría u odio de forma contagiosa.

Entrar en detalles sobre cómo se cultivan las emociones piadosas nos llevará lejos. Algunos argumentarán que no podemos cambiar nuestros sentimientos per se. Podemos cambiar los sentimientos, dicen, solo cambiando nuestro comportamiento, nuestros hábitos. Yo respondería que cambiar los hábitos de uno es importante pero que hacerlo presupone un crecimiento en el conocimiento, la racionalidad cristiana, la percepción, la imaginación, la voluntad, etc. La transformación de las emociones es parte de todo el "paquete" de santificación-transformación de la persona en su conjunto. El crecimiento en cualquier área puede y fortalecerá a todas las demás.

En cualquier caso, no es suficiente decir que "no podemos" cambiar lo que sentimos. Dios exige el cambio, y de una manera u otra, Él proporcionará los medios para el cambio.

---

[16] Ver la *Confesión de Fe de Westminster,* XVI, 2.

(4) LA IMAGINACIÓN

La imaginación tiene una reputación bastante mala en algunos círculos ortodoxos. La imaginación en la versión inglesa de King James del Antiguo Testamento generalmente se refiere a las inclinaciones del corazón rebelde (Gn. 6:5; 8:21; Dt. 29:19; 31:21; Jer. 3:17; 7:24; Passim en Jeremías). Aunque ese no es el significado normal de la palabra en el inglés moderno, algunos de los estigmas del uso antiguo todavía influyen en la forma en que algunos cristianos entienden la palabra. Sin embargo, espero poder reivindicar la imaginación.

La imaginación se refiere a nuestra capacidad de pensar en cosas que no son. Podemos pensar en el pasado, aunque el pasado, por definición, ya no está presente. Podemos pensar en futuros posibles o probables, aunque el futuro no pueda ser percibido. O podemos imaginar meros estados de cosas alternativos, ya sea que hayan existido o puedan existir en el presente o en el futuro. Así pues, nuestra imaginación nos permite pensar en la fantasía, en condicionamientos contrarios a los hechos, en escenarios de "qué pasaría si".

Así pues, la imaginación tiene mucho que ver con la creatividad, con el arte. (Recordemos lo que dijimos antes sobre las insuficiencias del modelo científico de la teología). La imaginación tiene mucho que ver con cualquier intento de hacer las cosas de una manera nueva o diferente.

En algunos círculos teológicos, la creatividad en sí misma tiene un mal nombre, tal vez relacionada en algunas mentes con las "imaginaciones malignas" de las profecías de Jeremías o tal vez simplemente ofendiendo las sensibilidades conservadoras. Sin embargo, algunas personas inteligentes también han objetado la presencia de la creatividad en la teología. Charles Hodge dijo una vez que en el Seminario de Princeton (el "antiguo" Princeton, por supuesto) nunca se habían presentado nuevas ideas, y esperaba que nunca lo hicieran. Bueno, en cierto sentido tenía mucha razón. El trabajo de la teología es proclamar las antiguas ideas de la Escritura y nada más. Pero el trabajo de la teología es, en efecto, proclamar esas antiguas ideas a una nueva generación. Esto implica una aplicación, y eso exige novedad, ya que cada nueva situación es algo diferente de sus predecesoras. Esta tarea implica la interacción entre la Escritura y las subjetividades de los seres humanos. Pero orquestar esa interacción requiere de arte y creatividad. Y así volvemos a la imaginación; la imaginación es indispensable para la teología.

Hemos visto que la teología requiere atención a sus términos técnicos, modelos, orden de los temas, estilo y forma, enfoque central y aplicaciones a nuevas audiencias. En todas estas áreas, la imaginación obviamente proporciona una importante ayuda. Pero la imaginación también está involucrada en todos los casos de formación de conceptos teológicos. Consideremos el concepto de milagro, por ejemplo. El término inglés *"miracle"* (milagro) no se corresponde precisamente con ningún término hebreo o griego de la Biblia. Hay varios términos hebreos y tres o cuatro griegos que se traducen como "milagro", pero también se traducen de otras maneras y pueden utilizarse para denotar eventos que desde nuestro punto de vista no son milagrosos. Además, hay eventos descritos en las Escrituras que son milagrosos desde el punto de vista de casi todo el mundo pero que se describen sin el uso de términos milagrosos (por ejemplo, 1 R. 17:24). ¿Cómo, entonces, podemos formular un "concepto bíblico de milagro"?

Si no podemos obtener nuestro concepto estudiando el uso de los términos utilizados en los milagros, quizás deberíamos tratar de estudiar los eventos milagrosos en sí mismos tal y como se establecen en las Escrituras. ¿Pero cómo sabemos qué eventos son milagrosos hasta que tengamos un concepto de milagro? ¡Parece que no podemos buscar una respuesta a menos que ya la conozcamos!

Este problema tiene ramificaciones filosóficas que no trataré de abordar aquí. En la práctica, la única respuesta parece ser que debemos formular algún concepto de milagro antes de investigar sistemáticamente el texto bíblico. Aquí, entonces, hay otra forma del "círculo hermenéutico". Buscamos un concepto bíblico de milagro a partir de las propias narraciones de la Biblia y explicaciones de los milagros reales. Pero para decidir qué narraciones y explicaciones son relevantes para nuestro estudio, debemos empezar por mirar esos pasajes que nos parecen estar hablando de milagros. En cierto sentido, debemos "empezar con" nuestra propia idea de lo que es un milagro.

¿Somos ahora culpables de un pensamiento autónomo, de determinar conceptos teológicos "a partir de nuestras propias cabezas" y de usar esos conceptos para interpretar las Escrituras? No. Considere esto.

a) Incluso ese concepto inicial de milagro que precede al estudio serio de la Biblia suele estar muy influenciado por las Escrituras. En la cultura occidental, los milagros bíblicos forman un cierto paradigma para el concepto general de milagro. Eso no es negar que los pensadores occidentales a menudo cometen serios errores en la definición de milagro, pero normalmente están por lo menos en el "terreno de juego" correcto.

b) El concepto inicial, venga de donde venga, es solo eso: un concepto inicial. Nuestro objetivo es, o debería ser, refinarlo mediante la continua interacción con las Escrituras. Un concepto inicial no debería ser una "presuposición última". Debería ser bastante tentativa, una hipótesis mantenida a la ligera y abierta a la corrección de la Escritura, que, en efecto, es nuestra última presuposición. (Muchos teólogos modernos cometen el error de utilizar como presuposiciones últimas ideas que solo merecen ser conceptos iniciales, hipótesis abiertas a la verificación o falsificación de acuerdo con la Escritura). Por ejemplo, podríamos utilizar como concepto inicial la visión de Hume del milagro como una "violación de las leyes de la naturaleza" y escoger como ejemplos bíblicos solo aquellos relatos que nos parecen ser violaciones de la naturaleza. Sin embargo, en el curso de nuestro estudio, encontraríamos que la "ley natural" no es un concepto bíblico, que nunca se dice que los acontecimientos sean milagrosos en contraste con la ley natural, y que la noción de "violación" compromete la libertad de nuestro Dios soberano para hacer lo que le plazca en el mundo. Por lo tanto, nuestro Humeanismo inicial debe ser revisado en una dirección más bíblica. Entonces usaremos nuestro "concepto más bíblico" para obtener una mejor comprensión de la enseñanza bíblica sobre los milagros.[17]

Podemos ver, en cualquier caso, la importancia de la imaginación. El teólogo siempre debe plantearse, antes de iniciar formalmente su estudio, una o más formas posibles de responder a sus preguntas-posibilidades que guiarán su estudio de la Escritura, y en la concepción de las posibilidades, la imaginación es crucial.

Por lo tanto, es importante que la imaginación sea piadosa. La imaginación debe estar saturada de enseñanzas bíblicas y patrones de pensamiento, de modo que cuando se plantee una pregunta sin respuesta, el teólogo considere las posibilidades que son coherentes con las Escrituras, las que se hacen probables por otras enseñanzas bíblicas.

¿Es la imaginación otra perspectiva epistemológica? Bueno, la imaginación es nuestra facultad para conocer cosas que "no son" - el pasado y el futuro, lo posible en contraposición a lo real, lo imposible en contraposición a lo posible, lo fantástico. En un sentido, entonces, no abarca todo el conocimiento humano. Sin embargo, a menudo se ha señalado que los humanos saben lo que es solo por contraste con lo que no es. No puedes saber que un libro está sobre la mesa a menos que sepas lo que significaría para el libro no estar sobre la mesa. Y lo contrario también es cierto. Así que el conocimiento positivo implica un conocimiento negativo, y viceversa. Y un conocimiento positivo perfecto incluiría un conocimiento negativo perfecto.

Además, nuestros conceptos de posibilidad influyen profundamente en nuestro conocimiento de la realidad. Como Bultmann no creía que los milagros fueran

---

[17] Espero exponer ese "concepto más bíblico" de milagro en mi próximo libro *Doctrina de Dios.*

posibles, no creía que ninguno sucediera realmente. El conocimiento de que algo es posible presupone el conocimiento de que puede serlo.

Y como dije antes, la imaginación es importante para recordar y para anticipar, para conocer el pasado y el futuro. Pero ¿cómo podemos conocer el presente si no podemos relacionar ese presente con el pasado y el futuro? Si no tenemos conocimiento de lo que ha estado sucediendo, ¿cómo podemos darle sentido a lo que está sucediendo ahora? Y si no tenemos idea del objetivo de los eventos, hacia dónde se dirigen, seguramente nuestro conocimiento de los eventos presentes es, en el mejor de los casos, altamente defectuoso. De hecho, es incluso difícil concebir el presente simplemente como presente. En el momento en que tratamos de concebir precisamente lo que "está sucediendo ahora", los eventos en los que pensamos se convierten en eventos pasados. El presente, como señaló Agustín, puede empezar a parecer un instante indivisible que no puede ser caracterizado en absoluto, porque cuando lo caracterizamos, se ha convertido en pasado. Tal vez, entonces, la imaginación como nuestro camino hacia el pasado y el futuro es también nuestro único camino hacia el presente. Tal vez la sensación, la razón y la emoción son solo diferentes formas y perspectivas de la imaginación. Si la imaginación no es una "perspectiva", al menos se acerca. Está involucrada en cada acto de creencia o conocimiento.

Hay una gran necesidad de imaginación entre los teólogos de hoy en día. Hay una necesidad imperiosa de nuevas aplicaciones de las Escrituras a situaciones demasiado descuidadas durante mucho tiempo, para traducir el evangelio en nuevas formas. El don artístico puede ser bien empleado en la profesión teológica.

(5) VOLUNTAD

La voluntad es nuestra capacidad de tomar decisiones, compromisos y decisiones. Los filósofos a menudo han debatido si el intelecto o la voluntad es "primaria". ¿Tomamos decisiones basadas en nuestro conocimiento, o nuestro conocimiento surge de una decisión de creer?

Como puede adivinar, creo que hay verdad en ambas afirmaciones. Por un lado, nuestras elecciones presuponen un cierto conocimiento de las alternativas, conocimiento de nuestros propios valores, conocimiento de los datos. Por otro lado, todo conocimiento también presupone elecciones - elecciones de cómo interpretar los datos, elecciones de valores (criterios de verdad y falsedad, lo correcto y lo incorrecto), la elección de si hacer un juicio o suspender el juicio, la elección de creer una proposición o su contradicción, la elección de si reconocer o suprimir nuestras creencias, la elección de cuán fuertemente creeremos —es decir, cuánto influirá esa elección en nuestras vidas. Cada creencia, entonces, es un acto de voluntad, y cada acto de voluntad es una expresión y aplicación de nuestro conocimiento. Saber y hacer son uno. (Recordemos las ecuaciones bíblicas del conocimiento con la obediencia en la Primera Parte).

La voluntad también está involucrada en la percepción y la emoción, lo que solo sirve para subrayar el punto anterior. Está involucrada en la percepción: elegimos prestar atención a las sensaciones o ignorarlas. (Recuerden el ejemplo de Mavrodes del lobo en el bosque.) Elegimos interpretar las sensaciones de una manera, en lugar de otra. (Y recuerde, no hay una línea nítida entre la interpretación de una sensación y la sensación misma, al menos desde nuestro punto de vista.) También está involucrada en la emoción. El mismo evento moverá a diferentes personas de diferentes maneras. Un ladrón se alegrará por un atraco exitoso; sus víctimas estarán de luto. La diferencia emocional es el resultado de las diferentes elecciones que se han hecho: diferencias en el estilo de vida, en los valores, en las creencias, en la lealtad religiosa.

La voluntad, entonces, es otra perspectiva del conocimiento en general y de la razón, la percepción y la emoción como aspectos del conocimiento. ¿En cuál de nuestras tres perspectivas principales se encuentra? Bueno, no importa mucho, ya que cada perspectiva incluye las otras. Pero me inclinaría a hacer de ella otro aspecto de la perspectiva existencial, junto con la emoción. Se podría argumentar que la voluntad es una función de la máxima emoción de un individuo: mi elección es lo que más me gusta hacer. (Los defensores del libre albedrío, como H. D. Lewis y C. A. Campbell, no estarían de acuerdo, encontrando en la voluntad algo radicalmente misterioso, sin causa, y distinto de todas las emociones).[18]

(6) HÁBITOS, HABILIDADES

Los hábitos son las elecciones ((5) arriba) que estamos acostumbrados a hacer, esas elecciones que hacemos a fuerza de hábito, si no estamos específicamente movidos a hacer lo contrario. Cuando esos hábitos nos permiten realizar tareas útiles, se llaman habilidades.

Los hábitos son importantes para el conocimiento. Las presuposiciones son hábitos-valores que solemos utilizar en cuestiones de verdad y derecho. Desarrollamos hábitos de razonar de ciertas maneras, de interpretar los datos de

---

[18] Ver: H. D. Lewis, *Our Experience of God* (London: Allen and Unwin, 1959) and C. A. Campbell, *Selfhood and Godhood* (London: Allen and Unwin, 1957).

ciertas maneras, de sentir ciertas maneras, de imaginar ciertos tipos de posibilidades en vez de otras, de hacer ciertos tipos de elecciones. Así, las elecciones correctas o incorrectas del pasado se refuerzan al repetirse una y otra vez. Las decisiones piadosas se multiplican a sí mismas, conduciendo a un mayor conocimiento y santificación (Ro. 12:1fs.; Fil. 1:9s.; He. 5:11-14). Los hábitos impíos, por el contrario, conducen a un error cada vez peor, a un pecado cada vez peor (Ro. 1).

Los hábitos son difíciles de romper; romperlos suele requerir dolor. El teólogo debe estar preparado para soportar ese dolor si es necesario, incluso si eso puede incluir retractarse de las posiciones anteriores y sufrir la pérdida de credibilidad académica.

Las habilidades en el conocimiento se llaman "sabiduría" en las Escrituras. Son los buenos hábitos epistémicos por los cuales somos capaces de entender la verdad y de poner esa verdad a trabajar en la vida. La sabiduría viene a través de Cristo por medio de su Palabra y su Espíritu. La sabiduría divina es muy diferente de la sabiduría del mundo (1 Co. 1-2), ya que se basa en la Palabra de Dios, no en el pensamiento autónomo del hombre.

Por un lado, la sabiduría es la habilidad de "saber cómo", en lugar de "saber eso". Ambos tipos de conocimiento son importantes. Un mariscal de campo de fútbol debe dominar su libro de jugadas (sabiendo eso), pero también debe ser capaz de hacer las cosas requeridas por el libro de jugadas (sabiendo cómo). Sin ninguna de las dos formas de conocimiento, no hará su trabajo correctamente. En un nivel, es posible "saber eso" sin saber cómo. El mariscal de campo puede memorizar el libro de jugadas, pero no puede evadir los tacleos que se aproximan. Así que alguien puede memorizar el contenido de las Escrituras y las confesiones reformadas, pero ser terriblemente débil ante la tentación.

Por otro lado, incluso "saber eso" requiere habilidades, en nuestros ejemplos, habilidades académicas, habilidades de memorización. Y "saber cómo" presupone "saber eso". Un mariscal de campo hábil es aquel que "sabe que", por ejemplo, debe moverse en cierta dirección para evitar al delantero y que aplica ese conocimiento a su vida. La sabiduría y el conocimiento proposicional, por lo tanto, están relacionados de manera perspectiva. Cada uno es una ayuda para remediar los falsos conceptos del otro.

Las destrezas son importantes en la teología (como en todas las disciplinas): destrezas con los idiomas, en la exégesis, en la lógica, en la comunicación y en el trato con las necesidades de las personas. La Escritura también tiene mucho que decir sobre la sabiduría como la destreza de la vida piadosa (Stg. 3:13ss.; *cf.* Pr., passim). Sin piedad, la sabiduría no tiene valor. Aquí también, la Palabra de Dios correlaciona el conocimiento con la obediencia.

(7) INTUICIÓN

Cuando sabemos algo, pero no sabemos cómo lo sabemos, nos inclinamos a decir que lo sabemos "por intuición". Por lo tanto, la intuición es una especie de "asilo de la ignorancia". Pero prefiero verlo como un índice de lo misterioso del conocimiento. El conocimiento, como el mismo Dios y como todas sus creaciones, es incomprensible. Podemos obtener alguna visión del conocimiento a través de su revelación, pero llegamos a un punto en el que nuestro análisis termina, aunque no se respondan todas nuestras preguntas. Aquí, entonces, hay otra área en la que el conocimiento requiere fe.

Considere estos misterios específicos.

a) La cadena de la justificación del conocimiento no puede continuar para siempre.

Si alguien me pregunta por qué creo que Sacramento es la capital de California, puedo señalar una obra de referencia. Si me preguntan cómo sé que esa obra de referencia dice la verdad, puedo (¡quizás!) referirme a las credenciales de los autores o a la buena reputación del editor. Si me pregunta cómo sé que esas credenciales o reputación son válidas, puedo citar otros motivos, razones o argumentos basados en la percepción, la razón, la emoción, etc. Pero si me pregunta cómo sé que mi razón me lleva en la dirección correcta, es difícil responder excepto circularmente, ofreciendo otro argumento racional. En algún momento, nos vemos obligados a arrinconarnos y decir: "Simplemente lo sé". Eso es "intuición". Las presuposiciones finales, en ese sentido, se conocen intuitivamente, aunque se verifican mediante argumentos circulares de varios tipos. Esto es cierto no solo para el cristianismo, sino para todos los sistemas de pensamiento. La mente humana es finita; no puede presentar un argumento infinitamente largo y dar una razón exhaustiva de nada. Debe, en algún momento, comenzar con un compromiso de fe, ya sea en el verdadero Dios o en un ídolo.

b) No solo al principio de la cadena de la justificación del conocimiento, sino también en cada punto del argumento, nos encontramos con el misterio de Dios.

Nada nos obliga físicamente a sacar conclusiones lógicas. Las sacamos porque nos encontramos de acuerdo con ellas, y sentimos una exigencia moral para afirmarlas (ver capítulo 8, A, (3)). En cada momento hacemos una elección, ya sea en obediencia o en rebelión contra esas normas morales. ¿Cuál es nuestra facultad para conocer estos imperativos? Todas las facultades están implicadas; es el propio corazón el que hace la elección. Pero habiendo integrado todos los datos de diferentes fuentes, si alguien pregunta qué es lo que nos revela la decisión final que debemos tomar, supongo que la respuesta tendría que ser "la intuición". Nuestro "sentido de cuándo dejar de investigar", nuestro "descanso cognitivo", dije antes, es como una emoción. Aunque el término intuición también puede ser usado apropiadamente para ello, ¡tememos sonar demasiado emocionales!

CAPÍTULO ONCE: MÉTODO EN LA APOLOGÉTICA

A menudo, cuando se piensa en el método apologético, se piensa en una serie de pasos que se deben seguir en cada encuentro apologético, una serie de preguntas o temas o "leyes espirituales" que deben tratarse en un orden fijo. Tiendo a desconfiar de ese tipo de enfoque, aunque no negaré que tales métodos han hecho algún bien. Cuando los cristianos son tímidos en cuanto a la evangelización, a menudo es útil para ellos tener algún material "enlatado" en la punta de sus lenguas, material que es utilizable con una variedad de personas. Sin embargo, ese tipo de enfoque tiene sus limitaciones. Muchas personas se molestan al ser confrontadas con el material "enlatado", sintiendo que no están siendo respetados como individuos. Además, muchas personas pueden plantear objeciones o temas que el rígido método no ha previsto, dejando al apologista-evangelista en la cuerda floja.

De hecho, es imposible establecer en detalle un método que tenga éxito en todas las situaciones. En efecto, hay tantos métodos en la apologética como apologistas, personas que necesitan a Cristo y temas de discusión. Los enfrentamientos apologéticos son "persona-variable", para utilizar el término de Mavrodes (véase el capítulo 5, C, (2)). Algunas sugerencias concretas que pueden ser utilizadas por algunos apologistas con algunas personas se encontrarán en mi Doctrina de Dios (de próxima aparición, si Dios quiere). En ese libro, presento algunos ejemplos de discusiones sobre la existencia de Dios, el problema del mal, los milagros y la deidad de Cristo, tal vez las áreas de dificultad más comúnmente discutidas dentro del cristianismo.

Aun así, se pueden hacer algunos puntos más generales sobre el método apologético, puntos que son aplicables a una amplia gama de situaciones, y deseo formular algunos de ellos en lo que sigue. Dado que la apologética es una rama de la teología, gran parte del material anterior sobre el método teológico es relevante aquí, y por supuesto gran parte de la Primera y Segunda Parte también es de importancia para el método apologético. La apologética empleará las tres perspectivas en argumentos ampliamente circulares para justificar sus argumentos, usando las Escrituras, herramientas extrabíblicas y los propios dones del apologista de carácter piadoso y facultades habilidosas. Sin embargo, también me gustaría enumerar algunas cosas que tienden a suceder en los encuentros apologéticos reales, y ese es el propósito de esta sección.

En esta discusión, mencionaré un número de estrategias que el apologista puede usar, estrategias garantizadas por las Escrituras. Las discutiré en dos categorías generales: la apologética "defensiva", la defensa de la fe cristiana contra las objeciones de la incredulidad, y la apologética "ofensiva", el propio ataque del cristiano al pensamiento y la vida de los incrédulos.[1] Dentro de cada una de estas categorías generales, enumeraré estrategias específicas bajo perspectivas normativas, situacionales y existenciales.

El lector no debe confundir este esquema con un "método" en el sentido de un esquema de evangelización paso a paso. No pretendo que todas mis estrategias deban ser usadas en cada ocasión o incluso que la mayoría de ellas deban ser usadas. Y ciertamente no afirmaría ni por un minuto que estos enfoques deben ser usados en el orden preciso que se enumeran. Las preguntas sobre qué estrategia usar en cada ocasión o sobre el orden de presentación son problemas para la teología práctica, y mis dones no son de tipo práctico (¡por mucho que busque glorificar la práctica en mis teorías!). Me limitaré a exponer algunas estrategias que pueden y pueden ser utilizadas en algunas situaciones. Más que eso no afirmaré en la presente discusión.

A. APOLOGÉTICA DEFENSIVA

Comencemos con una apologética defensiva, que presupone una iniciativa por parte del no creyente. El incrédulo hace una objeción, el creyente responde. George Mavrodes, en el libro que he citado frecuentemente,[2] distingue tres maneras de ayudar a un indagador "dudoso" a compartir la experiencia de los caminos de Dios que son similares, en su opinión, a las maneras en que buscamos ayudar a la gente a compartir otro tipo de experiencias. En primer lugar, cuando queremos que

---

[1] Estos no son marcadamente distintivos. Las pruebas teístas, por ejemplo, pueden ser vistas como defensivas (respondiendo a los ataques del ateo) o como ofensivas (atacando directamente la visión del mundo del propio ateo.

[2] *Belief in God* (New York: Random House, 1970), 82ff.

alguien vea algo que nosotros vemos, a menudo decimos: "Ven aquí"; buscamos colocar a la otra persona en circunstancias similares a las nuestras.

En segundo lugar, "le decimos a la persona lo que debe buscar". Y tercero, intentamos proporcionar a la otra persona un "marco conceptual que exhibe el significado de la experiencia particular... integrándola con una amplia gama... de otras experiencias". Mavrodes señala que estos métodos se presentan generalmente juntos y que es probable que ninguno de ellos tenga éxito sin los otros dos. Estos métodos se corresponden bastante bien con mis perspectivas existenciales, situacionales y normativas. El incrédulo necesita ser puesto en nuevas circunstancias (regeneración existencial), necesita que se le digan los hechos (situacional), y necesita tener un sistema (que inevitablemente implica normas) en términos de los cuales se puedan aprehender los significados (es decir, las aplicaciones, el significado, la importancia y el contenido normativo) de esos hechos. Veamos, pues, más de cerca esta tríada metodológica.

(1) LA PERSPECTIVA NORMATIVA

a. El "marco conceptual" o "sistema" en el que se comprende el significado de los hechos es, por supuesto, la enseñanza de las Escrituras (aplicada a todas las circunstancias pertinentes). Es importante que el apologista tenga un buen conocimiento de las Escrituras y sea capaz de utilizarlas de manera apropiada y creativa. Con esto no quiero decir que el apologista deba limitarse a recitar textos de prueba para un indagador, aunque a veces eso es precisamente lo que debe hacer (véase el capítulo 6, C, (3)). Los textos de prueba no deben utilizarse sin tener en cuenta el nivel de comprensión del indagador y la pertinencia de los textos para los temas en cuestión.[3]

b. Muchas de las objeciones de los incrédulos contra el cristianismo se refieren a las propias Escrituras: la historicidad de los acontecimientos descritos en la Escritura, la moralidad de la ley bíblica, las supuestas contradicciones, etc. El apologista debe tener un buen conocimiento de los antecedentes bíblicos, así como del propio texto. Preferiblemente, debe conocer los textos en los idiomas originales, aunque su ignorancia de éstos no debe disuadir al creyente de llevar a cabo su responsabilidad apologética (1 P. 3:15). Si no conoce los idiomas originales, sin duda puede encontrar un pastor o profesor que sí los conozca, o puede consultar

---

[3] Sin embargo, a veces no es malo "cambiar de tema" cuando el "tema en cuestión" no es fructífero. Jesús lo hizo a menudo, por ejemplo, en Juan 3:3. La sensibilidad espiritual es necesaria para saber cuándo y cómo.

una obra de referencia. A menudo basta con dirigir al incrédulo para que mire el pasaje cuestionado en su contexto; muchas objeciones se basan en malentendidos del texto fácilmente corregibles.

c. Con frecuencia, cuando se plantean objeciones, los cristianos no hacen lo más obvio: preguntarse si ese problema se trata en la propia Escritura y, en caso afirmativo, cómo lo trata la Escritura. Hay, por ejemplo, una gran cantidad de material en la Escritura sobre el problema del mal (Gn. 3; 22; Sal. 73; Job; Hab.; Mt. 20:1-16; Ro.; Ap.) que a menudo se descuida en los argumentos sobre este tema. Esto no quiere decir que no se puedan utilizar consideraciones extrabíblicas, pero no debemos, sin embargo, descuidar nuestro principal recurso (la única arma ofensiva en el arsenal cristiano, Ef. 6:17), la propia Palabra de Dios.

d. Siempre es importante dejar claro al incrédulo cuál es nuestra última fuente de autoridad. Si es epistemológicamente desarrollado, esto puede implicar la explicación del concepto de una presuposición y la honesta admisión de que nuestros argumentos son "ampliamente circulares". (Por supuesto, también es importante mostrar al incrédulo que él también tiene presuposiciones y que tampoco puede evitar la circularidad. Véase B, más abajo). ¿Es necesario hacer esta admisión en cada encuentro apologético, o incluso hacerla el centro de nuestro argumento? Algunos presuposicionalistas evidentemente piensan así, pero yo no.

Por supuesto, no deberíamos avergonzarnos de nuestras suposiciones. Si surge la cuestión, debemos ser honestos al respecto. El presuposicionalismo no es una debilidad sino una fortaleza de nuestra posición. Además, el objetivo de un encuentro apologético es la conversión, que no es nada menos que un cambio de presuposiciones. Un apologista debe presentar la exigencia bíblica de arrepentimiento en todos los aspectos de la vida, incluido el pensamiento. Y eso es, implícitamente, una demanda de un cambio de presuposiciones.

Pero podemos hacer esa demanda, y hacerla claramente, sin usar nunca la presuposición y por lo tanto sin entrar en las discusiones filosóficas más bien técnicas que inevitablemente acompañan al término. Mucha gente no entenderá esa terminología filosófica y encontrará que la charla filosófica distrae. Lo importante no es hablar de nuestros presupuestos sino obedecerlos en nuestro pensamiento, discurso y vida. Nuestra apologética debe ser siempre una apologética obediente, sujeta a la Palabra revelada de Dios y por lo tanto gobernada por nuestras propias presuposiciones últimas. Pero si hablamos de presuposiciones o no dependerá de la situación. Si un incrédulo está dispuesto a aceptar las declaraciones que hacemos sobre las presuposiciones bíblicas, y si no desafía al creyente por razones epistemológicas, no hay necesidad de plantear explícitamente la cuestión. Pero si, como sucede a menudo, se cuestiona la autoridad del creyente, la justificación de sus afirmaciones, entonces habrá que decir algo sobre la Escritura como nuestra presuposición.

e. Es evidente, en todo caso, que el creyente no debe aceptar o pretender aceptar un criterio incrédulo de verdad o de valor. La Escritura sí enseña, para estar seguros, que Dios se revela a todos en la naturaleza (incluyendo la naturaleza humana) y a muchas personas (tanto creyentes como incrédulos) a través de hechos milagrosos, señales y maravillas. Sin embargo, las Escrituras nunca sugieren que estas revelaciones se evalúen adecuadamente sobre la base de criterios incrédulos (o criterios "neutrales", que, como hemos visto, no existen). Ver (2), más abajo, sobre esta cuestión y el libro de Thom Notaro, *Van Til y el uso de la evidencia* (Van Til and the Use of Evidence).[4]

f. ¿Cómo, entonces, podemos comunicarnos con los no creyentes si no podemos aceptar sus presunciones? Van Til sugiere que pidamos al incrédulo que acepte nuestros criterios "por el bien del argumento", para exhibirle el contenido de la revelación cristiana, que es, por supuesto, su mejor argumento. El incrédulo tendrá entonces la oportunidad de usar una *reductio ad absurdum* (ver capítulo 8, H, (3)) para tratar de derivar lo absurdo de las premisas cristianas, y el cristiano puede pedir un privilegio similar al incrédulo. (Diré más sobre esto en B, más abajo.)

g. Finalmente, cuando se plantean objeciones contra el cristianismo, es importante recordar que no siempre tenemos que tener respuestas para ellas. Primera de Pedro 3:15 sí insta a los creyentes a estar siempre listos para dar una respuesta a todo aquel que pregunte una razón de la esperanza que hay en ellos. Tenemos razones para nuestra fe, y debemos estar preparados para compartirlas; pero eso no implica que tengamos, o debamos tener, respuestas a cada objeción concebible. Muchas objeciones solo pueden ser respondidas plenamente si se indaga en las "cosas secretas" de Dios (Dt. 29:29), las cosas que Dios ha elegido dejar sin revelar.

Además, a menudo se plantean objeciones que están simplemente más allá de la competencia técnica de un creyente en particular. La mayoría de los estudiantes de secundaria no podrán tratar con objeciones basadas en las diferentes tradiciones textuales de los manuscritos bíblicos, por ejemplo. La mente cristiana es una mente finita. Hay muchas cosas que no sabemos o entendemos, pero ese hecho no es nada de lo que avergonzarse. Es, de hecho, una confirmación del cristianismo (aunque algo así como un "argumento desechable", ver capítulo 8, H, (6)), ya que las Escrituras nos enseñan exactamente eso. Si pudiéramos responder a todas las

---

[4] Phillipsburg, N.J.: Presbyterian and Reformed Pub. Co., 1980.

objeciones al cristianismo, seríamos Dios. Dios no sería incomprensible, y el cristianismo, por lo tanto, sería falso.

Por lo tanto, no creemos en el cristianismo porque hemos encontrado respuestas a todas las objeciones posibles. Creemos en el cristianismo porque Dios se ha revelado en las Escrituras, en el mundo y en nosotros mismos. Se ha revelado con tal claridad que estamos obligados (y capaces, por gracia) de creer en Él, a pesar de las preguntas sin respuesta, como lo hizo Abraham.

Ese hecho es uno sobre el que debemos ser honestos, y en un encuentro apologético, es apropiado compartirlo con un no creyente. Nos ahorra la vergüenza cuando no podemos responder a sus ataques, y, lo que es más importante, le ayuda a ver cuál es realmente la base de la fe. Y eso, por supuesto, es algo que debe llegar a saber (al menos subconscientemente) si quiere convertirse en un creyente. Eso subraya el enfoque presuposicional de nuestra apologética; caminamos por fe en la Palabra de Dios, no por nuestra capacidad autónoma de responder a todas las dificultades que se presentan.

(2) LA PERSPECTIVA DE LA SITUACIÓN

Hemos visto que es totalmente apropiado usar evidencia extrabíblica en los argumentos a favor del cristianismo, si esa evidencia extrabíblica es interpretada bíblicamente. El incrédulo no tiene derecho a exigir pruebas, porque ya tiene todas las pruebas que necesita en la clara revelación de Dios en la naturaleza, las Escrituras y en sí mismo. Pero un apologista tiene la obligación de subrayar esa evidencia, para mostrar al incrédulo "qué buscar" (Mavrodes), así como cómo buscarla y cómo mirarla. Al presentar la evidencia, aplica simultáneamente la Escritura, ya que interpreta la evidencia bíblicamente, exponiendo así el significado de la Escritura al incrédulo de una manera fresca. Y eso, de hecho, es solo la forma en que la propia Escritura utiliza las evidencias en la presentación de la verdad (véase el capítulo 5, B, (3)-(5)).

Desafortunadamente, ha habido muy poco análisis real de las evidencias en la escuela presuposicionalista Van Tilliana de la apologética. El libro de Van Til *Evidencias teístas cristianas* (Christian Theistic Evidences),[5] presenta una filosofía de la evidencia y una crítica de los enfoques no cristianos o sub-bíblicos, pero no hay un análisis real de las evidencias en sí. El libro de Thom Notaro, *Van Til y el uso de la evidencia* (Van Til and the Use of Evidence) es una excelente defensa de

---

[5] Programa de estudios inédito, 1961.

Van Til contra el cargo de fideísmo. También formula importantes principios para el uso de la evidencia, pero no presenta evidencia real dentro de esa perspectiva, excepto en ejemplos ilustrativos. Espero que esta laguna en la literatura apologética reformada se llene pronto, aunque no puedo llenarla, al menos no aquí y ahora. Como la mayoría de mis hermanos presuposicionalistas, mis dones y formación son "abstractos" y filosóficos.

Sin embargo, hay una gran cantidad de literatura sobre evidencias cristianas, escrita desde otros puntos de vista que es de utilidad para el apologista reformado. Los libros que abogan por el uso de la metodología "tradicional" o "evidencialista" (McDowell, Montgomery, Hackett, Pinnock, Gerstner, Sproul) están muy equivocados en muchos aspectos, como hemos visto, pero también tienen algún valor positivo.[6]

a. Los libros de estos "evidencialistas" proporcionan una gran cantidad de información que cuando se analiza de acuerdo a las presuposiciones bíblicas, puede ayudarnos. Por ejemplo, cuando hablamos a los incrédulos sobre la Resurrección de Cristo, podemos muy bien utilizar argumentos similares a algunos de los utilizados por McDowell, Montgomery, Gerstner y Sproul. Es muy apropiado señalar que la resurrección de Cristo está tan bien atestiguada como cualquier otro hecho histórico. Es legítimo preguntarse por qué los apóstoles estaban dispuestos a morir por la creencia de que Cristo había resucitado. Es legítimo examinar las explicaciones alternativas (no creyentes) de los informes de la resurrección y mostrar lo inverosímiles que son. El uso de este tipo de argumentos no compromete, en sí mismo, nuestras presuposiciones bíblicas. De hecho, aunque los propios evidencialistas no aceptarían este punto, esos argumentos presuponen una visión cristiana del mundo, un mundo de orden, lógica y valor.

Solo son comprensibles dentro del "amplio círculo" de la argumentación cristiana. Fuera de ese círculo, los argumentos pueden ser evadidos fácilmente. Para David Hume, por ejemplo, cualquier explicación alternativa de los eventos era preferible a una explicación milagrosa, simplemente porque los milagros son

---

[6] Algunos de los títulos más recientes en este género incluyen: Josh McDowell, *Evidence That Demands a Verdict* (San Bernardino, Calif.: Here's Life Publishers, 1979), *The Resurrection Factor* (San Bernardino, Calif.: Here's Life Publishers, 1981), *More Than a Carpenter* (Wheaton, Ill.: Tyndale House, 1977); Stuart Hackett, *The Reconstruction of the Christian Revelation Claim* (Grand Rapids: Baker Book House, 1984); John W. Montgomery, *Where Is History Going?* (Grand Rapids: Zondervan Publishing House, 1969), *Faith Founded on Fact* (Nashville and New York: Thomas Nelson Publishers, 1978); R. C. Sproul, John H. Gerstner, and Arthur Lindsley, *Classical Apologetics* (Grand Rapids: Zondervan Publishing House, 1984); Clark Pinnock, *Reason Enough* (Downers Grove, Ill.: Inter-Varsity Press, 1980).

inherentemente inconcebibles. Sobre esa base, la ilusión masiva, por ejemplo, aunque psicológicamente improbable, es preferible a una resurrección real como explicación de los acontecimientos. Por supuesto, diferimos con el criterio de probabilidad de Hume. Cuando exponemos estos argumentos, estamos presuponiendo diferentes criterios cristianos. Así, cuando afirmamos la credibilidad de la resurrección sobre la base del testimonio bíblico, estamos al mismo tiempo exponiendo una epistemología y una visión del mundo cristiana.

b. Para algunos incrédulos, de hecho, ese tipo de argumento puede ser suficiente. No todos son tan sofisticados epistemológicamente como David Hume. Y el Espíritu Santo ha concedido la fe a muchos a través de la presentación de los tipos de argumentos mencionados anteriormente. Para tales personas, no es necesario hablar de presuposiciones; el mensaje sobre las presuposiciones está implícito en el propio argumento. Aceptar el tipo de argumento que presupone una cosmovisión y epistemología cristiana es al mismo tiempo aceptar esa cosmovisión y epistemología; es aceptar todo el evangelio. No debería sorprendernos, entonces, encontrar a Dios trabajando a través de apologistas "tradicionales". La apologética tradicional contiene mucha verdad, mucha de la cual contradice totalmente la teoría de la apologética evidencialista. La apologética evidencialista no es convincente y persuasiva porque se basa en presuposiciones incrédulas o "neutrales", sino porque se basa (en la medida en que es sólida) en presuposiciones cristianas.

c. Con otros incrédulos, puede que se necesite más. El Espíritu puede no elegir trabajar a través de los argumentos tradicionales. Si el investigador, como Hume, es filosóficamente sofisticado, su continua incredulidad puede manifestarse en objeciones epistemológicas. Puede preguntar qué base tenemos para preferir una explicación milagrosa de los eventos posteriores a la muerte de Jesús a una naturalista. En ese caso, debemos entrar en la epistemología: presuposiciones, circularidad, perspectivalismo, lo que sea necesario. Y lo más probable es que nuestro argumento no esté completo a menos que haya un ataque a la propia epistemología del investigador (ver B, abajo). Pero incluso con indagadores de ese tipo, los argumentos tradicionales pueden ser una forma de iniciar la conversación.

d. Los apologistas tradicionales a menudo razonan sobre una base presuposicional, a pesar de que carecen de una teoría apologética presuposicional totalmente correcta. Los defensores del milagro a menudo señalan que la definición de milagro de Hume expresa una presuposición incrédula y, por lo tanto, plantean la cuestión pertinente. R. C. Sproul, un "evidencialista", ha desarrollado un muy buen resumen de Romanos 1, aunque bastante incoherente, diría yo, con su teoría apologética antipresuposicional. Montgomery y Gerstner abogan por la argumentación presuposicional -argumentación basada en la autoridad bíblica-

después de que la autoridad de las Escrituras haya sido probada por un argumento "neutral". Gran parte de su defensa del presuposicionalismo es sólida, incluso si descartamos el prólogo de neutralismo, como espero que todos lo hagamos. Montgomery habla de manera útil sobre la necesidad de integrar los datos en una *gestalt* o sistema de pensamiento, pero no ve cómo esta necesidad es inconsistente con su empirismo radical. De todas estas maneras, los apologistas tradicionalistas contribuyen positivamente al tipo de apologética que estoy defendiendo.

e. Por último, los apologistas neutralistas suelen señalar eficazmente algunos errores de pensamiento incrédulo -real, lógico, etc.- y estos relatos suelen ser útiles.

(3) LA PERSPECTIVA EXISTENCIAL

Aquí, varios asuntos requieren nuestra atención.

a. Prueba y Persuasión

Hemos visto (capítulo 5, C, (2)) que el objetivo de la apologética no es solo producir argumentos sólidos sino persuadir a la gente. Dado que no todos los argumentos sólidos son persuasivos con un individuo o grupo en particular, es aún más importante tratar a los indagadores como individuos y de manera amorosa para tratar de entender cada una de sus necesidades particulares y desarrollar argumentos dirigidos a esas necesidades. En efecto, entonces, habrá un "método apologético" diferente para cada indagador, aunque en algunos aspectos todos nuestros métodos deberían ser iguales.

Se ha objetado a menudo que, puesto que solo Dios puede cambiar el corazón de una persona, no debemos tratar de efectuar tal cambio, no sea que confundamos nuestro propio trabajo con el del Espíritu. En su lugar, el argumento es que deberíamos simplemente presentar argumentos sólidos y dejar que el Espíritu convenza a la gente. La Escritura, sin embargo, rechaza la idea de que la soberanía divina y la responsabilidad humana son incompatibles. Dios actúa soberanamente a través de la agencia humana, y la agencia humana - las acciones humanas - se hacen efectivas porque Dios es soberano. Es correcto, entonces, que busquemos los mismos fines que Dios busca -nada menos que la conversión, un cambio fundamental de corazón, en aquellos de los que somos testigos. Y eso, en efecto, es lo que encontramos en las Escrituras. Pablo, por ejemplo: "discutía en la sinagoga, tratando de persuadir a judíos y griegos" (Hch. 18:4; *cf.* v. 28; 19:8).

El objetivo de Pablo no era simplemente cubrir el tema sino persuadir, cambiar la opinión de sus oyentes a través de un cambio de corazón. La apologética, por lo tanto, nunca puede estar lejos de la evangelización, y viceversa. Ambas están relacionadas perspectivamente, la apologética centrada en los medios (razonamiento piadoso basado en las Escrituras) y el evangelismo centrado en el objetivo (la conversión de los pecadores).

b. El misterio de la persuasión

He hablado antes de lo misterioso de ese "descanso cognitivo" que marca el momento de la persuasión. No hay ningún argumento racional que infalible o inevitablemente lleve a ese punto, que es el resultado del trabajo del Espíritu de Dios (arriba, a) y de muchos medios creados. Tanto el argumento como la influencia del amor cristiano (abajo, c) son importantes.

Otros medios han sido recomendados a los indagadores que han escuchado argumentos a favor del cristianismo y sin embargo languidecen en la indecisión. Uno de los más famosos de esos argumentos es la "apuesta" de Pascal, que dice así:[7] Aunque no sepamos que el cristianismo es verdadero, debemos "apostar" que lo es, porque si apostamos contra el cristianismo y resulta ser verdadero, lo hemos perdido todo, pero si apostamos por el cristianismo y resulta ser falso, no hemos perdido nada; por lo tanto, debemos elegir el cristianismo. La apuesta de Pascal ha sido objeto de muchas objeciones. Consideradlas.

(A) ¿Qué pasa si el Islam o alguna otra religión o filosofía es verdadera? En ese caso, parecería que creer en el cristianismo podría ser una pérdida sustancial, una pérdida de la verdad al menos y posiblemente una pérdida de la salvación eterna también. Pascal parece haber considerado solo dos opciones: El cristianismo y la irreligión. Pero hemos visto que, de hecho, Pascal tiene razón. Solo hay dos opciones que realmente importan, y los investigadores a menudo reconocen ese hecho en un punto u otro de su búsqueda. Para aquellos que no aceptan esa premisa, por supuesto, la apuesta de Pascal no será persuasiva (aunque seguirá reflejando la verdad); pero para aquellos que sí lo hacen, puede ser persuasiva.

(B) ¿Es la apuesta una descarada apelación al egoísmo? Bueno, apela al interés propio, pero Jesús y las Escrituras frecuentemente hacen lo mismo. Aunque el cristianismo enseña el autosacrificio, es un autosacrificio que lleva a la bendición a

---

[7] Pascal formuló este argumento en sus *Pensees*. Fue defendido por William James en su famoso ensayo, "La voluntad de creer".

largo plazo. Amar a Dios no es incompatible con la búsqueda de lo mejor para uno mismo. De hecho, los dos son inseparables (*cf.* Mt. 6:33; 19:28-30; 1 Ti. 4:8).

(C) ¿Asume la apuesta que el cristianismo no puede conocerse con certeza como verdadero? No. Asume que el indagador, en este punto, no está dispuesto a conceder la certeza del cristianismo.

(D) ¿Incita la apuesta al indagador a la hipocresía, a comprometerse en algo que no cree con confianza? Pascal insta a los indagadores en esta situación a actuar como cristianos, a ir a la iglesia (a la misa, en su caso), a confesar sus pecados, a usar el agua bendita, etc., como un medio para despertar la verdadera fe.

Pero Pascal es un escritor con gran sensibilidad a las sutilezas de la persuasión, esas "razones del corazón que la razón no puede conocer". Cuando alguien decide con base en la apuesta de asistir a la iglesia, por ejemplo, no está siendo necesariamente hipócrita, aunque puede serlo. Más bien, puede estar siguiendo los dictados de su razón (y por lo tanto de su conciencia), tomando el curso que parece más prudente. Si cree erróneamente que el cristianismo es incierto, bueno, también lo creen muchos cristianos. Su decisión puede, sin embargo, mostrar signos de regeneración. Su decisión de asistir a la iglesia puede ser una decisión de obedecer a Dios, y esa decisión, aunque no puede salvar el alma, puede ser una temprana expresión de la verdadera fe. La verdadera fe puede existir antes de ser profesada, antes de que el creyente se sienta preparado para profesarla. Los actos de fe pueden preceder a la profesión verbal de fe, y esos actos pueden facilitar al indagador la profesión de fe más adelante.

La fe se parece mucho a las apuestas, después de todo, no es que el cristianismo sea incierto o como un tiro de dados. Pero la certeza del cristiano no es tampoco el tipo de certeza previsto por los filósofos racionalistas (ver capítulo 5, A, (8)). No es la certeza de aquellos que han tenido todos sus problemas resueltos, a los que la verdad es comprendida exhaustivamente. Piense de nuevo en el ejemplo de Abraham, que se aventuró en la fe, aunque muchas objeciones a la promesa de Dios le miraban a la cara. En medio de las preguntas y dificultades no resueltas, seguimos a Dios. Estamos inseguros en el sentido de que no podemos explicar todas las dificultades, pero tenemos la certeza de que podemos apostar nuestras vidas por Cristo, de que podemos caminar por el camino de la obediencia, de que podemos aceptarlo como nuestra norma de certeza. Hay, por lo tanto, algo así como apostar por la verdadera fe.

En una situación práctica de apologética, no sería prudente hacer uso explícito de la apuesta de Pascal. Si puede ser defendida, sin embargo, también puede ser fácilmente malinterpretada. Sin embargo, es importante en la apologética instar a un indagador a tomar una decisión. Eso no significa manipularlo o alentar la hipocresía. Significa, sin embargo, dejarle claro la naturaleza de la fe. Significa dejar claro que la fe no espera —de hecho, no lo hace— la resolución de todas las dificultades intelectuales y que la fe se expresa no solo en la confesión intelectual o verbal sino también en todas las actividades de la vida. Si el indagador no está listo para verbalizar una confesión de fe, debe sin embargo ser animado (no desalentado, como en algunos círculos) a buscar la piedad y hacer el uso de los medios de gracia que la iglesia (según las Escrituras) permita.

c. El carácter del apologista

En la apologética es especialmente importante que la enseñanza sea tanto por la vida como por la palabra (capítulo 10, C). Uno de los argumentos más fuertes (es decir, más persuasivos) es el amor cristiano. Recuerden 1 Pedro 3:15 y el versículo 16, que a menudo se descuida en este contexto.

> Pero en vuestros corazones mantened a Cristo como Señor. Estén siempre preparados para dar una respuesta a todo el que les pida que den la razón de la esperanza que tienen. Pero hacedlo con dulzura y respeto, manteniendo la conciencia tranquila, para que los que hablen maliciosamente contra vuestro buen comportamiento en Cristo se avergüencen de sus calumnias.

Nuestra apologética debe estar impregnada por un sentido de señorío de Cristo (ver Parte Uno), y esto exige una preparación diligente para poder obedecer la Gran Comisión de nuestro Señor, estando preparados para responder a los indagadores, no solo con proclamaciones, sino con respuestas y razones. Y requiere audacia para que podamos aprovechar estas oportunidades. Y también requiere gentileza y respeto. El que pregunta no debe ser tratado como una estadística ni como alguien a quien manipular para que se comprometa verbalmente; ni tampoco debe ser tratado con desprecio, aunque su incredulidad sea repugnante para Dios. Es un ser humano, hecho a imagen y semejanza de Dios, y debe ser amado y tratado con dignidad. El trabajo de los Schaeffers en L'Abri será un ejemplo perdurable para nosotros en ese sentido, ya que se esforzaron por presentar respuestas meditadas en un contexto de amor y respeto.[8]

---

[8] Ver: Edith Schaeffer, *L'Abri* (Wheaton, Ill.: Tyndale House, 1969) y *The Tapestry* (Waco, Tex.: Word Books, 1981).

B. APOLOGÉTICA OFENSIVA

La apologética se define a veces como la "defensa de la fe", pero esa definición puede ser muy engañosa. La apologética no es solo defensa sino también ofensa, un ataque de los cristianos contra el pensamiento y la acción incrédula.[9] Como dice el apóstol Pablo: "Derribamos los argumentos y toda pretensión que se oponga al conocimiento de Dios, y llevamos cautivo todo pensamiento para hacerlo obediente a Cristo" (2 Co. 10:4s). De hecho, como es cierto en algunos otros campos, "la mejor defensa es una buena ofensiva". De hecho, se podría argumentar que la ofensiva es la función principal de la apologética. Después de todo, Dios no tiene nada que defender, para "disculparse". Jesucristo es el poderoso gobernante del cielo y de la tierra, el guerrero invencible en marcha para traer su reino, derribando todos los poderes y autoridades que se le oponen (Col. 2:15). La apologética es una de sus herramientas para poner a sus enemigos bajo sus pies.[10]

Así que no es suficiente para el cristiano simplemente responder a las objeciones del incrédulo. El cristiano está llamado a volver el ataque contra los enemigos de Dios. Este, de hecho, es el papel que el Señor mismo tomó como el abogado acusador del juicio del pacto de Dios contra su pueblo infiel, Israel, y el papel que asumirá cuando regrese.[11] Cuando Satanás o sus asociados humanos traen acusaciones contra el pueblo de Dios, Dios regularmente se niega a responder a la acusación y trae acusaciones contra los acusadores (ver Gn. 3:18-25; Job 38-42; Mt. 20:1-15; Ro. 3:3s.). Del mismo modo, después de refutar varias preguntas destinadas a atraparlo, Jesús se vuelve contra sus críticos (Mt. 22:41-45), al igual que Pablo, después de un prolongado esfuerzo de apologética defensiva (Hch. 28:23-28). Nótese también el elemento de advertencia solemne que se encuentra en tantas declaraciones divinas —1 S. 8:9; Sal. 81:11ss.; Is. 28:17; 44:25; Jer. 1:10; Lm. 2:14; Os. 2:9— particularmente contra las falsas afirmaciones de sabiduría en

---

[9] Obviamente, cuando hablo de "ofensa", no estoy instando al apologista a ser "ofensivo", es decir, desagradable o grosero. El apologista debe evitar ofenderse, excepto por la ofensa de la propia cruz de Cristo. Estoy usando "ofensa" como se usa en los deportes y la guerra: nuestro ataque al enemigo.

[10] Van Til fue criticado una vez por usar imágenes militares. Sin olvidar lo que dije en la última sección sobre la gentileza y el amor, debo responder como él lo hizo: Ese es el lenguaje bíblico.

[11] Meredith G. Kline, *Images of the Spirit* (Grand Rapids: Baker Book House, 1980). Ver: Job 38; Is. 1:18ss.; 3:13; Jer. 1:16; Os. 4:1; Jn 16:8 (el Espíritu Santo).

oposición a la Palabra de Dios. A diferencia de muchos hoy en día, Dios no tiene miedo de ser negativo.[12]

Por supuesto, tal crítica negativa no servirá de mucho a menos que al mismo tiempo presentemos de manera convincente una alternativa cristiana positiva. Por lo tanto, la defensa y la ofensiva no pueden estar separadas por mucho tiempo. Sin embargo, en esta sección me centraré en la ofensiva, confiando en que el lector mantenga los dos aspectos en un equilibrio adecuado.

El método de la ofensiva apologética de Van Til es el segundo paso de su método apologético. El primer paso es pedirle al incrédulo que asuma la verdad de la posición cristiana "por el bien del argumento" para que el creyente pueda presentarle esa posición con su racionalidad inherente. Esa es la estrategia defensiva de Van Til. Su estrategia ofensiva, el segundo paso, es que ambas partes asuman las presunciones del incrédulo, una vez más solo "por el bien del argumento", para que el creyente pueda presentar un *reductio,* una demostración de que las premisas del incrédulo conducen a una total ininteligibilidad. Este segundo paso, sin embargo, necesita más análisis. ¿En qué sentido puede un creyente aceptar la posición de un incrédulo "por el bien del argumento"? ¿Cuánto debemos aceptar de esta manera? ¿Todo? Entonces estaremos aceptando todo lo que el no creyente diga, todas sus refutaciones a nuestra posición y todos sus argumentos por los suyos. De esa manera nunca refutaremos su posición.

Lo que Van Til evidentemente quiere decir aquí es que el creyente acepta "por el bien del argumento" ciertas premisas fundamentales del sistema del incrédulo - el ateísmo o "pura casualidad", por ejemplo —y luego de esas premisas deduce el caos y el sinsentido, completando el *reductio.* Pero en esa deducción, por supuesto, él está pensando como un cristiano. En ese punto, ya no está presuponiendo la incredulidad, incluso "por el bien del argumento". La moraleja de esta discusión es que el cristiano nunca abandona su propia presuposición, ni siquiera por un momento. Incluso cuando acepta los principios del no creyente "por el bien del argumento", sigue pensando como un cristiano. Lo que realmente sucede en este segundo paso, entonces, es que el cristiano le dice al incrédulo cómo le parecen los principios del incrédulo como cristiano.[13]

Con estas aclaraciones, veamos la apologética "ofensiva" bajo nuestras tres perspectivas.

---

[12] Muchos de los textos mencionados en este párrafo fueron señalados a mi atención por Os Guinness (en una serie de conferencias grabadas).

[13] El punto de este párrafo me fue sugerido por mi colega Vern S. Poythress del Seminario Teológico de Westminster en Filadelfia.

(1) PERSPECTIVA NORMATIVA: LA ESCRITURA VERSUS LA DIALÉCTICA

a. Cuando el incrédulo ataca al cristianismo por estar basado en la "fe" en vez de en la "razón", es muy importante revertir la acusación. El incrédulo también tiene presuposiciones que no cuestiona y que gobiernan cada aspecto de su pensamiento y su vida. Así, en un sentido relevante, él también tiene "fe". Él también discute en un círculo. Sin embargo, no es que los dos sean iguales, ya que el no cristiano no tiene base para confiar en la razón, excepto su fe ciega. Si este mundo es en última instancia el producto del azar más la materia, del espacio y el tiempo, ¿por qué debemos asumir que los acontecimientos en nuestra cabeza nos dirán algo fiable sobre el mundo real? El cristiano, sin embargo, sabe que Dios nos ha dado la razón como una herramienta fiable para conocerle a Él, al mundo y a nosotros mismos. Por lo tanto, el zapato está en el otro pie. La perspectiva cristiana es racional; la del incrédulo se basa en la fe ciega.

b. También es apropiado que el apologista señale al incrédulo lo que las Escrituras dicen de él. Aunque está hecho a imagen de Dios y rodeado de la clara revelación de Dios, se ha negado a reconocer y obedecer a Dios, ha cambiado la verdad por una mentira y ha tratado de suprimir la verdad, para obstaculizar su funcionamiento.

c. También se puede decir algo sobre lo que el incrédulo trata de sustituir por la verdad: la dialéctica racionalista-irracionalista (véase el capítulo 1, A y C, (3)). Recordemos que el racionalista no cristiano reclama un criterio autónomo de verdad aparte de la revelación de Dios; el irracionalista no cristiano niega la existencia de la verdad y la racionalidad. Estas son las dos únicas posibilidades si se rechaza al Dios de la Escritura: la idolatría o el nihilismo.

Los racionalistas e irracionalistas no se encuentran solo entre los filósofos profesionales. Los incrédulos ordinarios también demuestran estos compromisos, aunque no de manera tan epistemológicamente consciente. El racionalista puede ser el empresario hecho a sí mismo que se ve a sí mismo como el amo de su destino o el político local que piensa que mediante una cuidadosa planificación gubernamental podemos superar todos nuestros males sociales o el cantinero que tiene una opinión sobre todo o el vecino que piensa que la "ciencia moderna" ha refutado completamente el cristianismo. (También podría ser el fariseo, el anciano de la iglesia que piensa que por sus buenas obras o conocimientos doctrinales merece el favor de Dios, o la "oveja negra" —en realidad un fariseo con otra vestimenta— que piensa que debe convertirse en una persona mucho mejor antes de tener el derecho de buscar a Dios). El irracionalista podría ser el borracho del pueblo al que nada le importa, o el feliz lechero que vive del sentimentalismo y parece desconcertado cuando alguien le pregunta sobre sus bases de vida, o el adolescente enfadado que odia toda autoridad y busca destruir todo lo que ve.

Los racionalistas e irracionalistas suelen estar en desacuerdo entre sí, pero bajo la piel son lo mismo, unidos en la incredulidad.

(i) El racionalismo es irracional

El no cristiano no tiene derecho a tener fe en la razón. La acepta solo por un salto irracional. El esquema racional del racionalista nunca le da el conocimiento divino que él reclama. Ya que este es el mundo de Dios, los hechos nunca encajan en su sistema sin Dios. Frente a este problema, el no creyente puede tomar tres caminos: convertirse en un irracionalista, comprometerse con el irracionalismo (admitiendo que el esquema no es totalmente adecuado), o aferrarse a su esquema y negar la existencia de cualquier discrepancia. Este último curso es el más consistentemente racionalista, pero también tiene dificultades. Aleja al racionalista de la realidad y lo aísla en un mundo propio.

Cuanto más se aleja en esta dirección, más aislado está, más llega a conocer solo su propio sistema, menos llega a conocer el mundo. ¿Y cómo se llama cuando alguien está encerrado en un mundo de fantasía, conociendo solo sus propios procesos de pensamiento, ignorando la realidad? ¡Bueno, podríamos llamarlo irracionalista! Así, el racionalista se ve obligado a convertirse en un irracionalista, ya sea directamente o por medio de algún compromiso con el irracionalismo como término medio. El término medio, sin embargo, es inestable. ¿Dónde trazamos la línea entre la competencia de la razón y sus limitaciones? El cristiano tiene la guía de la revelación para hacerlo, pero el no cristiano no tiene base para tomar ninguna decisión. Solo puede seguir sus inclinaciones de forma irracional. En todas esas formas, entonces, el racionalismo debe llevar al irracionalismo.

(ii) El irracionalismo es racionalista.

(A) El irracionalismo solo puede ser afirmado sobre una base racionalista. ¿Cómo puede uno saber que no hay verdad o significado? Para saberlo, tendría que conocer todo el universo. Es así de difícil probar una negativa. (B) El irracionalismo se auto-refuta. Afirma saber que no hay conocimiento; cree que la verdad es que no hay verdades, ¡asegurando así el racionalismo y negándolo al mismo tiempo! C) Los irracionalistas generalmente comprometen su irracionalismo en su forma de vida. Recordemos el ejemplo de Schaeffer de John Cage, que predica el irracionalismo a través de su música pero que asume un mundo ordenado cuando cultiva hongos (capítulo 5, C, (1)). Sin el manicomio, tal inconsistencia es ineludible. Pero el irracionalismo, una vez expuesto, es refutado. Una vez que uno concede la existencia de cualquier significado u orden, ya no es capaz de negar la existencia de un significado u orden.

(iii) El racionalismo y el irracionalismo son parásitos del cristianismo.

Por supuesto, tanto el racionalismo como el irracionalismo son radicalmente opuestos al cristianismo, sin embargo, dependen del cristianismo de alguna manera para su credibilidad. (Recordemos nuestro "cuadrado de la oposición" de la Primera Parte, particularmente las líneas horizontales que denotan la similitud verbal). Es, después de todo, la revelación cristiana la que nos informa que la razón humana tiene tanto poderes como limitaciones. El racionalismo y el irracionalismo se basan en esas nociones de poderes y limitaciones, respectivamente, pero lo hacen independientemente de Dios, y ninguno de los dos es capaz de especificar cuáles son esos poderes y limitaciones. Así pues, los racionalistas e irracionalistas no tienen ningún principio que los aleje de los extremos del puro irracionalismo y el puro racionalismo.

De esta manera, tanto el racionalismo como el irracionalismo (así como las diversas posiciones de compromiso) son vulnerables a los ataques de los cristianos. Ninguna de estas posiciones es realmente distinta de las otras, y por lo tanto cada una está sujeta a todas las dificultades mencionadas. Estas posiciones no tendrían ninguna posibilidad si no fuera por su parecido con el cristianismo.

Esos análisis pueden guiar nuestro testimonio a muchos tipos de personas diferentes. Por supuesto, la gente puede no estar dispuesta a escucharnos. Pueden perder el interés y alejarse... en ese momento se vuelven irracionales, abandonando la búsqueda de la verdad. O un investigador puede volverse tan irracional que no se conmoverá por nada de lo que le digas. Si lo acusas de inconsistencia entre su irracionalismo y las decisiones de su vida, puede responder: "¿Y qué? ¿A quién le importa la coherencia?" Una vez que el pensamiento de una persona se aleja tanto de la verdad, no hay mucho que se le pueda decir como apologista, excepto dar testimonio de él con su vida y proclamación. Una persona así se parece mucho a alguien que está en un estado catatónico o que se ha retirado de la realidad. Con mi colega Jay Adams, estoy de acuerdo en que en tales casos debes seguir hablando, pero no esperes (al principio, de todos modos) llevar a cabo ningún argumento racional.

Esta discusión ha sido un poco filosófica, y el lector podría preguntarse si algo de esto ayudará a dar testimonio a la "gente común". Bien, recuerde lo que dije antes: encontramos racionalistas e irracionalistas no solo entre los filósofos sino también entre todo tipo de personas. Considere el tipo que ha "abandonado" la vida. En un raro momento de sobriedad, te confiesa que no ve ningún sentido a la vida. Pregúntele por qué bebe. Su respuesta revelará que valora algo, ya sea la propia borrachera o la ausencia de dolor o lo que sea. Otras preguntas revelarán contradicciones adicionales con su perspectiva irracionalista. Pregúntele por qué valora lo que valora, y podrá mostrarle lo arbitrarios que son sus valores. Señale a Jesús como el único que puede dar paz duradera y consuelo en un mundo duro. Por supuesto, en algún momento, puede perder el interés o no estar dispuesto a hablar más. Ningún método apologético puede garantizar que eso no suceda. Solo podemos hacer lo mejor que podamos y orar para que Dios trabaje.

(2) PERSPECTIVA SITUACIONAL—LOS ERRORES DE LA INCREDULIDAD

Al atacar una posición no creyente, también es apropiado simplemente señalar errores de varios tipos, aparte del error fundamental de una falsa presuposición (arriba, (1)). Estos son de diferentes tipos.

a. Falta de claridad

La falta de claridad abunda en las discusiones sobre Dios y el cristianismo. A menudo los propios cristianos no son claros, como vimos antes, y tenemos que cuidarnos de eso. Aun así, recordando nuestras propias debilidades (Gá. 6:1; 1 P. 3:15s.), es apropiado que señalemos la falta de claridad en los sistemas no cristianos, aunque solo sea para facilitar la comunicación y el entendimiento.

El no cristiano, entonces, comparte con el cristiano una tendencia a la falta de claridad. Pero también hay razones especiales para la falta de claridad en la incredulidad que se derivan de la propia naturaleza de la incredulidad. Hemos visto en la última sección que el racionalismo e irracionalismo no cristiano depende para su viabilidad de su semejanza con conceptos cristianos similares. El racionalismo se alimenta de la premisa cristiana de que el mundo está gobernado por un plan completamente racional, que nada puede ser conocido a menos que alguien lo sepa todo. El irracionalismo se alimenta de la premisa cristiana de que los seres humanos no lo saben todo, que gran parte del mundo es misterioso para nosotros, más allá de la capacidad de nuestra razón. Así, los racionalistas e irracionalistas no cristianos toman prestada la terminología y las ideas cristianas para expresar sus posiciones anticristianas. El resultado es la falta de precisión.

De manera similar, los teólogos modernos dependen de conceptos de trascendencia e inmanencia divina (de nuevo, véase la primera parte sobre este tema) que contradicen la enseñanza bíblica pero que pueden hacerse sonar muy bíblicos. Dios está exaltado, muy por encima de nosotros, pero cerca de nosotros a través de Cristo. Con tal lenguaje bíblico, estos pensadores expresan las nociones de que Dios está tan lejos de nosotros que nunca habla claramente en la revelación escrita y nunca actúa sin ambigüedades en las obras milagrosas y que Dios está tan cerca que no puede ser distinguido claramente de la creación, de modo que en efecto la creación se deifica y Dios se convierte en criatura.

Esa clase de falta de claridad, especialmente, debe ser expuesta, ya que es una gran barrera para la comunicación del evangelio, y revela muy agudamente la naturaleza de la distorsión de la verdad por parte del incrédulo.

b. Errores factuales

Los errores factuales también pueden quedar expuestos. Los cristianos también cometen errores de hecho, y no debemos dar al incrédulo la impresión de que nos creemos infalibles. Es importante que admitamos cuando estamos equivocados, no solo para ser amables con un interesado, sino también porque la falibilidad del cristiano es una enseñanza de la Escritura, ¡parte del mensaje bíblico!

La tendencia humana a cometer tales errores, sin embargo, se acentúa por la dinámica de la incredulidad, ya que, en el fondo, el incrédulo odia la verdad y quiere suprimirla. Así, los incrédulos a menudo no conceden lo que para los cristianos son hechos muy obvios. Debemos señalar tales errores, y debemos señalar su origen en la propia incredulidad, cuando seamos capaces de hacerlo.

Aquí también, los escritos de nuestros hermanos "evidencialistas" son útiles, junto con las obras estándar sobre la Biblia, la arqueología, el arte, la cultura moderna, la historia, y así sucesivamente. Cuanto más podamos aprender sobre el mundo de Dios, mejor podremos refutar los errores factuales.

c. Errores lógicos

Aquí se pueden hacer puntos similares. Todo el mundo comete errores lógicos, pero los no creyentes tienen razones especiales para cometerlos. Es importante que el apologista sepa suficiente lógica para refutar argumentos poco sólidos y mostrar la influencia de la incredulidad en la producción de esa insensatez. Cuando Bultmann dice que no podemos creer en los ángeles porque vivimos en un mundo que usa la radio, debemos responder que esto es un total *non sequitur*. ¿Pero por qué un hombre inteligente usaría un argumento tan obviamente errado? Porque está decidido a ser "moderno", en lugar de ser fiel a la Palabra de Dios.

(3) PERSPECTIVA EXISTENCIAL: PUNTOS DE CONTACTO

a. El apologista también debe tratar de conocer a las personas a las que se dirige. Debe buscar conocer a los individuos. Cada persona es diferente, aunque todos tienen esencialmente el mismo problema y necesidad. Por lo tanto, debemos tratar de hablar de una manera que cada uno entienda y abordar cada situación peculiar. Hacemos esto por amor, respetando a cada persona como la imagen de Dios, y también por la naturaleza misma de la comunicación. Normalmente es importante que hagamos preguntas para saber dónde está el indagador en su pensamiento y en su vida. El diálogo debe ser una vía de doble sentido. No solo predique; pase tanto tiempo escuchando como pueda.

Los conceptos de racionalismo e irracionalismo nos ayudarán aquí. Guinness usa las categorías de "dilema" y "desviación" para describir lo que he llamado racionalismo e irracionalismo.[14] Algunos incrédulos son conscientes hasta cierto punto de su situación, luchando con el tema de cómo pueden vivir en el mundo de Dios mientras mantienen su incredulidad. Esas personas están sensibilizadas con su "dilema" y siguen tratando de resolverlo en sus propios términos (racionalismo). Otros tratan de huir de los problemas, ya sea a veces o todo el tiempo. A David Hume le molestaban a menudo las implicaciones de sus pensamientos escépticos, pero decía que una buena partida de backgammon podía desterrar esas preocupaciones durante un tiempo. Eso es irracionalismo, el intento de escapar de la verdad. Deberíamos tratar de encontrar dónde está nuestro indagador en esta escala.

Siempre habrá alguna inconsistencia en el incrédulo, no solo en su teoría, sino particularmente entre su teoría y su vida. Recordemos a John Cage, que presupone

---

[14] En las conferencias grabadas mencionadas anteriormente.

un mundo ordenado cuando cultiva hongos, pero predica el caos a través de su música. Cada incrédulo es así, porque cada incrédulo es un irracionalista que sin embargo necesita vivir en un mundo racional. El borracho que "no se preocupa por nada" al menos se preocupa lo suficiente por la bebida como para comprarla y beberla. El filósofo que piensa que "todo es relativo" por lo menos cree que su relativismo es absolutamente cierto. Muchos de los que intentan suicidarse escriben notas, indicando así que no han perdido del todo el propósito.

La apologética se dirige no solo a los individuos sino también a las familias, a los grupos, a las naciones (como en el Antiguo Testamento) y al mundo. A menudo se pide al apologista que presente su mensaje, no solo de forma individual sino también en discursos, publicaciones y apariciones en los medios de comunicación. Para hacerlo de manera efectiva, es importante conocer algo de la mentalidad de los grupos a los que se dirige. ¿Cuáles son las características distintivas de la cultura moderna? ¿De la sociedad norteamericana actual? Las respuestas a estas preguntas también pueden mejorar la eficacia de nuestro testimonio a los individuos.

Los libros y artículos del grupo Schaeffer (Francis, Edith y Franky Schaeffer, Os Guinness, Donald Drew, Udo Middelmann y Hans Rookmaaker) y del grupo Rushdoony (R. J. Rushdoony, Gary North, Greg Bahnsen, Jim Jordan, David Chilton y otros, especialmente el excelente libro *Idols for Destruction* (Ídolos para destrucción) de Herbert Schlossberg)[15] se encuentran entre las fuentes más útiles de la comunidad reformada para este propósito. Además, no debemos descuidar otro grupo difícil de definir, pero notablemente coherente, que consiste en su mayoría en anglicanos y Católicos (la mayoría de los cuales son británicos), que han producido mucha y muy buena literatura que desafía la autocomplacencia de la cultura moderna (por ejemplo, libros de G. K. Chesterton, George MacDonald, Charles Williams, Dorothy Sayers, C. S. Lewis, J. R. R. Tolkien, Harry Blamires, Malcolm Muggeridge, Thomas Howard, Michael Novak, James Hitchcock y Peter Kreeft). En cierto modo, incluso William F. Buckley, Jr. debe contar en esta tradición, ¡al igual que Alexandr Solzhenitsen! Estos autores pintan un cuadro de un mundo ocupado con la secularización, la pluralización, la privatización de la religión (que creo que ahora se está superando gradualmente), la verdad psicológica (lo que se siente bien —el subjetivismo), la disminución del respeto por la vida y el exceso de confianza en el gobierno (tal vez no tan prominente como en los años 1980s).

El apologista puede estar en desacuerdo con estas generalizaciones, pero es importante que se forme algunas opiniones responsables (basadas en las escrituras)

---

[15] Nashville: Thomas Nelson Publishers, 1983.

en estas áreas si quiere hablar eficazmente con personas conocedoras de la sociedad moderna.

Los asuntos tratados en esta sección se denominan a veces "puntos de contacto" entre creyentes e incrédulos. He evitado usar el término "punto de contacto", aunque se usa muy comúnmente en la apologética, porque lo encuentro muy ambiguo. Puede significar (como en el presente contexto) un mero interés común (por ejemplo, en el aborto, en Reagan, en el desarme nuclear) que puede abrir el camino para un testimonio. O puede referirse a algún criterio neutral de verdad que no presupone ni creencia ni incredulidad. (En ese sentido, diría que no hay ningún punto de contacto entre creyentes e incrédulos). O puede referirse a algunos hechos o normas que tanto el creyente como el incrédulo conocen. (En ese sentido, hay muchos puntos de contacto. El incrédulo suprime este conocimiento, pero su supresión no lo hace necesariamente inconsciente. Ver capítulo 1, C, (2)). O puede referirse a alguna facultad psicológica (tal vez el corazón mismo) que puede ser alcanzada por una presentación del evangelio o un argumento apologético, si Dios quiere. (Sí, hay un punto de contacto en ese sentido.)

b. Habiendo llegado a algún entendimiento de su audiencia, el apologista debe, como todos los teólogos, decidir la forma de presentar su mensaje. Aquí hay muchas posibilidades, y una buena imaginación ayudará al apologista a visualizarlas. El diálogo, la conferencia, los cuentos fantásticos, las ayudas visuales (ver Jer. 27:1-7; Ez. 4:1-3; Is. 8:18), las acciones dramáticas (Ez. 4:4-17), los diversos tipos de presentaciones en los medios de comunicación, las cartas a los editores, los libros y muchos otros enfoques son vehículos legítimos de contenido apologético. La flexibilidad aquí es importante. El apóstol Pablo se hizo todo para todos los hombres para poder salvar a algunos por todos los medios (1 Co. 9:22). Seguir ese principio puede significar soportar molestias o pérdida de dignidad o incluso ser perseguido por el bien de nuestro ministerio. La tradición y la comodidad personal deben quedar relegadas a un segundo plano.

Lo importante es presentar el mensaje lo más claramente posible. Eso implica que debemos "identificarnos" lo más estrechamente posible con aquellos a quienes buscamos ganar. Por supuesto, no podemos identificarnos con su incredulidad. Pero debemos tratar de mirar al mundo a través de sus ojos tanto como sea posible para que nuestro mensaje no sea oscurecido por factores culturales o tradicionales que son irrelevantes para el evangelio. Las referencias a la historia, las costumbres, la literatura e incluso la religión de aquellos a los que intentamos ganar son herramientas valiosas.[16]

---

[16] Guinness insta a los apologistas a "usar sus profetas", citando Hechos 17:28.

Tampoco se requiere que siempre estemos en desacuerdo con los profetas, las costumbres y las ideas del no creyente. La supresión de la verdad por parte del incrédulo no implica que todo lo que diga sea falso (ver capítulo 1, C, (2)). Simplemente significa que se opone a la verdad y la resiste, incluso cuando la encuentra dentro de él, como debe hacerlo.

Así, el apologista presuposicional no tiene por qué avergonzarse de Hechos 17:16-34. En ese pasaje Pablo no apela a algún criterio "neutral" de la verdad, sino al conocimiento revelado de Dios que incluso los paganos (incrédulos) no pueden escapar. En el pasaje de Hechos, en contra de sus propias inclinaciones, la audiencia pagana de Pablo admite dos verdades de la fe cristiana: su propia ignorancia (v. 23) y la inmanencia de Dios (v. 28). Pero como en Romanos 1, Pablo los condena por haber resistido a esta revelación. Su idolatría es ignorante, es pecaminosa (v. 30), y deben arrepentirse de ella. Lejos de apoyar su religión, Pablo la condena y la corrige (vv. 23ss.). Enseña un Dios inmaterial, personal y soberano, contrario tanto al culto pagano como a los sofisticados conceptos filosóficos de los epicúreos y los estoicos (v. 18). Su proclamación de la resurrección y el juicio final por el hombre Jesús (v. 30 ss.) evocaba burla. La perspectiva de Pablo es totalmente bíblica, como lo demuestran sus alusiones al Antiguo Testamento (Ex. 20:3s.; Dt. 32:8; 1 R. 8:27; Sal. 50:9-12).[17]

No hay razón para que el apologista no pueda estar de acuerdo con ciertos elementos del pensamiento incrédulo, siempre que tenga en cuenta el hecho de que los incrédulos buscan suprimir la verdad que conocen. Tales acuerdos, por lo tanto, no son apelaciones a criterios comunes o neutrales; son apelaciones a la verdad que la Escritura garantiza (aunque se encuentre en labios de los incrédulos).

---

[17] El artículo inédito de Stephen R. Spencer "¿Es la Teología Natural Bíblica?" me llamó la atención sobre varios de estos paralelismos del Antiguo Testamento, señalando que el discurso de Pablo en Atenas es en realidad una continuación de su razonamiento en la sinagoga, véase Hechos 17:17.

APÉNDICE E: EVALUACIÓN DE LOS ESCRITOS TEOLÓGICOS

En los Apéndices E, F y G, pretendo reafirmar algunos de los principios del libro que son particularmente relevantes para los "jóvenes teólogos", seminaristas que escriben sus primeros trabajos de teología. ¡Espero que también sean útiles para algunos mayores! Aunque muchos de estos puntos se hacen en el libro, espero aquí ponerlos en lo que puede ser una forma más conveniente: listas de verificación con las que los estudiantes pueden comparar sus propios escritos teológicos y los de otros.

La primera lista es una lista de formas en las que los artículos teológicos, conferencias y libros pueden ser evaluados.

1. Escritura. ¿Son las ideas enseñanzas de la Escritura? ¿Son al menos consistentes con la Escritura? Este es, por supuesto, el criterio principal.
2. Verdad. Incluso si una idea no se encuentra en la Escritura, puede ser cierta, por ejemplo, una teoría con respecto a la influencia de Bultmann en Pannenberg.
3. Coherencia. ¿Está el caso del autor adecuadamente argumentado? ¿Son sus premisas verdaderas, sus argumentos válidos?
4. Edificación (Ef. 4:29). ¿Es de ayuda espiritual? ¿Dañina? ¿Difícil de decir?
5. Piedad. ¿Exhibe el texto el fruto del Espíritu, o es blasfemo, chismoso, calumnioso, poco amable, etc.?
6. Importancia. ¿Es la idea importante? ¿Trivial? ¿En algún punto intermedio? ¿Importante para algunos, pero no para otros?
7. Claridad. ¿Están bien definidos los términos clave, al menos implícitamente? ¿Es la estructura formal inteligible, bien pensada? ¿Son

claras las posiciones del autor? ¿Formula bien los temas a tratar y los distingue entre sí?

8. Profundidad. ¿El texto se enfrenta a preguntas difíciles o solo a preguntas fáciles? (Robert Dick Wilson, el gran erudito del Antiguo Testamento, usó como lema: "No he eludido las preguntas difíciles", un buen lema para que todos los teólogos lo recuerden). ¿Llega al meollo del asunto? ¿Notó distinciones y matices sutiles que otros escritores no notaron? ¿Muestra algún tipo de extraordinaria perspicacia?

9. Forma y estilo. ¿Es apropiado para el tema? ¿Muestra creatividad?

El más importante de ellos es el 1, por supuesto. En la enseñanza en el seminario, tiendo a calificar los trabajos sobre todo en claridad 7, coherencia 3, y profundidad 8 debido a la dificultad de aplicar pruebas doctrinales y prácticas en un entorno académico. Los siguientes criterios no son correctos, por razones que se discuten en el libro. No los use para evaluar trabajos teológicos.

10. Énfasis. Ver capítulo 6, A. En este tipo de crítica, un teólogo ataca a otro por tener un "énfasis" inadecuado. Pero no existe un énfasis normativo único. Un énfasis se convierte en un problema solo cuando conduce a otro tipo de problemas, los mencionados en 1-9.

11. Comparabilidad. Véase el capítulo 8, I, (3)-(5). Aquí se critica una obra porque se asemeja a otra que está mal considerada. Sin embargo, tal semejanza nunca es motivo suficiente para la crítica. Los puntos fuertes y débiles de cada obra deben ser evaluados individualmente.

12. Terminología. Véase el capítulo 6, C, (1) y el capítulo 7, C y D (especialmente D, (5)). Criticar la terminología de una obra -sus metáforas, "motivos" y definiciones- nunca es acertado, a menos que la terminología cause algunos de los problemas enumerados anteriormente en los criterios 1 a 9. La terminología en sí misma nunca es el problema. Este tipo de crítica cae bajo nuestra condena de la crítica "a nivel de la palabra", más que "a nivel de la frase".

APÉNDICE F: CÓMO ESCRIBIR UN DOCUMENTO TEOLÓGICO

Lo que sigue es mi método de investigación teológica y de redacción. Hay, por supuesto, muchos otros, y no soñaría con imponer mi enfoque a nadie más. Sin embargo, hay que empezar en algún lugar, con algún tipo de modelo en la mente; y después de algunos años de trabajo en el campo, sigo pensando que el siguiente plan tiene algún mérito.

Cada trabajo teológico, incluso aquellos dedicados enteramente a las ideas originales del autor, implicará alguna investigación. (Este es el caso incluso de los trabajos y otras presentaciones que no están escritas en un estilo académico tradicional). Como mínimo, implicará una investigación exegética y una interacción inteligente con los textos bíblicos. De lo contrario, el trabajo teológico difícilmente puede ser considerado como escritural; y si no es escritural, simplemente no tiene valor. Además, normalmente debería haber alguna interacción con otros teólogos ortodoxos para evitar la aberración individualista. También puede haber interacción con la teología no ortodoxa, la ciencia secular, la política, la economía, la filosofía, las tendencias culturales y otras similares, a modo de contraste, crítica y "punto de contacto" (véase el capítulo 11, B, 3)).

Además, cada trabajo debe contener algo del propio teólogo. Rara vez es suficiente decir al lector lo que dice otra persona (un "trabajo expositivo", como yo lo llamo). Tampoco, en los trabajos de nivel de seminario, es aceptable escribir una serie de argumentos "estándar" sobre un tema, argumentos que han sido utilizados una y otra vez. Describo los documentos de ese tipo como "frases de fiesta". Las frases de fiesta suelen ser útiles; es bueno tener a mano los argumentos habituales para el bautismo de niños, por ejemplo. Yo mismo utilizo este tipo de argumentos frecuentemente en las conversaciones con los curiosos. Pero en general, los argumentos de "frases de fiesta" no deben estar en los documentos teológicos. Exposiciones, resúmenes, encuestas, líneas partidistas, todos ellos son esencialmente regurgitaciones de ideas obtenidas de otras fuentes. Implican poco pensamiento analítico o crítico. Pero tal pensamiento es precisamente lo que se necesita, si el documento va a representar un avance en el conocimiento de la iglesia.

La integración entre la investigación y el propio pensamiento creativo, entonces, es el objetivo —o más bien un medio importante para el objetivo final de la edificación. Para lograr este propósito, trabajo de acuerdo a los siguientes pasos (más o menos).

1. Elegir un tema con cuidado, uno que sea útil para la gente, uno que pueda manejar adecuadamente en el tiempo disponible y en la extensión del documento que se pretende escribir (o el tamaño de la presentación no escrita).

2. Conozca sus fuentes. Los textos de la Escritura deben ser plenamente examinados. Con otras fuentes, generalmente escribo esquemas completos de las que son más importantes. Si estoy revisando un libro (con cierta extensión, al menos) suelo esbozar el volumen completo, tratando de entender con precisión la estructura de los argumentos, lo que se dice y cómo se dice. Las fuentes menos importantes, es decir, aquellas a las que se hará referencia solo de pasada o de las que solo interesan pequeñas partes, pueden ser tratadas con una intensidad proporcionalmente menor; pero el teólogo tiene la responsabilidad de hacer un uso correcto incluso de las fuentes menores.

3. Escriba lo que le parezca interesante. Después de que bosquejo mis fuentes, suelo volver y leerlas de nuevo (va más rápido la segunda vez, porque el bosquejo ayuda) para descubrir cosas que me interesan. Escribo (con referencias de páginas) cualquier cosa que parezca especialmente útil, cualquier cosa especialmente mala, cualquier cosa confusa o desconcertante, cualquier cosa que pueda añadir sabor a mi escrito. Este es el comienzo de la verdadera creatividad teológica (aunque la creatividad en cierto modo no falta ni siquiera en las etapas 1 y 2).

4. Haga preguntas sobre sus fuentes. ¿Cuál es el propósito del autor? ¿Qué preguntas está tratando de responder, y cómo las responde? Intenta parafrasear su posición lo mejor que puedas. ¿Está clara su posición? Analice cualquier ambigüedad. ¿Qué está diciendo sobre la mejor

interpretación posible? ¿Sobre la peor? ¿Sobre la más probable? Si encuentra algo especialmente interesante, añádalo a las notas mencionadas en el paso 3.

5.   Formule una perspectiva crítica de sus fuentes. ¿Cómo las evalúa? Utilice los criterios 1-9 del Apéndice E. Siempre debe haber alguna evaluación, positiva o negativa; si no sabe lo que es bueno o malo de la fuente, no puede hacer un uso responsable de ella. Con un texto de la Escritura como fuente, por supuesto, la evaluación debe ser siempre positiva. Con otros textos, habrá generalmente algún elemento de evaluación negativa (véase el capítulo 7, E).

6.   Organice sus notas según los temas de interés. Generalmente reviso mis notas y anoto todo lo que tiene que ver con un tema en particular. Una computadora puede ser de ayuda aquí.

7.   Pregunte, entonces, ¿Qué quiero decirle a mi audiencia con base en mi investigación? Determine uno o más puntos que crea que sus lectores, oyentes, espectadores (etc.) deben saber. La estructura de su presentación debe estar totalmente determinada por ese propósito. Omite cualquier cosa innecesaria. No es necesario que le diga a su público todo lo que ha aprendido. Aquí hay algunas cosas que puede elegir hacer en este momento. a) Hacer preguntas. A veces una pregunta bien formulada puede ser edificante, incluso si el teólogo no tiene respuesta. Es bueno para nosotros aprender lo que es desconocido, lo que está más allá de nuestra comprensión. b) Analizar un texto teológico o un grupo de ellos. El análisis no es "exposición" (arriba) sino "explicación". Describe por qué el texto está organizado o redactado de una cierta manera - sus antecedentes históricos, sus relaciones con otros textos, y así sucesivamente. c) Comparar o contrastar dos o más posiciones. Mostrar sus similitudes y diferencias. d) Desarrollar las implicaciones y aplicaciones de los textos. e) Complementar los textos de alguna manera. Añada algo a su enseñanza que considere importante. f) Ofrecer una evaluación crítica positiva o negativa. (g) Presentar alguna combinación de lo anterior. El punto, por supuesto, es ser claro en lo que estás haciendo.

8.   Sea autocrítico. Antes y durante su trabajo, anticipe las objeciones. Si critica a Barth, imagínese a Barth mirando por encima de su hombro, leyendo su manuscrito, dando sus reacciones. Este punto es crucial. Una actitud verdaderamente autocrítica puede salvarle de la falta de claridad y de argumentos poco sólidos. También le evitará la arrogancia y el dogmatismo injustificado, faltas comunes en toda la teología (tanto liberal

como conservadora). No dude en decir "probablemente" o incluso "no sé" cuando las circunstancias lo justifiquen. La autocrítica también te hará más "profundo". Porque a menudo -quizá normalmente- son las objeciones las que nos obligan a repensar nuestras posiciones, a ir más allá de nuestras ideas superficiales, a luchar con las cuestiones teológicas realmente profundas. En la medida en que te anticipes a las objeciones a tus respuestas y así sucesivamente, te encontrarás siendo empujado irresistiblemente al reino de las "preguntas difíciles", las profundidades teológicas.

En la autocrítica el uso creativo de la imaginación teológica es tremendamente importante. Sigue haciendo preguntas como estas. a) ¿Puedo tomar la idea de mi fuente en un sentido más favorable? ¿Uno menos favorable? b) ¿Proporciona mi idea la única salida a la dificultad, o hay otras? (c) Al tratar de escapar de un extremo malo, ¿estoy en peligro de caer en un mal diferente en el otro lado? d) ¿Puedo pensar en algunos contraejemplos de mis generalizaciones? e) ¿Debo aclarar mis conceptos, para que no sean mal entendidos? f) ¿Será mi conclusión controvertida y, por tanto, requerirá más argumentos de los que había previsto?

9. Decidir sobre una audiencia. ¿Niños de cierta edad? ¿Incrédulos? ¿Nuevos cristianos? ¿Educados? ¿Incultos? ¿Con formación teológica? ¿Educados profesionales? ¿Norteamericanos? ¿Otras naciones? El público elegido tendrá un gran efecto en el formato y estilo de la presentación.

10. Decida el formato y el estilo. Una vez más, la flexibilidad es importante. Considere varias posibilidades: a) trabajo de investigación académica, b) sermón, c) forma de diálogo (valiosa por muchas razones, entre ellas que te anima a ser más autocrítico), d) drama, e) poesía, f) fantasía, g) alegoría, h) medios mixtos, i) artículo popular. Hay muchos otros.

11. Produzca su formulación en papel o utilice el medio que elija. Es útil hacer un bosquejo previo, pero por lo general me encuentro cambiando el bosquejo a medida que veo hacia dónde parece ir el texto con mayor naturalidad. Más útil es reescribir. Un procesador de textos puede ser inmensamente útil en este punto. Si tiene problemas con la estructura de las oraciones, la organización de los párrafos, etc., a menudo es útil leer su trabajo en voz alta, preferiblemente a otra persona.

12. La idea central no debería ser un resumen de su investigación (que sería un trabajo "expositivo") sino su propia respuesta creativa a su investigación. No dedique diez páginas a la exposición y solo una a la evaluación o el análisis. Incluya solo la suficiente exposición para explicar y justificar sus propias conclusiones.

Todo el trabajo debe estar respaldado por la oración. Hemos visto la importancia del trabajo soberano de Dios para el éxito de la teología y la apologética. ¿Quién más puede aportar el conocimiento de Dios sino el mismo Dios?

APÉNDICE G: MÁXIMAS PARA LOS TEÓLOGOS Y LOS APOLOGISTAS

En esta siguiente lista, me gustaría enumerar para los teólogos y apologistas algunos "lo que se debe" y "lo que no se debe", basados en las discusiones del libro. Esta lista será, en efecto, un resumen de las propuestas del libro.

1. Haz todo para la gloria de nuestro Señor del pacto (capítulo 1).
2. No saques conclusiones epistemológicas fáciles de las doctrinas de incomprensión y conocimiento de Dios (capítulo 1, B, (1)).
3. Ve toda la teología como una exposición de los atributos del señorío de Dios (capítulo 1, B, (2), a).
4. Reconoce la dependencia del teólogo y apologista de la iluminación divina (capítulo 1, B, (2), b).
5. Haz teología - de hecho, todo tu pensamiento; de hecho, todo tu vivir - en obediencia a Dios (capítulo 1, B, (2), b; capítulo 10, C y D ([esp. (5) y (6)]); capítulo 11, A, (3)).
6. No busques hacer teología sin un conocimiento personal de Dios como tu amigo a través de Cristo (capítulo 1, B, (2), b).
7. Reconoce que los incrédulos buscan siempre evitar, suprimir y obstaculizar la verdad (capítulo 1, C). Por lo tanto, su percepción teológica, aunque informada por la revelación de Dios, no es fiable.
8. No saques, sin embargo, conclusiones simplistas de la depravación del incrédulo, por ejemplo, que todo lo que dice es falso (capítulo 1, C, (2); capítulo 11, B, (3)).

9. Traza, en el pensamiento no cristiano, la dinámica del racionalismo y el irracionalismo - las posiciones inútiles necesariamente relacionadas con la incredulidad (capítulo 1, A, (2); capítulo 1, C, (3); capítulo 11, B, (1)).

10. No intentes aislar los hechos, las leyes o la subjetividad como "prioritarios" a los demás o como que tienen más autoridad que los demás. Reconoce la interdependencia de éstos como "perspectivas" (capítulo 2).

11. No pienses en la teología como una mera expresión del sentimiento (capítulo 3, A, 1)).

12. No pienses en la teología como una mera elaboración de teorías científicas (capítulo 3, A, (2); capítulo 9, B), o como la búsqueda de alguna verdad "puramente objetiva".

13. Considera la teología como "la aplicación de la Palabra de Dios por personas a todos los ámbitos de la vida" (capítulo 3, A, (3)).

14. No distingas el significado de la aplicación (capítulo 3, A, (3); Apéndice C; capítulo 7, A).

15. Procura justificar tus afirmaciones, pero recuerda que en algunas ocasiones podemos creer en algo sin poder dar una justificación (capítulo 4, A; capítulo 10, D, (7); Apéndice I).

16. No busques ninguna justificación más profunda que la autoridad autosuficiente de la Escritura (capítulo 4, A; capítulo 5, A).

17. No busques hacer de una de las "tres perspectivas" de la justificación algo más definitivo que las otras (capítulo 4, B-D; capítulo 5, D; capítulo 6, B). Cf. la máxima 10, arriba.

18. Razona en un círculo "amplio" en lugar de "estrecho". Incluye en tus argumentos tantos hechos, tantos datos, como puedas (capítulo 5, A, (6) y B, (5)).

19. Razona circularmente, aunque parezca absurdo. Ten fe en que la Escritura tiene razón cuando dice que el incrédulo conoce realmente a Dios, y que, en efecto, un círculo que honra a Dios es el único camino apropiado, el único racional, para razonar (capítulo 5, A, (6) y E; capítulo 11, A, (1)). Cf., máxima 16, arriba.

20. Deja que tus presuposiciones y tu fe trabajen en ti un sentido de certeza; no te resistas al proceso. Pero permanece enseñable, también por la fe (capítulo 5, A, (8)).

21. Ofrece esa misma certeza a aquellos a quienes testificas (capítulo 5, B, (3)).

22. Presenta los hechos junto con sus interpretaciones bíblicas. No te avergüences de usar información extrabíblica en la teología, si la interpretas dentro de un marco bíblico (capítulo 5, B, (4); capítulo 9; capítulo 11, A,

(2) y B, (2)); véase el máximo 18, arriba. No des la impresión de haber llegado a los "hechos puros", o a la verdad, aparte de la interpretación que la Escritura hace de ella (referencias anteriores, también capítulo 10, D, (2)).

23. Presenta tu testimonio con el objetivo de nada menos que llevar al indagador a la plena fe salvadora (capítulo 5, B, (5) y C; capítulo 11, A, (3)).

24. Relaciona tu testimonio con las necesidades individuales y personales de tu indagador, así como con las necesidades que comparte con todos (capítulo 5, C; capítulo 11, A, (3) y B, (3)).

25. Señala las inconsistencias entre la vida del incrédulo y su doctrina para mostrar que su incredulidad no puede satisfacer sus necesidades reales (capítulo 5, C, (1); capítulo 11, B, (2)).

26. No te avergüences de admitir que, desde una perspectiva, la creencia es un sentimiento; pero no dejes que esa perspectiva te haga irresponsable ante las normas y los hechos (capítulo 5, C, (3); capítulo 10, D, (3) y (7)).

27. Busca la santidad como medio para la madurez teológica. Comprende que algunas disputas teológicas no pueden ser resueltas hasta que una o todas las partes alcancen una mayor madurez espiritual (capítulo 5, C, (4)). Cf. máximas 1 y 5 anteriores.

28. Usa presentaciones creativas para ayudar a la gente a ver los hechos en patrones bíblicos (capítulo 5, C, (5)).

29. Busca la renovación de los grupos e instituciones, así como de los individuos, reconociendo que la renovación individual y la colectiva son inseparables (capítulo 5, C, (6); capítulo 11, B, (3)).

30. No consideres la abstracción como un mal absoluto (capítulo 6, A y E, (2); capítulo 7, A, D, E, F; capítulo 8, E y I, (8)).

31. No critiques a alguien por "tener el énfasis equivocado", a menos que puedas demostrar que ese énfasis hace daño de acuerdo con los criterios 1-9, Apéndice E (y capítulo 6, C, (3) y (6); capítulo 8, I, (17))).

32. No hables del "contexto" de algo, a menos que tengas una idea clara del contexto al que te refieres (capítulo 6, A, B, C).

33. Recuerda que el "mensaje central" de la Escritura es relativo a todos sus mensajes particulares, y viceversa (capítulo 6, B).

34. No exijas que el "mensaje central" de la Escritura se formule de una sola manera. Reconoce la diversidad de las formulaciones bíblicas (capítulo 6, B).

35. No utilices la crítica "a nivel de la palabra": no critique la terminología de un teólogo (metáforas, distinciones, comparaciones) a menos que pueda demostrar que esa terminología hace daño según el Apéndice E, criterios 1-9 (véase también el capítulo 6, C, (1); capítulo 7, C, D, E, I). No ataque la terminología por el mero hecho de la etimología o el uso histórico pasado de esa terminología (referencias anteriores; véase también el capítulo 8, I, 3) y 6)).

36. Utiliza los personajes bíblicos como ejemplos para la vida cristiana, solamente después de haber comprobado la evaluación adecuada de las acciones de los personajes a la luz de toda la Escritura (capítulo 6, C, (4)).

37. No te avergüences de utilizar los textos bíblicos de manera aleatoria o de otras maneras inusuales, si se ajustan a esas tareas (capítulo 5, C, (5)).

38. Utiliza un texto según su finalidad, reconociendo que ésta puede ser muy rica y compleja (véase el capítulo 37, supra; capítulo 6, C, (6) y D).

39. Practica la teología bíblica, pero no con espíritu de sectario. Considérela como una de las muchas maneras de sacar a relucir las aplicaciones de la Escritura (capítulo 6, E, (2)).

40. No consideres tu sistema teológico como superior en ningún sentido (material o formalmente) a la propia Escritura. Asegúrate de que tus apegos emocionales y actitudes son consistentes con esta resolución (capítulo 3, A, (2); capítulo 6, E, (3); capítulo 7, C; capítulo 9, A, (2), b-f).

41. Busca la claridad, recordando, sin embargo, que es inevitable cierta vaguedad debido a la naturaleza del lenguaje y a la vaguedad de la propia Escritura (capítulo 7, A; capítulo 8, I, (14)-(17); capítulo 9, A, (2), d). Se igualmente crítico tanto de la vaguedad innecesaria como de la falsa precisión.

42. No te avergüences de ser negativo, cuando sea necesario (capítulo 7, E). Evita, sin embargo, las desavenencias innecesarias (cf. capítulo 8, I).

43. No critiques una formulación teológica que se base únicamente en el "sonido" o el "sentimiento" de esa formulación (capítulo 7, I).

44. Haz listas: escriba todas las cosas posibles que puedan significar una expresión que desee analizar. Determine su mejor sentido, su peor sentido, su sentido más probable (capítulo 7, I).

45. Señala la ambigüedad sistemática de la teología no ortodoxa (capítulo 7, G).

46. Utiliza la lógica como cualquier otro instrumento de la teología, con conciencia de su propia falibilidad, pero sin temor irracional (capítulo 8;

capítulo 10, D, (1)). Lo mismo vale para el lenguaje, la historia, la ciencia y la filosofía (capítulos 7-9).

47. Anticipa las objeciones (capítulo 8, C).

48. Sospecha de las afirmaciones sobre el "orden lógico", ya sea entre las realidades teológicas o dentro de la presentación de la verdad teológica. Se abierto a la posibilidad de interdependencia entre estas realidades y enseñanzas (capítulo 3, A, (2); capítulo 6, B; capítulo 8, E y F y I, (13); capítulo 10, D). Cf. máxima 10, arriba.

49. Averigua la carga de la prueba (capítulo 8, G e I, (6)).

50. No pienses que has refutado la posición de alguien simplemente ofreciendo argumentos para un punto de vista alternativo (capítulo 8, D).

51. Tenga en cuenta las posibles formas de argumentación y las falacias, recordando que los argumentos estrictamente falaces suelen tener algún valor (capítulo 8, H e I).

52. Se fiel a tu tradición confesional, siendo consciente, sin embargo, de su falibilidad (capítulo 9, A, (2)). Por lo tanto, no te suscribas a "cada declaración" en cualquier confesión humana.

53. No pienses en la teología como una acumulación de descubrimientos de una generación a otra (capítulo 9, A, (2), h; máxima 13, arriba).

54. No exijas que la teología sea impersonal o académica (capítulo 10, A y D (3)).

55. Se justo. Muestra amor incluso a tus oponentes (capítulo 10, C).

56. Utiliza todas tus facultades humanas (razón, percepción, emoción, imaginación, voluntad, hábitos, intuición) como utilizas las "herramientas" de la teología (máx. 44) - sin vergüenza, pero con conciencia de tu propia falibilidad (capítulo 10, D).

57. Evita cualquier intento de dar a una de tus facultades (arriba, 52) la primacía sobre las demás (capítulo 10, D). Cf. máximas 10, 17 y 48, arriba.

58. Razona con los incrédulos solo sobre la base de la Escritura, utilizando la Escritura misma en el argumento cuando sea apropiado (capítulo 5, E; capítulo 11, A, (1)). Cf. máxima 19, arriba.

59. Admite cuando no sepas la respuesta; tal ignorancia es un punto fuerte de nuestra apologética (capítulo 11, A, (1)).

60. Utiliza con prudencia las obras evidencialistas de la apologética, presentando sus hechos junto con las interpretaciones bíblicas de los mismos (capítulo 11, A, (2)). Véase la máxima 22, más arriba.

61. "Usa los profetas" de los incrédulos para llamar su atención sobre la verdad que han estado ocultando (capítulo 11, B, (3)).

62. Se flexible en la forma de comunicación (capítulo 11, B, (3); véase el apéndice F, 10).

APÉNDICE H: REVISIÓN DE *"LA NATURALEZA DE LA DOCTRINA"* DE GEORGE LINDBECK

He presentado la siguiente reseña para su publicación en el *Presbyterian Journal*.[1] Me pareció bien incluirla aquí también, ya que trata algunos asuntos meta-teológicos que no se mencionan explícitamente en el presente volumen y también hace otra aplicación de mis perspectivas triádicas. Aquí está la reseña.

* * * * *

Este volumen es muy técnico y difícil, pero describe una teoría de la naturaleza de la religión y la teología que podría llegar a ser influyente en los próximos años.

Lindbeck enseña en Yale, donde varios profesores han hecho interesantes contribuciones en "metateología", la teoría de la teología en sí. Él no aprecia los puntos de vista "fundamentalistas" de las Escrituras, e insta a una fe que sea reconciliable con las visiones del mundo moderno. Al mismo tiempo, tiene una cierta inclinación "conservadora". En 1975 fue uno de los firmantes de la *Declaración de Hartford* que, en efecto, decía "basta ya" a las "teologías seculares" y a las "teologías radicales" de la época. Ha llevado estas dos preocupaciones al contexto del diálogo ecuménico luterano-católico romano. Cree, como un liberal, que estas tradiciones doctrinales son reconciliables; pero, como un conservador, cree que estas tradiciones deben tomarse en serio y mantenerse.

Lindbeck cree que puede resolver esta aparente contradicción con una teoría particular de la naturaleza de la doctrina. En el pasado, dice, la doctrina se ha entendido como verdad proposicional (Ortodoxia) o como la articulación de la

---

[1] Philadelphia: Westminster Press, 1984.

experiencia religiosa (Liberalismo). Sin embargo, existe una tercera alternativa: la doctrina es una especie de lenguaje. El lenguaje es un sistema de símbolos que utilizamos para realizar diferentes trabajos en nuestra vida común. Por lo tanto, dice Lindbeck, la doctrina proporciona a la comunidad religiosa un conjunto de "reglas" por las que se pueden hacer y decir muchas cosas. Así, el conservador Lindbeck puede insistir en que las doctrinas son centrales y en algunos casos irremplazables; sin el lenguaje, no podemos decir nada. Pero el liberal Lindbeck puede insistir en que el lenguaje en sí mismo no implica ninguna verdad proposicional, sino que solo nos da herramientas con las que podemos (entre otras cosas) formular tales verdades.

Lindbeck cree que los credos, por ejemplo, no hacen afirmaciones concretas de la verdad, sino que excluyen algunas formulaciones doctrinales y permiten una serie de otras. Los credos no deben ser simplemente repetidos, sino que deben ser usados como herramientas para decir otras cosas; aprendemos la conjugación del latín *amo, amas, amat* no para repetirlo sin fin sino para que podamos aprender a decir otras cosas, como *rogo, rogas, rogat*. En todo esto, Lindbeck hace mucho uso de antropólogos modernos (por ejemplo, Geertz), lingüistas (por ejemplo, Chomsky) y filósofos (por ejemplo, Wittgenstein, Kuhn) que se han movido en direcciones similares.

Lindbeck se esfuerza mucho en demostrar que en su teoría algunas doctrinas pueden ser consideradas como superiores a otras, incluso infalibles. No creo que tenga éxito. Lindbeck nos ofrece "reglas", pero no nos ofrece ningún medio adecuado para juzgar cuáles debemos usar. Sin embargo, creo que una vez que aceptamos (como Lindbeck no lo ha hecho) una visión ortodoxa de la Escritura, podemos aprender mucho de su teoría. En efecto, ha presentado lo que para la mayoría de nosotros es una nueva, y en cualquier caso interesante, perspectiva sobre la naturaleza de la doctrina que, en mi opinión, complementa, en lugar de reemplazar, las otras dos que menciona.

La doctrina es las tres cosas: afirmaciones proposicionales de la verdad, expresiones de la experiencia interior de la regeneración y reglas para el discurso y la conducta de las criaturas de Dios. Ninguna de ellas es anterior a las otras. El libro de Lindbeck es una excelente exploración de la tercera perspectiva, que es, sin duda, la más descuidada en la teología actual. Podemos aprender de Lindbeck que, en efecto, el propósito de la doctrina no es simplemente repetirse, sino también ser "aplicada", para ser usada para todos los propósitos de Dios en el mundo. Y si no podemos usarla, no podemos en ningún sentido serio pretender "entenderla".

APÉNDICE I: LA NUEVA EPISTEMOLOGÍA REFORMADA

Recientemente, se ha discutido mucho el libro *Fe y Racionalidad: Razón y Creencia en Dios*, (Faith and Rationality: Reason and Belief in God) editado por Alvin Plantinga y Nicholas Wolterstorff (en adelante FR).[1] Dado que las preocupaciones de este libro definitivamente se superponen a las de mi Doctrina del Conocimiento de Dios (en adelante DCD), pensé que sería mejor añadir un apéndice en el que comente las relaciones entre los dos volúmenes.

No leí FR hasta después de haber terminado de escribir DCD, pero DCD estaba algo influenciado por algunos artículos y libros anteriores que prefiguraban el FR.[2] En DCD hice un uso considerable de la Creencia en Dios de George Mavrodes, especialmente su concepto de prueba "persona-variable" que es prominente en FR.[3] También comenté brevemente (y favorablemente) la crítica de Wolterstorff al "fundacionalismo" en *Razón dentro de los límites de la Religión* (Reason Within the Bounds of Religion).[4] Y aunque no los cité directamente, estaba muy consciente mientras escribía DCD de "¿Es Racional la Creencia en Dios?"[5] de Plantinga y los artículos de Wolterstorff, Alston y Plantinga en *Racionalidad en la tradición Calvinista*, editado por Hendrick Hart, Johan Vander Hoeven y Nicholas Wolterstorff, en el que también aparece mi "Racionalidad y Escritura".[6]

---

[1] Alvin Plantinga y Nicholas Wolterstorff, *Faith and Rationality: Reason and Belief in God* (Notre Dame, Indiana: University of Notre Dame Press, 1984)

[2] FR se publicó en 1983, pero la primera edición se agotó rápidamente. No pude conseguir un ejemplar hasta principios de 1986, pero DCD se terminó en diciembre de 1984. Por lo tanto, no pude tener en cuenta el libro directamente en el texto de DCD.

[3] New York: Random House, 1970.

[4] Grand Rapids: Wm. B. Eerdmans Pub. Co., 1976.

[5] En: *Rationality and Religious Belief*, ed. C. F. Delaney (Notre Dame and London: University of Notre Dame Press, 1979), 7–27.

[6] Lanham, Md., and London: University Press of America, 1983.

Este último volumen consta de las ponencias presentadas en una conferencia a la que asistí y que se celebró en el Instituto de Estudios Cristianos de Toronto durante el verano de 1981, en la que estas cuestiones fueron un tema central de debate. Podría, en efecto, haber estructurado el DCD como respuesta a esos escritos, pero tenía mi propio programa que, como indicaré, era significativamente diferente del de ellos.

En general, apruebo su enfoque, pero hay algunas áreas de diferencia, tanto de énfasis como de punto de vista. Aquí resumiré sus argumentos y luego presentaré mi evaluación.

(1) ALGUNAS COMPARACIONES GENERALES

Primero, haré algunos comentarios introductorios. FR "surgió de un proyecto de un año del Centro Calvino (College) de Estudios Cristianos sobre el tema *Hacia una visión reformada de la fe y la razón,* (Toward a Reformed View of Faith and Reason).[7] Contribuyeron los filósofos Alvin Plantinga (anteriormente del Calvin College, ahora de Notre Dame), Nicholas Wolterstorff (Calvin College), George Mavrodes (Universidad de Michigan) y William P. Alston (Universidad de Siracusa), el historiador George Marsden (Calvin College) y el teólogo David Holwerda (Calvin College). Se trata de un grupo de pensadores muy conocidos, muy respetados en la academia secular, así como en los círculos cristianos. Los filósofos son posiblemente los pensadores americanos más respetados en el campo de la filosofía de la religión. Plantinga fue escrito en la revista *Time* hace algunos años por su trabajo en los argumentos teístas, y esa aclamación popular no era desproporcionada para su reputación profesional. Los otros son igualmente prominentes e impresionantes pensadores.

El compromiso cristiano evangélico de estos filósofos, aunque ciertamente genuino, no siempre ha sido evidente en sus escritos. Tienen la tendencia (incluso en FR) a escribir como si fueran observadores neutrales, meramente interesados en el análisis lógico de las proposiciones religiosas por su propio bien, sin ningún interés religioso particular en el resultado del argumento. Esta postura es la común entre los filósofos modernos de la religión, cualesquiera que sean sus convicciones personales, aunque es bastante opuesta a la postura de Cornelius Van Til y, de hecho, de DCD. Sin embargo, en FR los filósofos bajaron un poco la guardia,

---

[7] Alvin Plantinga y Nicholas Wolterstorff, *Faith and Rationality: Reason and Belief in God* (Notre Dame, Indiana: University of Notre Dame Press, 1984), 9.

incluso se acercaron un poco a la teología.[8] Uno tiene la impresión (bueno, yo lo hago, de todos modos) que en estos ensayos están tratando no solo de aclarar conceptos (aunque lo hacen admirablemente) sino también de aconsejar a los compañeros creyentes que están luchando con verdaderos desafíos a su fe.

Y parece que estos autores quieren dar consejos distintivamente cristianos. No hay casi ninguna interacción con la Escritura en sí (aunque vea las páginas 10-15 de la Introducción), pero hay preocupaciones genuinamente bíblicas expresadas. Plantinga y Wolterstorff quieren que consideremos la creencia en Dios como una creencia "fundamental", una que es, en cierto sentido, "anterior" a otras creencias. (Holwerda agudiza este punto: contra Pannenberg, la fe en la promesa revelada de Dios es anterior a la interpretación de la historia).[9]

Y Plantinga y Wolterstorff, al menos (junto con el historiador Marsden), incluso expresan un sentido de responsabilidad hacia la tradición teológica reformada. Wolterstorff considera una ventaja que su punto de vista tenga cierta afinidad con la tradición reformada continental,[10] al igual que Plantinga[11] y Marsden.[12] Wolterstorff está incluso dispuesto a describir su punto de vista ("ciertamente no muy felizmente") como "epistemología calvinista" o "epistemología reformada".[13] Todo eso, por supuesto, es muy similar a la postura de DCD.

También es similar a la DCD el enfoque de FR sobre la dimensión ética de la epistemología. Estos autores, como yo, ven los actos epistémicos (creer, conocer, comprender, razonar) como sujetos a evaluaciones éticas, al igual que otras acciones humanas. Este enfoque, creo, añade al sabor "teológico" de ambos libros. Sin embargo, aquí también surge una diferencia importante. En DCD, el énfasis está en las obligaciones epistemológicas, pero en FR el énfasis está en los derechos epistemológicos. A mí me preocupa lo que deberíamos creer; a FR le preocupa lo que podemos creer. La diferencia no es aguda; DCD ocasionalmente reflexiona sobre los permisos y FR ocasionalmente sobre las obligaciones. Pero hay una diferencia de énfasis.

Una mayor diferencia se refiere a la fuente del valor ético epistemológico, ya sea el permiso o la obligación. Creo que los autores de FR, como cristianos

---

[8] Las definiciones de filosofía y teología que se presuponen en este comentario no son, por supuesto, las que se defienden en el DCD.

[9] Alvin Plantinga y Nicholas Wolterstorff, *Faith and Rationality: Reason and Belief in God* (Notre Dame, Indiana: University of Notre Dame Press, 1984), 304-11.

[10] Ibid., 7f.

[11] Ibid., 63-73.

[12] Ibid., 247-57.

[13] Ibid., 7. Cf. Plantinga, 74-91.

evangélicos, ubicarían esa fuente en última instancia, de alguna manera, en la revelación divina. Pero FR no se refiere a ese hecho.[14] DCD, por el contrario, se preocupa sobre todo de exponer las relaciones entre la revelación -específicamente la Escritura- y el conocimiento humano.

Estas diferencias explican en parte una diferencia de tono entre los dos libros. Como los escritos de Van Til, el mío es homilético, o simplemente "predica". Estoy exponiendo la Palabra autorizada de Dios como la entiendo que tiene que ver con cuestiones epistemológicas. Aunque mi libro está, confío, filosóficamente informado, es probablemente más parecido a la teología que a la filosofía, como esos términos se entienden normalmente. Sin embargo, me inclino hacia una presentación más filosófica que la empleada por Van Til, así como los autores de FR, como dije antes, se inclinan hacia la teología. Así los dos libros, creo, mejoran el potencial de comunicación entre los pensadores cristianos de la tradición Van Tilliana y los de la tradición del análisis lógico.

Relacionado con lo anterior está el hecho de que FR es más riguroso, elegante y coherente en la argumentación de sus conclusiones que DCD. FR toma más tiempo para establecer cada detalle de su caso. Soy capaz de usar un estilo de argumentación más riguroso lógicamente que el que usé en DCD (aunque probablemente no tan hábilmente la de los filósofos en FR), pero me decidí en contra porque creo que tal estilo alienaría a muchos lectores potenciales, haría el libro demasiado largo y, más importante, restaría impacto a DCD como una prédica.

(2) EL ARGUMENTO DE LA FE Y LA RACIONALIDAD

a. El desafío evidencialista

Pero ahora debemos estudiar el argumento de FR. Tal vez su tema principal es su intento de responder a lo que llama el "desafío probatorio a la creencia religiosa".[15] El "evidencialista" (que puede ser o bien un creyente o bien un no creyente) sostiene que no es racional aceptar una creencia religiosa a menos que esa creencia se base en pruebas y argumentos de algún tipo. John Locke, David Hume, W. K. Clifford, Antony Flew, Michael Scriven e incluso Thomas Reid (cuya posición se cita como en otros aspectos afín a la de FR) son descritos como evidencialistas en este

---

[14] Wolterstorff lo admite en su Introducción, 9.
[15] Ibid., 5–7, 24–39, 137–40.

sentido.[16] Por un lado, un evidencialista no cristiano puede entonces argumentar que es irracional creer en el cristianismo, ya que el cristianismo no está adecuadamente respaldado por la evidencia. Por otra parte, un evidencialista cristiano puede aceptar el desafío y argumentar que el peso de las pruebas sí apoya al cristianismo después de todo.

b. El fundacionalismo clásico

El enfoque de FR, sin embargo, es rechazar la objeción evidencialista como ilegítima. En primer lugar, los autores argumentan que esta objeción se basa en una desacreditada teoría epistemológica que ellos llaman "fundacionalismo clásico".[17] Esta teoría enseña que nuestras creencias pueden dividirse en dos categorías: creencias que dependen de otras creencias y creencias que no y que por lo tanto pueden ser llamadas "básicas" o "fundamentales". Las creencias del primer tipo se justifican por su relación con las creencias básicas. Una creencia no básica, para ser racional, debe ser deducible de una creencia básica o al menos hacerse probable por una creencia básica. Se suele decir que las creencias básicas incluyen creencias como "$1 + 1 = 2$", "me siento mareado", "veo un árbol" (o, más modestamente, "me parece ver un árbol"), las cuales pueden describirse como evidentes por sí mismas, a priori, incorregibles o evidentes para los sentidos. Se cree que éstas garantizan un grado de certeza tal que no requieren ninguna prueba o argumento.

Ahora bien, en el fundacionalismo clásico, la creencia religiosa está excluida de la base, ya que se piensa que carece de la certeza asociada a los otros tipos de creencias fundacionales. Dado que, entonces, las creencias religiosas no pueden ser "fundamentales", deben ser demostradas o hechas probables por creencias que sean "debidamente fundamentales". Por lo tanto, las creencias religiosas (en contraposición a las creencias "básicas" o "fundamentales") requieren pruebas, argumentos, si se quieren mantener racionalmente. Así pues, el fundacionalismo clásico requiere evidencias. Y Plantinga argumenta que lo contrario también es cierto: el evidencialismo presupone el fundacionalismo clásico.[18]

Pero según estos autores, el fundacionalismo clásico es una falsedad. En FR, Wolterstorff argumentó que es imposible derivar todo el conocimiento humano de

---

[16] Plantinga cita a Aquino como otro ejemplo (44-48). Wolterstorff, sin embargo, parece estar en desacuerdo, sosteniendo que Aquino (y Anselmo) solo buscan demostrar con pruebas o argumentos lo que ya se cree sin ninguna prueba o argumento (140f.). En opinión de Wolterstorff, la "objeción probatoria" es "peculiar de la modernidad" (140).

[17] Ibid., 1-5, 47-63, también el libro *Reason* de Wolterstorff, citada anteriormente.

[18] Ibid., 47f.

las proposiciones fundacionales: no se pueden encontrar suficientes proposiciones para formar el "fundamento", y del fundamento, como quiera que se interprete, no se puede derivar la suma total de su conocimiento. En FR, Plantinga señala que muchas de nuestras creencias cotidianas (como "He desayunado esta mañana", "El mundo ha existido durante más de cinco minutos") no pueden demostrarse de forma plausible que se deriven de proposiciones evidentes o incorregibles. Además, se pregunta, ¿cuál es el fundamento del criterio del fundacionalismo clásico de "un fundamento adecuado"? ¿Cuál es su razón, por ejemplo, para excluir las creencias religiosas de la fundación? Su criterio, argumenta Plantinga, no puede justificarse por sí mismo sobre una base fundacionalista; porque ni es una proposición "básica" ni se puede argumentar de forma razonable que se derive de las proposiciones fundamentales.[19]

El fundacionalismo, por lo tanto, es una posición autodestructiva, ya que la teoría no puede justificar su criterio clave de "fundamentalidad adecuada".

Como, entonces, el fundamentalismo clásico es defectuoso, la objeción evidencialista carece de fuerza. No hay razón para que la creencia en el cristianismo no sea en sí misma "fundamentalmente correcta", incluida en el "fundamento" de nuestra estructura noética (mental). Y si es así, entonces estamos en nuestro derecho (permitido epistemológicamente) de creer en el cristianismo sin ninguna evidencia o razón en absoluto.

c. La experiencia cristiana

Alston añade un cuidadoso argumento en el sentido de que creer en el cristianismo sobre la base de la "experiencia cristiana" no es menos racional que creer en los objetos físicos sobre la base de la percepción de los sentidos.[20] Su argumento apoya el de Plantinga sugiriendo, en efecto, que la experiencia cristiana tiene tanto derecho como la percepción sensorial a ser aceptada como fundamental o básica.

d. El criterio alternativo de Wolterstorff

La contribución de Wolterstorff consiste en sugerir una alternativa positiva al desacreditado criterio fundacionalista de la racionalidad.

---

[19] Ibíd., 59-63. Este es el tipo de argumento que se ha utilizado eficazmente para refutar el principio de verificación positivista lógica.
[20] Ibid., 103–34.

Una persona está justificada racionalmente al creer una determinada proposición que sí cree, a menos que tenga una razón adecuada para dejar de creerla. Nuestras creencias son racionales a menos que tengamos razones para abstenernos; no son no racionales a menos que tengamos razones para creer. Son inocentes hasta que se demuestre lo contrario, no son culpables hasta que se demuestre lo contrario.[21]

Con este criterio, un niño de tres años podría estar racionalmente justificado en creer que hay pájaros fuera de su ventana, incluso si, cuando se le pregunta, es incapaz de proporcionar algo parecido a una razón para esta creencia. Esto, por supuesto, concuerda bien con el sentido común, en contraste con la posición probatoria, que, en efecto, requeriría que el niño abandonara su creencia hasta que fuera capaz de presentar un argumento respetable para ello. Y este criterio, al igual que los argumentos de Plantinga, garantiza el derecho a creer en el cristianismo sin poder ofrecer ninguna razón para ello.

e. La Gran Calabaza

Debemos señalar que, por supuesto, aunque nuestras creencias son "inocentes hasta que se demuestre lo contrario", es posible que se demuestre su culpabilidad. Decir que una creencia es "básica" no significa que sea infalible o incluso inconsistente. La "justificación" otorgada a nuestras creencias básicas es solo una justificación *prima facie* o "anulable". Estoy racionalmente justificado en renunciar a una creencia básica, incluso a la creencia en Dios, si encuentro buenas razones para no creer.[22]

Por lo tanto, no estamos obligados a aceptar cualquier creencia como "adecuadamente fundamental". Plantinga discute la "objeción de la Gran Calabaza", que es en el sentido de que, si es racional aceptar la existencia de Dios como una proposición básica, también debería ser racional aceptar la existencia de la Gran Calabaza, o cualquier otra creencia, como correctamente básica. De ninguna manera, afirma, sino que podemos rechazar tales creencias si hay razones para no creerlas.[23]

Wolterstorff añade que, si adoptamos la práctica de creer cualquier cosa arbitrariamente, estamos adoptando un "mecanismo de formación de creencias muy

---

[21] Ibid., 163. Wolterstorff reconoce algunas excepciones a esta regla y en las páginas siguientes formula una versión más técnica de la misma que tiene en cuenta esas excepciones. Esas calificaciones no tienen por qué detenernos aquí.

[22] Cf. Plantinga, 75–78, 82–87; Alston, 111–13.

[23] Ibid., 73–87.

poco fiable"[24] y que es una buena razón para rechazar esa práctica y no adoptar creencias basadas en ella.

f. Razones para creer

Hay, entonces, razones negativas, razones para rechazar las creencias, incluso cuando las creencias se proponen como básicas. Pero, ¿hay algún fundamento positivo, fundamento para creer en esas proposiciones que yo considero básicas? ¿O son "infundadas"? Plantinga responde que sí existen fundamentos positivos. Compara las creencias religiosas con las creencias basadas en la percepción.

> Entonces mi ser aparecido de esta manera característica (junto con otras circunstancias) es lo que me confiere el derecho de mantener la creencia en cuestión; esto es lo que me justifica para aceptarla. Podríamos decir, si queremos, que esta experiencia es lo que me justifica para sostenerla; este es el fundamento de mi justificación y, por extensión, el fundamento de la creencia misma.[25]

También hace comparaciones con creencias sobre estados de la mente de otros y creencias basadas en la memoria. En el primer caso dice:

> Si veo a alguien que muestra un comportamiento típico de dolor, asumo que está sufriendo. Una vez más, no tomo el comportamiento mostrado como prueba de esa creencia; no infiero esa creencia de otros que sostengo; no la acepto sobre la base de otras creencias. Aun así, mi percepción del comportamiento de dolor... forma la base de mi justificación para la creencia en cuestión.[26]

Nótese la distinción: nuestras creencias básicas tienen "fundamentos" pero no "pruebas". Más tarde elabora (en relación con las creencias perceptivas):

> Lo que justifica que yo crea que hay un árbol presente es solo el hecho de que se me ha aparecido de cierta manera; no es necesario que sepa o crea o considere el hecho de que se me ha aparecido.[27]

---

[24] Ibid., 172.

[25] Ibid., 79.

[26] Ibid., 79, énfasis suyo. Menciona otras "condiciones de justificación-conferencia", incluyendo el testimonio sobre el 85f.

[27] Ibid., 86.

Sin embargo, Plantinga no quiere decir que ese argumento sea totalmente irrelevante para la creencia básica. En primer lugar, un argumento puede persuadirme de que una posible refutación de mi creencia básica es errónea. Un argumento que refute una refutación es ciertamente relevante para la justificación de mi creencia cuando está siendo desafiada. Tal argumento no prueba la verdad de mi creencia, pero elimina un impedimento para que la sostenga.[28] Tampoco desea conceder que la creencia en la existencia de Dios como básica se basa en la "fe" en contraposición a la "razón" (es decir, que es "fideísta"). ¡Más bien quiere poner la creencia en la existencia de Dios entre esa clase de creencias que tradicionalmente se describen como "liberaciones de la razón"! Las proposiciones autoevidentes, las proposiciones perceptivas, etc. son comúnmente aceptadas como apropiadamente básicas porque son "liberaciones de la razón".

Es decir, hay un acuerdo general entre los filósofos de que tales proposiciones deben ser creídas simplemente porque es racional creerlas. Creemos en el mundo exterior, en otras mentes, en el pasado, porque tenemos una tendencia racional natural a hacerlo. Plantinga encuentra esto similar al tratamiento de Calvino sobre la existencia de Dios, donde garantiza la creencia en Dios sobre la base de un *sensus deitatis* implantado divinamente, una tendencia natural a creer en Dios. En la versión del calvinismo de Plantinga, la creencia en Dios es por la razón, no por la fe. (Y eso implica, curiosamente, que "los teístas y los no teístas tienen diferentes concepciones de la razón, ya que un no teísta no aceptaría el teísmo como una emancipación de su razón".[29]

g. Racionalidad Localizada

También es importante observar que desde este punto de vista la justificación de las creencias es variable en función de la persona. Wolterstorff dice:

> Cuando era joven, había cosas que era racional que yo creyera que ahora, cuando soy mayor, ya no es racional que yo crea. Y para una persona criada en una sociedad tribal tradicional que nunca entra en contacto con otra sociedad o cultura, habrá cosas racionales en las que creer que, para mí, un miembro de la moderna intelectualidad occidental, no sería racional creer. La racionalidad de la creencia solo puede determinarse en contextos históricos y sociales, y, aún más estrechamente, en el contexto personal. Desde hace mucho tiempo los filósofos tienen la costumbre de

---

[28] Ibid., 82–87.
[29] Ibid., 87-91; la cita está en la página 90.

preguntarse de manera abstracta e inespecífica si es racional creer que Dios existe, si es racional creer que hay un mundo exterior, si es racional creer que hay otras personas, y así sucesivamente. Han surgido montañas de confusión. La pregunta adecuada es siempre y solo si es racional para esta o aquella persona en particular en esta o aquella situación, o para una persona de este o aquel tipo en particular en este o aquel tipo de situación, creer tal o cual. La racionalidad siempre se sitúa en la racionalidad.[30]

Por lo tanto, para Wolterstorff, ya no es:

De mucho interés para pasar el tiempo ponderando si el evidencialismo es falso. Me parece muy probable que lo sea. Pero la interesante e importante pregunta se ha convertido en si alguna persona específica - o usted, o quien sea - que cree inmediatamente que Dios existe es racional en esa creencia. Sin embargo, el hecho de que una persona determinada sea de hecho racional en dicha creencia no puede ser respondido en general y en abstracto. Solo puede responderse examinando el sistema de creencias del creyente individual, y las formas en que ese creyente ha utilizado sus capacidades noéticas (mentales).[31]

Incluso si Dios existe, piensa Wolterstorff, puede ser racional para algunas personas no creer en su existencia.[32] Si alguien escucha argumentos contra la existencia de Dios y no es capaz de refutarlos, entonces para él la creencia en la existencia de Dios no es racional. Sin embargo, puede ser correcto para él creer en Dios, ¡incluso si tal creencia es irracional!

Tal vez, a pesar de su irracionalidad para él, la persona debe seguir creyendo que Dios existe. Quizás es nuestro deber creer más firmemente que Dios existe que cualquier proposición que entre en conflicto con esto y/o más firmemente de lo que creemos que una cierta proposición entra en conflicto con ella... ¿No será que a veces la irracionalidad de la convicción de que Dios existe es una prueba, que hay que soportar?[33]

---

[30] Enfatiza el suyo. Compare sus comentarios sobre Chisholm (147). Plantinga argumenta que incluso el fundacionalista clásico no puede evitar pensar en la realidad como "situada". Señala que para Aquino una proposición puede ser autoevidente para una persona y no para otra (56f.).

[31] Ibid., 176.

[32] Ibid., 177.

[33] Ibid.

(3) LAS ENMIENDAS DE MAVRODES

a. Apologética positiva: ¿Por qué no?

En este punto, es apropiado traer el artículo de Mavrodes a la discusión. Mavrodes discrepa un poco de la posición de consenso de Plantinga, Alston y Wolterstorff. Aunque reconoce que estos tres han demostrado que la creencia cristiana es racional en términos de su definición de "racional", sugiere que se necesita algo más. "Convencer a alguien de que sería racional para él creer en Dios no equivale a darle una razón para creer en Dios".[34] Así, un ateo podría ser convencido por Plantinga et al. de que creer en el cristianismo es racional, mientras (¡racionalmente!) mantiene su ateísmo. El argumento de Plantinga elimina una posible razón para no creer en el cristianismo, pero no da una razón para creer en el cristianismo.

Mavrodes se pregunta por qué estos hombres aceptan la validez de la apologética negativa (refutando las refutaciones) pero niegan el valor de la apologética positiva (dando razones). La respuesta más probable, señala, es que para el grupo Plantinga, estas creencias no necesitan razones, ya que son "propiamente básicas". Señala, sin embargo, que en una revisión de *La Razón Suficiente* (Reason Enough) de Clark Pinnock, Wolterstorff (extrañamente) toma un rumbo diferente: no se necesitan pruebas porque los no creyentes ya tienen suficientes pruebas, pero se resisten a ellas. "Tal vez —comenta Mavrodes— [esta inconsistencia] representa una profunda ambivalencia en el pensamiento Reformado, una tendencia a oscilar entre sostener que la creencia en Dios está respaldada por una gran cantidad de pruebas y sostener que no implica ninguna prueba en absoluto".[35] Él parece pensar, sin embargo, que es más probable que los comentarios en la revisión de Wolterstorff fueron simplemente un desliz y que su posición real no es que la creencia cristiana esté garantizada por la evidencia, sino que hechos como el diseño del mundo activan en nosotros una disposición natural para creer, una que el incrédulo resiste pecaminosamente.[36]

Aun así, Mavrodes persiste, Wolterstorff reconoce la legitimidad de la apologética negativa. Si la racionalización pecaminosa del incrédulo milita en contra del uso de argumentos positivos, ¿por qué no debería militar también en contra de los negativos? El énfasis positivo en las pruebas es ciertamente una forma

---

[34] Ibid., 195.
[35] Ibid., 198.
[36] Ibid., 19.

de combatir la racionalización. Y si Wolterstorff (y sus colegas) están dispuestos a utilizar tanto los argumentos positivos como los negativos para defender la racionalidad de la creencia cristiana, ¿por qué no deberían permitir la misma variedad de argumentos para la verdad de dicha creencia?[37] ¿Es porque tales argumentos varían según las personas que ningún argumento será efectivo para todos los incrédulos? Pero, entonces, ¿qué hay de malo en adaptar los argumentos para que se ajusten a los individuos particulares?[38]

La mayoría de nosotros, después de todo, estamos interesados en la verdad, no solo en la racionalidad (definida en el sentido de Plantinga).[39] Mavrodes sugiere que hay procesos que nos acercan más a la verdad que el de simplemente aceptar cada creencia racional que se nos ocurre. No se puede probar, tal vez, que estos procedimientos (percepción, razonamiento lógico, etc.) sean fiables, pero de hecho tenemos una "disposición natural" para confiar en ellos. Se podría entonces reconstruir la teología natural como el intento de mostrar que hay creencias producidas por mecanismos naturales de formación de creencias que implican o hacen probable la verdad de las creencias cristianas. Dado que Wolterstorff y Plantinga nos instan a confiar en estos "mecanismos naturales" y, de hecho, nos permiten fundamentar nuestras creencias "básicas" en ellos, ¿qué objeción podrían tener a tal procedimiento?[40]

Podrían objetar que las creencias así aceptadas sobre la base de pruebas no se sostendrán con la plena certeza de la fe sino solo de manera provisional y débil. Pero Mavrodes se pregunta si esto es necesariamente así. ¿Por qué las personas no pueden tener creencias con plena certeza, aunque lleguen a creer en ellas por medio de argumentos? ¿Es porque esos argumentos son solo probables y por lo tanto merecen solo una aceptación parcial? Pero según Wolterstorff y Plantinga, es legítimo dar plena credibilidad a las creencias basadas en ninguna prueba. ¿Por qué, entonces, debemos asumir que un argumento basado en una evidencia parcial merece menos credibilidad firme que uno basado en ninguna evidencia en absoluto?[41]

---

[37] Ibid., 199–202, 204f.

[38] Ibid., 204–8.

[39] Recuerda que en el sentido de Plantinga-Wolterstorff, las creencias pueden ser racionales pero no verdaderas, y viceversa. En su artículo en el volumen que cité anteriormente (el editado por Delaney), Mavrodes distingue entre los enfoques "orientados a la racionalidad" y "orientados a la verdad" y hace el comentario inusualmente contundente, "Si la situación se complica, creo que siempre optaría por la verdad en lugar de la racionalidad" (33).

[40] Ibid., 208–14.

[41] Ibid., 214–17.

b. ¿Son las creencias "básicas" y "no básicas" muy distintas?

Así Mavrodes coincide con la opinión de Plantinga-Wolterstorff de que podemos creer en el cristianismo sin razones, pero está en desacuerdo con su rechazo de la apologética positiva. También ofrece otra importante sugerencia. Señala que Wolterstorff y Plantinga, críticos como son del fundacionalismo clásico, todavía operan dentro de un marco fundacionalista en esta medida: ven todas nuestras creencias como "básicas" o "derivadas". ¿Pero es realmente tan simple?

> Los lectores de este volumen que son teístas podrían probar el siguiente experimento en sí mismos. Deténgase un momento y considere su propia creencia de que Dios existe, tal como está ahora mismo... ¿Esa creencia... está basada en otras creencias que usted tiene? Y si es así, ¿cuáles son esas otras creencias, y cómo se basa en ellas la creencia en la existencia de Dios? (¿La implican, por ejemplo, o la hacen probable, o qué?)[42]

Mavrodes sospecha (y creo que con razón) que para la mayoría de nosotros no habrá una respuesta clara a estas preguntas. Este hecho sugiere que el contraste entre las creencias "básicas" y "derivadas" simplifica en exceso la situación epistémica.

(4) MI RESPUESTA

En general, mi propia respuesta es aplaudir la "epistemología reformada" de la FR, especialmente con las enmiendas de Mavrodes. Su relato de los derechos epistémicos complementa útilmente mi propio relato en DCD, que se centra en las obligaciones epistémicas (y, confío, viceversa). Sin embargo, también quisiera presentar algunas observaciones a modo de análisis adicional de las cuestiones.

a. Fundamentos y razones

La afirmación de Plantinga de que las creencias básicas tienen "fundamentos" pero no "razones" tiene un toque paradójico, lo que sugiere que hay algunos problemas de definición aquí. Mi diccionario enumera la evidencia y la razón suficiente como sinónimos de un significado de fundamento y el fundamento como sinónimo de razón en un sentido de ese término. Plantinga evidentemente desea tomar la razón

---

[42] Ibid., 203.

exclusivamente en el sentido de "razones conscientemente articuladas" o "argumentos". Sin embargo, no creo que sea necesario definir el término tan estrechamente. Normalmente, hablamos de que alguien tiene una razón para una creencia o acción, incluso en los casos en que esa persona no articula (o no puede articular) su razón. Y no es absurdo hablar de los animales como si tuvieran razones para creer, como en, "mi perro piensa que la pelota está en algún lugar del arbusto, porque piensa que la tiré en esa dirección", por ejemplo.

Y hay valor en no definir la razón tan estrechamente como lo hace Plantinga. Porque la línea entre las razones articuladas y no articuladas no es una línea muy definida.[43] Cuando le pregunto a un niño por qué cree que es de mañana y señala el sol naciente, ¿es una razón articulada o no articulada? Cuando mi perro se comporta como si pensara que hay una pelota bajo el arbusto y olfatea (indicando, si se quiere, que el motivo de su creencia es un olor), ¿es eso un razonamiento articulado o no articulado? Además, sospecho que nuestras articulaciones de razones (incluyendo la ciencia de la lógica) crecen orgánicamente a partir de nuestro sentido inarticulado de lo que es razonable. Como discuto en mi DCD, la lógica formal se basa en la lógica informal; la lógica formal intenta sistematizar, facilitar y evaluar los resultados de nuestra "disposición natural" a mantener creencias racionales.

Plantinga y Wolterstorff parecen pensar que hay una diferencia importante entre aceptar las liberaciones de nuestras disposiciones naturales y aceptar las conclusiones sobre la base del argumento. En el caso del conocimiento perceptivo, argumentan, no es que nuestra experiencia perceptiva implique o haga probable la existencia de objetos físicos, sino más bien que tenemos una disposición natural para creer en tales objetos cuando nos enfrentamos a tal experiencia. Y lo mismo es cierto, argumentan, para la creencia cristiana. ¿Pero qué es un argumento si no es un intento de poner en palabras las liberaciones de tales disposiciones naturales? ¿Y no es la razón misma (considerada ahora como la capacidad humana para sacar conclusiones de las premisas) una disposición tan natural? ¿No aceptamos las implicaciones lógicas de nuestras creencias debido a una disposición natural para hacerlo? Responder a la evidencia es una disposición natural, y la evidencia se refiere a los datos que involucran esa disposición natural. Por lo tanto, el

---

[43] Tal vez la razón por la que Plantinga et al. piensan que es (o escriben como si fuera el caso) es su propio alto nivel de razonamiento articulado. Si tuviera que escribir un artículo filosófico tan riguroso y convincente como los de FR para dar un argumento explícito para una creencia, entonces yo también estaría tentado de decir que el cristianismo no requiere de argumento. Seguramente, al menos, no requiere ese tipo de argumento. Si mis estándares fueran tan altos, estaría mucho más tentado a decir que la justificación de las creencias cristianas son por algo completamente diferente al argumento.

"deslizamiento" de Wolterstorff, al que se refirió Mavrodes, no es sorprendente. A menudo es perfectamente natural y apropiado para nosotros referirnos a lo que estimula nuestras disposiciones de formación de creencias como "evidencia". (Digo "a menudo", porque no todos esos estímulos constituyen una prueba. Véase el contraejemplo de Mavrodes en la página 199. Pero, aunque no todos esos estímulos constituyen una prueba, todas las pruebas, cuando producen creencia, constituyen tal estímulo).

Si usamos la razón como estoy sugiriendo, la tesis de Plantinga-Wolterstorff en cuestión se convierte en esto: La creencia cristiana no se basa en razones articuladas sino en razones no articuladas. Dicho de esa manera, su tesis pierde plausibilidad. No se me ocurre ninguna buena razón (!) para sostenerla. La fe cristiana está seguramente basada en razones (mi definición), ya sea que esas razones se expresen o no.

Por supuesto, su punto más amplio seguirá en pie, reformulado, en cierto modo, de esta manera: estamos dentro de nuestros derechos epistémicos en la creencia en Dios, incluso si no podemos producir ninguna razón (¡relativamente!) explícita o articulada para hacerlo. Mavrodes, creo, proporcionó la mejor formulación de esto en *Belief in God* (Creencia en Dios),[44] con su distinción entre "tener una razón" y "dar una razón". En lugar de decir que tenemos "motivos, pero no razones" para la creencia cristiana, sería más claro decir que podemos "tener" razones incluso cuando no podemos "darlas". Me sorprende que esta distinción no haya desempeñado un papel importante en FR, ya que expresa (mucho mejor que la terminología utilizada en ese libro) lo que creo que los autores querían decir.

El evidencialista, entonces, no se equivoca al insistir en que la creencia se base en razones adecuadas, que "proporcionemos la creencia a la evidencia". Su error es insistir en que se formulen estas razones, tal vez incluso que se formulen de manera que sean aceptables para el que objeta.

b. Racionalidad situada y objetiva

Una vez que eliminemos la aguda distinción de Plantinga entre motivos y razones, se abrirá la puerta a un concepto algo más "objetivo" de racionalidad. Recordaremos que Wolterstorff, especialmente, aboga por un concepto de racionalidad "localizada". Es erróneo, dice, preguntar "en abstracto" si es racional creer una determinada proposición; solo podemos preguntar si es racional que un

---

[44] Publicado en 1970. Citado anteriormente.

individuo concreto en una situación concreta (o, algo más liberalmente, un tipo concreto de persona en una situación concreta) la crea.

Ahora bien, el concepto de racionalidad situada es importante. Los derechos y obligaciones epistémicos de cada individuo son algo diferentes de los de cualquier otro individuo. Por ejemplo, tengo la obligación de averiguar cuándo se impartirán mis clases en el Seminario de Westminster y dónde se reunirán. Mi hijo Justin, de una semana de edad, no tiene esa obligación. Pero también hay obligaciones epistémicas y derechos que son iguales para todos: todos están obligados a conocer a Dios, a conocer su voluntad para con ellos, a saber, que han pecado y que necesitan el perdón de Dios. Todos tenemos, además, la obligación de vivir sabiamente, lo que implica ser fieles a Dios en nuestras actividades epistémicas, y así, yo diría, presuponiendo la verdad de su revelación en todo nuestro pensamiento. Wolterstorff, recordemos, permite la posibilidad de tal obligación: "Tal vez sea nuestro deber creer más firmemente que Dios existe que cualquier proposición que entre en conflicto con esto..."[45] ¿Esa obligación, si existe, correspondería solo a algunos individuos? Creo que he demostrado en DCD que existe y que pertenece a todos. Y si todos tienen la obligación de creer en Dios, seguramente esa obligación les justifica para hacerlo. Así que hay algunas creencias que son obligatorias y justificadas para todas las personas, así como algunas que son obligatorias y/o justificadas solo para algunos.

Las obligaciones y derechos epistémicos que difieren de una persona a otra dependen de esas obligaciones y derechos que todos compartimos. La autoridad máxima en todas las áreas de la vida humana, epistémica incluida, es la Escritura. Todas las acciones y creencias humanas son, si se justifican, justificadas por la Escritura de varias maneras, como he discutido en DCD. En un sentido, entonces, la racionalidad es la misma para todos: una creencia es racional si se ajusta a las normas establecidas en la Escritura. En otro sentido, la racionalidad varía de una persona a otra, ya que las normas de la Escritura se aplican de manera diferente a las distintas personas y situaciones, como explico utilizando las ideas de las perspectivas situacional y existencial. Pero la racionalidad en el sentido individual depende de la racionalidad en el sentido universal. Es la Escritura la que en última instancia determina cómo se debe utilizar la racionalidad en situaciones particulares. Por lo tanto, cuando somos fieles en llevar a cabo nuestros llamados únicos, formando nuestras creencias individuales de acuerdo a las normas de la Palabra de Dios, estamos en un sentido solo llevando a cabo los dictados de la

---

[45] *FR*, 177.

racionalidad universal. La racionalidad localizada, entonces, es la aplicación individual de la racionalidad universal.

¿Coinciden la racionalidad y la verdad sobre esta base? En el enfoque FR, por supuesto, una falsa creencia puede ser justificada racionalmente, y una verdadera creencia puede dejar de serlo. No sería absurdo definir simplemente "creencias racionales" para que signifique "creencias verdaderas", tal vez reconociendo diferencias de grado para que las creencias "más racionales" sean las que están más cerca de la verdad. Los autores de FR deberían, creo, haber reconocido que hay otros usos legítimos de la racionalidad además del suyo propio. Pero no podemos resolver el problema simplemente redefiniendo la racionalidad. Eso sería solo jugar con las palabras. De hecho, lo que ellos llaman racionalidad, racionalidad localizada, es un hecho con el que debemos lidiar, queramos llamarlo "racionalidad" o no.

Creo que lo que necesitamos es distinguir diferentes niveles de justificación y por lo tanto diferentes niveles de racionalidad. Un hombre de una tribu primitiva que cree que la tierra descansa sobre el lomo de un elefante está, podemos decir, justificado en su creencia en un nivel, dado que nunca ha oído nada en contra o se ha encontrado con alguna razón para dudar de su creencia.[46] Pero esta "justificación" es, por supuesto, como admiten los escritores de la FR, una justificación en un sentido "débil". El hecho de que el miembro de la tribu esté justificado en su creencia no hará que ésta sea creíble para un astrónomo moderno y sofisticado. Y como la Escritura nos insta a vivir sabiamente, a probar todas las cosas, a caminar en la verdad, tenemos la obligación, en general, de no permanecer complacientes con tales creencias débilmente justificadas. Digo "en general", porque otras obligaciones pueden, como dice Wolterstorff, tener prioridad. Mis creencias sobre la cultura esquimal son probablemente en su mayor parte falsas en este momento, pero otras obligaciones superan actualmente mi deber prima facie de mejorar la calidad de mis creencias en ese ámbito.

Sin embargo, hasta que lo haga, sería prudente no tratar de dirigirme a un congreso de sociólogos sobre el tema de la cultura esquimal. Y la razón por la que no me dirijo a ellos puede expresarse de esta manera: mis creencias en esta área no están suficientemente justificadas, lo que significa que no tengo creencias en esta área que pueda defender con la suficiente competencia y contundencia para tal reunión. Así que hablar de justificación del conocimiento (y por lo tanto de

---

[46] En DCD declaré que incluso un Adán no caído puede haber errado en sus creencias, aunque no podría haber errado en el discernimiento de sus responsabilidades actuales con Dios.

racionalidad) presupone un contexto de discusión. La creencia del miembro de la tribu está justificada en el contexto de la vida tribal, pero el astrónomo bien puede caracterizar esta creencia como injustificada, ya que su universo de discurso es diferente. También podemos decir que la creencia es racional desde una perspectiva, no racional desde otra. Así que debemos distinguir entre racionalidades de bajo nivel y racionalidades de alto nivel, y de hecho debemos, en igualdad de condiciones, buscar los niveles más altos.

El nivel más alto de justificación-racionalidad para la mente humana existe cuando una persona ha alcanzado la verdad mediante el uso de mecanismos fiables de formación de creencias que se ajustan a las normas bíblicas. En este nivel, todas las verdaderas creencias, y solo las verdaderas creencias, están justificadas y por lo tanto son racionales. Este es, por supuesto, el objetivo del conocimiento humano. Por lo tanto, aunque las discusiones de la racionalidad localizada son útiles e interesantes, debo disentir de su rechazo a cualquier otro tipo de racionalidad. Wolterstorff, como hemos visto, niega explícitamente la legitimidad de preguntarse en general si es racional creer algo. Por el contrario, preguntar (sí, ¡"en abstracto"!) si es racional creer, digamos, en la existencia de objetos físicos es normalmente preguntar si esa creencia cumple con estándares más altos (o el más alto) de justificación. (Digo "usualmente", porque por supuesto esta pregunta puede ser una forma abreviada de preguntar acerca de la "racionalidad situada" para un grupo definido, como los filósofos analíticos modernos).

¿Es alguna vez racional, ya sea en el sentido "localizado" o en el sentido "objetivo", no creer en la existencia de Dios o es irracional creer en ella? Obviamente no, en el sentido objetivo, dado que Dios existe. En lo que respecta al sentido localizado, la pregunta es: ¿Alguien se encuentra en una situación en la que carece de un fundamento para creer que Dios existe? Yo diría que no sobre la base de Romanos 1, que enseña que todas las personas no solo tienen motivos para creer en Dios (permiso epistémico si se quiere) sino que todos lo conocen realmente en algún nivel de conciencia.

c. Presuposiciones finales

Debería ser evidente que las "creencias fundamentales" de FR no son las mismas que las "presuposiciones finales" de DCD. Plantinga señala que la distinción entre creencias básicas y no básicas es solo una de las distinciones relevantes para la descripción de la "estructura noética" de alguien. Otras distinciones son entre diferentes grados de creencia (fuerza, firmeza) y entre creencias de diferentes "profundidades de influencia". Explica el último concepto de esta manera:

> Algunas de mis creencias están, podríamos decir, en la periferia de mi estructura noética. Las acepto, y puede que incluso las acepte firmemente, pero podría renunciar a ellas sin mucho cambio en otra parte de mi estructura noética... Así que (la) profundidad de la incorporación (de tales creencias) en mi estructura noética no es grande.[47]

Su ejemplo de una creencia con una baja profundidad de entrada es su creencia de que "hay algunas grandes rocas en la cima del Gran Cañón". Una creencia con una gran profundidad de penetración sería su creencia de que existen otras personas.

Las "presuposiciones últimas" de DCD son, en primer lugar, compromisos del corazón a favor o en contra de Dios. Este compromiso del corazón por Dios implica la confianza en la Palabra de Dios y por lo tanto la confianza última en la verdad de lo que Dios dice. Presuponer la Palabra de Dios, por lo tanto, implica una creencia en la veracidad de la Palabra de Dios, que tiene "dominio" sobre nuestras otras creencias.[48]

En términos de Plantinga, entonces, mi creencia en la verdad de las Escrituras, entre todas mis creencias, tendrá la mayor profundidad de entrada en mi estructura noética. También será en la que crea más firmemente. Por supuesto, esto se complica por el continuo pecado, tanto noético como de otro tipo, en la vida del creyente. A veces, el pensamiento pecaminoso, es decir, el no creyente, superará temporalmente mis presuposiciones piadosas. Pero mi vida en su conjunto, a lo largo de los años de mi regeneración, indicará (al menos a Dios que ve el corazón) que la revelación de Dios es mi compromiso más firme y "profundamente incrustado".

¿Son las presuposiciones fundamentales también "básicas" en el sentido de Plantinga? Bueno, comparto las sospechas de Mavrodes sobre todo el intento de dividir todas nuestras creencias en categorías "básicas" y "no básicas". La existencia de Dios es una presuposición mía; pero estoy dispuesto a argumentar por ello, como se señala en DCD. Y como no distingo como lo hace Plantinga entre

---

[47] Ibid., 50f. Cf. 82f. Cf. también Wolterstorff, 174. Sobre la fuerza de la creencia, véase Wolterstorff, 143 y ss., 156, y Mavrodes, 214 y ss.

[48] Sigo manteniendo que Romanos 6:14 presenta la diferencia más básica entre el creyente y el incrédulo: el incrédulo está bajo el dominio del pecado; el creyente no. Aquí estoy aplicando esta distinción al área noética (del pensamiento o la mente).

"motivos" y "razones", no quisiera caracterizar mi creencia en Dios como carente de motivos, porque eso sería admitir que mi creencia es infundada.

Sin embargo, estaría de acuerdo con Plantinga en que puede ser racional que alguien crea en la existencia de Dios, aunque no pueda "dar una razón" para esa creencia. Podemos "tener razones" incluso cuando no podemos "dar razones". Si eso es una base suficiente para decir que esta creencia es "básica", entonces no me opongo a llamarla así. Y la expresión "propiamente básica" también puede ser útil para comunicar el punto de que la revelación de Dios no está sujeta a la atestación de algo más autoritario que ella misma. El testimonio de las Escrituras es realmente una aplicación de la autoafirmación de las Escrituras, como he argumentado en DCD. Diría, pues, que las "presuposiciones finales" de la DCD son, en términos de Plantinga, creencias que: 1) se sostienen con el mayor grado de firmeza, 2) manifiestan la mayor profundidad de adhesión, y 3) son básicas (o fundamentales). Francamente, considero que es una debilidad en FR que el concepto de una presuposición última no se discuta sistemáticamente, una debilidad que la DCD puede ayudar a remediar.

El FR ocasionalmente alude a algo como las presuposiciones finales. Recordemos, por ejemplo, la sugerencia de Wolterstorff: "Tal vez es nuestro deber creer más firmemente que Dios existe que cualquier proposición que entre en conflicto con esto..."[49] ¡Quizás sí! Y está el recuerdo de Plantinga de su antiguo profesor de la declaración de que "los teístas y los no teístas tienen diferentes concepciones de la razón".[50] La creencia en Dios es en última instancia, por supuesto, la presuposición que controla incluso el concepto de la propia razón. Y el artículo histórico de George Marsden refuerza el sabor presuposicional del libro. Argumenta que los evangélicos del siglo XIX en Norteamérica fracasaron en desafiar la metodología científica prevaleciente, tratando en cambio de usarla para reivindicar el cristianismo. Aquí Marsden, antiguo estudiante de Van Til, está haciendo esencialmente un punto presuposicionalista: nuestra creencia en la revelación de Dios debe gobernar nuestro pensamiento sobre todo lo demás. Pero no es un punto que se pueda hacer sobre las creencias "propiamente básicas" de Plantinga, porque esas creencias pueden o no ser mantenidas firmemente o estar profundamente arraigadas. Pueden ser máximamente anulables, y por lo tanto no

---

[49] Ibid., 177.
[50] Ibid., 90.

son necesariamente de suficiente peso para anular los métodos supuestamente científicos en nombre de Cristo.[51]

El artículo de Holwerda sobre Pannenberg también requiere un concepto de presuposición más fuerte que las "creencias propiamente básicas" de Plantinga. Porque Holwerda argumenta que la revelación de Dios debe gobernar nuestro pensamiento sobre la historia. Eso es posible solo si nuestras creencias sobre esa revelación no solo son apropiadamente básicas sino de carácter presuposicional.

FR, a pesar de cierta falta de claridad en el asunto, ciertamente parece inclinarse en una dirección presuposicionalista, y estoy feliz por eso. Tal vez haya ahora, como Van Til siempre ha esperado, una renovación de la comunicación entre Westminster y Calvino, entre los presuposicionalistas Van Tillianos y los filósofos del establecimiento reformado cristiano. Creo que ambos grupos pueden aprender mucho el uno del otro.

---

[51] Sería injusto, también, no referirse aquí al relato de Wolterstorff sobre "creencias de dominio" en su "Razón dentro de los límites de la religión" (citado anteriormente), que se acerca a lo que quiero decir sobre las presuposiciones.

APÉNDICE J: UNA ACLARACIÓN ONTOLÓGICA

Este libro trata de la epistemología (teoría del conocimiento), más que de la ontología (teoría de la naturaleza de las cosas); pero, por supuesto, no se pueden separar bruscamente las dos. La visión que uno tenga de la realidad determinará, en gran medida, su visión del conocimiento, y viceversa.

Se me ocurre, al releer lo que he escrito, que mis formulaciones epistemológicas pueden plantear un problema ontológico para algunos lectores. He escrito que la norma, la situación y el yo están relacionados "perspectivamente", lo que parece indicar que los tres son realmente idénticos. Sin embargo, en otra parte he insistido en que las tres son distintas y no deben confundirse.[299] La aparente contradicción merece un comentario.

Cuando digo que los tres están "relacionados perspectivamente", quiero llamar nuestra atención sobre el hecho de que "todo es normativo", "todo es objeto" y "todo es sujeto". "Todo es normativo" significa que las leyes de Dios se revelan en toda nuestra experiencia y que, por lo tanto, toda nuestra experiencia de la realidad tiene por objeto, de alguna manera, ayudarnos a gobernar nuestras vidas. "Todo es objeto" significa simplemente que todo puede ser objeto de nuestro pensamiento (incluso las "cosas secretas de Dios" pueden ser consideradas como secretas). "Todo es sujeto" significa que todo nuestro conocimiento es un conocimiento de nuestra propia experiencia, nuestros propios pensamientos, y así sucesivamente.

Pero si todo es norma, sujeto y objeto al mismo tiempo, entonces ¿cómo, se podría preguntar, puede la norma realmente gobernar nuestra subjetividad y nuestra comprensión del mundo objetivo? ¿Se pierde en esta construcción el significado mismo de la normatividad (y de manera similar de la objetividad y la subjetividad)?

---

[299] Véase especialmente el capítulo 5, A, (9), a y B, (1).

¿Se hace indistinguible la "norma" del "objeto" y el "sujeto"? ¿Se convierten los tres términos simplemente en sinónimos?

Creo que este problema puede superarse una vez que reconozcamos que existen diferentes niveles de normatividad. "Todo es normativo", pero no todo es igualmente normativo. Hay una "jerarquía" de normas. Por ejemplo, Dios espera que obedezcamos a los gobernantes civiles. Ellos tienen una autoridad genuina; sus palabras son genuinamente normativas. Pero cuando requieren desobediencia a Dios, entonces la Palabra de Dios tiene prioridad. La ciencia también tiene cierta autoridad, pero es una autoridad "anulable", que puede ser superada por una revelación especial. De manera similar, podemos generalizar diciendo que toda la realidad nos impone exigencias pero que algunas formas de revelación tienen prioridad sobre otras. La razón de esto no es que la revelación natural sea en sí misma menos autoritaria que la especial, sino que nuestra percepción de la revelación natural está oscurecida por el pecado, y la revelación especial es precisamente el medio que Dios utiliza para corregir nuestros malentendidos pecaminosos de la naturaleza.

Por lo tanto, nunca debemos confundir la Palabra de Dios con la naturaleza o con nuestra propia subjetividad. Aunque "todo es normativo", la jerarquía de las normas nos permite distinguir claramente entre la Palabra de Dios y los impulsos de nuestros propios corazones. Es esta distinción la que nos lleva a decir que "norma" no es lo mismo que "objeto" y/o "sujeto". La diferencia entre norma y sujeto es la diferencia entre los niveles de normatividad en la jerarquía.

Y también es una diferencia en la función. "Norma", "objeto" y "sujeto" se refieren todos a la misma realidad; cubren el mismo territorio. Pero cada uno atribuye una función diferente a la realidad. "Norma" atribuye a la realidad la capacidad de gobernar a los sujetos inteligentes. "Objeto" atribuye a la realidad la propiedad de ser conocible por los sujetos inteligentes. "Sujeto" indica que la realidad es inseparable del sujeto mismo y se encuentra en y a través de su propia experiencia.

BIBLIOGRAFÍA

Alston, William P. *Philosophy of Language*. Englewood Cliffs, N.J.: Prentice-Hall, 1964.

Armstrong, Brian. *Calvinism and the Amyraut Heresy*. Milwaukee, Wisc.: University of Wisconsin Press, 1969.

Austin, J. L. *How to Do Things With Words*. Cambridge, Mass.: Harvard University Press, 1962.

Barr, James. *Old and New in Interpretation*. London: SCM Press, 1966.

———. *The Semantics of Biblical Language*. London: Oxford University Press, 1961.

Barth, K. *Church Dogmatics*. New York: Charles Scribner's Sons, 1936.

Bavinck, H. *Doctrine of God*. Grand Rapids: Wm. B. Eerdmans Pub. Co., 1951.

Berkouwer, G. C. *Divine Election*. Grand Rapids: Wm. B. Eerdmans Pub. Co., 1960.

———. *Holy Scripture*. Grand Rapids: Wm. B. Eerdmans Pub. Co., 1975.

———. *The Providence of God*. Grand Rapids: Wm. B. Eerdmans Pub. Co., 1952.

Bloomfield, Leonard. *Language*. London: Allen and Unwin, 1935.

Buber, Martin. *I and Thou*. New York: Charles Scribner's Sons, 1958.

Campbell, C. A. *Selfhood and Godhood*. London: Allen and Unwin, 1957.

Carnell, Edward John. *The Kingdom of Love and the Pride of Life*. Grand Rapids: Wm. B. Eerdmans Pub. Co., 1960.

Clark, Gordon H. *Faith and Saving Faith*. Jefferson, Md.: Trinity Foundation, 1983.

———. *Johannine Logos*. Nutley, N.J.: Presbyterian and Reformed Pub. Co., 1972.

———. *Religion, Reason and Revelation*. Philadelphia: Presbyterian and Reformed Pub. Co., 1961.

Clowney, Edmund P. *Preaching and Biblical Theology*. Grand Rapids: Wm. B. Eerdmans Pub. Co., 1961, 1975. Reissued by Presbyterian and Reformed Pub. Co.

Copi, Irving M. *Introduction to Logic*. New York: Macmillan, 1961.

De Graaf, S. G. *Promise and Deliverance*. 4 vols. St. Catherines, Ont.: Paideia Press, 1977.

De Graaff, A., and C. Seerveld, eds. *Understanding the Scriptures*. Hamilton, Ont.: The Association for the Advancement of Christian Scholarship, 1968.

Delaney, C. F., ed. *Rationality and Religious Belief*. Notre Dame and London: University of Notre Dame Press, 1979.

Dooyeweerd, Herman. *In the Twilight of Western Thought*. Nutley, N.J.: Presbyterian and Reformed Pub. Co., 1968.

Downing, F. Gerald. *Has Christianity a Revelation?* London: SCM Press, 1964.

Ebeling, G. *The Nature of Faith*. Philadelphia: Fortress Press, 1961.

Farrer, Austin. *The Glass of Vision*. Westminster: Dacre Press, 1948.

Frame, John M. *The Amsterdam Philosophy: A Preliminary Critique*. Phillipsburg, N.J.: Harmony Press, 1972.

―――. "God and Biblical Language." In *God's Inerrant Word*. Edited by John W. Montgomery, 159–77. Minneapolis: Bethany Fellowship, 1974.

―――. "The Problem of Theological Paradox." In *Foundations of Christian Scholarship*. Edited by Gary North, 295–330. Vallecito, Calif.: Ross House, 1976. Also published as *Van Til the Theologian*. See below.

―――. "Rationality and Scripture." In *Rationality in the Calvinian Tradition*. Edited by Hendrick Hart, Johan Vander Hoeven, and Nicholas Wolterstorff, 1–15. Lanham, Md.: University Press of America, 1983.

―――. Review of Brian Armstrong's *Calvinism and the Amyraut Heresy* (Milwaukee, Wisc.: University of Wisconsin Press, 1969) in *WTJ* 34 (1972): 186–92.

―――. Review of David Kelsey's *The Uses of Scripture in Recent Theology* (Philadelphia: Fortress Press, 1975) in *WTJ* 39 (1977): 328–53.

―――. "The Spirit and the Scriptures." In *Hermeneutics, Authority, and Canon*. Edited by D. A. Carson and John Woodbridge, 213–35. Grand Rapids: Zondervan Publishing House, 1986.

―――. *Van Til the Theologian*. Phillipsburg, N.J.: Pilgrim Publishing, 1976.

Gaffin, Richard B. *Perspectives on Pentecost*. Phillipsburg, N.J.: Presbyterian and Reformed Pub. Co., 1979.

―――. *Resurrection and Redemption*, formerly *The Centrality of the Resurrection*. Grand Rapids: Baker Book House, 1978. Reissued by Presbyterian and Reformed Pub. Co., 1987.

Geehan, E. R., ed. *Jerusalem and Athens*. Nutley, N.J.: Presbyterian and Reformed Pub. Co., 1971.

Greidanus, Sidney. *Sola Scriptura*. Toronto: Wedge, 1970.

Hackett, Stuart. *The Reconstruction of the Christian Revelation Claim*. Grand Rapids: Baker Book House, 1984.

Halsey, James S. "A Preliminary Critique of 'Van Til: the Theologian'." *WTJ* 39 (1976): 120–36.

Hart, Hendrick, Johan Vander Hoeven, and Nicholas Wolterstorff, eds. *Rationality in the Calvinian Tradition*. Lanham, Md., and London: University Press of America, 1983.

Hempel, Carl. "The Empiricist Criterion of Meaning." In *Logical Positivism*. Edited by A. J. Ayer. Glencoe, Ill.: The Free Press, 1959.

Hick, John. *Philosophy of Religion*. Englewood Cliffs, N.J.: Prentice-Hall, 1963.

Hodge, Charles. *Systematic Theology*. Grand Rapids: Wm. B. Eerdmans Pub. Co., 1952.

Hordern, William. "The Nature of Revelation." In *The Living God*. Edited by M. Erickson, 177–95. Grand Rapids: Baker Publishing House, 1973.

Kelsey, David. *The Uses of Scripture in Recent Theology*. Philadelphia: Fortress Press, 1975.

Kline, Meredith G. *Images of the Spirit*. Grand Rapids: Baker Book House, 1980.

———. *Treaty of the Great King*. Grand Rapids: Wm. B. Eerdmans Pub. Co., 1963.

Klooster, Fred. *The Incomprehensibility of God in the Orthodox Presbyterian Conflict*. Franeker: T. Wever, 1951.

Kuhn, Thomas. *The Structure of Scientific Revolutions*. Chicago: University of Chicago Press, 1962. Second revised edition 1970.

Kuyper, Abraham. *Principles of Sacred Theology*. Grand Rapids: Wm. B. Eerdmans Pub. Co., 1965.

Lee, Francis Nigel. *A Christian Introduction to the History of Philosophy*. Nutley, N.J.: Craig Press, 1969.

Lewis, H. D. *Our Experience of God*. London: Allen and Unwin, 1959.

Lindbeck, George. *The Nature of Doctrine*. Philadelphia: Westminster Press, 1984.

McDowell, Josh. *Evidence That Demands a Verdict*. San Bernadino, Calif.: Here's Life Publishers, 1979.

———. *More Than a Carpenter*. Wheaton, Ill.: Tyndale House, 1977.

———. *The Resurrection Factor*. San Bernadino, Calif.: Here's Life Publishers, 1981.

Mavrodes, George. *Belief in God*. New York: Random House, 1970.

Miller, Randolph C. *Education for Christian Living*. Englewood Cliffs, N.J.: Prentice-Hall, 1956.

Montgomery, John W. *Faith Founded on Fact*. Nashville and New York: Thomas Nelson Publishers, 1978.

———. *Where Is History Going?* Grand Rapids: Zondervan Publishing House, 1969.

Morris, Charles W. *Foundation of the Theory of Signs*. Chicago: University of Chicago Press, 1938.

Murray, John. "The Attestation of Scripture." In *The Infallible Word*. Edited by Ned Stonehouse and Paul Woolley, 1–52. Grand Rapids: Wm. B. Eerdmans Pub. Co., 1946. Reissued by Presbyterian and Reformed Pub. Co.

———. *Collected Writings*. Edinburgh: Banner of Truth Trust, 1977.

————. *The Epistle to the Romans*. Grand Rapids: Wm. B. Eerdmans Pub. Co., 1960.

————. *Principles of Conduct*. Grand Rapids: Wm. B. Eerdmans Pub. Co., 1957.

Notaro, Thom. *Van Til and the Use of Evidence*. Phillipsburg, N.J.: Presbyterian and Reformed Pub. Co., 1980.

Partee, Charles. "Calvin, Calvinism and Rationality." In *Rationality in the Calvinian Tradition*. Edited by Hendrick Hart, Johan Vander Hoeven, and Nicholas Wolterstorff. Lanham, Md.: University Press of America, 1983.

Pinnock, Clark. *Reason Enough*. Downers Grove, Ill.: Inter-Varsity Press, 1980.

Plantinga, Alvin. *God and Other Minds*. Ithaca, N.Y., and London: Cornell University Press, 1967.

Plantinga, Alvin, and Nicholas Wolterstorff, eds. *Faith and Rationality: Reason and Belief in God*. Notre Dame and London: University of Notre Dame Press, 1983.

Poythress, Vern S. "A Biblical View of Mathematics." In *Foundations of Christian Scholarship*. Edited by Gary North, 159–88. Vallecito, Calif.: Ross House, 1976.

————. *Philosophy, Science and the Sovereignty of God*. Nutley, N.J.: Presbyterian and Reformed Pub. Co., 1976.

Pratt, Richard. "Pictures, Windows and Mirrors in Old Testament Exegesis." 45 (1983): 156–67.

Quine, W. V. "Two Dogmas of Empiricism." In *From a Logical Point of View*. Edited by W. V. Quine, 20–46. New York: Harper and Row, 1961.

Ramsey, Ian. *Religious Language*. New York: Macmillan, 1957.

Reymond, Robert. *The Justification of Knowledge*. Nutley, N.J.: Presbyterian and Reformed Pub. Co., 1976.

Ridderbos, Herman N. *The Coming of the Kingdom*. Philadelphia: Presbyterian and Reformed Pub. Co., 1973.

————. *Paul: An Outline of His Theology*. Grand Rapids: Wm. B. Eerdmans Pub. Co., 1975

Ryle, Gilbert. "Formal and Informal Logic." In Ryle, *Dilemmas*, 111–29. London: Cambridge University Press, 1954.

Schaeffer, Edith. *L'Abri*. Wheaton, Ill.: Tyndale House, 1969.

————. *The Tapestry*. Waco, Tex.: Word Books, 1981.

Schaeffer, Francis. *The God Who Is There*. Downers Grove, Ill.: Inter-Varsity Press, 1968.

Schleiermacher, F. *The Christian Faith*. Edinburgh: T. and T. Clark, 1928.

Schlossberg, Herbert. *Idols for Destruction*. Nashville: Thomas Nelson Publishers, 1983.

Spier, J. M. *An Introduction to Christian Philosophy*. Philadelphia: Presbyterian and Reformed Pub. Co., 1954.

Sproul, R. C., John H. Gerstner, and A. Lindsley. *Classical Apologetics*. Grand Rapids: Zondervan Publishing House, 1984.

Tillich, Paul. *Systematic Theology*. Chicago: University of Chicago Press, 1951.

Toulmin, Stephen. *The Uses of Argument*. London: Cambridge University Press, 1958.

Traina, Robert A. *Methodical Bible Study Methods*. Wilmore, Ky.: Asbury Theological Seminary, 1952.

Urmson, J. O. *Philosophical Analysis*. London: Oxford University Press, 1956.

Van Til, Cornelius. *Christian Theistic Evidences*. Unpublished syllabus, 1961.

———. *Common Grace*. Nutley, N.J.: Presbyterian and Reformed Pub. Co., 1972.

———. *Common Grace and the Gospel*. Nutley, N.J.: Presbyterian and Reformed Pub. Co., 1972.

———. *Defense of the Faith*. Philadelphia: Presbyterian and Reformed Pub. Co., 1955.

———. *Introduction to Systematic Theology*. Unpublished.

———. "Why I Believe in God." Philadelphia: Great Commission Publications, n.d.

Vander Stelt, John. *Philosophy and Scripture*. Marlton, N.J.: Mack Publishing Co., 1978.

Vos, Geerhardus. *Biblical Theology*. Grand Rapids: Wm. B. Eerdmans Pub. Co., 1959 and Edinburgh: Banner of Truth, 1975.

———. *The Pauline Eschatology*. Grand Rapids: Wm. B. Eerdmans Pub. Co., 1972. Reissued by Presbyterian and Reformed Pub. Co., 1986.

———. *Redemptive History and Biblical Interpretation*. Phillipsburg, N.J.: Presbyterian and Reformed Pub. Co., 1980.

Warfield, B. B. *The Plan of Salvation*. Grand Rapids: Wm. B. Eerdmans Pub. Co., 1942.

Wittgenstein, Ludwig. *Philosophical Investigations*. New York: Macmillan, 1958.

———. *Tractatus Logico-Philosophicus*. London: Routledge and Kegan Paul, 1961.

Wolterstorff, Nicholas. *Reason Within the Bounds of Religion*. Grand Rapids: Wm. B. Eerdmans Pub. Co., 1976.

Young, E. J. *Thy Word Is Truth*. Grand Rapids: Wm. B. Eerdmans Pub. Co., 1957.

ÍNDICE DE NOMBRES PROPIOS

ÍNDICE DE TEMAS

---

[1] *FR*: Alvin Plantinga y Nicholas Wolterstorf, *Fe y racionalidad: Razón y creencia en Dios*, (Notre Dame, Indiana: University of Notre Dame Press, 1984).

[2] *DCD*: John M. Frame, *La Doctrina del conocimiento de Dios*, (Phillipsburg, N.J.: P&R Publishing, 1987).

ÍNDICE DE REFERENCIAS BÍBLICAS

Made in the USA
Columbia, SC
01 October 2024

43437901R00280